U0242860

『十三五』国家重点出版物出版规划项目

中国中药资源大典

湖南卷

13

黄璐琦 / 总主编
张水寒　刘　浩 / 湖南卷主编
金　剑　王勇庆　刘　浩 / 主　编

北京科学技术出版社

图书在版编目（CIP）数据

中国中药资源大典. 湖南卷. 13 / 金剑, 王勇庆, 刘浩主编. -- 北京 : 北京科学技术出版社, 2024. 6.
ISBN 978-7-5714-3960-6

Ⅰ. R281.4

中国国家版本馆CIP数据核字第2024QY6332号

责任编辑：侍　伟　李兆弟　尤竞爽　王治华　吕　慧　庞璐璐　刘　雪
责任校对：贾　荣
图文制作：樊润琴
责任印制：李　茗
出 版 人：曾庆宇
出版发行：北京科学技术出版社
社　　址：北京西直门南大街16号
邮政编码：100035
电　　话：0086-10-66135495（总编室）　0086-10-66113227（发行部）
网　　址：www.bkydw.cn
印　　刷：北京博海升彩色印刷有限公司
开　　本：889 mm × 1 194 mm　1/16
字　　数：1 164千字
印　　张：52.5
版　　次：2024年6月第1版
印　　次：2024年6月第1次印刷
审 图 号：GS京（2023）1758号
ISBN 978-7-5714-3960-6

定　　价：490.00元

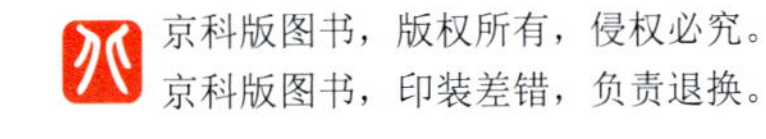

《中国中药资源大典·湖南卷》

编写委员会

嘉禾县中医医院

江华瑶族自治县民族中医医院

江永县中医院

津市市中医医院

靖州苗族侗族自治县中医医院

蓝山县中医医院

耒阳市中医医院

冷水江市中医医院

澧县中医医院

醴陵市中医院

涟源市中医医院

临澧县中医医院

临武县中医医院

临湘市中医医院

零陵区中医医院

浏阳市中医医院

龙山县中医院

隆回县中医医院

娄底市中医医院

泸溪县民族中医院

渌口区淦田镇中心卫生院

麻阳苗族自治县中医医院

汨罗市中医医院

南县中医医院

宁乡市中医医院

宁远县中医医院

平江县中医医院

祁东县中医医院

祁阳市中医医院

汝城县中医医院

桑植县民族中医院

邵东市中医医院

邵阳市中西医结合医院

邵阳市中医医院

邵阳县中医医院

韶山市人民医院

石门县中医医院

双峰县中医医院

双牌县中医医院

绥宁县中医医院

桃江县中医医院

桃源县中医医院

通道侗族自治县民族中医医院

望城区人民医院

武冈市中医医院

湘潭市中医医院

湘潭县中医医院

湘乡市中医医院

湘阴县中医医院

新化县中医医院

新晃侗族自治县中医医院

新宁县中医医院

新邵县中医医院

新田县中医医院

溆浦县中医医院

炎陵县中医医院

宜章县中医医院

益阳市中医医院

永顺县中医院

永兴县中医医院

永州市中医医院

攸县中医院

沅江市中医医院

沅陵县中医医院

岳阳市中医医院

岳阳县中医医院

云溪区中医医院

张家界市中医医院

芷江侗族自治县中医医院

资兴市中医医院

主编简介

>> 张水寒

二级研究员，博士研究生导师。享受国务院政府特殊津贴专家、享受湖南省政府特殊津贴专家、湖南省卫生健康高层次人才医学学科领军人才，入选国家“百千万人才工程”，并被授予“有突出贡献中青年专家”荣誉称号。主要从事中药资源、中药制剂及中药质量标准方面的研究。

近10年来，主持和参与“重大新药创制”、国家自然科学基金、“十二五”国家科技支撑计划等20余项课题。获得新药证书12项、药物临床批件22项、国家发明专利13项。发表学术论文200余篇，其中以第一作者和通讯作者发表SCI论文30余篇，编写专著7部。获得国家科学技术进步奖二等奖1项、省部级奖励5项。

2011年以来，担任湖南省第四次全国中药资源普查技术总负责人、湖南省中药资源动态监测省级中心主任，主持建立“技术分层、突出量化、严把质控”的中药资源普查组织管理与技术保障模式；开展重点品种研究示范，大力推动普查成果转化、应用。

主编简介

>> 刘　浩

副研究员。湖南省中医药研究院中药资源研究所中药资源与鉴定研究室主任。主要从事中药资源、中药鉴定与本草学研究。

历任湖南省中药资源普查工作领导小组办公室成员、专家委员会委员、专家委员会办公室副主任，负责湖南省第四次全国中药资源普查组织管理与技术保障工作的具体实施，采集、鉴定普查标本近10万号，参与建成湖南省中药资源数据库、药用植物标本馆，熟悉湖南省中药资源基本情况及道地药材传承与发展的情况，编制省级、县级中药材产业发展规划10余份。2014年起任湖南省中药资源动态监测省级中心秘书，参与建成“一个中心，三个监测站，百个监测点”的湖南省中药资源动态监测与技术服务体系。

《中国中药资源大典·湖南卷13》

编写委员会

主　　编　金　剑　王勇庆　刘　浩

副主编　谢珍妮　钟　灿　秦　优　谢　景　周融融　张才圣

编　　委　（按姓氏笔画排序）

万　丹（湖南省中医药研究院）

王勇庆（湖南省中医药研究院）

王紫菱（湖南中医药大学）

成　飞（湖南省中医药研究院）

刘　闯（湖南中医药大学）

刘　浩（湖南省中医药研究院）

刘晓柳（湖南中医药大学）

刘策元（湖南中医药大学）

沈冰冰（湖南省中医药研究院）

张才圣（湖南省中医药研究院附属医院）

张喆彦（湖南省中医药研究院）

陈　林（湖南省中医药研究院）

金　剑（湖南省中医药研究院）

周融融（湖南省中医药研究院附属医院）

郑明珠（湖南中医药大学）

胡薏冰（湖南省中医药研究院）

钟　灿（湖南省中医药研究院）

秦　优（湖南省中医药研究院）

袁榕凯（湖南省中医药研究院）

唐雪阳（湖南省中医药研究院）

谢　谊（湖南省中医药研究院）
谢　景（湖南省中医药研究院）
谢珍妮（湖南中医药大学）
蔡　萍（湖南省中医药研究院）
镇兰萍（湖南省中医药研究院）
潘　根（湖南省中医药研究院）

《中国中药资源大典·湖南卷 13》

编辑委员会

中药资源是中医药事业和产业发展的重要物质基础。随着中医药事业和产业蓬勃发展，社会各界对中药资源的需求量逐渐增加。为摸清中药资源家底，科学制定中药资源保护和产业发展政策措施，国家中医药管理局组织实施了第四次全国中药资源普查，对促进中药资源可持续利用、助力健康中国行动的实施和区域社会经济发展做出了重要贡献。

湖南地处云贵高原向江南丘陵、南岭山脉向江汉平原过渡的地带，属大陆性亚热带季风湿润气候区，独特的地理环境孕育了丰富的中药资源。锦绣潇湘，物华天宝，人杰地灵。湖南省作为首批6个中药资源普查试点省区之一，由湖南省中医药研究院作为技术牵头单位，组织全省技术人员队伍，出色地完成了湖南第四次中药资源普查工作任务。

张水寒和刘浩两位“伙计”基于湖南中药资源普查获得的第一手调查资料，系统整理分析、总结普查成果，牵头主编了《中国中药资源大典·湖南卷》。该书既有湖南自然社会概况、中药资源种类等总体情况介绍，又有湖南特色中药资源的历史源流与生产现状阐述，还对4 196种中药资源的基本情况进行详细介绍。该书可作为认识和了解湖南中药资源的工具书，具有重要的学术价值和应用价值。希望该书的出版，能助力湖南中药产业高质量发展，为中药资源的可持续发展、优化中药产业布局、促进学术交流和科学研究起到积极推动作用。

付梓之际，欣然为序。

中国工程院院士
中国中医科学院院长
第四次全国中药资源普查技术指导专家组组长

2024年4月

前言

湖南地处云贵高原向江南丘陵过渡、南岭山脉向江汉平原过渡的中亚热带，位于东经108° 47′ ~ 114° 15′、北纬24° 38′ ~ 30° 08′。东以幕阜、武功诸山系与江西交界，西以云贵高原东缘连贵州，西北以武陵山脉毗邻重庆，南枕南岭与广东、广西相邻，北以滨湖平原与湖北接壤，形成了东、南、西三面环山，中部丘岗起伏，北部湖盆平原展开的马蹄形地形。湖南有半高山、低山、丘陵、岗地和平原等多种地貌类型，其中山地面积占全省总面积的51.22％。湖南位于长江以南的东亚季风区，加之离海洋较远，形成了气候温暖、四季分明、热量充足、雨水集中、春温多变、夏秋多旱、严寒期短、暑热期长、雨热同期的亚热带季风湿润气候。湖南为华东、华中、华南、滇黔桂4个植物区系的过渡地带，其境内植物具有较明显的东西、南北过渡性。地带性植被为常绿阔叶林，地带性土壤为红壤。湖南亚热带季风的大气候与复杂地势地貌的小环境，共同孕育了丰富的中药资源。

湖南历史文化悠久，是华夏文明的重要发祥地之一。道县玉蟾岩遗址出土了世界上现存最早的人工栽培稻标本，距今1.2万年。澧县城头山古文化遗址被称为“中国最早的城市”，距今约6 000年。宋代罗泌《路史》载炎帝“崩，葬长沙茶乡之尾……唐世尝奉祀焉”。《古今图书集成·衡州府古迹考》载：“炎帝神农氏陵，在酃之康乐乡。”“康乐乡”即今株洲市炎陵县鹿原镇。长沙马王堆汉墓出土的16部医书涉及方剂学、脉学、经络学等多门学科，代表了我国先秦时期的医药成就，其中《五十二病方》是我国现存最早的方书。

湖南中药资源的研究与应用历史悠久。马王堆汉墓出土的药材有桂皮、花椒、干姜、藁本、佩兰、辛夷、牡蛎、朱砂等，出土医书中的中药名共406个。《新唐书·地理志》载："岳州巴陵郡贡鳖甲，潭州长沙郡贡木瓜，永州零陵郡贡零陵香、石蜜、石燕，道州江华郡贡零陵香、犀角，辰州泸溪郡贡光明砂、犀角、水银、黄连、黄牙……锦州卢阳郡贡光明丹砂、犀角、水银。"唐代柳宗元《捕蛇者说》云："永州之野产异蛇，黑质而白章。"此即常用中药蕲蛇。宋代苏颂等编撰的《本草图经》，实际上是继《新修本草》后本草史上第二次全国药物普查的成果，集中反映了宋代实际的药物出产与使用情况，该书收载了当时湖南境内8州的28幅药图，包括辰州丹砂、道州石钟乳、道州滑石、道州石南、永州石燕、衡州菖蒲、衡州玄参、衡州栝楼、衡州地榆、衡州百部、衡州马鞭草、衡州五加皮、衡州乌药、澧州莎草、邵州苦参、邵州天麻、邵州乌头、鼎州茅根、鼎州连翘、鼎州地芙蓉、鼎州水麻、岳州假苏、岳州薄荷等。清代吴其濬所著《植物名实图考》收载的湖南药用植物达267种。明清之际，湖南各府县广泛修著地方志，并在"物产"中记载本地所产药材，如清道光《宝庆府志》（1849）与光绪《邵阳县志》（1876）均记载："百合，邵阳出者特大而肥美。"清末《邵阳县乡土志》（1907）载："玉竹参一名葳蕤，又名女萎，近谷皮洞多产此。"并载邵阳常见中药材尚有黄精、香附子、金樱子、栀子、金银花、桑白皮、厚朴、丹皮、天花粉、天南星、何首乌、前胡、桔梗、牛膝、五倍子、络石藤、吴茱萸、木通、车前草、香薷、木鳖子等。

中华人民共和国成立以来，党和政府高度重视中医药的传承与发展。湖南先后开展了4次全省范围的中药资源调查工作，掌握了全省中药资源的种类、分布、产量与民间药用情况的本底资料。20世纪50年代末，湖南开展了"群众性的中医采风运动"，全省献方达数十万个，湖南中医药研究所（1957年创办，1962年更名为湖南省中医药研究所，1984年更名为湖南省中医药研究院）组织专家对献方进行了研究，为各地挖掘使用中药资源奠定了坚实的基础。20世纪60—70年代，湖南开始兴起中草药群众运动。为了更好地开展中草药群众运动，湖南省中医药研究所对基层医疗工作者、赤脚医生、老药农、老草医与地方卫生局、药品检验所、医药公司提供的大量标本和资料进行了整理与鉴定，系统地梳理了这一时期湖南中药资源的种类和应用情况。1962年，湖南省中医药研究所出版了《湖南药物志（第一辑）》，该书收载药用植物417种。1972年，《湖南药物志（第二辑）》出版，收载药用植物406种。1979年，《湖南药物志（第三辑）》出版，收载药用植物341种。20世纪80年代，湖南第三次中药资源普查正式开始，此次普查共采集植物、动物、矿物标本298 785份，拍摄照片13 457张，调查到全省中药资源种类2 384种，其中植物药2 077种，动物药256种，矿物药51种；全国重点调查的363种药材中，湖南产241种；测算全省植物药蕴藏量107.8万t，动物药蕴藏量1 306 t，矿物药蕴藏量1 147万t；共收集单验方25 355个，经各地（州、市）筛选汇编的有8 000多个，经名老中医严格审查选用的有2 400余个，这2 400余个单验方编成了《湖南省中草药民间单验方选编》。

2011年，第四次全国中药资源普查试点工作启动。湖南作为首批6个试点省区之一率先启动普查工作，历时11年，先后分6批，进行了全省122个县级行政区域的中药资源普查工作。湖南本次普查共调查代表区域550个，代表区域总面积149 101.03 km^2；调查样地4 598个，样方套22 904个；采集腊叶标本116 443号、药材样品10 204份、种质资源5 913份；调查传统知识1 252份；拍摄照片1 519 340张；计算蕴藏量的种类584种；调查栽培品种160种、市场流通中药材479种；调查数据约210万条。本次普查全面掌握了湖南中药资源种类与分布、重点品种的资源量、中药材市场流通等信息，为湖南中医药事业、产业发展提供了科学依据。

湖南第四次中药资源普查为适应时代发展需求，创新应用了大量现代技术，提高了工作效率，保障了数据的完整性、一致性、准确性和实用性。通过引入空间信息技术与分层抽样方法设置的调查区域与样地更具代表性，从而使资源蕴藏量的估算更加科学。野外调查中应用GPS、数码相机、信息采集软件等获取经度、纬度、海拔等信息化数据，搭建了信息化工作平台。湖南在约210万条数据的基础上建成了湖南省中药资源数据库，实现了全省中药资源数据的长久保存、可视查询、成果转化和共享服务。本书中的基原图片、资源分布等内容充分利用了数据库的查询、统计功能，湖南省最新中药资源区划也利用了普查数据，全省被划分为湘西北武陵山中药资源区、湘西南雪峰山中药资源区、湘南南岭北部中药资源区、湘中湘东丘陵中药资源区、洞庭湖及环湖丘岗中药资源区5个中药资源分区。

编著一套图文并茂、系统全面反映湖南中药资源家底的著作是普查工作的重要组成部分。2021年，湖南第四次中药资源普查进入收尾阶段，我们组织专家对《中国中药资源大典·湖南卷》的编写体例、资源名录、图片整理及分工安排进行了多轮讨论，最后形成了编写工作方案。野外工作得到的一手数据，是我们编著本书的关键素材，书中的图片来源于野外拍摄，分布信息来源于凭证标本的采集地点，资源蕴藏量信息来源于实际调查，因此，本书充分体现了湖南第四次中药资源普查的全方位成果。

第四次全国中药资源普查技术指导专家组组长黄璐琦院士多次带领普查专家组莅临湖南指导普查工作。湖南省委、省政府高度重视中药资源普查工作；湖南省中医药管理局作为普查组织实施单位，构建了符合湖南实际情况的普查组织模式；湖南省中医药研究院作为技术牵头单位，组织成立了专家委员会，指导全省普查工作。在各方的共同努力下，湖南顺利完成了第四次中药资源普查工作。我们向支持普查工作的社会各界表示由衷的感谢，向奋战在普查一线的“伙计们”致以诚挚的敬意！

普查的大量数据是我们编著本书的优势，同时也为整理图片、撰写文稿带来了巨大的挑战，加之编者学术水平有限，书中难免存在资料取舍失当及错漏之处，敬请有关专家、学者批评指正。

编　者

2024年4月

（1）本书共14册，分为上、中、下篇。上篇综述了湖南自然社会概况、中药资源调查历史、第四次中药资源普查情况、中药资源分布；中篇论述了34种湖南道地、大宗中药资源；下篇共收录中药资源4 196种，其中药用菌类资源36种、药用植物资源3 799种、药用动物资源315种、药用矿物资源46种。另外，附录中收录药用资源305种。

（2）分类系统。菌类参考Index Fungorum最新的分类学研究成果。蕨类植物采用秦仁昌分类系统（1978）。裸子植物采用郑万钧分类系统（1978）。被子植物采用恩格勒系统（1964）。

（3）本书下篇主要介绍各中药资源，以中药资源名为条目名，下设药材名、形态特征、生境分布、资源情况、采收加工、药材性状、功能主治、用法用量及附注等，其中采收加工、药材性状、用法用量为非必要项，资料不详者项目从略。各项目编写原则简述如下。

1）条目名。该项记述中药资源物种及其科属的中文名、拉丁学名。其中蕨类植物、裸子植物、被子植物的名称主要参考《中国植物志》，藻类、动物、矿物的名称主要参考《中华本草》。

2）药材名。该项记述中药资源的药材名、药用部位与药材别名。凡《中华人民共和国药典》等法定标准收载者，原则上采用法定药材名；法定标准未收载者，主要参考《中华本草》《全国中草药名鉴》《中国中药资源志要》。药材别名记载湖南各地乡村中医、草医及民间习惯用名。

3）形态特征。该项简要描述中药资源的形态特征，突出鉴别特征。主要参考《中国植物志》，并结合普查实际所获取的信息进行描述。

4）生境分布。该项记述中药资源在湖南的生存环境与分布区域。生存环境主要源于凭证标本的生境，并参考相关志书的描述。分布区域源于凭证标本的采集地，以“地市级行政区划（县级行政区划）”的形式进行描述。在湖南五大中药资源分区中皆有分布且凭证标本超过20号者，记述为“湖南各地均有分布”。

5）资源情况。该项记述中药资源的蕴藏量情况，用丰富、较丰富、一般、较少、稀少来表示；并用“野生”或“栽培”记述药材的主要来源。

6）采收加工。该项记述药材的采收时间与加工方法。

7）药材性状。该项主要记述药材的性状特征、品质评价等内容。

8）功能主治。该项记述药材的性味、毒性、归经、功能和主治。

9）附注。该项记述中药资源最新的分类学地位与接受名的变动情况；记述《中华人民共和国药典》与地方标准收载的物种学名；描述物种的濒危等级、其他医药相关用途，以及本草、地方志书中的资源方面的记载情况等。

（4）附录。以名录形式收载中篇、下篇没有收载的湖南分布的中药资源。

目录 Contents

被子植物 [13] 1
百部科 [13] 2
黄精叶钩吻 [13] 2
对叶百部 [13] 4
石蒜科 [13] 6
龙舌兰 [13] 6
文殊兰 [13] 8
大叶仙茅 [13] 10
仙茅 [13] 12
朱顶红 [13] 14
花朱顶红 [13] 16
水鬼蕉 [13] 18
小金梅草 [13] 20
忽地笑 [13] 22
中国石蒜 [13] 24
石蒜 [13] 26
换锦花 [13] 28
水仙 [13] 30
葱莲 [13] 32
韭莲 [13] 34
薯蓣科 [13] 36
裂果薯 [13] 36
箭根薯 [13] 38
参薯 [13] 40
黄独 [13] 42
薯莨 [13] 46
叉蕊薯蓣 [13] 48
粉背薯蓣 [13] 50
福州薯蓣 [13] 52
纤细薯蓣 [13] 54
粘山药 [13] 56
日本薯蓣 [13] 58
毛芋头薯蓣 [13] 60
穿龙薯蓣 [13] 62
薯蓣 [13] 64
黄山药 [13] 68
五叶薯蓣 [13] 70
褐苞薯蓣 [13] 72
绵萆薢 [13] 74
毛胶薯蓣 [13] 76
细柄薯蓣 [13] 78
山萆薢 [13] 80
盾叶薯蓣 [13] 82
雨久花科 [13] 84
凤眼蓝 [13] 84
雨久花 [13] 86
鸭舌草 [13] 88
鸢尾科 [13] 90
射干 [13] 90
雄黄兰 [13] 92
番红花 [13] 94
红葱 [13] 96

唐菖蒲 [13] 98
扁竹兰 [13] 100
蝴蝶花 [13] 102
白蝴蝶花 [13] 104
小鸢尾 [13] 106
黄菖蒲 [13] 108
小花鸢尾 [13] 110
鸢尾 [13] 112
灯心草科 [13] 114
翅茎灯心草 [13] 114
小灯心草 [13] 116
灯心草 [13] 118
笄石菖 [13] 120
野灯心草 [13] 122
鸭跖草科 [13] 124
饭包草 [13] 124
鸭跖草 [13] 126
竹节菜 [13] 128
大苞鸭跖草 [13] 130
聚花草 [13] 132
疣草 [13] 134
牛轭草 [13] 136
裸花水竹叶 [13] 138
水竹叶 [13] 140
杜若 [13] 142
川杜若 [13] 144
竹叶吉祥草 [13] 146
竹叶子 [13] 148
白花紫露草 [13] 150
紫露草 [13] 152
吊竹梅 [13] 154
谷精草科 [13] 156
云南谷精草 [13] 156
谷精草 [13] 158
白药谷精草 [13] 160
长苞谷精草 [13] 162
华南谷精草 [13] 164
禾本科 [13] 166
剪股颖 [13] 166
看麦娘 [13] 168
日本看麦娘 [13] 170
水蔗草 [13] 172
荩草 [13] 174
野古草 [13] 176
毛秆野古草 [13] 178
芦竹 [13] 180
野燕麦 [13] 182
粉单竹 [13] 184
慈竹 [13] 186
孝顺竹 [13] 188
凤尾竹 [13] 190
菵草 [13] 192
臭根子草 [13] 194
毛臂形草 [13] 196
雀麦 [13] 198
疏花雀麦 [13] 200
拂子茅 [13] 202
细柄草 [13] 204
虎尾草 [13] 206
薏米 [13] 208
薏苡 [13] 210
橘草 [13] 212
狗牙根 [13] 214
麻竹 [13] 216
升马唐 [13] 218
十字马唐 [13] 220
马唐 [13] 222
紫马唐 [13] 224
长芒稗 [13] 226
稗 [13] 228
无芒稗 [13] 230
西来稗 [13] 232

穇子 [13] 234
牛筋草 [13] 236
大画眉草 [13] 238
知风草 [13] 240
乱草 [13] 242
小画眉草 [13] 244
画眉草 [13] 246
假俭草 [13] 248
野黍 [13] 250
箭竹 [13] 252
扁穗牛鞭草 [13] 254
黄茅 [13] 256
白茅 [13] 258
阔叶箬竹 [13] 260
箬叶竹 [13] 262
箬竹 [13] 264
柳叶箬 [13] 266
假稻 [13] 268
秕壳草 [13] 270
千金子 [13] 272
黑麦草 [13] 274
淡竹叶 [13] 276
五节芒 [13] 278
荻 [13] 280
芒 [13] 282
类芦 [13] 286
求米草 [13] 288
稻 [13] 290
籼稻 [13] 292
粳稻 [13] 294
双穗雀稗 [13] 296
雀稗 [13] 298
狼尾草 [13] 300
象草 [13] 302
显子草 [13] 304
虉草 [13] 306
芦苇 [13] 308
桂竹 [13] 310
淡竹 [13] 312
水竹 [13] 314
毛竹 [13] 316
紫竹 [13] 318
毛金竹 [13] 320
斑竹 [13] 322
刚竹 [13] 324
早竹 [13] 326
苦竹 [13] 328
早熟禾 [13] 330
草地早熟禾 [13] 332
硬质早熟禾 [13] 334
金丝草 [13] 336
金发草 [13] 338
棒头草 [13] 340
鹅观草 [13] 342
筒轴茅 [13] 344
斑茅 [13] 346
甘蔗 [13] 348
甜根子草 [13] 350
囊颖草 [13] 352
大狗尾草 [13] 354
金色狗尾草 [13] 356
棕叶狗尾草 [13] 358
皱叶狗尾草 [13] 360
狗尾草 [13] 362
高粱 [13] 364
拟高粱 [13] 366
油芒 [13] 368
大油芒 [13] 370
鼠尾粟 [13] 372
黄背草 [13] 374
菅 [13] 376
粽叶芦 [13] 378

普通小麦 [13] 380
玉蜀黍 [13] 382
菰 [13] 384
棕榈科 [13] 386
散尾葵 [13] 386
蒲葵 [13] 388
棕榈 [13] 390
天南星科 [13] 394
菖蒲 [13] 394
金钱蒲 [13] 398
石菖蒲 [13] 400
广东万年青 [13] 404
尖尾芋 [13] 406
海芋 [13] 408
南蛇棒 [13] 410
磨芋 [13] 412
疏毛磨芋 [13] 414
滇磨芋 [13] 418
雷公连 [13] 420
刺柄南星 [13] 422
云台南星 [13] 424
一把伞南星 [13] 426
象头花 [13] 428
天南星 [13] 430
湘南星 [13] 432
花南星 [13] 434
灯台莲 [13] 436
瑶山南星 [13] 440
野芋 [13] 442
芋 [13] 444
大野芋 [13] 448
滴水珠 [13] 450
虎掌 [13] 452
半夏 [13] 454
大薸 [13] 458
石柑子 [13] 460
犁头尖 [13] 462
独角莲 [13] 464
浮萍科 [13] 466
浮萍 [13] 466
紫萍 [13] 468
黑三棱科 [13] 470
黑三棱 [13] 470
香蒲科 [13] 472
长苞香蒲 [13] 472
水烛香蒲 [13] 474
香蒲 [13] 476
莎草科 [13] 478
球柱草 [13] 478
丝叶球柱草 [13] 480
浆果薹草 [13] 482
青绿薹草 [13] 486
褐果薹草 [13] 488
中华薹草 [13] 490
十字薹草 [13] 492
穹隆薹草 [13] 494
舌叶薹草 [13] 496
套鞘薹草 [13] 498
条穗薹草 [13] 500
镜子薹草 [13] 502
大理薹草 [13] 504
花亭薹草 [13] 506
硬果薹草 [13] 508
宽叶薹草 [13] 510
三穗薹草 [13] 512
阿穆尔莎草 [13] 514
扁穗莎草 [13] 516
长尖莎草 [13] 518
异型莎草 [13] 520
畦畔莎草 [13] 522
碎米莎草 [13] 524
具芒碎米莎草 [13] 526

毛轴莎草 [13] 528
莎草 [13] 530
丛毛羊胡子草 [13] 534
复序飘拂草 [13] 536
两歧飘拂草 [13] 538
水虱草 [13] 540
黑莎草 [13] 542
荸荠 [13] 544
龙师草 [13] 546
牛毛毡 [13] 548
水莎草 [13] 550
短叶水蜈蚣 [13] 552
单穗水蜈蚣 [13] 556
湖瓜草 [13] 558
砖子苗 [13] 560
球穗扁莎 [13] 562
红鳞扁莎 [13] 564
刺子莞 [13] 566
萤蔺 [13] 568
水毛花 [13] 570
水葱 [13] 572
庐山藨草 [13] 574
百球藨草 [13] 576
藨草 [13] 578
猪毛草 [13] 580
荆三棱 [13] 582
毛果珍珠茅 [13] 584
黑鳞珍珠茅 [13] 586

芭蕉科 [13] 588

芭蕉 [13] 588

姜科 [13] 592

华山姜 [13] 592
山姜 [13] 594
艳山姜 [13] 596
三叶豆蔻 [13] 598
闭鞘姜 [13] 600
郁金 [13] 602
姜黄 [13] 604
莪术 [13] 606
舞花姜 [13] 608
姜花 [13] 610
黄姜花 [13] 612
蘘荷 [13] 614
姜 [13] 616
阳荷 [13] 618

美人蕉科 [13] 620

蕉芋 [13] 620
柔瓣美人蕉 [13] 622
大花美人蕉 [13] 624
美人蕉 [13] 626
黄花美人蕉 [13] 628
紫叶美人蕉 [13] 630

竹芋科 [13] 632

竹芋 [13] 632

兰科 [13] 634

无柱兰 [13] 634
艳丽齿唇兰 [13] 636
金线兰 [13] 638
竹叶兰 [13] 640
小白及 [13] 642
黄花白及 [13] 644
白及 [13] 648
梳帽卷瓣兰 [13] 652
广东石豆兰 [13] 654
斑唇卷瓣兰 [13] 656
泽泻虾脊兰 [13] 658
肾唇虾脊兰 [13] 660
剑叶虾脊兰 [13] 662
虾脊兰 [13] 664
钩距虾脊兰 [13] 666
细花虾脊兰 [13] 668
反瓣虾脊兰 [13] 670

三棱虾脊兰 [13] 672
三褶虾脊兰 [13] 674
银兰 [13] 676
金兰 [13] 678
独花兰 [13] 680
大序隔距兰 [13] 682
流苏贝母兰 [13] 684
杜鹃兰 [13] 686
建兰 [13] 688
蕙兰 [13] 690
多花兰 [13] 694
春兰 [13] 696
寒兰 [13] 698
兔耳兰 [13] 702
墨兰 [13] 704
绿花杓兰 [13] 706
扇脉杓兰 [13] 708
串珠石斛 [13] 710
重唇石斛 [13] 712
罗河石斛 [13] 714
细茎石斛 [13] 716
金钗石斛 [13] 718
铁皮石斛 [13] 720
单叶厚唇兰 [13] 722
火烧兰 [13] 724
毛萼山珊瑚 [13] 726
天麻 [13] 728
多叶斑叶兰 [13] 732
小斑叶兰 [13] 734
斑叶兰 [13] 736
毛葶玉凤花 [13] 738
长距玉凤花 [13] 740
鹅毛玉凤花 [13] 742
裂瓣玉凤花 [13] 744
橙黄玉凤花 [13] 746
叉唇角盘兰 [13] 748
镰翅羊耳蒜 [13] 750
二褶羊耳蒜 [13] 752
小羊耳蒜 [13] 754
羊耳蒜 [13] 756
见血青 [13] 760
香花羊耳蒜 [13] 762
长唇羊耳蒜 [13] 764
大花对叶兰 [13] 766
小沼兰 [13] 768
长叶山兰 [13] 770
狭穗阔蕊兰 [13] 772
阔蕊兰 [13] 774
黄花鹤顶兰 [13] 776
鹤顶兰 [13] 780
细叶石仙桃 [13] 782
石仙桃 [13] 784
云南石仙桃 [13] 786
密花舌唇兰 [13] 788
舌唇兰 [13] 790
尾瓣舌唇兰 [13] 794
小舌唇兰 [13] 796
独蒜兰 [13] 798
朱兰 [13] 802
苞舌兰 [13] 804
绶草 [13] 806
小叶白点兰 [13] 808
小花蜻蜓兰 [13] 810

被子植物

百部科 Stemonaceae 黄精叶钩吻属 *Croomia*

黄精叶钩吻 *Croomia japonica* Miq.

| 药 材 名 | 金刚大（药用部位：根及根茎）。

| 形态特征 | 多年生草本。根茎匍匐，节多而密，每个节上具短的茎残留物；根肉质，直径约 2 mm。茎通常单一，直立，不分枝，高 14 ~ 45 cm，具纵槽，基部具 4 ~ 5 膜质鞘。叶通常 3 ~ 5，互生于茎上部，柄长 5 ~ 15 mm，紫红色；叶片卵形或卵状长圆形，长 5 ~ 11 cm，宽 3.5 ~ 8 cm，先端急尖或短尖，基部微心形，并稍向叶柄下延，边缘稍粗糙，主脉 7 ~ 9。花小，单花或 2 ~ 4 花排成总状花序；总花梗丝状，下垂，长 1.5 ~ 2 cm；花梗长 8 ~ 15 mm；苞片丝状，长约 3 mm，具一偏向一侧的脉；花被片黄绿色，成“十”字形展开，宽卵形至卵状长圆形，大小近相等或内轮长于外轮，长 1.5 ~

3.5 mm 或更长，宽 2.5 ~ 3 mm，边缘反卷，具小乳突，在果时宿存；雄蕊 4，花丝粗短，具微乳突，花药长圆状拱形；子房具数胚珠，柱头小，头状，无柄。蒴果稍扁，成熟时 2 裂。

| 生境分布 | 生于海拔 830 ~ 1 200 m 的山谷杂木林下。分布于湖南邵阳（新宁、城步）等。

| 资源情况 | 野生资源稀少。药材来源于野生。

| 采收加工 | 夏季采挖，洗净，晒干或鲜用。

| 功能主治 | 辛，微凉；有毒。清散内热，解蛇毒。用于咽喉肿痛，银环蛇咬伤，跌打损伤。

| 用法用量 | 内服煎汤，1.5 ~ 2.4 g，嚼或磨碎，开水冲。外用适量，鲜品捣敷。

百部科 Stemonaceae 百部属 *Stemona*

对叶百部 *Stemona tuberosa* Lour.

| 药 材 名 | 百部（药用部位：块根。别名：山百部）。

| 形态特征 | 多年生草本。块根通常纺锤状，长达 30 cm。茎攀缘状，下部木质化，常具少数分枝，分枝表面具纵槽。叶对生或轮生，稀兼有互生，卵状披针形、卵形或宽卵形，长 6 ~ 24 cm，宽（2 ~ ）5 ~ 17 cm，先端渐尖至短尖，基部心形，边缘稍波状，纸质或薄革质；叶柄长 3 ~ 10 cm。花单生或 2 ~ 3 花排列成总状花序，生于叶腋，稀贴生于叶柄；花梗或花序梗长 2.5 ~ 5（ ~ 12） cm；苞片小，披针形，长 5 ~ 10 mm；花被片黄绿色，带紫色脉纹，长 3.5 ~ 7.5 cm，宽 7 ~ 10 mm，先端渐尖，内轮花被片较外轮花被片稍宽，具 7 ~ 10 脉；雄蕊紫红色，较花被短或与花被近等长，花丝粗短，长约

5 mm，花药长 1.4 cm，先端具短钻状附属物，药隔肥厚，向上延伸为长钻状或披针形附属物；子房小，卵形，花柱近无。蒴果光滑；种子多数。花期 4 ~ 7 月，果期（5 ~ ）7 ~ 8 月。

| 生境分布 | 生于山坡、路旁、溪边、林缘灌丛或草丛中。湖南有广泛分布。

| 资源情况 | 野生资源较丰富。药材来源于野生。

| 采收加工 | 春、秋季采挖，除去须根，洗净，置沸水中略烫或蒸透，晒干。

| 药材性状 | 本品较粗大，长 10 ~ 26 cm，直径 1 ~ 2 cm。表面淡灰黄色，纵皱纹较浅。质较坚实。

| 功能主治 | 甘、苦，微温。润肺止咳，杀虫灭虱。用于寒热咳嗽，肺痨咳嗽，顿咳，老年咳喘，咳嗽痰喘，蛔虫病，蛲虫病；外用于疥癣，湿疹，虱病。

| 用法用量 | 内服煎汤，3 ~ 9 g。外用适量，煎汤；或浸酒。

石蒜科 Amaryllidaceae 龙舌兰属 *Agave*

龙舌兰 *Agave americana* L.

| 药 材 名 |

龙舌兰（药用部位：叶。别名：剑兰）。

| 形态特征 |

多年生草本。叶呈莲座式排列，通常 30 ~ 40，有时 50 ~ 60，大型，肉质，倒披针状线形，长 1 ~ 2 m，中部宽 15 ~ 20 cm，基部宽 10 ~ 12 cm，叶缘具疏刺，先端具 1 硬尖刺，刺暗褐色，长 1.5 ~ 2.5 cm。圆锥花序大型，长 6 ~ 12 m，多分枝；花黄绿色；花被管长约 1.2 cm，花被裂片长 2.5 ~ 3 cm；雄蕊长约为花被的 2 倍。蒴果长圆形，长约 5 cm。花开后花序上生成少数珠芽。

| 生境分布 |

栽培于疏松肥沃、湿润的砂壤土中。分布于湖南株洲（渌口）、衡阳（衡东、常宁）、怀化（通道）等。

| 资源情况 |

栽培资源较少。药材来源于栽培。

| 采收加工 |

全年均可采摘，洗净，鲜用或沸水烫后晒干。

| 药材性状 | 本品皱缩卷曲，展平后完整者呈匙状披针形，长 30 ~ 65 cm，宽 1.7 ~ 6.2 cm，两面黄绿色或暗绿色，具密集的纵直纹理和折断痕，有的断痕处可见黄棕色颗粒物，先端尖刺状，基部渐窄，两侧边缘呈浅波状，突起处具棕色硬刺。质坚韧，不易折断。气微臭，味酸、涩。

| 功能主治 | 酸、涩，温、平。止血消炎，抑制霉菌。用于崩漏，盆腔炎，疥癣。

| 用法用量 | 内服煎汤，10 ~ 15 g。外用适量，捣敷。

| 附　　注 | 目前龙舌兰 *Agave americana* L. 与金边龙舌兰 *Agave americana* L. var. *variegata* Nichols. 已经合并为龙舌兰 *Agave americana* L.。

石蒜科 Amaryllidaceae 文殊兰属 *Crinum*

文殊兰 *Crinum asiaticum* L. var. *sinicum* (Roxb. ex Herb.) Baker

| 药 材 名 | 文殊兰（药用部位：叶、鳞茎。别名：罗裙带）、文殊兰果（药用部位：果实）。

| 形态特征 | 多年生粗壮草本。鳞茎长柱形。叶 20 ～ 30，多列，带状披针形，长可达 1 m，宽 7 ～ 12 cm 或更宽，先端渐尖，具 1 急尖头，边缘波状，暗绿色。花葶直立，与叶近等长；伞形花序具 10 ～ 24 花；佛焰苞状总苞片披针形，长 6 ～ 10 cm，膜质；小苞片狭线形，长 3 ～ 7 cm；花梗长 0.5 ～ 2.5 cm；花高脚碟状，芳香；花被管纤细，伸直，长 10 cm，直径 1.5 ～ 2 mm，绿白色，花被裂片线形，长 4.5 ～ 9 cm，宽 6 ～ 9 mm，向先端渐狭，白色；雄蕊淡红色，花丝长 4 ～ 5 cm，花药线形，先端渐尖，长 1.5 cm 或更长；子房纺锤形，

长不及 2 cm。蒴果近球形，直径 3 ～ 5 cm；种子通常 1。花期夏季。

| 生境分布 | 栽培种。湖南各地均有分布。

| 资源情况 | 栽培资源一般。药材来源于栽培。

| 采收加工 | **文殊兰：** 全年均可采收，鲜用或洗净后晒干。

文殊兰果： 11 ～ 12 月果实成熟时采收，鲜用。

| 药材性状 | **文殊兰：** 本品鳞茎长柱形。叶 20 ～ 30，多列，带状披针形，长可达 1 m，宽 7 ～ 12 cm 或更宽，先端渐尖，边缘波状。

文殊兰果： 本品近球形，直径 3 ～ 5 cm。

| 功能主治 | **文殊兰：** 辛，凉；有小毒。行血散瘀，消肿止痛。用于咽喉肿痛，跌打损伤，痈疖肿毒，蛇咬伤。

文殊兰果： 外用于扭筋肿痛。

| 用法用量 | **文殊兰：** 外用适量，鲜品捣敷。

文殊兰果： 外用适量，鲜品捣敷。

石蒜科 Amaryllidaceae 仙茅属 *Curculigo*

大叶仙茅 *Curculigo capitulata* (Lour.) O. Kuntze

药材名

大叶仙茅（药用部位：根茎。别名：大地棕）。

形态特征

多年生粗壮草本，高超过 1 m。根茎粗厚，块状，具细长的走茎。叶通常 4 ~ 7，长圆状披针形或近长圆形，长 40 ~ 90 cm，宽 5 ~ 14 cm，纸质，全缘，先端长渐尖，具折扇状脉，背面脉上被短柔毛或无毛；叶柄长 30 ~ 80 cm，上面具槽，侧、背面均密被短柔毛。花葶通常较叶短，长（10 ~）15 ~ 30 cm，被褐色长柔毛；总状花序强烈缩短成头状，球形或近卵形，俯垂，长 2.5 ~ 5 cm，具多数排列密集的花；苞片卵状披针形至披针形，长 1.5 ~ 2.5 cm，被毛；花黄色；花梗长约 7 mm；花被裂片卵状长圆形，长约 8 mm，宽 3.5 ~ 4 mm，先端钝，外轮花被裂片背面被毛，内轮花被裂片背面中脉或中脉基部被毛；雄蕊长约为花被裂片的 2/3，花丝很短，长不及 1 mm，花药线形，长约 5 mm；花柱较雄蕊长，纤细，柱头近头状，具极浅的 3 裂，子房长圆形或近球形，被毛。浆果近球形，白色，直径 4 ~ 5 mm，无喙；种子黑色，表面具不规则的纵凸纹。花期 5 ~ 6 月，果期 8 ~ 9 月。

| 生境分布 | 生于海拔 850 ～ 2 000 m 的林下及沟边阴湿处。分布于湖南永州（江华）等。

| 资源情况 | 野生资源稀少。药材来源于野生。

| 采收加工 | 全年均可采挖，洗净，晒干或鲜用。

| 药材性状 | 本品粗厚，块状，部分细长。

| 功能主治 | 苦、涩，平。润肺化痰，止咳平喘，收敛镇静，健脾利湿，补肾固精。用于肾虚喘咳，腰膝酸痛，带下，遗精。

| 用法用量 | 内服煎汤，25 ～ 50 g。

石蒜科 Amaryllidaceae 仙茅属 *Curculigo*

仙茅 *Curculigo orchioides* Gaertn.

药材名 仙茅（药用部位：根茎。别名：独脚丝茅）。

形态特征 多年生草本。根茎近圆柱形，粗厚，直生，直径约 1 cm，长可达 10 cm。叶线形、线状披针形或披针形，大小差异大，长 10 ~ 45（~ 90）cm，宽 5 ~ 25 mm，先端长渐尖，基部渐狭成短柄或近无柄，两面散被疏柔毛或无毛。花葶甚短，长 6 ~ 7 cm，大部分藏于鞘状叶柄基部内，被毛；苞片披针形，长 2.5 ~ 5 cm，具缘毛；总状花序多少呈伞房状，通常具 4 ~ 6 花；花黄色；花梗长约 2 mm；花被裂片长圆状披针形，长 8 ~ 12 mm，宽 2.5 ~ 3 mm，外轮花被裂片背面有时散被长柔毛；雄蕊长约为花被裂片的 1/2，花丝长 1.5 ~ 2.5 mm，花药长 2 ~ 4 mm；柱头 3 裂，分裂部分较花柱长，

子房狭长，先端具长喙，连喙长达 7.5 mm，被疏毛。浆果近纺锤形，长 1.2 ~ 1.5 cm，宽约 6 mm，先端具长喙；种子表面具纵凸纹。花果期 4 ~ 9 月。

| 生境分布 | 生于海拔 1 600 m 以下的林下草地、灌丛或荒坡。湖南各地均有分布。

| 资源情况 | 野生资源一般。栽培资源一般。药材来源于野生和栽培。

| 采收加工 | 10 月倒苗后至春季末发芽前采挖，抖净泥土，除尽残叶及须根，晒干。

| 药材性状 | 本品近圆柱形，略弯曲，长 3 ~ 10 cm，直径 4 ~ 8 mm。表面黑褐色或棕褐色，粗糙，具纵沟、横皱纹及细孔状粗根痕。质硬脆，易折断，断面稍平坦，略呈角质状，淡褐色或棕褐色，近中心处色较深，并具 1 深色环。气微香，味微苦、辛。以条粗壮、表面色黑褐者为佳。

| 功能主治 | 辛，温；有小毒。温肾阳，强筋骨，祛寒湿。用于阳痿精冷，筋骨痿软，崩漏，腰膝痿软，阳虚冷泻，痈疽，瘰疬，更年期高血压。

| 用法用量 | 内服煎汤，3 ~ 10 g；或入丸、散剂；或浸酒。外用适量，捣敷。

石蒜科 Amaryllidaceae 朱顶红属 *Hippeastrum*

朱顶红 *Hippeastrum rutilum* (Ker-Gawl.) Herb.

| 药 材 名 | 红花莲（药用部位：鳞茎。别名：朱顶兰）。

| 形态特征 | 多年生草本。鳞茎近球形，直径 5 ~ 7.5 cm，具匍匐枝。叶 6 ~ 8，于花后抽出，鲜绿色，带形，长约 30 cm，基部宽约 2.5 cm。花葶中空，稍扁，高约 40 cm，宽约 2 cm，具白粉；花 2 ~ 4；佛焰苞状总苞片披针形，长约 3.5 cm；花梗纤细，长约 3.5 cm；花被管绿色，圆筒状，长约 2 cm，花被裂片长圆形，先端尖，长约 12 cm，宽约 5 cm，洋红色，略带绿色，喉部具小鳞片；雄蕊 6，长约 8 cm，花丝红色，花药线状长圆形，长约 6 mm，宽约 2 mm；子房长约 1.5 cm，花柱长约 10 cm，柱头 3 裂。花期夏季。

生境分布 栽培于中性或稍碱性土壤中。湖南有广泛分布。

资源情况 栽培资源一般。药材来源于栽培。

采收加工 秋季采挖，洗去泥沙，鲜用或切片晒干。

功能主治 甘、辛，温；有小毒。活血散瘀，解毒消肿。用于疮痈肿毒。

用法用量 外用适量，捣敷。

石蒜科 Amaryllidaceae 朱顶红属 *Hippeastrum*

花朱顶红 *Hippeastrum vittatum* (L'Her.) Herb.

| 药 材 名 | 朱顶红（药用部位：鳞茎）。

| 形态特征 | 多年生草本。鳞茎大，球形，直径 5 ~ 7.5 cm。叶 6 ~ 8，常于花后抽出，鲜绿色，带形，长 30 ~ 40 cm，宽 2 ~ 6 cm。花葶高 50 ~ 70 cm；伞形花序常具 3 ~ 6 花；佛焰苞状总苞片披针形，长 5 ~ 7.5 cm；花梗与总苞片近等长；花被漏斗状，红色，中心及边缘具白色条纹，花被管长约 3 cm，花被裂片倒卵形至长圆形，长 9 ~ 15 cm，宽 2.5 ~ 4 cm，先端急尖，喉部具不明显的小鳞片；雄蕊 6，着生于花被管喉部，较花被裂片短；子房下位，胚珠多数，花柱与花被近等长或较花被稍长，柱头 3 深裂。蒴果球形，3 瓣开裂；种子扁平。花期春、夏季。

| 生境分布 | 栽培于疏松肥沃、排水良好的砂壤土中。湖南有广泛分布。

| 资源情况 | 栽培资源一般。药材来源于栽培。

| 采收加工 | 秋季采挖，洗去泥沙，鲜用或切片晒干。

| 药材性状 | 本品呈球形，体型较大，直径 5 ~ 7.5 cm。

| 功能主治 | 甘、辛，温；有小毒。活血散瘀，解毒消肿。用于疮痈肿毒。

| 用法用量 | 外用适量，捣敷。

石蒜科 Amaryllidaceae 水鬼蕉属 *Hymenocallis*

水鬼蕉 *Hymenocallis littoralis* (Jacq.) Salisb.

| 药 材 名 | 水鬼蕉（药用部位：叶。别名：引水蕉）。

| 形态特征 | 叶 10 ~ 12，剑形，长 45 ~ 75 cm，宽 2.5 ~ 6 cm，先端急尖，基部渐狭，深绿色，具多脉，无柄。花葶扁平，高 30 ~ 80 cm；佛焰苞状总苞片长 5 ~ 8 cm，基部极阔；花 3 ~ 8，白色；花被管纤细，长短不等，长者可超过 10 cm，花被裂片线形，通常较花被管短；杯状体（雄蕊杯）钟形或阔漏斗形，长约 2.5 cm，具齿，花丝分离部分长 3 ~ 5 cm；花柱与雄蕊近等长或较雄蕊长。花期夏末秋初。

| 生境分布 | 栽培于阳光充足、湿润、土壤肥沃处。湖南各地均有分布。

| 资源情况 | 栽培资源一般。药材来源于栽培。

| 采收加工 | 夏、秋季采摘，洗净，切碎，鲜用。

| 药材性状 | 本品呈剑形，先端急尖，基部渐狭。

| 功能主治 | 辛，温。舒筋活络，消肿止痛。用于风湿关节痛，甲沟炎，跌打肿痛，痈疽，痔疮。

| 用法用量 | 外用适量，捣敷；或烤热缠裹。

石蒜科 Amaryllidaceae 小金梅草属 *Hypoxis*

小金梅草 *Hypoxis aurea* Lour.

|药 材 名|

小金梅草(药用部位：全草。别名：野鸡草)。

|形态特征|

多年生矮小草本。根茎肉质，球形或长圆形，内面白色，外面包有老叶柄的纤维残迹。基生叶4～12，狭线形，长7～30 cm，宽2～6 cm，先端长尖，基部膜质，被黄褐色疏长毛。花葶纤细，高2.5～10 cm或更高；花序具1～2花，被淡褐色疏长毛；苞片2，小，刚毛状；花黄色；花被管无，花被片6，长圆形，长6～8 cm，宿存，被褐色疏长毛；雄蕊6，着生于花被片基部，花丝短；子房下位，3室，长3～6 cm，被疏长毛，花柱短，柱头3裂，直立。蒴果棒状，长6～12 cm，成熟时3瓣开裂；种子多数，近球形，表面具瘤状突起。

|生境分布|

生于山野荒地处。分布于湖南郴州(苏仙、临武)、永州(双牌、道县)、怀化(麻阳、通道、洪江)、湘西州(龙山、凤凰)等。

|资源情况|

野生资源一般。药材来源于野生。

| 采收加工 | 夏、秋季采收，晒干。

| 药材性状 | 本品根茎呈长圆形，具纤维残迹。叶 4 ~ 12，狭线形，长 7 ~ 30 cm，宽 2 ~ 6 cm。

| 功能主治 | 甘、微辛，温。温肾，壮阳，补气。用于病后阳虚，寒疝腹痛，阳痿精冷；外用于跌打肿痛。

| 用法用量 | 内服煎汤，15 ~ 25 g。

石蒜科 Amaryllidaceae 石蒜属 *Lycoris*

忽地笑 *Lycoris aurea* (L'Her.) Herb.

| 药 材 名 | 铁色箭（药用部位：鳞茎。别名：独蒜）。

| 形态特征 | 多年生草本。鳞茎卵形，直径约 5 cm。叶剑形，长约 60 cm，最宽处达 2.5 cm，向基部渐狭，宽约 1.7 cm，先端渐尖，中间淡色带明显。花葶高约 60 cm；总苞片 2，披针形，长约 35 cm，宽约 8 cm；伞形花序具 4 ~ 8 花；花黄色；花被裂片背面具淡绿色中肋，倒披针形，长约 6 cm，宽约 1 cm，强度反卷和皱缩，花被筒长 12 ~ 15 cm；雄蕊略伸出花被外，较花被长约 1/6，花丝黄色；花柱上部玫瑰红色。蒴果具 3 棱，室背开裂；种子少数，近球形，直径约 7 cm，黑色。花期 8 ~ 9 月，果期 10 月。

| 生境分布 | 生于阴湿山坡、山谷林下岩石上及石崖下土壤肥沃处。湖南各地均

有分布。

| 资源情况 | 野生资源丰富。栽培资源较少。药材来源于野生和栽培。

| 采收加工 | 秋季采挖，洗净，鲜用或晒干。

| 功能主治 | 辛，平；有小毒。解热消肿，润肺祛痰，催吐。用于疮痈肿毒，虫疮作痒，耳下红肿，烫火伤。

| 用法用量 | 外用适量，捣敷；或捣汁涂患处。

石蒜科 Amaryllidaceae 石蒜属 *Lycoris*

中国石蒜 *Lycoris chinensis* Traub

药材名

石蒜（药用部位：鳞茎）。

形态特征

多年生草本。鳞茎卵球形，直径约 4 cm。叶带状，长约 35 cm，宽约 2 cm，先端圆形，绿色，中间淡色带明显。花葶高约 60 cm；总苞片 2，倒披针形，长约 2.5 cm，宽约 0.8 cm；伞形花序具 5 ~ 6 花；花黄色；花被裂片背面具淡黄色中肋，倒披针形，长约 6 cm，宽约 1 cm，强度反卷和皱缩，花被筒长 1.7 ~ 2.5 cm；雄蕊与花被近等长或略伸出花被外，花丝黄色；花柱上端玫瑰红色。花期 7 ~ 8 月，果期 9 月。

生境分布

生于山坡阴湿处。分布于湖南张家界（武陵源）、益阳（桃江）等。

资源情况

野生资源稀少。药材来源于野生。

采收加工

全年均可采挖，鲜用或洗净后晒干。

| 药材性状 | 本品呈卵球形，直径约 4 cm。以个大、均匀、肉质鳞片肥厚、须根少者为佳。

| 功能主治 | 辛，温；有小毒。解毒，祛痰，利尿，催吐。用于咽喉肿痛，水肿，小便不利，疮痈肿毒，瘰疬，咳嗽痰喘，食物中毒。

| 用法用量 | 内服煎汤，1.5 ~ 3 g；或捣汁。外用适量，捣敷；或绞汁涂；或煎汤熏洗。

石蒜科 Amaryllidaceae 石蒜属 *Lycoris*

石蒜 *Lycoris radiata* (L'Her.) Herb.

| 药 材 名 |

石蒜（药用部位：鳞茎。别名：老鸦蒜）。

| 形态特征 |

多年生草本。鳞茎近球形，直径 1 ~ 3 cm。叶狭带状，长约 15 cm，宽约 0.5 cm，先端钝，深绿色，中间具粉绿色带。花葶高约 30 cm；总苞片 2，披针形，长约 35 cm，宽约 5 cm；伞形花序具 4 ~ 7 花；花鲜红色；花被裂片狭倒披针形，长约 3 cm，宽约 5 cm，强度皱缩和反卷，花被筒绿色，长约 5 cm；雄蕊明显伸出花被外，较花被长约 1 倍。花期 8 ~ 9 月，果期 10 月。

| 生境分布 |

生于林缘、山坡、路旁、草丛中及石崖阴湿处。湖南各地均有分布。

| 资源情况 |

野生资源丰富。药材来源于野生。

| 采收加工 |

全年均可采挖，鲜用或洗净后晒干。

| 药材性状 | 本品呈广椭圆形或类球形，长 4 ~ 5 cm，先端残留叶基，长约 3 cm，基部具多数白色须根。表面包有 2 ~ 3 层暗棕色干枯膜质鳞片，内有 10 ~ 20 层白色富黏性的肉质鳞片，生于短缩的鳞茎盘上，中央有黄白色的芽。气特异，微带刺激性，味极苦。

| 功能主治 | 辛，温；有小毒。解毒，祛痰，利尿，催吐。用于咽喉肿痛，水肿，小便不利，疮痈肿毒，瘰疬，咳嗽痰喘，食物中毒。

| 用法用量 | 内服煎汤，1.5 ~ 3 g；或捣汁。外用适量，捣敷；或绞汁涂患处；或煎汤熏洗。

石蒜科 Amaryllidaceae 石蒜属 *Lycoris*

换锦花 *Lycoris sprengeri* Comes ex Baker

| 药 材 名 | 换锦花（药用部位：鳞茎）。

| 形态特征 | 多年生草本。鳞茎卵形，直径约 3.5 cm。叶带状，长约 30 cm，宽约 1 cm，绿色，先端钝。花葶高约 60 cm；总苞片 2，长约 3.5 cm，宽约 1.2 cm；伞形花序具 4 ~ 6 花；花淡紫红色；花被裂片先端常带蓝色，倒披针形，长约 4.5 cm，宽约 1 cm，边缘不皱缩，花被筒长 1 ~ 1.5 cm；雄蕊与花被近等长，花柱略伸出花被外。蒴果具 3 棱，室背开裂；种子近球形，直径约 0.5 cm，黑色。花期 8 ~ 9 月。

| 生境分布 | 栽培于花坛、公园、庭院。湖南各地均有分布。

| 资源情况 | 栽培资源一般。药材来源于栽培。

| 采收加工 | 春、夏、秋季采收，洗净，鲜用或切片晒干。

| 功能主治 | 辛，温；有小毒。解毒，祛痰，利尿，催吐。用于咽喉肿痛，水肿，小便不利，疮痈肿毒，瘰疬，咳嗽痰喘，食物中毒。

| 用法用量 | 内服煎汤，2 ~ 5 g。外用适量，捣敷；或煎汤熏洗。

石蒜科 Amaryllidaceae 水仙属 *Narcissus*

水仙 *Narcissus tazetta* L. var. *chinensis* Roem.

| 药 材 名 |

水仙根（药用部位：鳞茎）、水仙花（药用部位：花。别名：金盏银台）。

| 形态特征 |

多年生草本。鳞茎卵球形。叶宽线形，扁平，长 20 ~ 40 cm，宽 8 ~ 15 mm，头钝，全缘，粉绿色。花葶与叶近等长；伞形花序具 4 ~ 8 花；佛焰苞状总苞片膜质；花梗长短不一；花被管细，灰绿色，近三棱形，长约 2 cm，花被裂片 6，卵圆形至阔椭圆形，先端具短尖头，扩展，白色，芳香；副花冠浅杯状，淡黄色，不皱缩，长不及花被的一半；雄蕊 6；子房 3 室，每室具胚珠多数，花柱细长，柱头 3 裂。蒴果室背开裂。花期春季。

| 生境分布 |

栽培于花坛、公园、庭院。湖南各地均有分布。

| 资源情况 |

栽培资源一般。药材来源于栽培。

| 采收加工 |

水仙根：春、秋季采挖，洗去泥沙，用开水烫，切片晒干或鲜用。

水仙花：春季采摘，鲜用或晒干。

| 药材性状 |

水仙根：本品呈圆形或微呈锥形，直径 4 ～ 5 cm。表面包裹一层棕褐色的膜质外皮，扯开后，内具多数相互包裹的白色瓣片。质轻。

水仙花：本品皱缩成小团块，展开后，花被管细，花被裂片 6，卵圆形，淡黄色，其内可见黄棕色副花冠，有的花被呈重瓣状；雄蕊 6；花柱细长，柱头 3 裂。气芳香，味微苦。

| 功能主治 |

水仙根：苦、微辛，寒；有小毒。清热解毒，散结消肿。用于鱼骨鲠喉；外用于疮痈肿毒，痄腮，虫咬伤。

水仙花：祛风除热，活血调经。用于月经不调。

| 用法用量 |

水仙根：外用适量，捣敷；或捣汁涂。

水仙花：内服煎汤，9 ～ 15 g；或研末。外用适量，捣敷；或研末调涂。

石蒜科 Amaryllidaceae 葱莲属 *Zephyranthes*

葱莲 *Zephyranthes candida* (Lindl.) Herb.

| 药 材 名 | 葱莲（药用部位：全草。别名：肝风草）。

| 形态特征 | 多年生草本。鳞茎卵形，直径约 2.5 cm，具明显的颈部，颈长 2.5 ~ 5 cm。叶狭线形，肥厚，亮绿色，长 20 ~ 30 cm，宽 2 ~ 4 mm。花葶中空；花单生于花葶先端，白色，外面常带淡红色，下有带褐红色的佛焰苞状总苞片；总苞片先端 2 裂；花梗长约 1 cm；花被管几无，花被片 6，长 3 ~ 5 cm，先端钝或具短尖头，宽约 1 cm，近喉部常具小鳞片；雄蕊 6，长约为花被的 1/2；花柱细长，柱头不明显 3 裂。蒴果近球形，直径约 1.2 cm，3 瓣开裂；种子黑色，扁平。花期秋季。

| 生境分布 | 栽培种。湖南各地均有分布。

| 资源情况 | 栽培资源丰富。药材来源于栽培。

| 采收加工 | 全年均可采收，洗净，鲜用。

| 药材性状 | 本品鳞茎卵形，直径约 2.5 cm，具颈部。叶狭线形，肥厚。花葶中空；花单生于花葶先端。

| 功能主治 | 甘，平。平肝息风，清热解毒。用于急惊风，癫病；外用于痈疮红肿。

| 用法用量 | 内服煎汤，3 ~ 4 株；或绞汁饮。外用适量，捣敷。

石蒜科 Amaryllidaceae 葱莲属 *Zephyranthes*

韭莲 *Zephyranthes grandiflora* Lindl.

| 药 材 名 | 韭菜莲（药用部位：全草。别名：旱水仙）、旱水仙根（药用部位：根）。

| 形态特征 | 多年生草本。鳞茎卵球形，直径 2 ~ 3 cm。基生叶常簇生，线形，扁平，长 15 ~ 30 cm，宽 6 ~ 8 mm。花单生于花葶先端，玫瑰红色或粉红色，下有佛焰苞状总苞片；总苞片常带淡紫红色，长 4 ~ 5 cm，下部合生成管；花梗长 2 ~ 3 cm；花被管长 1 ~ 2.5 cm，花被裂片 6，倒卵形，先端略尖，长 3 ~ 6 cm；雄蕊 6，长为花被的 2/3 ~ 4/5，花药呈“丁”字形着生；子房下位，3 室，胚珠多数，花柱细长，柱头 3 深裂。蒴果近球形；种子黑色。花期夏、秋季。

| 生境分布 | 栽培于排水良好、有机质丰富的砂壤土中。湖南各地均有分布。

| 资源情况 | 栽培资源丰富。药材来源于栽培。

| 采收加工 | 全年均可采收。

| 药材性状 | **韭菜莲：**本品鳞茎卵球形，直径 2 ~ 3 cm。叶长 15 ~ 30 cm，宽 6 ~ 8 mm。花葶先端具花，下有佛焰苞状总苞片。

旱水仙根：本品呈圆柱状，生多数细根。

| 功能主治 | **韭菜莲：**苦，寒。清热解毒，凉血活血。用于跌打损伤，毒蛇咬伤，吐血，崩中。

旱水仙根：用于痈疮红肿。

| 用法用量 | **韭菜莲：**外用捣敷，30 ~ 60 g。

旱水仙根：外用适量，捣敷。

| 附　　注 | 本种的拉丁学名在 FOC 中被修订为 *Zephyranthes carinata* Herbert。

薯蓣科 Dioscoreaceae 蒟蒻薯属 *Tacca*

裂果薯 *Tacca plantaginea* Hance

|药材名| 水田七（药用部位：块茎。别名：水三七）、水田七叶（药用部位：叶）。

|形态特征| 多年生草本。茎肥大，常弯曲，具多数须根。叶基生；叶柄长 7 ~ 11 cm；叶片椭圆状披针形，长 10 ~ 22 cm，宽 3 ~ 7 cm，先端渐尖，基部下延，全缘；叶脉在上面凹陷，于背面凸起。花茎自叶丛中抽出，长 6 ~ 13 cm；伞形花序顶生，具 8 ~ 15 花；总苞片 4，卵形或三角状卵形，外面 2 总苞片较大，内面 2 总苞片较小；苞片线形，长达 7 cm；花被钟状，外面淡绿色，内面淡紫色，花被裂片 6，2 轮，外轮花被裂片 3，长三角形，内轮花被裂片 3，宽卵形；雄蕊 6，与花被裂片对生，花丝扁宽，基部扩大，上部呈倒生的袋状，花

药淡紫色；子房下位，1 室，柱头 3 裂，每裂又 2 浅裂，呈花瓣状。蒴果 3 裂；种子多数，椭圆形，稍弯曲，长约 2 mm，表面具 10 余纵棱。花期 5 ~ 6 月，果期 7 ~ 8 月。

| 生境分布 | 生于溪边、田边等潮湿地。分布于湖南邵阳（隆回）、郴州（宜章、桂阳、永兴、汝城、桂东）、永州（东安、江华）、怀化（芷江）、益阳（安化）、娄底（涟源）、湘西州（龙山、花垣、永顺）等。

| 资源情况 | 野生资源一般。药材来源于野生。

| 采收加工 | **水田七**：春、夏季采挖，洗净，鲜用或切片晒干。

水田七叶：春、夏季采收，洗净，鲜用。

| 药材性状 | **水田七**：本品呈球形或长圆形，有时略呈连珠状，长 2 ~ 4 cm，直径 1.5 cm，先端下陷，叶着生处常倒曲，具残存的膜质叶基。表面浅灰棕色，具粗皱纹，须根痕多数。质稍硬，折断面较平，颗粒性；横切面暗褐黄色，微有虹样光泽，散布有点状纤维管束，内皮层环明显。

水田七叶：本品椭圆状披针形，长 10 ~ 22 cm，宽 3 ~ 7 cm，先端渐尖，基部下延，全缘。

| 功能主治 | **水田七**：苦，寒；有毒。清热解毒，止咳祛痰，理气止痛，散瘀止血。用于感冒发热，痰热咳嗽，百日咳，泻痢腹痛，消化不良，咽喉肿痛，痄腮，瘰疬，疮肿，烫火伤，跌打损伤，外伤出血。

水田七叶：用于无名肿毒。

| 用法用量 | **水田七**：内服煎汤，9 ~ 15 g；或研末，1 ~ 2 g。外用适量，捣敷；或研末调敷。

水田七叶：外用适量，鲜品捣敷。

薯蓣科 Dioscoreaceae 蒟蒻薯属 *Tacca*

箭根薯 *Tacca chantrieri* Andre

| 药 材 名 | 蒟蒻薯（药用部位：根茎。别名：老虎须）。

| 形态特征 | 多年生草本。根茎粗壮，近圆柱形。叶片长圆形或长圆状椭圆形，长 20 ~ 50（~ 60）cm，宽 7 ~ 14（~ 24）cm，先端短尾尖，基部楔形或圆楔形，两侧稍不相等，无毛或背面被细柔毛；叶柄长 10 ~ 30 cm，基部具鞘。花葶较长；总苞片 4，暗紫色，外轮 2 总苞片卵状披针形，长 3 ~ 4（~ 5）cm，宽 1 ~ 2 cm，先端渐尖，内轮 2 总苞片阔卵形，长 2.5 ~ 4（~ 7）cm，宽 2.5 ~ 3（~ 6.5）cm；小苞片线形，长约 10 cm；伞形花序具 5 ~ 7（~ 18）花；花被裂片 6，紫褐色，外轮花被裂片披针形，长约 1 cm，宽约 5 mm，内轮花被裂片较宽，先端具小尖头；雄蕊 6，花丝顶部兜状，

柱头弯曲成伞形，3 裂，裂片较宽，每裂片又 2 浅裂。浆果肉质，椭圆形，具 6 棱，紫褐色，长约 3 cm，先端具宿存的花被裂片；种子肾形，具条纹，长约 3 mm。花果期 4 ~ 11 月。

| 生境分布 | 生于林下阴湿处。分布于湖南永州（道县）等。

| 资源情况 | 野生资源稀少。药材来源于野生。

| 采收加工 | 春、夏季采挖，洗净，鲜用或切片晒干。

| 药材性状 | 本品呈圆柱形，粗壮。

| 功能主治 | 辛、苦，凉；有小毒。清热解毒，理气止痛。用于泄泻，痢疾，消化不良，肝炎，胃痛，流行性感冒，咽喉肿痛，乳蛾，风热咳喘，疟疾；外用于疮痈肿毒，烫火伤，乳痈。

| 用法用量 | 内服煎汤，9 ~ 15 g。外用适量，捣敷。

薯蓣科 Dioscoreaceae 薯蓣属 *Dioscorea*

参薯 *Dioscorea alata* L.

| 药 材 名 | 毛薯（药用部位：块茎。别名：大薯）。

| 形态特征 | 缠绕草质藤本。野生块茎通常呈长圆柱形，栽培块茎形状差异大，呈长圆柱形、圆锥形、球形、扁圆形而重叠或具各种分枝，通常圆锥形或球形块茎的外皮呈褐色或紫黑色，断面白色带紫色，其余块茎外皮呈淡灰黄色，断面白色，有时带黄色。茎右旋，无毛，通常具 4 狭翅。单叶，在茎下部的叶互生，中部以上的叶对生；叶片绿色或带紫红色，纸质，卵形至卵圆形，长 6 ~ 15 cm，宽 4 ~ 13 cm，两面无毛；叶柄绿色或带紫红色，长 4 ~ 15 cm；叶腋内具珠芽；珠芽球形、卵形或倒卵形。雌雄异株；雄花序为穗状花序，长 1.5 ~ 4 cm，通常 2 至数个簇生或单生于花序轴上排列成圆

锥花序，花序轴明显呈“之”字形曲折，外轮花被片宽卵形，长 1.5 ~ 2 mm，内轮花被片倒卵形，雄蕊 6；雌花序为穗状花序，外轮花被片宽卵形，内轮花被片倒卵状长圆形，较小而厚。蒴果不反折，呈三棱状扁圆形或三棱状倒心形，长 1.5 ~ 2.5 cm，宽 2.5 ~ 4.5 cm。花期 11 月至翌年 1 月，果期 12 月至翌年 1 月。

| 生境分布 | 生于微酸性的砂壤土中。湖南各地均有分布。

| 资源情况 | 野生资源一般。栽培资源丰富。药材来源于野生和栽培。

| 采收加工 | 冬初采挖，洗去泥土，放在缸内，盖沙贮藏。

| 药材性状 | 本品呈不规则圆柱形，长 7 ~ 14 cm，直径 2 ~ 4 cm。表面浅棕黄色至棕黄色，具纵皱纹，常具残留的栓皮痕迹。质坚实，断面淡黄色，散有少量淡棕色小点。无臭，味甜、微酸，有黏性。

| 功能主治 | 甘，平。补脾肺，涩精气，消肿止痛，收敛生肌。用于疮疡，人面疮。

| 用法用量 | 内服煎汤，9 ~ 15 g；或入丸、散剂。外用适量，研末敷。

薯蓣科 Dioscoreaceae 薯蓣属 *Dioscorea*

黄独 *Dioscorea bulbifera* L.

| 药 材 名 | 黄药子（药用部位：块茎。别名：金线吊蛋）。

| 形态特征 | 缠绕草质藤本。块茎卵圆形或梨形，直径 4 ~ 10 cm，通常单生，每年自去年的块茎先端抽出，稀分枝，外皮棕黑色，表面密生须根。茎左旋，浅绿色，稍带红紫色，光滑无毛。叶腋内具球形或卵圆形珠芽，紫棕色，大小不一，最重者可达 300 g，表面具圆形斑点。单叶互生；叶片宽卵状心形或卵状心形，长 15（~ 26）cm，宽 2 ~ 14（~ 26）cm，先端尾状渐尖，全缘或微波状，两面无毛。雄花序为穗状花序，下垂，常数个丛生于叶腋，有时分枝成圆锥状，雄花单生，密集，基部具卵形苞片 2，花被片披针形，紫色，雄蕊 6，着生于花被基部，花丝与花药近等长；雌花序与雄花序相似，常 2 至数个丛

生于叶腋，长 20 ~ 50 cm，退化雄蕊 6，长为花被片的 1/4。蒴果反折下垂，呈三棱状长圆形，长 1.5 ~ 3 cm，宽 0.5 ~ 1.5 cm，两端浑圆，成熟时呈草黄色，表面密被紫色小斑点，无毛；种子深褐色，扁卵形，通常两两着生于每室中轴顶部，种翅栗褐色，向种子基部延伸，呈长圆形。花期 7 ~ 10 月，果期 8 ~ 11 月。

| 生境分布 | 生于海拔 2 000 m 以下的溪沟边及山谷杂木林缘。湖南各地均有分布。

| 资源情况 | 野生资源丰富。药材来源于野生。

| 采收加工 | 栽种 2 ~ 3 年后冬季采挖，洗去泥土，剪去须根，横切成厚约 1 cm 的片，晒干、炕干或鲜用。

| 药材性状 | 本品为横切厚片，圆形或近圆形，直径 2.5 ~ 7 cm，厚 0.5 ~ 1.5 cm。表面棕黑色，皱缩，具多数白色点状凸起的须根痕或弯曲残留的细根，栓皮易剥落；切面黄白色至黄棕色，平坦或凹凸不平。质坚脆，易折断，断面颗粒状，散有橙黄色麻点。气微，味苦。以片大、外皮色棕黑、断面色黄白者为佳。

|功能主治| 苦，平；有小毒。消肿解毒，化痰散结，凉血止血。用于瘿瘤，咳嗽痰喘，咯血，吐血，瘰疬，疮痈肿毒，毒蛇咬伤。

|用法用量| 内服煎汤，3 ~ 9 g；或浸酒；或研末，1 ~ 2 g。外用适量，鲜品捣敷；或研末调敷；或磨汁涂。

薯蓣科 Dioscoreaceae 薯蓣属 *Dioscorea*

薯莨 *Dioscorea cirrhosa* Lour.

| 药 材 名 | 薯莨（药用部位：块茎。别名：朱砂莲、红孩儿）。

| 形态特征 | 藤本，粗壮，长约 20 m。块茎一般生长在表土层，呈卵形、球形、长圆形或葫芦形，外皮黑褐色，凹凸不平，断面新鲜时红色，干后紫黑色，最大者直径可超过 20 cm。茎绿色，无毛，右旋，具分枝，下部具刺。单叶，在茎下部的叶互生，中部以上的叶对生；叶片革质或近革质，长 5 ~ 20 cm，宽（1 ~ ）2 ~ 14 cm，先端渐尖或骤尖，基部圆形，有时具三角状缺刻，全缘，两面无毛，表面深绿色，背面粉绿色，基出脉 3 ~ 5，网脉明显；叶柄长 2 ~ 6 cm。雌雄异株；雄花序为穗状花序，有时腋生，长 2 ~ 10 cm，通常排列成圆锥花序，圆锥花序长 2 ~ 14 cm 或更长，外轮花被片宽卵形或卵圆

形，长约 2 mm，内轮花被片倒卵形；雌花序为穗状花序，单生于叶腋，长达 12 cm，外轮花被片卵形，厚，较内轮花被片大。蒴果不反折，近三棱状扁圆形，长 1.8 ～ 3.5 cm，宽 2.5 ～ 5.5 cm；种子着生于每室中轴中部，四周具膜质翅。花期 4 ～ 6 月，果期 7 月至翌年 1 月。

| 生境分布 | 生于山谷向阳处、疏林下或灌丛中。分布于湘南、湘西南、湘东等。

| 资源情况 | 野生资源丰富。药材来源于野生。

| 采收加工 | 5 ～ 8 月采挖，洗净，晒干。

| 药材性状 | 本品长圆形或卵圆形，表面赤褐色，具明显的纵皱和环形凹陷，形成结节状起伏不平的突起，在凹陷缩小部分具一圈须根痕。质坚硬，断面红棕色，粉性，具规则的网状花纹。

| 功能主治 | 微苦、涩，微凉。活血，止血，养血。用于崩漏，产后出血，咯血，尿血，上消化道出血，月经不调。

| 用法用量 | 内服煎汤，5 ～ 15 g；或研末；或磨汁。外用适量，研末敷；或磨汁涂。

薯蓣科 Dioscoreaceae 薯蓣属 *Dioscorea*

叉蕊薯蓣 *Dioscorea collettii* Hook. f.

| 药 材 名 | 叉蕊薯蓣（药用部位：根茎。别名：蛇头草）。

| 形态特征 | 缠绕草质藤本。根茎横生，竹节状，长短不一，直径约 2 cm，表面着生细长弯曲的须根，断面黄色。茎左旋，长圆柱形，无毛，有时密被黄色短毛。单叶互生；叶三角状心形或卵状披针形，先端渐尖，基部心形、宽心形，边缘波状或近全缘，干后黑色，有时背面灰褐色，沿叶脉密被白色刺毛。花单性，雌雄异株；雄花序单生，雄花无梗，在花序基部由 2 ~ 3 花簇生，至顶部常单生，苞片卵状披针形，先端渐尖，小苞片卵形，先端有时 2 浅裂，花被碟形，先端 6 裂，裂片新鲜时黄色，干后黑色，雄蕊 3，着生于花被管上，花丝较短，花药卵圆形，花开放后药隔变宽，宽常为花药的 1 ~ 2 倍，呈短叉状，

退化雄蕊有时呈花丝状，与3发育雄蕊互生；雌花序为穗状花序，退化雄蕊呈花丝状，子房长圆柱形，柱头3裂。蒴果三棱形，先端稍宽，基部稍狭，表面栗褐色，富有光泽，成熟后反曲下垂；种子2，着生于中轴中部，成熟时四周具薄膜状翅。花期5 ~ 8月，果期6 ~ 10月。

| 生境分布 | 生于海拔1 000 ~ 2 000 m的河谷、沟谷、山坡次生林和灌丛中。分布于湖南怀化（辰溪）、娄底（冷水江）、湘西州（古丈）等。

| 资源情况 | 野生资源稀少。药材来源于野生。

| 采收加工 | 秋、冬季采挖，除去须根，洗净泥土，切片，晒干。

| 药材性状 | 本品呈竹节状，直径约2 cm，表面具须根。

| 功能主治 | 苦、微辛，平。祛风除湿，止痒，止痛。用于风湿关节痛，皮炎，腰腿酸痛，尿浊，带下，毒蛇咬伤，跌打损伤。

| 用法用量 | 内服煎汤，15 ~ 25 g；或入丸、散剂。

薯蓣科 Dioscoreaceae 薯蓣属 *Dioscorea*

粉背薯蓣 *Dioscorea collettii* Hook. f. var. *hypoglauca* (Palibin) Pei et C. T. Ting et al.

| 药 材 名 | 粉萆薢（药用部位：根茎。别名：山姜黄）。

| 形态特征 | 多年生缠绕草质藤本。根茎横生，姜块状，断面姜黄色，表面具多数须根。茎左旋，无毛，有时密被黄色柔毛。单叶互生；叶片三角状心形或卵状披针形，先端渐尖，边缘波状或近全缘，下面灰白色，沿叶脉及叶缘被黄白色硬毛，有的边缘呈半透明干膜质，干后黑色。雌雄异株；雄花序单生或 2 ～ 3 簇生于叶腋，雄花无梗，在花序基部由 2 ～ 3 花簇生，至顶部常单生，苞片卵状披针形，小苞片卵形，花被碟形，先端 6 裂，裂片黄色，干后黑色，雄蕊 3，着生于花被管上，花丝较短，花开放后药隔变宽，宽约为花药的一半，呈短叉状，退化雄蕊有时呈花丝状，与 3 发育雄蕊互生；雌花序为穗状花序，花

单生，子房下位，柱头3裂，退化雄蕊呈花丝状。蒴果具3翅，两端平截，先端与基部通常等宽，成熟后反曲下垂；种子2，着生于中轴中部，成熟时四周具薄膜状翅。

| 生境分布 | 生于海拔1 000 ~ 2 000 m的河谷、沟谷、山坡次生林和灌丛中。分布于湖南邵阳（邵东）、郴州（嘉禾）、湘潭（湘乡）、益阳（安化）等。

| 资源情况 | 野生资源较少。药材来源于野生。

| 采收加工 | 秋、冬季采挖，除去须根，切片，晒干。

| 药材性状 | 本品类圆柱形，具分枝，表面皱缩，常残留有茎枯萎的疤痕及未除尽的细长须根，多为不规则的薄片，大小不一，厚约0.5 mm，边缘不整齐。外皮棕黑色或灰棕色，切面黄白色或淡灰棕色，平坦，细腻，具粉性及不规则的黄色筋脉花纹（维管束），对光照视时极为明显。质松，易折断。气微，味苦、微辛。以片大而薄、切面色黄白者为佳。

| 功能主治 | 苦，平。利湿祛浊，祛风除痹。用于膏淋，尿浊，带下，风湿痹痛，腰膝酸痛。

| 用法用量 | 内服煎汤，10 ~ 15 g；或入丸、散剂。

| 附　　注 | 本种与叉蕊薯蓣 *Dioscorea collettii* Hook. f. 的区别在于本种叶呈三角形或卵圆形，有的边缘呈半透明干膜质，雄蕊开放后药隔宽约为花药的一半，蒴果两端平截，先端与基部通常等宽。

薯蓣科 Dioscoreaceae 薯蓣属 *Dioscorea*

福州薯蓣 *Dioscorea futschauensis* Uline ex R. Knuth

药材名

绵萆薢（药用部位：根茎。别名：大萆薢）。

形态特征

缠绕草质藤本。根茎横生，呈不规则长圆柱形，外皮黄褐色。茎左旋，无毛。单叶互生，微革质，茎基部的叶为掌状裂叶，7裂，大小不等，基部深心形，中部以上的叶呈卵状三角形，边缘波状或全缘，先端渐尖，基部深心形或广心形，背面网脉明显，两面沿叶脉疏被白色刺毛。花单性，雌雄异株；雄花序为总状花序，通常分枝成圆锥花序，单生或2～3簇生于叶腋，雄花具梗，花被新鲜时橙黄色，干后黑色，长4～5 mm，基部连合，先端6裂，裂片卵圆形，雄蕊6，有时仅3雄蕊发育，着生于花被管基部，具退化雌蕊；雌花序与雄花序相似，花被6裂，退化雄蕊花药有时呈花丝状。蒴果三棱形，每棱翅状，半圆形，长1.5～1.8 cm，宽1～1.2 cm；种子扁圆形，直径4～5 mm，着生于每室中轴中部，成熟时四周具薄膜状翅。花期6～7月，果期7～10月。

生境分布

生于海拔700 m以下的山坡灌丛、林缘、沟谷边及路旁。分布于湘西北、湘西南、湘中、湘东等。

| 资源情况 | 野生资源较少。药材来源于野生。

| 采收加工 | 秋、冬季采挖，除去须根，洗净，切片，晒干或鲜用。

| 药材性状 | 本品呈不规则长圆柱形，长 6 ~ 16 cm，直径 1 ~ 4.5 cm。表面凹凸不平，黄褐色，具不规则皱缩钩纹及分散瘤状凸起的茎痕。质坚硬，难折断。

| 功能主治 | 苦，平。利湿化浊，祛风通痹。用于淋证，尿浊，带下，湿热疮毒，腰膝酸痛。

| 用法用量 | 内服煎汤，9 ~ 20 g；或浸酒；或入丸、散剂。外用适量，鲜品捣敷。

薯蓣科 Dioscoreaceae 薯蓣属 *Dioscorea*

纤细薯蓣 *Dioscorea gracillima* Miq.

| 药 材 名 | 白萆薢（药用部位：根茎）。

| 形态特征 | 缠绕草质藤本。根茎横生，竹节状，形状不规则，表面具细丝状须根。茎左旋，无毛。单叶互生，有时 3 ~ 4 叶轮生于茎基部；叶片卵状心形，先端渐尖，基部心形、宽心形或近截形，全缘或微波状，有时边缘呈明显的啮蚀状，干后不变黑，两面无毛，背面常具白粉；叶柄与叶片近等长。雄花序为穗状花序，单生于叶腋，通常不规则分枝，雄花无梗，单生，稀 2 ~ 3 簇生于花序基部，苞片卵形，薄膜质，小苞片较苞片短而窄，花被碟形，先端 6 裂，裂片长圆形，花开时平展，发育雄蕊 3，药隔宽约为花药的 1/2，退化雄蕊 3，棍棒状，与发育雄蕊互生于花托的边缘；雌花序与雄花序相似，具退化雄蕊

6。蒴果三棱形，先端截形，每棱翅状，长卵形，大小不一，一般长 1.8 ~ 2.8 cm，宽 1 ~ 1.3 cm；种子每室 2，着生于中轴中部，四周具薄膜状翅。花期 5 ~ 8 月，果期 6 ~ 10 月。

| 生境分布 | 生于海拔 200 ~ 2 000 m 的阴湿山谷、河谷及山坡疏林下。分布于湖南永州（双牌）等。

| 资源情况 | 野生资源稀少。药材来源于野生。

| 采收加工 | 春、秋季采挖，洗净，除去须根，切片，晒干。

| 药材性状 | 本品横生，表面具细丝状须根。

| 功能主治 | 苦，平。化湿浊，祛风湿。用于瘰疬。

| 用法用量 | 内服煎汤，15 ~ 25 g；或入丸、散剂。

Dioscoreaceae

Dioscorea

粘山药 *Dioscorea hemsleyi* Prain et Burkill

| 药 材 名 | 粘山药（药用部位：块茎）。

| 形态特征 | 缠绕草质藤本。块茎圆柱形，垂直生长，新鲜时断面富黏性。茎左旋，密被白色或淡褐色曲柔毛，后渐脱落。叶片卵状心形或宽心形，长 4 ~ 8.5 cm，宽 5 ~ 10.5 cm，先端渐尖或尾状渐尖，表面疏被曲柔毛，老时常脱落至无毛，背面密被曲柔毛。花单性，雌雄异株；雄花常 4 ~ 8 簇生成小聚伞花序，若干小花序再排列成穗状花序，花被具红棕色斑点，雄蕊 6，花药背着，内向；雌花序短缩，花序轴几无或很短，苞片披针形，具红棕色斑点，花被裂片卵状三角形，长约 1.2 mm，花柱三棱形，基部膨大，柱头 3 裂，反折。蒴果三棱状长圆形或卵状长圆形，常 2 ~ 6 紧密丛生于短果序轴上，密被曲

柔毛，长 1.3 ～ 2 cm，宽 0.8 ～ 1.3 cm，全缘，偶具浅波；种子 2，着生于每室中轴基部，有时 1 种子不发育，种翅薄膜质，向蒴果先端延伸成宽翅。花期 7 ～ 8 月，果期 9 ～ 10 月。

｜生境分布｜ 生于海拔 1 000 ～ 2 000 m 的山坡灌丛中。分布于湘中、湘东、湘南等。

｜资源情况｜ 野生资源一般。药材来源于野生。

｜采收加工｜ 秋冬采挖，洗净，晒干。

｜药材性状｜ 本品呈圆柱形，新鲜时断面富黏性。

｜功能主治｜ 甘，平。健脾祛湿，补肺肾。用于肺痨，脾虚泄泻。

｜用法用量｜ 内服煎汤，25 ～ 50 g。外用适量，捣敷。

薯蓣科 Dioscoreaceae 薯蓣属 *Dioscorea*

日本薯蓣 *Dioscorea japonica* Thunb.

| 药 材 名 | 风车儿（药用部位：块茎）。

| 形态特征 | 缠绕草质藤本。块茎长圆柱形，垂直生长，直径约 3 cm，外皮棕黄色，干时皱缩，断面白色，有时带黄白色。茎绿色，有时带淡紫红色，右旋。单叶，在茎下部的叶互生，中部以上的叶对生；叶片纸质，形状差异大，通常呈三角状披针形、长椭圆状狭三角形至长卵形，有时茎上部的叶呈线状披针形至披针形，茎下部的叶呈宽卵心形，长 3 ~ 11（~ 19）cm，宽（1 ~）2 ~ 5（~ 18）cm，先端长渐尖至锐尖，基部心形至箭形或戟形，全缘，两面无毛；叶柄长 1.5 ~ 6 cm。雌雄异株；雄花序为穗状花序，长 2 ~ 8 cm，近直立，单生或 2 至数个着生于叶腋，雄花绿白色或淡黄色，花被片具紫色斑纹，外轮花

被片宽卵形，长约 1.5 mm，内轮花被片卵状椭圆形，稍小，雄蕊 6；雌花序为穗状花序，长 6 ~ 20 cm，1 ~ 3 着生于叶腋，花被片卵形，退化雄蕊 6 与花被片对生。蒴果不反折，三棱状扁圆形或三棱状圆形，长 1.5 ~ 2（~ 2.5）cm，宽 1.5 ~ 3（~ 4）cm；种子着生于每室中轴中部，四周具膜质翅。花期 5 ~ 10 月，果期 7 ~ 11 月。

| 生境分布 | 生于海拔 150 ~ 1 200 m 的向阳山坡、山谷、溪沟边、路旁杂木林下或草丛中。湖南各地均有分布。

| 资源情况 | 野生资源丰富。药材来源于野生。

| 采收加工 | 8 ~ 10 月采收。

| 药材性状 | 本品呈长圆柱形，直径约 3 cm，外皮棕黄色，干时皱缩。

| 功能主治 | 甘，平。补脾养胃，益肺生津，补肾涩精。用于脾虚食少，久泻不止，阴虚消渴。

| 用法用量 | 内服煎汤，15 ~ 35 g。

薯蓣科 Dioscoreaceae 薯蓣属 *Dioscorea*

毛芋头薯蓣 *Dioscorea kamoonensis* Kunth

| 药 材 名 | 滇白药子（药用部位：块茎）。

| 形态特征 | 缠绕草质藤本。块茎通常近卵圆形，外皮具多数细长须根。茎左旋，密被棕褐色短柔毛，老时渐疏至近无毛。掌状复叶具 3 ~ 5 小叶；小叶片椭圆形至披针状长椭圆形或倒卵状长椭圆形，有时最外侧的小叶片呈斜卵状椭圆形，长 2 ~ 14 cm，宽 1 ~ 5 cm，先端渐尖，全缘，两面疏被贴伏柔毛或表面近无毛；叶腋内常具肉质球形珠芽，表面被柔毛。花序轴、小苞片、花被外面均密被棕褐色或淡黄色短柔毛；雄花序为总状花序或再排列成圆锥花序，常数个着生于叶腋，花梗短，小苞片 2，三角状卵形，其中 1 苞片先端尾状尖，发育雄蕊 3 与退化雄蕊 3 互生；雌花序为穗状花序，1 ~ 2 着生于叶腋，子房密被绒

毛。蒴果三棱状长圆形，长 1.5 ~ 2 cm，宽 1 ~ 1.2 cm，疏被短柔毛；种子两两着生于每室中轴顶部，种翅向基部伸长。花期 7 ~ 9 月，果期 9 ~ 11 月。

| 生境分布 | 生于海拔 500 ~ 2 000 m 的林边、山沟、山谷路旁或次生灌丛中。分布于湘西北、湘西南等。

| 资源情况 | 野生资源较少。药材来源于野生。

| 采收加工 | 秋季采收，除去茎叶及须根，洗净，鲜用或切片晒干。

| 药材性状 | 本品通常呈近卵圆形，外皮具细长须根。

| 功能主治 | 甘，温。舒筋壮骨，止痛，补虚。用于虚劳。

| 用法用量 | 内服煎汤，10 ~ 30 g；或浸酒；或入丸、散剂。外用适量，捣敷。

薯蓣科 Dioscoreaceae 薯蓣属 *Dioscorea*

穿龙薯蓣 *Dioscorea nipponica* Makino

| 药材名 | 穿山龙（药用部位：根茎。别名：穿地龙）。

| 形态特征 | 缠绕草质藤本。根茎横生，圆柱形，多分枝，栓皮层明显剥离。茎左旋，近无毛，长达 5 m。单叶互生；叶柄长 10 ~ 20 cm；叶片掌状心形，表面黄绿色，有光泽，无毛或疏被白色细柔毛，尤以脉上较密，茎基部的叶长 10 ~ 15 cm，宽 9 ~ 13 cm，边缘作不等大的三角状浅裂、中裂或深裂，先端叶片小，近全缘。花雌雄异株；雄花序为腋生的穗状花序，花序基部常由 2 ~ 4 花簇生成小伞状，至花序先端常为单花，苞片披针形，先端渐尖，较花被短，花被碟形，6 裂，裂片先端钝圆，雄蕊 6，着生于花被裂片中央，花药向内；雌花序为穗状花序，单生，退化雄蕊有时呈花丝状，柱头 3 裂，裂片

又2裂。蒴果成熟后枯黄色，三棱形，先端凹入，基部近圆形，每棱翅状，大小不一，一般长约2 cm，宽约1.5 cm；种子每室2，有时仅1种子发育，着生于中轴基部，四周具不等的薄膜状翅，上方呈长方形，长约为宽的2倍。花期6 ~ 8月，果期8 ~ 10月。

| 生境分布 | 生于海拔100 ~ 1 700 m的山坡、河谷两侧林缘或灌丛中。湖南各地均有分布。

| 资源情况 | 野生资源较丰富。药材来源于野生。

| 采收加工 | 春季采挖，除去外皮及须根，切段，晒干、烘干或鲜用。

| 药材性状 | 本品呈圆柱形，稍弯曲，具分枝，长10 ~ 15 cm，直径0.3 ~ 1.5 cm。表面黄白色或棕黄色，具不规则纵沟、点状根痕及偏向一侧的凸起茎痕，偶具膜状浅棕色外皮和细根。质坚硬，断面平坦，白色或黄白色，散有淡棕色维管束小点。气微，味苦、涩。

| 功能主治 | 甘、苦，温。祛风除湿，舒筋活血，止咳平喘，止痛。用于风湿关节痛，腰腿酸痛，筋骨麻木，大骨节病，跌打损伤，咳嗽痰喘。

| 用法用量 | 内服煎汤，6 ~ 9 g，鲜品30 ~ 45 g；或浸酒。外用适量，鲜品捣敷。

薯蓣科 Dioscoreaceae 薯蓣属 *Dioscorea*

薯蓣 *Dioscorea opposita* Thunb.

| 药 材 名 | 山药（药用部位：块茎）。

| 形态特征 | 缠绕草质藤本。块茎长圆柱形，垂直生长，长可超过 1 m，断面干时白色。茎通常带紫红色，右旋，无毛。单叶，在茎下部的叶互生，中部以上的叶对生，稀 3 叶轮生；幼苗时一般叶宽卵形或卵圆形，基部深心形，成熟后形状差异大，呈卵状三角形至宽卵形或戟形，长 3 ~ 9（~ 16）cm，宽 2 ~ 7（~ 14）cm，先端渐尖，基部深心形、宽心形或近截形，边缘 3 浅裂至 3 深裂，中裂片卵状椭圆形至披针形，侧裂片耳状，圆形、近方形至长圆形；叶腋内常具珠芽。雌雄异株；雄花序为穗状花序，长 2 ~ 8 cm，近直立，2 ~ 8 着生于叶腋，稀呈圆锥状排列，花序轴明显呈“之”字形曲折，苞片和花被片具紫

褐色斑点，外轮花被片宽卵形，内轮花被片卵形，较小，雄蕊 6；雌花序为穗状花序，1 ~ 3 着生于叶腋。蒴果不反折，三棱状扁圆形或三棱状圆形，长 1.2 ~ 2 cm，宽 1.5 ~ 3 cm，外面具白粉；种子着生于每室中轴中部，四周具膜质翅。花期 6 ~ 9 月，果期 7 ~ 11 月。

| 生境分布 | 生于山坡、山谷林下及溪边、路旁的灌丛或杂草中。湖南各地均有分布。

| 资源情况 | 野生资源丰富。药材来源于野生。

| 采收加工 | 芦头栽种者当年采收，珠芽繁殖者翌年采收，叶呈黄色时采挖，洗净泥土，刮去外皮，晒干或烘干，即为毛山药。选择粗大顺直的毛山药，清水浸匀，微热，用棉被盖好，保持湿润，闷透后搓揉成圆柱状，将两头切齐，晒干，打光，即为光山药。

| 药材性状 | 本品为圆柱形的毛山药和光山药。毛山药稍扁而弯曲，长 15 ~ 30 cm，直径 1.5 ~ 6 cm；表面黄白色或浅棕黄色，具明显的纵皱及栓皮残留的痕迹，并可见少数须根痕，两头不整齐；质坚实，不易折断，断面白色，颗粒状，粉性，散有浅棕黄色点状物；无臭，味甘、微酸，嚼之发黏。光山药呈圆柱形，两端齐平，长 7 ~ 16 cm，直径 1.5 ~ 3 cm，粗细均匀，挺直；表面光滑，洁白，粉性足。二者均以条粗、质坚实、粉性足、色洁白者为佳。

| 功能主治 | 甘，平。补脾养胃，益肺生津，补肾涩精。用于脾虚食少，久泻不止，肺虚咳喘，肾虚遗精，带下，尿频，阴虚消渴。

| 用法用量 | 内服煎汤，15 ~ 30 g，大剂量可用 60 ~ 250 g；或入丸、散剂。外用适量，捣敷。滋阴宜生用，健脾止泻宜炒黄用。

| 附　　注 | 本种的拉丁学名在 FOC 中被修订为 *Dioscorea polystachya* Turczaninow。

薯蓣科 Dioscoreaceae  薯蓣属 *Dioscorea*

黄山药 *Dioscorea panthaica* Prain et Burkill

| 药 材 名 |

黄山药（药用部位：根茎。别名：黄姜）。

| 形态特征 |

缠绕草质藤本。根茎横生，圆柱形，具不规则分枝，表面着生稀疏的须根。茎左旋，光滑无毛，草黄色，有时带紫色。单叶互生；叶片三角状心形，先端渐尖，基部深心形或宽心形，全缘或边缘呈微波状，干后表面栗褐色或黑色，背面灰白色，两面近无毛。花单性，雌雄异株；雄花无梗，新鲜时黄绿色，单生或 2 ~ 3 簇生成穗状花序，穗状花序通常又分枝成圆锥花序，单生或 2 ~ 3 簇生于叶腋，苞片舟形，小苞片与苞片同形而较小，花被碟形，先端 6 裂，裂片卵圆形，内具黄褐色斑点，开放时平展，雄蕊 6，着生于花被管基部，花药背着；雌花序与雄花序相似，花被 6 裂，具退化雄蕊 6，花药不全或仅花丝存在。蒴果三棱形，先端截形或微凹，基部狭圆，每棱翅状，半月形，表面棕黄色或栗褐色，有光泽，密生紫褐色斑点，成熟时果实反曲下垂；种子每室通常 2，着生于中轴中部。花期 5 ~ 7 月，果期 7 ~ 9 月。

| 生境分布 | 生于海拔 1 000 ~ 2 000 m 的山坡灌木林下、密林林缘或山坡路旁。分布于湘西北等。

| 资源情况 | 野生资源较少。药材来源于野生。

| 采收加工 | 秋季采收，洗净，晒干。

| 药材性状 | 本品呈圆柱形，具不规则分枝，表面具须根。味苦。

| 功能主治 | 苦、辛，平。解毒消肿，止痛。用于胃痛，跌打损伤，瘰疬。

| 用法用量 | 内服煎汤，25 ~ 50 g。外用适量，研末调敷。

薯蓣科 Dioscoreaceae 薯蓣属 *Dioscorea*

五叶薯蓣 *Dioscorea pentaphylla* L.

|药 材 名| 五叶薯（药用部位：块茎。别名：血参）。

|形态特征| 缠绕草质藤本。块茎形状不规则，通常呈长卵形，外皮具多数细长须根，断面切开时白色，后变棕色。茎疏被短柔毛，后无毛，具皮刺。掌状复叶具 3 ~ 7 小叶；小叶片常呈倒卵状椭圆形、长椭圆形或椭圆形，最外侧的小叶片通常呈斜卵状椭圆形，长 6.5 ~ 24 cm，宽 2.5 ~ 9 cm，先端短渐尖或凸尖，全缘，表面疏被贴伏短柔毛至近无毛，背面疏被短柔毛；叶腋内具珠芽。雄花序为穗状花序，排列成圆锥状，长可达 50 cm，花序轴密被棕褐色短柔毛，雄花无梗或梗极短，小苞片 2，近半圆形，疏被短柔毛，雄蕊 3；雌花序为穗状花序，单一或分枝，花序轴和子房密被棕褐色短柔毛，小苞片和花被外面被

短柔毛。蒴果三棱状长椭圆形，薄革质，长 2 ~ 2.5 cm，宽 1 ~ 1.3 cm，成熟时黑色，疏被短柔毛；种子通常两两着生于每室中轴顶部，种翅向蒴果基部延伸。花期 8 ~ 10 月，果期 11 月至翌年 2 月。

| 生境分布 | 生于海拔 500 m 以下的林边或灌丛中。分布于湖南邵阳（洞口、绥宁、新宁、武冈）、张家界（武陵源、慈利、桑植）、永州（双牌）、怀化（新晃、靖州、沅陵、溆浦）、湘西州（龙山）、常德（石门）等。

| 资源情况 | 野生资源一般。药材来源于野生。

| 采收加工 | 夏、秋季采挖，除去茎叶及须根，洗净，切片晒干或鲜用。

| 药材性状 | 本品形状不规则，外皮具细长须根。

| 功能主治 | 甘，平。补脾益肾，利湿消肿。用于肾虚，瘰疬，腹痛，疮痈肿毒。

| 用法用量 | 内服煎汤，9 ~ 15 g。外用适量，捣敷。

薯蓣科 Dioscoreaceae 薯蓣属 *Dioscorea*

褐苞薯蓣 *Dioscorea persimilis* Prain et Burkill

| 药 材 名 | 山药（药用部位：块茎）。

| 形态特征 | 缠绕草质藤本。块茎长圆柱形，垂直生长，外皮棕黄色，断面新鲜时白色。茎右旋，无毛，较细而硬，直径 0.1 ~ 0.6 cm，干时带红褐色，常具 4 ~ 8 棱。单叶，在茎下部的叶互生，中部以上的叶对生；叶片纸质，干时带红褐色，卵形、三角形至长椭圆状卵形或近圆形，长 4 ~ 15 cm，宽 2 ~ 13 cm，先端渐尖、尾尖或凸尖，基部宽心形、深心形、箭形或戟形，全缘，基出脉 7 ~ 9，常带红褐色，两面网脉明显，无毛；叶腋内具珠芽。雌雄异株；雄花序为穗状花序，长 1 ~ 4 cm，花序轴明显呈“之”字形曲折，苞片具紫褐色斑纹，外轮花被片宽卵形，有时卵形，背部凸出，具褐色斑纹，内轮

花被片倒卵形，二者均较厚，雄蕊 6；雌花序为穗状花序，1 ~ 2 着生于叶腋，外轮花被片卵形，较内轮花被片大，退化雄蕊小。蒴果不反折，三棱状扁圆形，长 1.5 ~ 2.5 cm，宽 2.5 ~ 4 cm；种子着生于每室中轴中部，四周具膜质翅。花期 7 月至翌年 1 月，果期 9 月至翌年 1 月。

| 生境分布 | 生于海拔 100 ~ 2 000 m 的山坡、路旁、山谷杂木林中或灌丛中。分布于湖南永州（江永、新田）、常德（石门）、张家界（慈利）等。

| 资源情况 | 野生资源一般。栽培资源一般。药材来源于野生和栽培。

| 采收加工 | 冬季茎叶枯萎后采挖。

| 药材性状 | 本品呈长圆柱形，表面平滑，残留少量未除尽的栓皮，栓皮层较薄，深褐色或灰褐色，栓皮下方的木质斑块呈浅黄色或浅褐色，紧附于中柱外侧。质硬，断面白色，粉性强。气微，味淡、甜。以条粗、质坚实、粉性足、色白者为佳。

| 功能主治 | 甘，平。补脾肺，涩精气。

| 用法用量 | 内服煎汤，10 ~ 30 g；或入丸、散剂。外用适量，捣敷。滋阴宜生用，健脾止泻宜炒黄用。

薯蓣科 Dioscoreaceae  薯蓣属 *Dioscorea*

绵萆薢 *Dioscorea septemloba* Thunb.

| 药 材 名 | 绵萆薢（药用部位：根茎）。

| 形态特征 | 缠绕草质藤本。根茎横生，圆柱形，粗大，直径 2 ~ 5 cm，多分枝，质疏松，外皮浅黄色，具多数细长须根。茎左旋，光滑无毛。单叶互生，表面绿色，背面灰白色，基出脉 9；叶二型，一种从茎基部至先端全部呈三角形或卵状心形，全缘或边缘微波状，一种茎基部的叶为掌状裂叶，5 ~ 9 深裂、中裂或浅裂，裂片先端渐尖，茎中部以上的叶呈三角形或卵状心形，全缘；叶柄较叶片短。花单性，雌雄异株；雄花序为穗状花序，有时分枝成圆锥花序，腋生，雄花新鲜时橙黄色，具短梗，单生或 2 花对生，稀疏排列于花序轴上，花被基部连合成管，先端 6 裂，裂片披针形，花开时平展，雄蕊 6，着生

于花被基部，花药3较大，3较小；雌花序与雄花序相似，退化雄蕊有时呈花丝状。蒴果三棱形，每棱翅状，长1.3 ~ 1.6 cm，宽1 ~ 1.3 cm；种子通常2，着生于每室中轴中部，成熟后四周具薄膜状翅，上下较宽，两侧较狭。花期6 ~ 8月，果期7 ~ 10月。

| 生境分布 | 生于海拔450 ~ 750 m的山地疏林或灌丛中。湖南有广泛分布。

| 资源情况 | 野生资源较丰富。药材来源于野生。

| 采收加工 | 秋、冬季采挖，除去须根，洗净，切片，晒干或鲜用。

| 药材性状 | 本品为根茎的纵切圆片，大小不等，厚2 ~ 5 mm，外皮黄棕色，较厚，周边多卷曲，切面浅黄白色，粗糙，有黄棕色点状维管束散在。质疏松，略呈海绵状。气微，味微苦、辛。

| 功能主治 | 苦，平。利湿化浊，祛风通痹。用于风湿痹痛，腰膝酸痛，小便混浊，淋证，白浊。

| 用法用量 | 内服煎汤，9 ~ 20 g；或浸酒；或入丸、散剂。外用适量，鲜品捣敷。

| 附　　注 | 本种的拉丁学名在FOC中被修订为 *Dioscorea spongiosa* J. Q. Xi, M. Mizuno et W. L. Zhao。

薯蓣科 Dioscoreaceae 薯蓣属 *Dioscorea*

毛胶薯蓣 *Dioscorea subcalva* Prain et Burkill

| 药 材 名 | 粘山药（药用部位：块茎。别名：粘狗苕、黏粘粘、黏山药）。

| 形态特征 | 缠绕草质藤本。块茎圆柱形，鲜时断面白色。茎左旋，有曲柔毛，老后近无毛。叶卵状心形或圆心形，长 4.5 ~ 11 cm，宽 4 ~ 13.5 cm，先端渐尖或尾尖，表面无毛，背面被疏柔毛或无毛。雄花 2 ~ 6，组成聚伞花序，在花序轴上排成穗状花序，长 3 ~ 12 cm，常 2 ~ 3 花序着生于叶腋，被疏柔毛或无；苞片卵形，长 1.5 ~ 2 mm，有红棕色斑点；6 花药背着，内向，花丝与花药等长或略长；雌花序穗状；苞片三角状披针形，有红棕色斑点；花被裂片窄卵形；花柱基部膨大，柱头 3 裂。蒴果三棱状倒卵圆形，长 1.5 ~ 3 cm，宽 1 ~ 1.6 cm，无毛，棱翅全缘或浅波状，每室 2 种子，着生于果轴

中下部。种翅薄膜质，向蒴果先端延伸成宽翅。花期 7 ~ 8 月，果期 9 ~ 10 月。

| 生境分布 | 生于海拔 800 ~ 2 000 m 的山谷、山坡灌丛、林缘或路边较湿润的地方。分布于湖南怀化（新晃、洪江）等。

| 资源情况 | 野生资源稀少。药材来源于野生。

| 采收加工 | 秋季采收，除去茎叶，洗净，刮去外皮，鲜用。

| 功能主治 | 健脾祛湿，补肺益肾。用于肺结核病，脾虚，食少泄泻，肾虚遗精，消渴；外用于跌打损伤。

| 用法用量 | 内服煎汤，9 ~ 15 g；或入丸、散剂。外用适量，捣敷。

薯蓣科 Dioscoreaceae 薯蓣属 *Dioscorea*

细柄薯蓣 *Dioscorea tenuipes* Franch. et Savat.

| 药 材 名 | 细柄薯蓣（药用部位：根茎。别名：小黄连、野生姜）。

| 形态特征 | 缠绕草质藤本。根茎横生，细长圆柱形，直径 6 ~ 15 mm，表面有明显的节和节间。茎左旋，光滑无毛。单叶互生，叶片薄纸质，三角形，先端渐尖或尾状，基部宽心形，全缘或微波状，两面光滑无毛。花单性，雌雄异株；雄花序总状，长 7 ~ 15 cm，单生，很少双生；雄花有梗，长 0.3 ~ 0.8 cm；花被淡黄色，基部结合成管状，先端 6 裂，裂片近倒披针形，先端钝或圆，花开时平展，稍反曲；雄蕊 6，着生于花被管基部，3 花药广歧式着生，3 花药“个”字形着生，花开时 6 雄蕊常聚集在一起，药外向；雌花序与雄花序相似，雄蕊退化呈花丝状。蒴果干膜质，三棱形，每棱翅状，近半月形，长 2 ~ 2.5 cm，

宽 1.2 ~ 1.5 cm；种子着生于每室中轴中部，成熟后四周有薄膜状翅。

| 生境分布 | 生于海拔 800 ~ 1100 m 的山谷疏林下、林缘或毛竹林内。分布于湖南张家界（桑植）、邵阳、郴州等。

| 资源情况 | 野生资源稀少。药材来源于野生。

| 采收加工 | 秋季采挖，除去茎叶，洗净，切段，晒干或鲜用。

| 药材性状 | 本品呈细长圆柱形，少分枝，直径 0.5 ~ 1.5 cm。表面淡灰黄色，有明显的环状节和节间。质坚硬，断面淡黄色。鲜品具黏丝。有的地区多切成薄片，切面呈淡黄色。气微，味苦。

| 功能主治 | 苦、辛，平。祛风湿，舒筋活络。用于风湿痹痛，筋脉拘挛，四肢麻木，跌打损伤，劳伤无力。

| 用法用量 | 内服煎汤，6 ~ 15 g；或浸酒。外用适量，捣敷。

薯蓣科 Dioscoreaceae  薯蓣属 *Dioscorea*

山萆薢 *Dioscorea tokoro* Makino

|药材名|

山萆薢（药用部位：根茎）。

|形态特征|

缠绕草质藤本。根茎横生，近圆柱形，具不规则分枝，向地侧着生多数须根。茎光滑，具纵沟。单叶互生，茎下部的叶呈深心形，中部以上的叶渐呈三角状浅心形，先端渐尖或尾状，全缘，有时浅波状，表面光滑，绿色，背面沿叶脉有时密生乳头状小突起。花单性，雌雄异株；雄花序为总状花序或圆锥花序，着生于基部的花通常 2 ~ 4 排列成伞状，中部以上的花常单生，苞片及小苞片各 1，短于花梗，花被片 6，基部连合成管，先端 6 裂，裂片长圆形，3 裂片较狭，3 裂片较宽，雄蕊 6，着生于花被基部，先端向外反曲；雌花序为穗状花序或圆锥花序，单生。蒴果长大于宽，先端微凹，基部狭圆形，成熟时果柄下垂；种子扁圆形，着生于每室中轴基部，种翅由两侧向上方逐渐扩大，上端种翅宽超过种子的 1 倍。花期 6 ~ 8 月，果期 8 ~ 10 月。

|生境分布|

生于海拔 60 ~ 1 000 m 的稀疏杂木林或竹

林下。分布于湖南长沙（岳麓）、邵阳（邵阳）、永州（零陵、双牌）、益阳（安化）、怀化（沅陵）等。

| 资源情况 | 野生资源一般。药材来源于野生。

| 采收加工 | 春、秋季采挖，洗净，除去须根，切片，晒干。

| 药材性状 | 本品近圆柱形，具不规则分枝，向地侧具须根。

| 功能主治 | 舒筋活络，祛风除湿。用于风湿痹痛，腰膝酸痛，淋浊，带下。

| 用法用量 | 内服煎汤。

薯蓣科 Dioscoreaceae 薯蓣属 *Dioscorea*

盾叶薯蓣 *Dioscorea zingiberensis* C. H. Wright

药材名

枕头根（药用部位：根茎。别名：黄姜）。

形态特征

缠绕草质藤本。根茎横生，圆柱形，具分枝，外皮棕褐色，断面黄色，干后除去须根留有白色点状痕迹。茎左旋，光滑无毛，有时分枝或叶柄基部两侧微凸起或具刺。单叶互生；叶片厚纸质，三角状卵形、心形或箭形，通常3浅裂至3深裂，中间裂片三角状卵形或披针形，两侧裂片圆耳状或长圆形，两面光滑无毛，表面绿色，常具不规则斑块，干时呈灰褐色；叶柄呈盾状着生。花单性，雌雄异株或同株；雄花无梗，常2～3簇生，再排列成穗状，穗状花序单一或分枝，1或2～3簇生于叶腋，通常每簇仅1～2花发育，基部常具膜质苞片3～4，花被片6，长1.2～1.5 mm，宽0.8～1 mm，开放时平展，紫红色，干后黑色，雄蕊6，着生于花托边缘，花丝极短，与花药近等长；雌花序与雄花序相似，退化雄蕊呈花丝状。蒴果三棱形，每棱翅状，长1.2～2 cm，宽1～1.5 cm，干后蓝黑色，表面常具白粉；种子通常每室2，着生于中轴中部，四周具薄膜状翅。花期5～8月，果期9～10月。

| **生境分布** | 生于海拔 100 ~ 1 800 m 的杂木林间、沟谷边及路旁腐殖质深厚的土层中。湖南各地均有分布。

| **资源情况** | 野生资源丰富。药材来源于野生。

| **采收加工** | 秋季采挖，洗净泥土，晒干。

| **药材性状** | 本品呈圆柱形，外皮棕褐色，断面黄色。

| **功能主治** | 甘、苦，凉。消肿解毒。用于痈疖肿毒，软组织损伤，蜂螫伤，虫咬伤。

| **用法用量** | 外用适量，捣敷。

雨久花科 Pontederiaceae 凤眼蓝属 *Eichhornia*

凤眼蓝 *Eichhornia crassipes* (Mart.) Solms

| 药 材 名 | 水葫芦（药用部位：全草。别名：水浮莲）。

| 形态特征 | 浮水草本，高 30 ~ 60 cm。须根发达，棕黑色，长 30 cm。茎极短，具长匍匐枝，匍匐枝淡绿色或带紫色，与母株分离后长成新植物。叶 5 ~ 10，基生成丛，呈莲座状排列，叶片圆形、宽卵形或宽菱形，长 4.5 ~ 14.5 cm，宽 5 ~ 14 cm，先端钝圆或微尖；叶柄长短不等，中部膨大成囊状或纺锤形，黄绿色至绿色，光滑。花茎自叶柄基部的鞘状苞片腋内伸出，长 34 ~ 46 cm，具多棱；穗状花序长 17 ~ 20 cm，具 9 ~ 12 花；花被裂片 6，花瓣状，紫蓝色，花冠两侧稍对称，直径 4 ~ 6 cm，上方 1 裂片较大，长约 3.5 cm，宽约 2.4 cm，四周淡紫红色，中间蓝色，蓝色中央具一黄色圆斑，下方 1 裂片窄，

宽 1.2 ~ 1.5 cm，其余各裂片长约 3 cm，宽 1.5 ~ 1.8 cm，花被片基部合生成筒，外面近基部具腺毛；雄蕊 6，贴生于花被筒上，3 长 3 短，长的雄蕊自花被筒喉部伸出，长 1.6 ~ 2 cm，短的雄蕊生于花被筒近喉部，长 3 ~ 5 mm，花丝上被腺毛，长约 0.5 mm，先端膨大，花药箭形，蓝灰色，2 室，纵裂，花粉粒长卵圆形，黄色；柱头上密被腺毛。蒴果卵形。花期 7 ~ 10 月，果期 8 ~ 11 月。

| 生境分布 | 生于水塘、沟渠及水稻田中。湖南各地均有分布。

| 资源情况 | 野生资源丰富。药材来源于野生。

| 采收加工 | 春、夏季采收，洗净，晒干或鲜用。

| 药材性状 | 本品高 30 ~ 60 cm，须根发达，棕黑色。茎极短。叶 5 ~ 10，呈莲座状排列，圆形，先端钝圆或微尖；叶柄长短不等，中部膨大成囊状或纺锤形。

| 功能主治 | 淡，凉。疏散风热，利水通淋，清热解毒。用于风热感冒，水肿；外用于热疮。

| 用法用量 | 内服煎汤，15 ~ 30 g。外用适量，捣敷。

雨久花科 Pontederiaceae 雨久花属 *Monochoria*

雨久花 *Monochoria korsakowii* Regel et Maack

| 药 材 名 | 雨久花（药用部位：全草。别名：雨韭）。

| 形态特征 | 直立水生草本。根茎粗壮，具柔软须根。茎直立，高 30 ~ 70 cm，全体光滑无毛，基部有时带紫红色。叶基生和茎生；基生叶宽卵状心形，长 4 ~ 10 cm，宽 3 ~ 8 cm，先端急尖或渐尖，基部心形，全缘，具多数弧状脉，叶柄长达 30 cm，有时膨大成囊状；茎生叶叶柄渐短，基部增大成鞘，抱茎。总状花序顶生，有时再聚成圆锥花序，具 10 余花；花梗 5 ~ 10 mm；花被片椭圆形，长 10 ~ 14 mm，先端圆钝，蓝色；雄蕊 6，其中 1 雄蕊较大，其花药长圆形，浅蓝色，其余 5 雄蕊较小，其花药黄色，花丝呈丝状。蒴果长卵圆形，长 10 ~ 12 mm；种子长圆形，长约 1.5 mm，具纵棱。花期 7 ~ 8 月，果期 9 ~ 10 月。

| 生境分布 | 生于池塘、湖沼浅水处和水稻田中。分布于湖南长沙（望城）、邵阳（大祥、新邵）、岳阳（临湘）、郴州（苏仙）、永州（冷水滩、蓝山）、怀化（通道）、湘西州（吉首、花垣）等。

| 资源情况 | 野生资源一般。药材来源于野生。

| 采收加工 | 夏季采收，晒干。

| 药材性状 | 本品具须根。茎高 30 ~ 70 cm，全体光滑无毛。基生叶呈卵状心形，长 4 ~ 10 cm，宽 3 ~ 8 cm，具多数弧状脉；叶柄膨大成囊状。总状花序顶生；花被片椭圆形。

| 功能主治 | 甘，凉。清热解毒，止咳平喘。用于高热咳喘，小儿丹毒。

| 用法用量 | 内服煎汤，3 ~ 10 g。外用适量，捣敷。

雨久花科 Pontederiaceae 雨久花属 *Monochoria*

鸭舌草 *Monochoria vaginalis* (Burm. f.) Presl

| 药 材 名 | 鸭舌草（药用部位：全草）。

| 形态特征 | 水生草本。根茎极短，具柔软须根。茎直立或斜上，高（6 ~ ）12 ~ 35（ ~ 50）cm，全体光滑无毛。叶基生和茎生；叶片形状和大小变化较大，呈心状宽卵形、长卵形至披针形，长 2 ~ 7 cm，宽 0.8 ~ 5 cm，先端短突尖或渐尖，基部圆形或浅心形，全缘，具弧状脉；叶柄长 10 ~ 20 cm，基部扩大成开裂的鞘，鞘长 2 ~ 4 cm，先端具舌状体，长 7 ~ 10 mm。总状花序自叶柄中部抽出，在花期直立，果期下弯；花序梗短，长 1 ~ 1.5 cm，基部具 1 披针形苞片；花通常 3 ~ 5，稀 10 余花，蓝色；花被片卵状披针形或长圆形，长 10 ~ 15 mm；花梗长不及 1 cm；雄蕊 6，其中 1 雄蕊较大，其花药

长圆形，其余 5 雄蕊较小，其花丝呈丝状。蒴果卵形至长圆形，长约 1 cm；种子多数，椭圆形，长约 1 mm，灰褐色，具 8 ~ 12 纵条纹。花期 8 ~ 9 月，果期 9 ~ 10 月。

| 生境分布 | 生于水稻田、沟旁、浅水池塘等水湿处。湖南各地均有分布。

| 资源情况 | 野生资源丰富。药材来源于野生。

| 采收加工 | 夏、秋季采收，鲜用或切段晒干。

| 药材性状 | 本品光滑无毛。叶片长 2 ~ 7 cm，宽 0.8 ~ 5 cm，先端短突尖，具弧状脉；叶柄先端具舌状体，长 7 ~ 10 mm。

| 功能主治 | 苦，凉。清热解毒。用于泄泻，痢疾，乳蛾，丹毒；外用于蛇虫咬伤，疮疖。

| 用法用量 | 内服煎汤，15 ~ 30 g，鲜品 30 ~ 60 g；或捣汁。外用适量，捣敷。

鸢尾科 Iridaceae 射干属 *Belamcanda*

射干 *Belamcanda chinensis* (L.) DC.

| 药 材 名 | 射干（药用部位：根茎。别名：绞剪草）。

| 形态特征 | 多年生草本。根茎呈不规则结节状，斜伸，黄色或黄褐色，具须根多数，带黄色。茎高 1 ~ 1.5 m，实心。叶互生，嵌叠状排列，剑形，长 20 ~ 60 cm，宽 2 ~ 4 cm，基部鞘状抱茎，先端渐尖，无中脉。花序顶生，叉状分枝，每分枝先端聚生数花；花梗细，长约 1.5 cm；花梗及花序分枝处均包有膜质苞片；苞片披针形或卵圆形；花橙红色，散生紫褐色斑点，直径 4 ~ 5 cm；花被裂片 6，2 轮排列，外轮花被裂片倒卵形或长椭圆形，长约 2.5 cm，宽约 1 cm，先端钝圆或微凹，基部楔形，内轮花被裂片较外轮花被裂片略短而狭；雄蕊 3，长 1.8 ~ 2 cm，着生于外轮花被裂片基部，花药条形，向外开裂，花丝近圆柱形，基部稍扁而宽；花柱上部稍扁，先端 3 裂，子房下位，

倒卵形，3 室，中轴胎座，具胚珠多数。蒴果倒卵形或长椭圆形，长 2.5 ~ 3 cm，直径 1.5 ~ 2.5 cm，先端无喙，常残存凋萎的花被，成熟时室背开裂，果瓣外翻，中央具直立的果轴；种子呈黑紫色，有光泽，直径约 5 mm，着生于果轴上。花期 6 ~ 8 月，果期 7 ~ 9 月。

| 生境分布 | 生于向阳山坡、灌丛、林缘或河谷滩地。栽培于田间。湖南各地均有分布。

| 资源情况 | 野生资源一般。栽培资源一般。药材来源于野生和栽培。

| 采收加工 | 春、秋季采挖，洗净泥土，晒干，搓去须根，晒干或鲜用。

| 药材性状 | 本品呈不规则结节状，具分枝，长 3 ~ 10 cm，直径 1 ~ 2 cm。表面黄棕色、暗棕色或黑棕色，皱缩不平，具明显的环节及纵纹，上面具圆盘状凹陷的茎痕，有时具残存的茎基，下面及两侧具残存的细根及根痕。质硬，折断面黄色，颗粒性。气微，味苦、微辛。以粗壮、质硬、断面色黄者为佳。

| 功能主治 | 苦，寒；有小毒。清热解毒，祛痰利咽，化瘀散结。用于咽喉肿痛，咳痰气喘。

| 用法用量 | 内服煎汤，5 ~ 10 g；或入丸、散剂；或鲜品捣汁。外用适量，研末吹喉；或捣敷。

鸢尾科 Iridaceae 雄黄兰属 *Crocosmia*

雄黄兰 *Crocosmia crocosmiflora* (Nichols.) N. E. Br.

| 药 材 名 | 雄黄兰（药用部位：球茎。别名：倒挂金钩）。

| 形态特征 | 多年生草本，高 50 ~ 100 cm。球茎扁圆球形，外有棕褐色网状的膜质包被。叶基生和茎生；基生叶剑形，长 40 ~ 60 cm，基部鞘状，先端渐尖，中脉明显；茎生叶较短而狭，披针形。花葶常 2 ~ 4 分枝；穗状花序具花多数；花两侧对称，橙黄色，直径 3.5 ~ 4 cm，每花基部具 2 膜质苞片；花被管略弯曲，花被裂片 6，2 轮排列，披针形或倒卵形，长约 2 cm，宽约 5 mm，外轮花被裂片先端略尖，内轮花被裂片较外轮花被裂片略宽而长；雄蕊 3，长 1.5 ~ 1.8 cm，偏向花的一侧，花丝着生于花被管上，花药呈“丁”字形着生；花柱长 2.8 ~ 3 cm，先端 3 裂，柱头略膨大。蒴果三棱状球形。花期 7 ~ 8 月，果期 8 ~ 10 月。

| 生境分布 | 栽培于疏松肥沃、排水良好的砂壤土中。湖南各地均有分布。

| 资源情况 | 栽培资源一般。药材来源于栽培。

| 采收加工 | 地上部分枯萎后或早春萌芽前采挖，洗净泥土，晒干或鲜用。

| 功能主治 | 有小毒。散瘀止痛，消炎，止血，生肌。用于全身筋骨疼痛，跌打损伤，外伤出血，痄腮。

| 用法用量 | 内服煎汤，3 ~ 6 g；或入丸、散剂；或浸酒。外用适量，研末；或捣敷。

鸢尾科 Iridaceae 番红花属 *Crocus*

番红花 *Crocus sativus* L.

| 药 材 名 | 番红花（药用部位：柱头。别名：西红花）。

| 形态特征 | 多年生草本。球茎扁圆球形，直径约 3 cm，外有黄褐色膜质包被。基生叶 9 ~ 15，条形，灰绿色，长 15 ~ 20 cm，宽 2 ~ 3 mm，边缘反卷；叶丛基部包有 4 ~ 5 膜质的鞘状叶。花葶甚短，不伸出地面；花 1 ~ 2，淡蓝色、红紫色或白色，芳香，直径 2.5 ~ 3 cm；花被裂片 6，2 轮排列，内、外轮花被裂片均呈倒卵形，先端钝，长 4 ~ 5 cm；雄蕊直立，长 2.5 cm，花药黄色，先端尖，略弯曲；花柱橙红色，长约 4 cm，上部 3 分枝，分枝弯曲而下垂，柱头略扁，先端楔形，具浅齿，较雄蕊长，子房狭纺锤形。蒴果椭圆形，长约 3 cm。

| 生境分布 | 栽培于温和、湿润的砂壤土中。分布于湖南张家界（慈利）等。

| 资源情况 | 栽培资源稀少。药材来源于栽培。

| 采收加工 | 10 ~ 11 月下旬，晴天早晨日出时采摘，晒干或在 55 ~ 60 ℃下烘干。

| 药材性状 | 本品长约 2.5 cm，直径约 1.5 mm，紫红色或暗红棕色，微有光泽，先端较宽大，向下渐细成尾状，先端边缘呈不整齐的齿状，下端为残留的黄色花枝。体轻，质松软，干燥后质脆易断，将柱头投入水中则膨胀成喇叭状，具短缝，色素呈线性下降，水被染成黄色，无沉淀。气特异，微有刺激性，味微苦。以身长、色紫红、滋润而有光泽、黄色花柱少、味辛凉者为佳。

| 功能主治 | 甘，平。活血化瘀，散郁开结，凉血解毒。用于痛经，月经不调，恶露不净，癥瘕，忧思郁结，胸膈痞闷，惊悸。

| 用法用量 | 内服煎汤，1 ~ 3 g；或冲泡；或浸酒炖。

鸢尾科 Iridaceae 红葱属 *Eleutherine*

红葱 *Eleutherine plicata* Herb.

| 药材名 | 红葱（药用部位：鳞茎。别名：小红蒜）。

| 形态特征 | 多年生草本。鳞茎卵圆形，直径约 2.5 cm；鳞片肥厚，紫红色，无膜质包被。根柔嫩，黄褐色。叶宽披针形或宽条形，长 25 ~ 40 cm，宽 1.2 ~ 2 cm，基部楔形，先端渐尖，4 ~ 5 纵脉平行而凸出，使叶表面呈明显的折皱。花葶高 30 ~ 42 cm，上部具 3 ~ 5 分枝，分枝处具叶状苞片；苞片长 8 ~ 12 cm，宽 5 ~ 7 mm；聚伞花序生于花葶先端；苞片 2，卵圆形，膜质；花白色，无明显的花被管；花被片 6，2 轮排列，内、外轮花被片近等大，倒披针形；雄蕊 3，花药呈“丁”字形着生，花丝着生于花被片基部；花柱先端 3 裂，子房长椭圆形，3 室。花期 6 月。

| 生境分布 | 栽培于地势平坦、湿润的田间。分布于湖南郴州（桂阳）等。

| 资源情况 | 栽培资源稀少。药材来源于栽培。

| 采收加工 | 春、夏季采收，鲜用或晒干。

| 药材性状 | 本品呈卵圆形，直径约 2.5 cm，鳞片肥厚。

| 功能主治 | 苦，凉。清热凉血，活血通络，消肿解毒。用于吐血，咯血，痢疾，经闭腹痛，风湿痹痛，跌打损伤，疮疖肿毒。

| 用法用量 | 内服煎汤，6 ～ 15 g，鲜品 15 ～ 30 g。外用适量，捣敷；或煎汤洗。

鸢尾科 Iridaceae 唐菖蒲属 *Gladiolus*

唐菖蒲 *Gladiolus gandavensis* Van Houtte

|药材名| 唐菖蒲（药用部位：球茎。别名：搜山黄）。

|形态特征| 多年生草本。球茎扁圆球形，直径 2.5 ~ 4.5 cm，外有棕色或黄棕色的膜质包被。叶基生或在花葶基部互生，剑形，长 40 ~ 60 cm，宽 2 ~ 4 cm，基部鞘状，先端渐尖，嵌叠状排列成 2 列，灰绿色，有数条纵脉及 1 中脉。花葶直立，高 50 ~ 80 cm，不分枝；穗状花序顶生，长 25 ~ 35 cm；花单生，两侧对称，呈红色、黄色、白色或粉红色等，直径 6 ~ 8 cm，每花具苞片 2；苞片膜质，黄绿色，卵形或宽披针形，长 4 ~ 5 cm，宽 1.8 ~ 3 cm，中脉明显；花梗无；花被管长约 2.5 cm，基部弯曲，花被裂片 6，2 轮排列，内、外轮花被裂片均呈卵圆形或椭圆形，上面 3 裂片略大，先端 1 内花被裂片

尤为宽大，弯曲成盔状；雄蕊 3，直立，贴生于盔状内花被裂片内，长约 5.5 cm，花药条形，红紫色或深紫色，花丝白色，着生于花被管上；花柱长约 6 cm，先端 3 裂，柱头略扁宽而膨大，具短绒毛，子房椭圆形，绿色，3 室，中轴胎座，具胚珠多数。蒴果椭圆形或倒卵形，成熟时室背开裂；种子扁而具翅。花期 7 ~ 9 月，果期 8 ~ 10 月。

| 生境分布 | 栽培于土层深厚、疏松肥沃、排水良好的微酸性砂壤土中。湖南各地均有分布。

| 资源情况 | 栽培资源一般。药材来源于栽培。

| 采收加工 | 秋季采挖，洗净，晒干或鲜用。

| 药材性状 | 本品扁圆球形，直径 1.5 ~ 3.5 cm，厚 1 ~ 1.5 cm，表面黄棕色、棕褐色或暗棕红色，基部具须根痕或偶见残根，上面中央为一尖凸状顶芽，腋芽数个，较小，分列于顶芽两侧，位于同一径向面上，全体尚见数个同心环状线纹，为鳞片痕，有时可见残存的膜质鳞叶基部。体重，质脆而易碎，断面淡棕褐色或污白色，显粉性。气微，味辣，刺舌。

| 功能主治 | 苦，凉；有毒。清热解毒，散瘀消肿。用于疮痈肿毒，咽喉肿痛，痄腮，痧证，跌打损伤。

| 用法用量 | 内服煎汤，3 ~ 9 g。外用适量，酒磨或水磨汁涂；或捣敷。

鸢尾科 Iridaceae 鸢尾属 *Iris*

扁竹兰 *Iris confusa* Sealy

| 药 材 名 | 扁竹兰（药用部位：根茎）。

| 形态特征 | 多年生草本。根茎横走，直径 4 ~ 7 mm，黄褐色；节明显，节间较长；须根多分枝，黄褐色或浅黄色。地上茎直立，高 80 ~ 120 cm，扁圆柱形，节明显，节上常残留老叶的叶鞘。叶密生于茎顶，基部鞘状，嵌叠状排列成扇状；叶片宽剑形，长 28 ~ 80 cm，宽 3 ~ 6 cm，黄绿色，两面略带白粉，先端渐尖，无明显的纵脉。花茎长 20 ~ 30 cm，总状分枝，每分枝处着生 4 ~ 6 膜质苞片；苞片卵形，长约 1.5 cm，钝头，内含 3 ~ 5 花；花浅蓝色或白色，直径 5 ~ 5.5 cm；花梗与苞片等长或较苞片略长；花被管长约 1.5 cm，外花被裂片椭圆形，先端微凹，边缘波状折皱，具疏牙齿，爪部楔形，内花被裂片倒宽披针形，

先端微凹；雄蕊长约 1.5 cm，花药黄白色；花柱分枝淡蓝色，长约 2 cm，宽约 8 mm，先端裂片呈缝状，子房绿色，柱状纺锤形。蒴果椭圆形，长 2.5 ~ 3.5 cm，直径 1 ~ 1.4 cm，表面具网状脉纹及 6 明显的肋；种子黑褐色，长 3 ~ 4 mm，宽约 2.5 mm，无附属物。花期 4 月，果期 5 ~ 7 月。

| 生境分布 | 生于林缘、疏林下、沟谷湿地或山坡草地。分布于湖南邵阳（大祥）、湘西州（泸溪、古丈）等。

| 资源情况 | 野生资源稀少。药材来源于野生。

| 采收加工 | 秋后采收，切段，晒干。

| 药材性状 | 本品直径 4 ~ 7 mm，节明显，具须根，须根上多具分枝。

| 功能主治 | 苦，寒。清热解毒。用于急性乳蛾，急性咽痛，咳嗽痰喘，乌头、蕈类食物中毒。

| 用法用量 | 内服煎汤，6 ~ 9 g。

鸢尾科 Iridaceae 鸢尾属 *Iris*

蝴蝶花 *Iris japonica* Thunb.

| 药 材 名 | 蝴蝶花（药用部位：全草。别名：扁竹根）。

| 形态特征 | 多年生草本。根茎分为较粗的直立根茎和纤细的横走根茎，直立根茎扁圆形，具多数较短的节间，棕褐色，横走根茎节间长，黄白色；须根着生于根茎节上，分枝多。叶基生，暗绿色，有光泽，近地面处带红紫色，剑形，长 25 ~ 60 cm，宽 1.5 ~ 3 cm，先端渐尖。花葶直立，高于叶片；顶生稀疏的总状聚伞花序，分枝 5 ~ 12；苞片叶状，内含 2 ~ 4 花；花淡蓝色或蓝紫色，直径 4.5 ~ 5 cm；花梗伸出苞片外，长 1.5 ~ 2.5 cm；花被管明显，长 1.1 ~ 1.5 cm，外花被裂片倒卵形或椭圆形，先端微凹，基部楔形，中脉上有隆起的黄色鸡冠状附属物，内花被裂片椭圆形或狭倒卵形，花盛开时向外展

开；雄蕊长 0.8 ~ 1.2 cm，花药长椭圆形，白色；花柱分枝较内花被裂片略短，中肋处淡蓝色，子房纺锤形，长 0.7 ~ 1 cm。蒴果椭圆状柱形，长 2.5 ~ 3 cm，直径 1.2 ~ 1.5 cm，先端微尖，基部钝，6 纵肋明显，成熟时自先端开裂至中部；种子黑褐色，呈不规则的多面体，无附属物。花期 3 ~ 4 月，果期 5 ~ 6 月。

| 生境分布 | 生于山坡较背阴而湿润的草地、疏林下或林缘草地。栽培于公园、庭院阴湿处。湖南各地均有分布。

| 资源情况 | 野生资源丰富。栽培资源丰富。药材来源于野生和栽培。

| 采收加工 | 春、夏季采收，切段，晒干。

| 药材性状 | 本品根茎呈棕褐色，具须根，分枝多。叶呈剑形，长 25 ~ 60 cm，宽 1.5 ~ 3 cm，先端渐尖。

| 功能主治 | 苦，寒；有小毒。清热解毒，消肿止痛。用于肝炎，肝大，肝区疼痛，胃痛，咽喉肿痛，跌打损伤。

| 用法用量 | 内服煎汤，6 ~ 15 g。

鸢尾科 Iridaceae 鸢尾属 *Iris*

白蝴蝶花 *Iris japonica* f. var. *pallescens* P. L. Chiu et Y. T. Zhao

| 药 材 名 | 白蝴蝶花子（药用部位：种子）。

| 形态特征 | 多年生草本。叶片及苞片均呈黄绿色。花白色，直径约 5.5 cm；外花被裂片的中肋上具淡黄色斑纹及淡黄褐色条状斑纹；花柱分枝的中肋略带淡蓝色。

| 生境分布 | 栽培种。湖南各地均有分布。

| 资源情况 | 栽培资源一般。药材来源于栽培。

| 采收加工 | 全年均可采收。

| 功能主治 | 用于小便淋痛不利。

| 用法用量 | 内服煎汤。

鸢尾科 Iridaceae 鸢尾属 *Iris*

小鸢尾 *Iris proantha* Diels

| 药 材 名 | 小鸢尾（药用部位：根茎）。

| 形态特征 | 多年生矮小草本。植株基部淡绿色，外包有 3 ~ 5 鞘状叶及少数老叶残留的纤维。根茎细长，质坚韧，二叉分枝，横走，棕黄色，节处膨大；须根细弱，着生于节处，棕黄色。叶狭条形，黄绿色，花期长 5 ~ 20 cm，宽 1 ~ 2.5 mm，果期长可达 40 cm，宽达 7 mm，先端长渐尖，基部鞘状，具 1 ~ 2 纵脉。花葶高 5 ~ 7 cm，中下部具 1 ~ 2 鞘状的茎生叶；苞片 2，草质，绿色，狭披针形，长 3.5 ~ 5.5 cm，先端渐尖，内含 1 花；花淡蓝紫色，直径 3.5 ~ 4 cm；花梗长 0.6 ~ 1 cm；花被管长 2.5 ~ 3 cm，外花被裂片倒卵形，花开时上部平展，具马蹄形斑纹，爪部楔形，中脉上具黄色的鸡冠状附属物，表面平坦似毡绒状，内花被裂片倒披针形，长 2.2 ~ 2.5 cm，

宽约 7 mm，直立；雄蕊长约 1 cm，花丝及花药均呈白色；花柱分枝淡蓝紫色，先端裂片长三角形，外缘具不明显的疏齿，子房绿色，圆柱形，长 4 ~ 5 mm。蒴果圆球形，直径 1.2 ~ 1.5 cm，先端具短喙，果柄长 1 ~ 1.3 cm，苞片宿存于果实基部。花期 3 ~ 4 月，果期 5 ~ 7 月。

| 生境分布 | 生于山坡、草地、林缘或疏林下。分布于湖南衡阳（衡南）、株洲（渌口）等。

| 资源情况 | 野生资源稀少。药材来源于野生。

| 采收加工 | 夏、秋季采收。

| 药材性状 | 本品细长，质较坚韧，可见二叉分枝，棕黄色，节处膨大，具细弱须根。

| 功能主治 | 用于产后劳伤。

| 用法用量 | 内服煎汤。

鸢尾科 Iridaceae 鸢尾属 *Iris*

黄菖蒲 *Iris pseudacorus* L.

| 药 材 名 | 黄菖蒲（药用部位：根茎）。

| 形态特征 | 多年生草本。植株基部外包有少数老叶残留的纤维。根茎粗壮，直径可达 2.5 cm，斜伸，节明显，黄褐色；须根黄白色，具皱缩的横纹。基生叶灰绿色，宽剑形，长 40 ~ 60 cm，宽 1.5 ~ 3 cm，先端渐尖，基部鞘状，色淡，中脉较明显，茎生叶较基生叶短而窄。花葶粗壮，高 60 ~ 70 cm，直径 4 ~ 6 mm，具明显的纵棱，上部分枝；苞片 3 ~ 4，膜质，绿色，披针形，长 6.5 ~ 8.5 cm，宽 1.5 ~ 2 cm，先端渐尖；花黄色，直径 10 ~ 11 cm；花梗长 5 ~ 5.5 cm；花被管长 1.5 cm，外花被裂片卵圆形或倒卵形，长约 7 cm，宽 4.5 ~ 5 cm，爪部狭楔形，中央下陷成沟状，具黑褐色条纹，内花被裂片较小，

倒披针形，直立，长 2.7 cm，宽约 5 mm；雄蕊长约 3 cm，花丝黄白色，花药黑紫色；花柱分枝淡黄色，长约 4.5 cm，宽约 1.2 cm，先端裂片半圆形，边缘具疏牙齿，子房绿色，三棱状柱形，长约 2.5 cm，直径约 5 mm。花期 5 月，果期 6 ~ 8 月。

| 生境分布 | 栽培种。湖南各地均有分布。

| 资源情况 | 栽培资源较丰富。药材来源于栽培。

| 采收加工 | 采收后除去须根，洗净，晒干。

| 药材性状 | 本品粗壮，直径可达 2.5 cm，节明显，须根具皱缩的横纹。

| 功能主治 | 用于牙痛，月经不调，腹泻。

| 用法用量 | 内服煎汤。

鸢尾科 Iridaceae 鸢尾属 *Iris*

小花鸢尾 *Iris speculatrix* Hance

| 药 材 名 | 小花鸢尾（药用部位：根茎）。

| 形态特征 | 多年生草本。植株基部外包有棕褐色的老叶叶鞘纤维及披针形鞘状叶。根茎二叉分枝，棕褐色。根较粗壮，少分枝。叶略弯曲，暗绿色，有光泽，长 15 ~ 30 cm，宽 0.6 ~ 1.2 cm，具 3 ~ 5 纵脉。花葶光滑，不分枝或偶有侧枝，高 20 ~ 25 cm，具 1 ~ 2 茎生叶；苞片 2 ~ 3，草质，绿色，狭披针形，长 5.5 ~ 7.5 cm，先端长渐尖，内包含有花 1 ~ 2；花蓝紫色或淡蓝色，直径 5.6 ~ 6 cm；花梗长 3 ~ 5.5 cm，花凋谢后弯曲；花被管短粗，长约 5 mm，外花被裂片匙形，长约 3.5 cm，宽约 9 mm，具深紫色的环形斑纹，中脉上具鲜黄色的鸡冠状附属物，附属物似毡绒状，内花被裂片狭倒披针形，

长约 3.7 cm，宽约 9 mm，直立；雄蕊长约 1.2 cm；花柱分枝扁平，长约 2.5 cm，宽约 7 mm，与花被裂片同色，先端裂片细长，子房纺锤形，绿色。蒴果椭圆形，长 5 ~ 5.5 cm，直径约 2 cm，先端具细长而尖的喙，果柄于花凋谢后弯曲成 90°，使果实呈水平状态；种子为多面体，棕褐色，旁附小翅。花期 5 月，果期 7 ~ 8 月。

生境分布 生于山地、路旁、林缘及疏林下。分布于湘西北、湘西南、湘中、湘东、湘南等。

资源情况 野生资源一般。药材来源于野生。

采收加工 秋季采收，洗净，切段，晒干或鲜用。

药材性状 本品呈棕褐色。根较粗壮，分枝较少。

功能主治 辛、苦，寒；有小毒。消积，化瘀，行水，解毒。用于食滞腹胀，跌打损伤，痔漏，痈肿疖毒。

用法用量 内服浸酒，3 ~ 6 g。外用适量，捣敷；或煎汤洗。

鸢尾科 Iridaceae 鸢尾属 *Iris*

鸢尾 *Iris tectorum* Maxim.

| 药 材 名 | 鸢尾（药用部位：根茎。别名：蓝蝴蝶）。

| 形态特征 | 多年生草本。植株基部外包有老叶残留的膜质叶鞘及纤维。根茎粗壮，二叉分枝，直径约 1 cm，斜伸；须根较细而短。叶基生，黄绿色，稍弯曲，中部略宽，宽剑形，长 15 ~ 50 cm，宽 1.5 ~ 3.5 cm，先端渐尖或短渐尖，基部鞘状，具多数不明显的纵脉。花葶光滑，高 20 ~ 40 cm；苞片 2 ~ 3，绿色，草质，披针形，长 5 ~ 7.5 cm，宽 2 ~ 2.5 cm，先端渐尖，内包含有花 1 ~ 2；花蓝紫色，直径约 10 cm；花被管细长，长约 3 cm，上端膨大成喇叭形，外花被裂片圆形或宽卵形，长 5 ~ 6 cm，宽约 4 cm，先端微凹，爪部狭楔形，中脉上具不规则的鸡冠状附属物，内花被裂片椭圆形，长 4.5 ~ 5 cm，

宽约 3 cm，花开时向外平展，爪部突然变细；雄蕊长约 2.5 cm，花药鲜黄色，花丝细长，白色；花柱分枝扁平，淡蓝色，长约 3.5 cm，先端裂片具疏齿，子房纺锤状圆柱形，长 1.8 ~ 2 cm。蒴果长椭圆形，长 4.5 ~ 6 cm，直径 2 ~ 2.5 cm，具 6 明显的肋，成熟时自上而下 3 瓣裂；种子梨形，黑褐色，无附属物。花期 4 ~ 5 月，果期 6 ~ 8 月。

| 生境分布 | 栽培于向阳坡地、林缘及水边湿地、庭院、花圃。湖南有广泛分布。

| 资源情况 | 栽培资源一般。药材来源于栽培。

| 采收加工 | 夏、秋季采收。

| 药材性状 | 本品粗壮，具分枝，直径约 1 cm，具须根。

| 功能主治 | 甘、微苦，寒；有小毒。活血化瘀，祛风除湿，解毒，消积。用于跌打损伤，风湿痹痛，咽喉肿痛，食积腹胀，疟疾；外用于痈疖肿痛，外伤出血。

| 用法用量 | 内服煎汤，6 ~ 15 g；或绞汁；或研末。外用适量，捣敷；或煎汤洗。

灯心草科 Juncaceae 灯心草属 *Juncus*

翅茎灯心草 *Juncus alatus* Franch. et Savat.

| 药材名 | 翅茎灯心草（药用部位：全草。别名：三角草）。

| 形态特征 | 多年生草本，高 11 ~ 48 cm。根茎短而横走，具淡褐色细弱的须根。茎丛生，直立，扁平，两侧具狭翅，宽 2 ~ 4 mm，具不明显的横隔。叶基生或茎生，前者多数，后者 1 ~ 2；叶片扁平，线形，长 5 ~ 16 cm，宽 3 ~ 4 mm，先端尖锐，具不明显的横隔或几无横隔；叶鞘两侧压扁，边缘膜质，松弛抱茎；叶耳小。花序长 3 ~ 12 cm，由 7 ~ 27 头状花序排列成聚伞状，通常分枝 3，上端分枝常向两侧伸展；花序梗长短不等；叶状总苞片长 2 ~ 9 cm；头状花序扁平，具 3 ~ 7 花及 2 ~ 3 宽卵形的膜质苞片，长 2 ~ 2.5 mm，先端急尖；小苞片 1，卵形；花淡绿色或黄褐色；花梗极短；花被片披针形，

长 3 ~ 3.5 mm，宽 1 ~ 1.3 mm，先端渐尖，边缘膜质，外轮花被片背脊明显，内轮花被片稍长；雄蕊 6，花药长圆形，黄色，花丝基部扁平；子房 1 室，椭圆形，花柱短，柱头 3 裂。蒴果三棱状圆柱形，长 3.5 ~ 5 mm，先端具短钝的突尖，淡黄褐色；种子椭圆形，长约 0.5 mm，黄褐色，具纵条纹。花期 4 ~ 7 月，果期 5 ~ 10 月。

| 生境分布 | 生于水边、草丛中及潮湿地。湖南各地均有分布。

| 资源情况 | 野生资源丰富。药材来源于野生。

| 采收加工 | 秋季采收，晒干。

| 药材性状 | 本品呈细圆柱形，高 11 ~ 48 cm。

| 功能主治 | 清热，通淋，止血。用于心烦口渴，口舌生疮，淋证，带下。

| 用法用量 | 内服煎汤。

灯心草科 Juncaceae 灯心草属 *Juncus*

小灯心草 *Juncus bufonius* L.

| 药 材 名 |

小灯心草（药用部位：茎髓）。

| 形态特征 |

一年生草本，高 4 ~ 20（~ 30）cm。须根细弱，浅褐色。茎丛生，细弱，直立或斜升，有时稍下弯，基部红褐色。叶基生和茎生，茎生叶 1，线形，扁平，长 1 ~ 13 cm，宽约 1 mm，先端尖，叶鞘具膜质边缘，无叶耳。花序生于茎顶，呈二歧聚伞状，或排列成圆锥状，占整个植株的 1/4 ~ 4/5，分枝细弱而微弯；叶状总苞片长 1 ~ 9 cm，常较花序短；花排列疏松，稀密集，具花梗和小苞片；小苞片 2 ~ 3，三角状卵形，膜质，长 1.3 ~ 2.5 mm，宽 1.2 ~ 2.2 mm；花被片披针形，外轮花被片长 3.2 ~ 6 mm，宽 1 ~ 1.8 mm，背部中间绿色，边缘宽膜质，白色，先端锐尖，内轮花被片稍短，几乎全为膜质，先端稍尖；雄蕊 6，长为花被的 1/3 ~ 1/2，花药长圆形，淡黄色，花丝丝状；雌蕊具短花柱，柱头 3，向外弯曲，长 0.5 ~ 0.8 mm。蒴果 3 室，三棱状椭圆形，黄褐色，长 3 ~ 4（~ 5）mm，先端稍钝；种子椭圆形，两端细尖，黄褐色，具纵纹，长 0.4 ~ 0.6 mm。花期 5 ~ 7 月，果期 6 ~ 9 月。

| 生境分布 | 生于阴湿草地、湖岸、河边、沼泽地。分布于湖南郴州（宜章）、益阳（安化）。

| 资源情况 | 野生资源稀少。药材来源于野生。

| 采收加工 | 夏季采收，洗净，晒干。

| 功能主治 | 苦，凉。清热，通淋，利尿，止血。

| 用法用量 | 内服煎汤，3 ~ 6 g。

灯心草科 Juncaceae 灯心草属 *Juncus*

灯心草 *Juncus effusus* L.

| 药 材 名 | 灯心草（药用部位：茎髓。别名：野席草、灯草）。

| 形态特征 | 多年生草本，高 27 ~ 91 cm 或更高。根茎粗壮横走，具黄褐色稍粗的须根。茎丛生，直立，圆柱形，淡绿色，具纵条纹，直径（1 ~ ）1.5 ~ 3（~ 4）mm，茎内充满白色的髓心。叶低出，呈鞘状或鳞片状，包围在茎的基部，长 1 ~ 22 cm，基部红褐色至黑褐色；叶片退化成刺芒状。聚伞花序假侧生，多花，排列紧密或疏散；总苞片圆柱形，生于先端，似茎的延伸，直立，长 5 ~ 28 cm，先端尖锐；小苞片 2，宽卵形，膜质，先端尖；花淡绿色；花被片线状披针形，长 2 ~ 12.7 mm，宽约 0.8 mm，先端锐尖，背脊增厚突出，黄绿色，边缘膜质，外轮花被片稍长于内轮花被片；雄蕊 3，稀 6，长约为花

被片的 2/3，花药长圆形，黄色，长约 0.7 mm，稍短于花丝；子房 3 室，花柱极短，柱头 3 裂，长约 1 mm。蒴果长圆形或卵形，长约 2.8 mm，先端钝或微凹，黄褐色。种子卵状长圆形，长 0.5 ~ 0.6 mm，黄褐色；花期 4 ~ 7 月，果期 6 ~ 9 月。

| 生境分布 | 生于河边、池旁、水沟、水稻田旁、草地及沼泽湿地。湖南各地均有分布。

| 资源情况 | 野生资源丰富。药材来源于野生。

| 采收加工 | 夏末至秋季采收，取出茎髓，理直，扎成小把。

| 药材性状 | 本品呈细圆柱形，长达 90 cm，直径 1 ~ 3 mm，表面白色或淡黄白色。质轻柔软，有弹性，易拉断，断面不平坦，白色。以条长、粗壮、色白、有弹性者为佳。

| 功能主治 | 甘、淡，微寒。利水通淋，清心降火。用于心烦少眠，口舌生疮，淋证。

| 用法用量 | 内服煎汤，1 ~ 3 g，鲜品 15 ~ 30 g；或入丸、散剂。外用适量，煅存性，研末撒；或鲜品捣敷；或扎把外擦。

灯心草科 Juncaceae 灯心草属 *Juncus*

笄石菖 *Juncus prismatocarpus* R. Br.

| 药 材 名 |

笄石菖（药用部位：全草）。

| 形态特征 |

多年生草本，高 17 ~ 65 cm。具根茎；须根多数，黄褐色。茎丛生，直立或斜上，直径 1 ~ 3 mm，下部节上有时生不定根。叶基生和茎生，较花序短，基生叶少，茎生叶 2 ~ 4；叶片线形，通常扁平，长 10 ~ 25 cm，宽 2 ~ 4 mm，先端渐尖，具不完全横隔，绿色；叶鞘边缘膜质，长 2 ~ 10 cm，有时带红褐色；叶耳稍钝。花序由 5 ~ 20 头状花序排列成顶生复聚伞花序，常分枝；花序梗长短不等；头状花序半球形至近圆球形，直径 7 ~ 10 mm，具 8 ~ 15 花；叶状总苞片 1；苞片多数，宽卵形，长 2 ~ 2.5 mm，先端锐尖或尾尖，背部中央具 1 脉；花梗短；花被片线状披针形至狭披针形，长 3.5 ~ 4 mm，宽约 1 mm，内、外轮花被片等长或内轮花被片稍短，先端尖锐，背面具纵脉，边缘狭膜质，绿色或淡红褐色；雄蕊通常 3，花药线形，长 0.9 ~ 1 mm，淡黄色，花丝长 1.2 ~ 1.4 mm；花柱甚短，柱头 3 裂，细长，常弯曲。蒴果三棱状圆锥形，淡褐色或黄褐色；种子长卵形，具短小尖头，蜡黄色。花期 3 ~ 6 月，果期 7 ~ 8 月。

| 生境分布 | 生于海拔 500 ~ 1 800 m 的田地、溪边、路旁沟边、疏林草地及山坡湿地。分布于湘西南、湘南、湘中、湘东、湘北等。

| 资源情况 | 野生资源一般。药材来源于野生。

| 采收加工 | 秋季采收，晒干。

| 药材性状 | 本品高 17 ~ 65 cm，具根茎。茎直立。叶片呈线形，先端渐尖。蒴果呈三棱状圆锥形。

| 功能主治 | 甘、淡，微寒。降心火，清肺热，利小便。用于小便不利，尿血，水肿，心烦不寐。

| 用法用量 | 内服煎汤，9 ~ 15 g。

灯心草科 Juncaceae 灯心草属 *Juncus*

野灯心草 *Juncus setchuensis* Buchen.

| 药 材 名 | 野灯心草（药用部位：茎髓）。

| 形态特征 | 多年生草本，高 30 ~ 50 cm。根茎多短缩；须根较坚硬。茎细弱，直径 0.8 ~ 1.5 mm，灰绿色，具纵条纹。叶多基生；叶鞘红褐色至棕褐色，长 2 ~ 5 cm，上部具膜质边缘；叶片退化为芒刺状。花序假侧生，聚伞花序多花或仅有数花；苞片与茎贯连，直或弯曲，长 10 ~ 15 cm；花被片 6，卵状披针形，长 2 ~ 3 mm，淡绿色，排列为 2 轮，内、外轮花被片近等长，边缘膜质；雄蕊 3，较花被短；子房上位，花柱极短，柱头 3。蒴果 1 室，近球形，成熟时棕褐色，直径约 2 mm；种子偏斜倒卵形，长约 0.5 mm。花果期 5 ~ 6 月。

| 生境分布 | 生于路旁水沟、潮湿沼泽地或浅水中。湖南各地均有分布。

|资源情况| 野生资源丰富。药材来源于野生。

|采收加工| 全年均可采收，除去杂质，洗净，切段，鲜用或晒干。

|药材性状| 本品茎细长，圆柱形，长 30 ~ 50 cm，上部渐细尖，基部稍粗，表面淡黄绿色，光滑，具细纵直纹理，质坚韧，断面黄白色，中央具髓，白色，疏松。茎上部无叶，侧生淡紫色花序或果穗，基部叶鞘红褐色至棕褐色。气微，味淡。以身干、细匀、色绿者为佳。

|功能主治| 苦，凉。利水通淋，泻热安神，凉血止血。用于热淋，肾炎性水肿，心热烦躁，心悸失眠，口舌生疮，咽痛，齿痛，目赤肿痛，咯血，尿血。

|用法用量| 内服煎汤，9 ~ 15 g；或烧存性，研末。

鸭跖草科 Commelinaceae 鸭跖草属 *Commelina*

饭包草 *Commelina benghalensis* L.

| 药 材 名 | 马耳草（药用部位：全草）。

| 形态特征 | 多年生草本。根茎横生。茎上部直立，基部匍匐，多少被毛。叶互生，具柄；叶片椭圆状卵形或卵形，长 3 ~ 6.5 cm，宽 1.5 ~ 3.5 cm，先端钝或急尖，基部圆形或渐狭成阔柄状，全缘，边缘具毛，两面被短柔毛、疏长毛或近无毛；叶鞘近膜质，有数条脉纹；苞片漏斗状，长约 1.2 cm，宽约 1.6 cm，与上部叶对生或 1 ~ 3 聚生，无柄或柄极短。聚伞花序数朵，几不伸出苞片；花梗短；萼片 3，膜质，其中 2 基部常合生；花蓝色，花瓣 3，直径约 8 mm；雄蕊 6，能育雄蕊 3，花丝丝状，无毛；子房长圆形，具棱，长约 1.5 mm，花柱线形。蒴果椭圆形，膜质，长约 5 mm；种子 5，肾形，黑褐色，表

面具窝孔及皱纹。花期 6 ~ 7 月，果期 11 ~ 12 月。

| 生境分布 | 生于田边、沟内、路旁、林下阴湿处。湖南各地均有分布。

| 资源情况 | 野生资源丰富。药材来源于野生。

| 采收加工 | 夏、秋季采收，洗净，鲜用或晒干。

| 药材性状 | 本品根茎横生。茎直立。叶椭圆状卵形，长 3 ~ 6.5 cm，宽 1.5 ~ 3.5 cm。聚伞花序，花梗短。

| 功能主治 | 苦，寒。清热解暑，利水消肿。用于小儿风热咳嗽，小便不利，血痢，疔疮肿毒，蛇咬伤。

| 用法用量 | 内服煎汤，15 ~ 30 g，鲜品 30 ~ 60 g。外用适量，鲜品捣敷；或煎汤洗。

鸭跖草科 Commelinaceae 鸭跖草属 *Commelina*

鸭跖草 *Commelina communis* L.

| 药 材 名 | 鸭跖草（药用部位：全草。别名：竹叶草）。

| 形态特征 | 一年生披散草本。茎匍匐生根，多分枝，长可达 1 m，下部无毛，上部被短毛。叶披针形至卵状披针形，长 3 ~ 9 cm，宽 1.5 ~ 2 cm。总苞片佛焰苞状，具长 1.5 ~ 4 cm 的柄，与叶对生，折叠状，展开后呈心形，先端短急尖，基部心形，长 1.2 ~ 2.5 cm，边缘常具硬毛；聚伞花序，下面 1 枝 1 花，花梗长 8 mm，不孕，上面 1 枝具 3 ~ 4 花，花梗短，几不伸出佛焰苞；花梗花期长仅 3 mm，果期弯曲，长不及 6 mm；萼片膜质，长约 5 mm，内面 2 常靠近或合生；花瓣深蓝色，内面 2 具爪，长近 1 cm。蒴果椭圆形，长 5 ~ 7 mm，2 室，2 爿裂；种子 4，长 2 ~ 3 mm，棕黄色，一端平截，腹面平，具不规则窝孔。

| 生境分布 | 生于田野、路旁、溪边、山坡、林缘潮湿处。湖南各地均有分布。

| 资源情况 | 野生资源丰富。药材来源于野生。

| 采收加工 | 6 ~ 7 月开花期采收，鲜用或阴干。

| 药材性状 | 本品长 60 cm，黄绿色。老茎略呈方形，表面光滑，具数条纵棱，直径约 2 mm，节膨大，基部节上常具须根；断面坚实，中部具髓。叶互生，皱缩成团，完整叶片展平后呈卵状披针形或披针形，长 3 ~ 9 cm，先端尖，全缘，基部下延成膜质鞘，抱茎，叶脉平行；质薄脆，易碎。聚伞花序，总苞心状卵形，折合状，边缘不相连，花多脱落，萼片膜质，花瓣蓝黑色。气微，味甘、淡。以色黄绿者为佳。

| 功能主治 | 甘、淡，寒。清热解毒，利水消肿。用于感冒发热，丹毒，痄腮，黄疸，咽喉肿痛，淋证，水肿，痈疽疔毒，毒蛇咬伤。

| 用法用量 | 内服煎汤，15 ~ 30 g，鲜品 60 ~ 90 g；或捣汁。外用适量，捣敷。

鸭跖草科 Commelinaceae 鸭跖草属 *Commelina*

竹节菜 *Commelina diffusa* Burm. f.

| 药 材 名 | 竹节菜（药用部位：全草。别名：翠蝴蝶、竹节花）。

| 形态特征 | 一年生草本。茎匍匐，分枝，超过 1 m，无毛或各处具短硬毛或成 1 列。叶近无柄，叶鞘具糙硬毛或具糙硬毛缘毛，具红色线；叶片披针形或下部长圆形，无毛或具糙硬毛。总苞片着生与叶对生，折叠，卵状披针形，长 1 ～ 4 cm，背面无毛或具短硬毛，基部心形或圆形，先端渐尖或短渐尖。蝎尾状二歧聚伞花序生自基部；1 分枝具长 1.5 ～ 2 cm 的长花序梗和 1 ～ 4 长外露的雄花；其他分枝具非常短的花序梗和 3 ～ 5 两性花在总苞片内藏；花梗粗壮而弯曲，长约 3 mm，在果期时长 5 mm；萼片 3 ～ 4 mm，膜质；花瓣蓝色，长 4.2 ～ 6 mm。蒴果长圆形，3 棱，约 5 mm，3 瓣裂；后面裂片具 1 种子，

不裂；其他 2 裂片每个具 2 种子，开裂；种子黑色，卵状球形，约 2 mm，网状。花期 5 ~ 11 月。

| 生境分布 | 生于海拔 2000 m 以下的林中、灌丛中、溪边或潮湿的旷野。湖南各地均有分布。

| 资源情况 | 野生资源较少。药材来源于野生。

| 采收加工 | 6 ~ 7 月采收，洗净，鲜用或晒干。

| 功能主治 | 淡，寒。清热解毒，利尿消肿，止血。用于疮疖痈肿，咽喉肿痛，热痢，白浊，小便不利，外伤出血。

| 用法用量 | 内服煎汤，10 ~ 20 g，鲜品 30 ~ 60 g。外用适量，捣敷；或研末撒。

鸭跖草科 Commelinaceae 鸭跖草属 *Commelina*

大苞鸭跖草 *Commelina paludosa* Blume

| 药 材 名 | 大苞鸭跖草（药用部位：全草。别名：竹叶菜）。

| 形态特征 | 多年生粗壮大草本。茎常直立，有时基部节上生根，高达 1 m，不分枝或上部分枝，无毛或疏被短毛。叶披针形至卵状披针形，长 7 ~ 20 cm，宽 2 ~ 7 cm，先端渐尖，两面无毛或上面被粒状毛而下面密被细长硬毛，无柄；叶鞘长 1.8 ~ 3 cm，通常在口沿及一侧密被棕色长刚毛，有时几无毛，仅口沿有几根毛，有时全面被细长硬毛。总苞片漏斗状，长约 2 cm，宽 1.5 ~ 2 cm，无毛，无柄，常 4 ~ 10 在茎先端聚集成头状，下缘合生，上缘急尖或短急尖；蝎尾状聚伞花序具花数朵，几不伸出，具长约 1.2 cm 的花序梗；花梗短，长约 7 mm，折曲；萼片膜质，长 3 ~ 6 mm，披针形；花瓣蓝色，

匙形或倒卵状圆形，长 5 ~ 8 mm，宽 4 mm，内面 2 具爪。蒴果卵球状三棱形，3 室，3 爿裂，每室具 1 种子，长 4 mm；种子椭圆状，黑褐色，腹面稍压扁，长约 3.5 mm，具细网纹。花期 8 ~ 10 月，果期 10 月至翌年 4 月。

| 生境分布 | 生于海拔 1 000 ~ 2 000 m 的山谷、溪边、林下及草丛中。分布于湖南邵阳（新宁）、郴州（宜章）、永州（江永）等。

| 资源情况 | 野生资源稀少。药材来源于野生。

| 采收加工 | 夏、秋季采收，洗净，鲜用或晒干。

| 药材性状 | 本品茎直立，高达 1 m。叶披针形至卵状披针形，长 7 ~ 20 cm，宽 2 ~ 7 cm，先端渐尖。

| 功能主治 | 甘、淡，寒。清热解毒，利水消肿。用于感冒发热，丹毒，痄腮，黄疸，咽喉肿痛，淋证，水肿，痈疽疔毒，毒蛇咬伤。

| 用法用量 | 内服煎汤，15 ~ 30 g，鲜品 30 ~ 45 g；或捣汁含咽。外用适量，捣敷。

鸭跖草科 Commelinaceae 聚花草属 *Floscopa*

聚花草 *Floscopa scandens* Lour.

| 药 材 名 | 聚花草（药用部位：全草。别名：水竹菜）。

| 形态特征 | 根茎极长，节上密生须根。全体或仅叶鞘及花序各部分被多细胞腺毛，有时叶鞘仅一侧被毛。茎高 20 ~ 70 cm，不分枝。叶椭圆形至披针形，长 4 ~ 12 cm，宽 1 ~ 3 cm，上面具鳞片状突起，无柄或具带翅的短柄。圆锥花序多个，顶生和腋生，组成长达 8 cm、宽达 4 cm 的扫帚状复圆锥花序；下部总苞片叶状，与叶同形等大，上部总苞片较叶小得多；花梗极短；苞片鳞片状；萼片长 2 ~ 3 mm，浅舟状；花瓣蓝色或紫色，少白色，倒卵形，略比萼片长；花丝长而无毛。蒴果卵圆状，长、宽均为 2 mm，侧扁；种子半椭圆形，灰蓝色，具从胚盖发出的辐射纹，胚盖白色，位于背面。花果期 7 ~ 11 月。

| 生境分布 | 生于海拔 130 ~ 1 700 m 的山谷、沟边、河旁、草地及林下。分布于湖南株洲（茶陵）、衡阳（衡山、祁东）、邵阳（武冈、新宁）、郴州（宜章、汝城）、永州（零陵、祁阳、双牌、江永、蓝山、新田、东安）、怀化（靖州、洪江）等。

| 资源情况 | 野生资源一般。药材来源于野生。

| 采收加工 | 夏、秋季采收，洗净，晒干或鲜用。

| 药材性状 | 本品茎高 20 ~ 70 cm，不分枝。叶椭圆形至披针形，长 4 ~ 12 cm，宽 1 ~ 3 cm，上面具鳞片状突起。蒴果卵圆状；种子半椭圆形。

| 功能主治 | 清热解毒，利水消肿。用于疮疖肿毒，淋巴结肿大，水肿。

| 用法用量 | 内服煎汤，9 ~ 15 g。外用适量，鲜品捣敷。

鸭跖草科 Commelinaceae 水竹叶属 *Murdannia*

疣草 *Murdannia keisak* (Hassk.) Hand.-Mazz.

| 药 材 名 | 疣草（药用部位：根）。

| 形态特征 | 多年生草本。根纤维状。根茎水平，拉长。茎下部匍匐，上部上升，分枝，长 40 cm，节间长约 8 cm，具一排浓白色的毛。叶平展或稍折叠，线状披针形或线状椭圆形，仅下部具缘毛，先端渐尖，无柄；叶鞘具一排毛。蝎尾状聚伞花序顶生和腋生，通常具 1 花；花序梗长 1 ~ 4 cm；有时具线形苞片，在中部具花生于腋的苞片；花梗 1 ~ 2 cm；萼片狭长圆形，长 6 ~ 10 mm；花瓣粉红色、紫红色、蓝紫色或淡蓝色，倒卵形；能育雄蕊 3，花丝被髯毛，退化雄蕊 3，退化花药箭头形。蒴果狭卵球形，具 3 棱，长 8 ~ 10 mm，直径 2 ~ 3 mm，两端锐尖至近渐尖；种子每裂片 4 或更少，单列，灰色，稍扁平。花期 8 ~ 9 月。

| 生境分布 | 生于水边。分布于湖南岳阳（岳阳）、永州（道县）、湘西州（古丈）、衡阳（常宁）等。

| 资源情况 | 野生资源较少。药材来源于野生。

| 采收加工 | 采收后洗净，鲜用或晒干。

| 药材性状 | 本品为匍匐生根，纤维状。

| 功能主治 | 清热解毒，利尿消肿。用于小便淋痛，瘰疬，蛇咬伤。

| 用法用量 | 内服适量。外用适量，捣敷。

鸭跖草科 Commelinaceae 水竹叶属 *Murdannia*

牛轭草 *Murdannia loriformis* (Hassk.) Rolla Rao et Kammathy

| 药 材 名 | 牛轭草（药用部位：全草。别名：狭叶水竹叶）。

| 形态特征 | 多年生草本。纤维状的根，直径 0.5 ~ 1 mm，无毛或者被绒毛。根茎无。主茎不发达；能育茎数个，基生叶具线形的叶片，只下部的叶具缘毛；茎生叶短，仅在鞘口部一边具缘毛，在别处无毛，稀浓密具微糙硬毛。蝎尾状聚伞花序顶生，单生、2 或 3，形成圆锥花序，近头状、数朵浓密排列的花；下部的总苞片叶状但是比叶小，上部的很小，长不到 10 mm；花序梗长约 2.5 cm；苞片长约 4 mm，早落；在果期的花梗稍弯曲，长 2.5 ~ 4 mm；萼片卵状椭圆形，长约 3 mm，草质；花瓣紫红色或蓝色，倒卵状圆形。能育雄蕊 2；花丝短柔毛；退化雄蕊 3；退化花药 3 全裂。蒴果卵状球形，3 棱，

3 ~ 4 mm；种子 2，每裂片黄褐色，具辐射状条纹，白色细网状，既不具洼点也不具瘤状突起。花期 5 月 ~ 10 月。

| 生境分布 | 生于低海拔的山谷溪边林下或山坡草地。分布于湖南邵阳（绥宁）、郴州（宜章、桂东）、永州（江永）等。

| 资源情况 | 野生资源稀少。药材来源于野生。

| 采收加工 | 夏、秋季采收，洗净，晒干或鲜用。

| 功能主治 | 甘、淡、微苦，寒。清热止咳，解毒，利尿。用于小儿高热，肺热咳嗽，目赤肿痛，热痢，疮痈肿毒，热淋，小便不利。

| 用法用量 | 内服煎汤，15 ~ 30 g。外用适量，捣敷。

鸭跖草科 Commelinaceae 水竹叶属 *Murdannia*

裸花水竹叶 *Murdannia nudiflora* (L.) Brenan

| 药 材 名 | 红毛草（药用部位：全草。别名：地韭菜）。

| 形态特征 | 多年生草本。根须状，纤细，直径不及 0.3 mm，无毛或被长绒毛。茎多条自基部发出，披散，下部节上生根，长 10 ~ 50 cm，分枝或否，无毛，主茎发育。叶通常茎生，有时具 1 ~ 2 长达 10 cm 的条形基生叶，茎生叶叶鞘长一般不及 1 cm，通常全面被长刚毛，但也有相当一部分植株仅口部一侧密被长刚毛；叶片禾叶状或披针形，先端钝或渐尖，两面无毛或疏被刚毛，长 2.5 ~ 10 cm，宽 5 ~ 10 mm。蝎尾状聚伞花序数个，排列成顶生圆锥花序，或仅单个，具多数密集排列的花；总梗纤细，长达 4 cm；下部总苞片叶状，较小，上部总苞片很小，长不及 1 cm；苞片早落；花梗细而挺直，长 3 ~ 5 mm；

萼片草质，卵状椭圆形，浅舟状，长约 3 mm；花瓣紫色，长约 3 mm；能育雄蕊 2，退化雄蕊 2 ~ 4，花丝下部具须毛。蒴果卵圆状三棱形，长 3 ~ 4 mm；种子黄棕色，具深窝孔或同时具浅窝孔和以胚盖为中心呈辐射状排列的白色瘤突。花果期（6 ~ ）8 ~ 9（ ~ 10）月。

| 生境分布 | 生于海拔 130 ~ 1 700 m 的山谷、沟边、河旁、草地及林下。分布于湘西北、湘西南、湘南、湘中、湘东等。

| 资源情况 | 野生资源较丰富。药材来源于野生。

| 采收加工 | 夏、秋季采收，洗净，鲜用或晒干。

| 药材性状 | 本品根须状，纤细。茎多数，披散，下部节上生根，长 10 ~ 50 cm。

| 功能主治 | 甘、淡，平。清肺热，消肿毒，凉血，止血。用于肺热咳嗽，咯血，乳蛾，咽喉肿痛，急性泄泻，乳痈；外用于目赤肿痛，疮疡肿毒，蛇咬伤。

| 用法用量 | 内服煎汤，15 ~ 30 g，大剂量可用至 60 g；或绞汁。外用适量，鲜品捣敷。

鸭跖草科 Commelinaceae 水竹叶属 *Murdannia*

水竹叶 *Murdannia triquetra* (Wall.) Bruckn.

| 药 材 名 | 水竹叶（药用部位：全草。别名：鸡舌草）。

| 形态特征 | 多年生草本。根茎长而横走，具叶鞘，节间长约 6 cm，节上具细长须根。茎肉质，下部匍匐，节上生根，上部上升，通常多分枝，长达 40 cm，节间长 8 cm，密生 1 列白色硬毛，这 1 列毛与下 1 叶鞘的 1 列毛相连。叶无柄；叶片下部具睫毛，叶鞘合缝处具 1 列毛，这 1 列毛与上 1 节上的 1 列毛相连；叶片竹叶形，平展或稍折叠，长 2 ~ 6 cm，宽 5 ~ 8 mm，先端渐尖而头钝。花序通常单花，顶生和腋生；花序梗长 1 ~ 4 cm，顶生者梗长，腋生者梗短，花序梗中部具 1 条状苞片，有时苞片腋中生 1 花；萼片绿色，狭长圆形，浅舟状，长 4 ~ 6 mm，无毛，果期宿存；花瓣粉红色、紫红色或蓝紫色，倒卵圆形，稍长于萼片；花丝密被长须毛。蒴果卵圆状三棱形，

长 5 ~ 7 mm，直径 3 ~ 4 mm，两端钝或短急尖，每室具种子 3，有时仅 1 ~ 2；种子短柱状，不扁，红灰色。花期 9 ~ 10 月，果期 10 ~ 11 月。

| 生境分布 | 生于水田、草丛、浅水边或阴湿地。湖南各地均有分布。

| 资源情况 | 野生资源丰富。药材来源于野生。

| 采收加工 | 夏、秋季采收，洗净，鲜用或晒干。

| 药材性状 | 本品根茎具叶鞘，节上具须根。茎肉质，多分枝。叶先端渐尖而头钝。单花。

| 功能主治 | 甘，平。清热解毒，利尿消肿。用于肺热咳喘，赤白痢，小便淋痛，咽喉肿痛，痈疖疔肿；外用于关节肿痛，蛇蝎虫咬伤。

| 用法用量 | 内服煎汤，9 ~ 15 g。外用适量，捣敷。

鸭跖草科 Commelinaceae 杜若属 *Pollia*

杜若 *Pollia japonica* Thunb.

药材名

竹叶莲（药用部位：全草或根茎。别名：竹叶花）。

形态特征

多年生草本。根茎长而横走。茎直立或上升，粗壮，不分枝，高 30 ~ 80 cm，被短柔毛。叶鞘无毛；叶无柄或叶基渐狭而延长成带翅的柄；叶片长椭圆形，长 10 ~ 30 cm，宽 3 ~ 7 cm，基部楔形，先端长渐尖，近无毛，上面粗糙。蝎尾状聚伞花序长 2 ~ 4 cm，常多个成轮排列，形成数个疏离的轮，也有不成轮的，一般集成圆锥花序，花序远伸出叶子；花序总梗长 15 ~ 30 cm；各级花序轴和花梗密被钩状毛；总苞片披针形；花梗长约 5 mm；萼片 3，长约 5 mm，无毛，宿存；花瓣白色，倒卵状匙形，长约 3 mm；6 雄蕊全育，近等大或 3 雄蕊略小，偶有 1 ~ 2 雄蕊不育。果实球状，果皮黑色，直径约 5 mm，每室具种子多数；种子灰色带紫色。花期 7 ~ 9 月，果期 9 ~ 10 月。

生境分布

生于海拔 500 ~ 1 500 m 的水边或阴湿地。湖南各地均有分布。

资源情况 野生资源丰富。药材来源于野生。

采收加工 夏、秋季采收，洗净，鲜用或晒干。

功能主治 辛，微温。全草，理气止痛，疏风消肿。用于气滞作痛，肌肤肿痛，胃痛，淋证；外用于蛇虫咬伤，痈疽疔疖，脱肛。根茎，补肾。用于腰痛，跌打损伤。

用法用量 内服煎汤，6 ~ 12 g。外用适量，捣敷。

鸭跖草科 Commelinaceae 杜若属 *Pollia*

川杜若 *Pollia miranda* (Lévl.) Hara

| 药 材 名 | 川杜若（药用部位：全草或根）。

| 形态特征 | 多年生草本。根茎横走而细长，具膜质鞘，直径 1.5 ~ 3 mm，节间长 1 ~ 6 cm。茎上升，细弱，直径不及 3 mm，高 20 ~ 50 cm，下部节间长达 10 cm，节上具叶鞘或小叶片，上部节间短而叶密集。叶鞘长 1 ~ 2 cm，被疏或密的短细柔毛；叶椭圆形或卵状椭圆形，长 5 ~ 15 cm，宽 2 ~ 5 cm，上面被粒状糙毛，下面疏被短硬毛或无毛；近无柄至有长 1.5 cm 的叶柄。圆锥花序单个顶生，与先端叶片近等长，具 2 至多数蝎尾状聚伞花序；花序总梗长 2 ~ 6 cm，花序总梗、总轴及花序轴均被细硬毛；聚伞花序互生，长仅 1 ~ 3.5 cm，具花多数；下部总苞片长 5 ~ 8 mm，上部总苞片小得多，鞘状抱

茎；苞片小，漏斗状；花梗短，果期长约 4 mm，挺直；萼片卵圆形，舟状，无毛，长 2.5 mm，宿存；花瓣白色，具粉红色斑点，卵圆形，基部具短爪，长约 4 mm；雄蕊 6，全育而相等，花丝略短于花瓣；子房每室具 4 ~ 5 胚珠。果实成熟时呈黑色，球状，直径约 5 mm；种子扁平，多角形，蓝灰色。花期 6 ~ 8 月，果期 8 ~ 9 月。

| 生境分布 | 生于海拔 500 ~ 1 800 m 的灌丛及林下阴湿处。分布于湖南湘西州（古丈）、张家界（桑植）等。

| 资源情况 | 野生资源稀少。药材来源于野生。

| 采收加工 | 夏、秋季采收，洗净，鲜用或晒干。

| 药材性状 | 本品根茎细长，具膜质鞘。茎节上具叶鞘或小叶片。叶呈卵状椭圆形。圆锥花序。

| 功能主治 | 解毒消肿，补肾壮阳。

| 用法用量 | 内服煎汤。

鸭跖草科 Commelinaceae 吉祥草属 *Spatholirion*

竹叶吉祥草 *Spatholirion longifolium* (Gagnep.) Dunn

| 药 材 名 | 珊瑚草花（药用部位：花序）。

| 形态特征 | 多年生缠绕草本，全体近无毛或被柔毛。根须状，多数，粗壮，直径约 3 mm。茎长达 3 m。叶柄长 1 ~ 3 cm；叶披针形至卵状披针形，长 10 ~ 20 cm，宽 1.5 ~ 6 cm，先端渐尖。圆锥花序总梗长达 10 cm；总苞片卵圆形，长 4 ~ 10 cm，宽 2.5 ~ 6 cm；花无梗；萼片长 6 mm，草质；花瓣紫色或白色，略短于萼片。蒴果卵状三棱形，长 12 mm，先端具芒状突尖，每室具种子 6 ~ 8；种子酱黑色。花期 6 ~ 8 月，果期 7 ~ 9 月。

| 生境分布 | 生于溪旁或山谷林下阴湿处。分布于湖南邵阳（新宁）、郴州（宜章）、永州（东安）、怀化（洪江）等。

| 资源情况 | 野生资源较少。药材来源于野生。

| 采收加工 | 夏季采收，晒干。

| 药材性状 | 本品最长可达 10 cm；苞片呈卵圆形；花无梗，萼片长 6 mm，花瓣稍短于萼片。

| 功能主治 | 涩，凉。调经，止痛。用于月经不调，神经性头痛。

| 用法用量 | 内服煎汤，9 ~ 15 g。

鸭跖草科 Commelinaceae 竹叶子属 *Streptolirion*

竹叶子 *Streptolirion volubile* Edgew.

| 药 材 名 | 竹叶子（药用部位：全草。别名：猪鼻孔）。

| 形态特征 | 多年生攀缘草本，长 3 ~ 6 m。茎细，直径 1 ~ 2 mm，具纵条纹，常无毛或叶鞘疏被白色长柔毛。叶互生，心形，长 4 ~ 14 cm，宽 3 ~ 15 cm，先端尾状渐尖，基部心形，上面近无毛，下面多少被疏柔毛，边缘密被睫毛；叶柄长 3 ~ 15 cm。蝎尾状聚伞花序常数个组成圆锥花序，生于穿鞘而出的侧枝上，有花 1 ~ 4，花序长约 5 cm，多少被短柔毛；总梗长 7 ~ 10 cm；苞片叶状，上部苞片变小，呈卵状披针形；下部花序的花两性，上部花序的花常为雄花；花梗短或无；萼片舟形，先端急尖；花瓣白色，条形，较萼片稍长；雄蕊 6，花丝密被绵毛；子房无毛或被疏毛。蒴果卵状三棱形，长

4 ~ 5 mm，被疏长毛，先端喙长约 3 mm，纵裂；每室有叠生种子 2，多角形。花期 5 ~ 9 月，果期 7 ~ 11 月。

| 生境分布 | 生于山谷、林下、林缘、草地或农田旁的湿润砂壤土中。分布于湘西北、湘西南等。

| 资源情况 | 野生资源较少。药材来源于野生。

| 采收加工 | 夏季采收，晒干或蒸 10 分钟后再晒干。

| 药材性状 | 本品茎较细，直径 1 ~ 2 mm，具纵条纹。叶片心形，长 4 ~ 14 cm，宽 3 ~ 15 cm，先端尾状渐尖，基部心形。

| 功能主治 | 补气，止咳，调经，止痛。用于肺痨，跌打损伤，风湿痹痛，带下。

| 用法用量 | 内服煎汤，10 ~ 15 g。

鸭跖草科 Commelinaceae  紫露草属 *Tradescantia*

白花紫露草 *Tradescantia fluminensis* Vell.

| 药 材 名 |

白花紫露草（药用部位：全株或花）。

| 形态特征 |

茎匍匐，下部光滑，长可达 60 cm，上部被短柔毛，有略膨大节，略带紫红晕，节处易生根。叶互生，长圆形或卵状长圆形，先端尖，下面深紫堇色，仅叶鞘上端有毛，具纵白色条纹，叶缘被短柔毛。花小，多朵聚生成伞形花序，白色，为 2 叶状苞片所包被，花丝众多，为白色，果为蒴果。花期 5 ~ 8 月。

| 生境分布 |

生于山边、村边和沟边较潮湿的草地上。湖南各地均有分布。

| 资源情况 |

栽培少见，偶见逸为野生。药材主要来源于栽培。

| 功能主治 |

全株，苦，凉。消肿解毒，散结，活血利尿。用于痈疽肿毒，瘰疬结核，淋病。花，用于眼疾。

鸭跖草科 Commelinaceae 紫露草属 *Tradescantia*

紫露草 *Tradescantia ohiensis* Raf

| 药材名 |

紫鸭跖草（药用部位：全草）。

| 形态特征 |

一年生草本，高 20 ~ 50 cm。茎稍肉质，多分枝，紫红色，下部匍匐状，节上生根，上部近直立。叶互生，披针形或条形，长 6 ~ 13 cm，宽 6 ~ 10 mm，先端渐尖，基部鞘状抱茎，鞘口被白色长睫毛，全缘，上面暗绿色，下面紫红色；无柄。聚伞花序顶生或腋生，具花梗；苞片线状披针形，长约 7 mm；萼片 3，绿色，卵圆形，宿存；花瓣 3，蓝紫色，广卵形；雄蕊 6，其中 2 发育，3 退化，另有 1 花丝短而纤细，无花药，发育雄蕊花丝被毛；子房 3 室，上位，花柱细，柱头头状。蒴果椭圆形，具 3 棱线；种子小，三棱状半圆形，淡棕色。花期 6 ~ 9 月。

| 生境分布 |

栽培于花坛、公园、庭院。湖南各地均有分布。

| 资源情况 |

栽培资源一般。药材来源于栽培。

| 采收加工 | 夏、秋季采收，洗净，鲜用或晒干。

| 药材性状 | 本品茎稍肉质，多分枝。叶披针形或条形，长 6 ~ 13 cm，宽 6 ~ 10 mm。

| 功能主治 | 甘、淡，凉。解毒，散结，利尿，活血。用于疮痈肿毒，瘰疬结核，毒蛇咬伤，淋证，跌打损伤。

| 用法用量 | 内服煎汤，9 ~ 15 g，鲜品 30 ~ 60 g。外用适量，捣敷；或煎汤洗。

鸭跖草科 Commelinaceae 紫露草属 *Tradescantia*

吊竹梅 *Tradescantia zebrina* Bosse

| 药材名 | 吊竹梅（药用部位：全草）。

| 形态特征 | 多年生草本，长约 1 m。茎稍柔弱，半肉质，分枝，披散或悬垂。叶互生，椭圆形、椭圆状卵形至长圆形，长 3 ～ 7 cm，宽 1.5 ～ 3 cm，先端急尖至渐尖或稍钝，基部鞘状抱茎，鞘口或全部叶鞘被疏长毛，上面紫绿色而杂以银白色，中部和边缘具紫色条纹，下面紫色，通常无毛，全缘；无柄。花聚生于 1 对不等大的顶生叶状苞内；花萼连合成 1 管，长约 6 mm，3 裂，苍白色；花瓣连合成 1 管，白色，长约 1 cm，裂片 3，玫瑰紫色，长约 3 mm；雄蕊 6，着生于花冠管喉部，花丝被紫蓝色长细胞毛；子房 3 室，花柱丝状，柱头头状，3 圆裂。蒴果。花期 6 ～ 8 月。

| 生境分布 | 栽培于花坛、公园、庭院。湖南有广泛分布。

| 资源情况 | 栽培资源丰富。药材来源于栽培。

| 采收加工 | 全年均可采收，洗净，晒干或鲜用。

| 药材性状 | 本品茎稍柔弱，半肉质。叶椭圆形，长 3 ～ 7 cm，宽 1.5 ～ 3 cm。

| 功能主治 | 甘，凉；有毒。清热解毒，凉血利尿。用于肺痨咯血，咽喉肿痛，目赤肿痛，痢疾，水肿，淋证，带下；外用于疮痈肿毒，烫火伤，毒蛇咬伤。

| 用法用量 | 内服煎汤，15 ～ 30 g，鲜品 60 ～ 90 g；或捣汁。外用适量，捣敷。

谷精草科 Eriocaulaceae 谷精草属 *Eriocaulon*

云南谷精草 *Eriocaulon brownianum* Mart.

|药 材 名| 云南谷精草（药用部位：全草）。

|形态特征| 草本。叶线形，丛生，长 35 ~ 50 cm，两面均有微毛。花葶长达 50 cm，稍扭转，具 5 ~ 7 棱，有微毛；鞘状苞片长 14 ~ 28 cm；花序扁球形，粉白色，直径 1 ~ 1.5 cm；外苞片长圆形，禾秆色或稍黑色，硬纸质，长 3.5 ~ 4 mm，背面上部及边缘有短毛；总（花）托有密毛；苞片倒披针状楔形，长 3.5 ~ 3.8 mm，背面上部及先端密生白色毛；雄花：花萼佛焰苞状，常 3 浅裂，连柄长 3.2 ~ 3.7 mm，背面上部及先端密生白色毛，无翅，无龙骨突起；花冠（2 ~ ）3 裂，裂片卵形，近等大，上部具黑色腺体，先端有白色毛；雄蕊（4 ~ ）6，花药黑色；雌花：萼片 3，舟形，长 3 ~ 3.5 mm，先端簇生白毛，无翅，无龙骨突起；花瓣 3，膜质，窄倒披针状条形，先端簇生白毛，

侧面及腹面上部有长毛，近顶有 1 黑色腺体；子房 3 室，花柱分枝 3。种子长卵圆形，长 0.7 ~ 0.8 mm，具横格及“T”形或条状突起。花果期 8 ~ 12 月。

| 生境分布 | 生于海拔 1 000 ~ 1 500 m 的向阳沼泽地。分布于湖南郴州（宜章、汝城）等。

| 资源情况 | 野生资源稀少。药材来源于野生。

| 功能主治 | 疏散风热，明目，退翳。

谷精草科 Eriocaulaceae 谷精草属 *Eriocaulon*

谷精草 *Eriocaulon buergerianum* Koern.

| 药 材 名 | 谷精草（药用部位：带茎花序。别名：珍珠草、挖耳朵草）。

| 形态特征 | 一年生草本。叶线形，丛生，具横格，长 4 ~ 10（~ 20）cm，中部宽 2 ~ 5 mm；叶脉 7 ~ 12（~ 18）。花茎多数，长 25（~ 30）cm，扭转，具 4 ~ 5 棱；鞘状苞片长 3 ~ 5 cm；花序近球形，禾秆色，长 3 ~ 5 mm；总苞片倒卵形至近圆形，禾秆色，下半部较硬，上半部纸质，不反折，长 2 ~ 2.5 mm，无毛或边缘被疏毛，下部的毛较长；总花托常被密柔毛；苞片倒卵形至长倒卵形，长 1.7 ~ 2.5 mm，背面上部及先端被白色短毛；雄花花萼佛焰苞状，外侧开裂，3 浅裂，长 1.8 ~ 2.5 mm，花冠裂片 3，近锥形，几等大，近顶处各具 1 黑色腺体，端部被白色短毛，雄蕊 6，花药黑色；雌花花萼合生，

外侧开裂，先端 3 浅裂，长 1.8 ~ 2.5 mm，背面及先端被短毛，外侧裂口边缘被毛，下长上短，花瓣 3，离生，扁棒形，肉质，先端各具 1 黑色腺体及白色短毛，果实成熟时毛易落，内面常被长柔毛，子房 3 室，花柱分枝 3，短于花柱。种子矩圆形，长 0.75 ~ 1 mm，表面具横格及“T”形突起。花果期 7 ~ 12 月。

| 生境分布 | 生于水稻田、浅水池、沼泽边及溪沟阴湿处。湖南各地均有分布。

| 资源情况 | 野生资源丰富。药材来源于野生。

| 采收加工 | 8 ~ 9 月采收，除去泥沙等杂质，晒干。

| 功能主治 | 辛、甘，平。疏散风热，明目退翳。用于风热目赤，肿痛羞明，目生翳膜，风热头痛。

| 用法用量 | 内服煎汤，9 ~ 12 g；或入丸、散剂。外用适量，煎汤洗；或烧存性，研末撒；或研末吹鼻；或烧烟熏鼻。

谷精草科 Eriocaulaceae 谷精草属 *Eriocaulon*

白药谷精草 *Eriocaulon cinereum* R. Br.

| 药 材 名 | 谷精草（药用部位：带花茎的头状花序）。

| 形态特征 | 一年生草本。叶丛生，窄线形，长 2 ~ 5（~ 8）cm，无毛。花葶 6 ~ 30，长 6 ~ 9（~ 19）cm，扭转，具 5 棱；鞘状苞片长 1.5 ~ 2（~ 3.5）cm；花序宽卵状或近球形，淡黄色或墨绿色；外苞片倒卵形或长椭圆形，淡黄绿色或灰黑色，先端尖或圆钝，无毛；总（花）托有密毛，偶无毛；苞片长圆形或倒披针形，长 1.5 ~ 2 mm，无毛。雄花花萼佛焰苞状，3 裂，无毛；花冠裂片 3，卵形或长圆形，有腺体，先端有毛，远轴片稍大；雄蕊 6，花药白色或淡黄褐色。雌花萼片 2（~ 3），线形，带黑色，侧片长 1 ~ 1.7 mm，中片缺或长 0.1 ~ 1 mm；无花瓣；子房 3 室，花柱分枝。种子卵圆形，有

六边形横格，无突起。花期 6 ~ 8 月，果期 9 ~ 10 月。

| 生境分布 | 生于水田、沟旁。分布于湖南邵阳（新宁）、郴州（宜章、桂东）、永州（零陵）等。

| 资源情况 | 野生资源一般。药材来源于野生。

| 采收加工 | 秋季采收，除去杂质，晒干。

| 药材性状 | 本品头状花序呈宽卵状至近球形，直径 3 ~ 4 mm，顶部灰白色，底部有苞片层层紧密排列；苞片淡黄绿色，有光泽，上部边缘密生白色短毛。揉碎花序，可见多数白色或淡黄色花药和细小黄绿色未成熟的果实。花茎纤细，长短不一，直径不及 1 mm，淡黄绿色，有 4 ~ 6 扭曲的棱线。质柔软。气微，味淡。以珠（花序）大而紧、色灰白、花茎短、色黄绿者为佳。

| 功能主治 | 辛、甘，平。归肝、肺经。疏散风热，明目退翳。用于风热目赤，肿痛羞明，眼生翳膜，风热头痛。

谷精草科 Eriocaulaceae 谷精草属 *Eriocaulon*

长苞谷精草 *Eriocaulon decemflorum* Maxim.

| 药 材 名 | 长苞谷精草（药用部位：带花葶的花序）。

| 形态特征 | 草本。叶丛生，线形，长（4 ~ ）6 ~ 10（ ~ 13） cm，脉 3 ~ 7（ ~ 11）。花葶 10，长 10 ~ 20（ ~ 30） cm，3 ~ 4（ ~ 5）棱；鞘状苞片长 3 ~ 5（ ~ 7） cm；花序倒圆锥形或半球形，连总苞片长 4 ~ 5 mm；外苞片约 14，长圆形或倒披针形，长 3.5 ~ 6 mm，外部的无毛，内部的背面有白色毛；总（花）托多无毛；苞片倒披针形或长倒卵形，长 2 ~ 3.7 mm，背面上部及边缘有密毛；雄花：花萼 3 深裂，有时成单裂片，裂片舟形，长 1.6 ~ 2.2 mm，背面与先端有毛；花冠裂片 1（ ~ 2），长卵形或椭圆形，近先端有腺体及多数白色毛；雄蕊 2 ~ 5，花药黑色；雌花：花萼 2 裂或单裂片，长 1.8 ~ 2.3 mm，背面与先端具毛；花瓣 2，倒披针状线形，近肉质，

有黑色腺体，先端具白色毛；子房 1（～2）室，花柱分枝 1（～2）。种子近圆形，具横格及“T”形毛。花期 8～9 月，果期 9～10 月。

| 生境分布 | 生于山坡湿地及稻田。分布于湖南邵阳（城步）、郴州（桂东）等。

| 资源情况 | 野生资源稀少。药材来源于野生。

| 功能主治 | 疏散风热，明目，退翳。

谷精草科 Eriocaulaceae 谷精草属 *Eriocaulon*

华南谷精草 *Eriocaulon sexangulare* L.

|药 材 名| 谷精珠（药用部位：全草或花序。别名：簪子草）。

|形态特征| 一年生草本。叶丛生，线形，长 10 ~ 37 cm，宽 4 ~ 13 mm，先端钝，质较厚，对光能见横格；叶脉 15 ~ 37。花葶 5 ~ 20，长可达 60 cm，干时直径 1.1 mm，具 4 ~ 6 棱；鞘状苞片长 4 ~ 12 cm，口部斜裂，裂片禾叶状；花序熟时近球形，灰白色，直径 6.5 mm；总苞片倒卵形，禾秆色，直径 2.2 ~ 2.4 mm，背面被白色短毛，边缘无毛；总花托无毛；苞片倒卵形至倒卵状楔形，直径 2 ~ 2.5 mm，背面上部被白色短毛；雄花花萼合生，近轴处深裂至半裂，两侧裂片具翅，翅端为不整齐齿状，无毛，花冠 3 裂，裂片条形，常各具一不明显的腺体，裂片先端被短毛，雄蕊 6，稀 4 ~ 5，花药黑色；

雌花萼片 3，无毛，侧裂片 2，舟形，长 2 ~ 2.3 mm，背面具宽翅，翅端齿状，中萼片较小，无翅，长 1.7 ~ 2.5 mm，线形或二叉状，花瓣 3，线形，中片稍大，近顶处各具一不明显的淡棕色腺体，先端被白色短毛，子房 3 室，花柱扁。种子卵形，长 0.58 ~ 0.7 mm，表面具横格及“T”形毛。花果期夏、秋季至冬季。

| 生境分布 | 生于田边、路边、溪谷沟旁及低洼地。分布于湖南郴州（汝城）、怀化（靖州）等。

| 资源情况 | 野生资源稀少。药材来源于野生。

| 采收加工 | 秋季将花序连同花葶拔出，晒干。

| 功能主治 | 辛、甘，平。疏散风热，明目退翳。用于风热目赤，肿痛羞明，目生翳膜，风热头痛。

| 用法用量 | 内服煎汤，9 ~ 12 g。外用适量，煎汤洗；或研末撒。

禾本科 Gramineae 剪股颖属 *Agrostis*

剪股颖 *Agrostis matsumurae* Hack. ex Honda

| 药材名 |

剪股颖（药用部位：全草）。

| 形态特征 |

多年生草本。根茎细弱。秆丛生，直立，柔弱，高 20 ~ 50 mm，直径 0.6 ~ 1 mm，常具 2 节，顶节位于秆基 1/4 处。叶鞘松弛，平滑，长于或上部者短于节间；叶舌透明膜质，先端圆形或具细齿，长 1 ~ 1.5 mm；叶片直立，扁平，长 1.5 ~ 10 cm，较秆短，宽 1 ~ 3 mm，微粗糙，上面绿色或灰绿色，分蘖叶片长达 20 mm。圆锥花序窄线形，或于花开时开展，长 5 ~ 15 mm，宽 0.5 ~ 3 mm，绿色，每节具 2 ~ 5 细长分枝，主枝长达 4 mm，直立或上升；小穗柄棒状，长 1 ~ 2 mm；小穗长 1.8 ~ 2 mm；第一颖较第二颖稍长，先端尖，平滑，脊上微粗糙；外稃无芒，长 1.2 ~ 1.5 mm，具明显的 5 脉，先端钝，基盘无毛，内稃卵形，长约 0.3 mm；花药微小，长 0.3 ~ 0.4 mm。花果期 4 ~ 7 月。

| 生境分布 |

生于海拔 300 ~ 1 700 m 的草地、路边、山坡林下、田野潮湿地。分布于湖南常德（桃源）、怀化（洪江）等。

| 资源情况 | 野生资源稀少。药材来源于野生。

| 采收加工 | 采收后晒干。

| 药材性状 | 本品根茎细弱，秆高 20 ～ 50 mm，直径 0.6 ～ 1 mm。叶鞘松弛，平滑；叶舌透明膜质，先端圆形或具细齿。圆锥花序窄线形；小穗柄呈棒状。

| 功能主治 | 用于咳嗽。

| 用法用量 | 内服煎汤。

禾本科 Gramineae 看麦娘属 *Alopecurus*

看麦娘 *Alopecurus aequalis* Sobol.

| 药 材 名 | 看麦娘（药用部位：全草。别名：牛头猛、山高粱）。

| 形态特征 | 一年生草本。秆少数丛生，细瘦，光滑，节处常膝曲，高 15 ~ 40 cm。叶鞘光滑，较节间短；叶舌膜质，长 2 ~ 5 mm；叶片扁平，长 3 ~ 10 cm，宽 2 ~ 6 mm。圆锥花序圆柱形，灰绿色，长 2 ~ 7 cm，宽 3 ~ 6 mm；小穗椭圆形或卵状长圆形，长 2 ~ 3 mm；颖膜质，基部连合，具 3 脉，脊上被细纤毛，侧脉下部被短毛；外稃膜质，先端钝，与颖等大或较颖稍长，下部边缘连合；芒长 1.5 ~ 3.5 mm，约自稃体下部 1/4 处伸出，隐藏或稍外露；花药橙黄色，长 0.5 ~ 0.8 mm。颖果长约 1 mm。花果期 4 ~ 8 月。

| 生境分布 | 生于山坡、田野、河滩、潮湿的低地草甸。湖南各地均有分布。

| 资源情况 | 野生资源丰富。药材来源于野生。

| 采收加工 | 茎、叶繁茂时采收，切段，晒干。

| 药材性状 | 本品秆少数丛生，细瘦，光滑，节处常膝曲。叶鞘光滑，较节间短；叶舌膜质，长 2 ~ 5 mm；叶片扁平，长 3 ~ 10 cm，宽 2 ~ 6 mm。圆锥花序圆柱形。

| 功能主治 | 清热利湿，止泻，解毒。用于水肿，水痘，泄泻，黄疸性肝炎，目赤，毒蛇咬伤。

| 用法用量 | 内服煎汤，30 ~ 60 g。外用适量，捣敷；或煎汤洗。

禾本科 Gramineae 看麦娘属 *Alopecurus*

日本看麦娘 *Alopecurus japonicus* Steud.

| 药 材 名 |

日本看麦娘（药用部位：全草）。

| 形态特征 |

一年生草本。秆少数丛生，直立或基部膝曲，具 3 ～ 4 节，高 20 ～ 50 cm。叶鞘松弛；叶舌膜质，长 2 ～ 5 mm；叶片上面粗糙，下面光滑，长 3 ～ 12 mm，宽 3 ～ 7 mm。圆锥花序圆柱形，长 3 ～ 10 cm，宽 4 ～ 10 mm；小穗长圆状卵形，长 5 ～ 6 mm；颖仅基部连合，具 3 脉，脊上具纤毛；外稃略长于颖，厚膜质，下部边缘连合；芒长 8 ～ 12 mm，自近稃体基部伸出，上部粗糙，中部稍膝曲；花药色淡或白色，长约 1 mm。颖果半椭圆形，长 2 ～ 2.5 mm。花果期 2 ～ 5 月。

| 生境分布 |

生于低海拔的麦田、湿草地。湖南各地均有分布。

| 资源情况 |

野生资源一般。药材来源于野生。

| 采收加工 |

茎、叶繁茂时采收，切段，晒干。

| 药材性状 | 本品叶长 3 ～ 12 mm。圆锥花序呈圆柱形。颖果呈半椭圆形。

| 功能主治 | 凉血，止血，活血。

| 用法用量 | 内服煎汤。

禾本科 Gramineae 水蔗草属 *Apluda*

水蔗草 *Apluda mutica* L.

| 药 材 名 | 水蔗草（药用部位：根茎。别名：丝线草、糯米草）。

| 形态特征 | 多年生草本。根头及根茎坚硬，须根粗壮。秆高 50 ~ 300 cm，质硬，直径 3 mm，基部常斜卧并生不定根，节间上段具白粉，无毛。无柄小穗两性，第一颖长 3 ~ 5 mm，长卵形，绿色，具 7 脉或更多，第二颖舟形，与第一颖等长，质薄而透明，具 5 ~ 7 脉，第一小花雄性，较颖短，长卵形，第二小花外稃舟形，具 1 ~ 3 脉，先端 2 齿裂，花柱基部合生，鳞被倒楔形，长约 0.2 mm，上缘不整齐；有柄小穗含 2 小花，退化有柄小穗仅存长约 1 mm 的外颖，宿存；第一颖长卵形，绿色，纸质至薄革质，长 4 ~ 6 mm，先端尖或具 2 微齿，脉纹多而密，具 3 ~ 5 脉，第一小花雄性，外稃长 3 ~ 4.5 mm，具 3 脉，

内稃稍短，具 2 脊，雄蕊 3，花药黄色，线形，长 1 ~ 1.5 mm，第二小花与第一小花等长或较第一小花稍短，内稃卵形，长约 1 mm，雄性或两性而结实，成熟时整个小穗自穗柄关节处脱落。颖果成熟时蜡黄色，卵形，长约 1.5 mm，宽约 0.8 mm。花果期夏、秋季。

| 生境分布 | 生于海拔 300 ~ 2 000 m 的旷野、河堤、林缘、篱边。分布于湖南永州（双牌）等。

| 资源情况 | 野生资源稀少。药材来源于野生。

| 采收加工 | 夏、秋季采收，洗净，切段，晒干或鲜用。

| 功能主治 | 清热解毒，祛腐生肌。用于毒蛇咬伤，阳痿。

| 用法用量 | 内服煎汤，10 ~ 15 g。外用适量，捣敷；或煎汤洗。

禾本科 Gramineae 荩草属 *Arthraxon*

荩草 *Arthraxon hispidus* (Thunb.) Makino

| 药 材 名 | 荩草（药用部位：全草。别名：绿竹、马耳草）。

| 形态特征 | 一年生草本。秆细弱，无毛，基部倾斜，高 30 ~ 60 cm，具多节，常分枝，基部节着地易生根。叶鞘较节间短，生短硬疣毛；叶舌膜质，长 0.5 ~ 1 mm，边缘具纤毛；叶片卵状披针形，长 2 ~ 4 cm，宽 0.8 ~ 1.5 cm，基部心形抱茎，除下部边缘生疣基毛外，余均无毛。总状花序细弱，长 1.5 ~ 4 cm，2 ~ 10 枚呈指状排列或簇生于秆顶；花序轴节间无毛，长为小穗的 2/3 ~ 3/4；无柄小穗卵状披针形，两侧压扁，长 3 ~ 5 mm，灰绿色或带紫色，第一颖草质，边缘膜质，包住第二颖的 2/3，具 7 ~ 9 脉，脉上粗糙至生疣基硬毛，尤以先端及边缘为多，先端锐尖，第二颖近膜质，与第一颖等长，舟形，脊

上粗糙，具 3 脉，2 侧脉不明显，先端尖，第一外稃长圆形，透明膜质，先端尖，长为第一颖的 2/3，第二外稃与第一外稃等长，透明膜质，自近基部伸出一膝曲的芒，芒长 6 ~ 9 mm，下部扭转，雄蕊 2，花药黄色或带紫色，长 0.7 ~ 1 mm；有柄小穗退化至针刺状，柄长 0.2 ~ 1 mm。颖果长圆形，与稃体等长。花果期 9 ~ 11 月。

| 生境分布 | 生于山坡草地、路旁或阴湿处。湖南各地均有分布。

| 资源情况 | 野生资源丰富。药材来源于野生。

| 采收加工 | 7 ~ 9 月采收，晒干。

| 药材性状 | 本品秆高 30 ~ 60 cm，具多节，常分枝。叶鞘较节间短；叶片卵状披针形，长 2 ~ 4 cm，宽 0.8 ~ 1.5 cm，基部心形抱茎。颖果长圆形。

| 功能主治 | 苦，平。止咳定喘，杀虫，解毒。用于久咳上气喘逆，惊悸，恶疮疥癣。

| 用法用量 | 内服煎汤，6 ~ 15 g。外用适量，煎汤洗；或捣敷。

禾本科 Gramineae 野古草属 *Arundinella*

野古草 *Arundinella anornala* Steud

药材名

野古草（药用部位：全草）。

形态特征

多年生草本。根茎较粗壮，鳞片淡黄色，须根直径约 1 mm。秆直立，高 90 ~ 150 cm，直径 2 ~ 4 mm，质稍硬，无毛，节黄褐色，密被短柔毛。叶鞘被疣毛，边缘具纤毛；叶舌长约 0.2 mm，上缘平截，具长纤毛；叶片长 15 ~ 40 cm，宽约 10 mm，先端长渐尖，两面被疣毛。圆锥花序长 15 ~ 40 cm，主轴和分枝被疣毛；花序梗无毛；孪生小穗柄分别长约 1.5 mm 和 4 mm，较粗糙，具疏长柔毛；小穗长 3 ~ 4.2 mm，无毛；第一颖长 2.4 ~ 3.4 mm，先端渐尖，具 3 ~ 7 脉，通常为 5 脉；第二颖长 2.8 ~ 3.6 mm，具 5 脉；第一小花雄性，长 3 ~ 3.5 mm，外稃具 3 ~ 5 脉，内稃略短；第二小花长卵形，外稃长 2.4 ~ 3 mm，无芒，常具长 0.2 ~ 0.6 mm 的小尖头，基盘毛长 1 ~ 1.6 mm，长约为稃体的 1/2。花果期 8 ~ 10 月。

生境分布

生于山坡草地、树荫下或湿地上。分布于湖

南长沙（岳麓）、衡阳（衡阳）、郴州（北湖）等。

| 资源情况 | 野生资源一般。药材来源于野生。

| 采收加工 | 采收后晒干。

| 药材性状 | 本品秆高 90 ~ 150 cm，质稍硬。叶片卷缩，展开后长 15 ~ 40 cm。圆锥花序具主轴及分枝，小穗长 3 ~ 4.2 mm。

| 功能主治 | 清热凉血。

| 用法用量 | 内服煎汤。

禾本科 Gramineae 野古草属 *Arundinella*

毛秆野古草 *Arundinella hirta* (Thunb.) Tanaka

| 药 材 名 |

毛秆野古草（药用部位：全草）。

| 形态特征 |

多年生草本。根茎较粗壮，鳞片淡黄色，须根直径约 1 mm。秆直立，高 90 ~ 150 cm，直径 2 ~ 4 mm，质稍硬，被白色疣毛及疏长柔毛，后变无毛，节黄褐色，密被短柔毛。叶鞘被疣毛，边缘具纤毛；叶舌长约 0.2 mm，上缘平截，具长纤毛；叶片长 15 ~ 40 cm，宽约 10 mm，先端长渐尖，两面被疣毛。圆锥花序长 15 ~ 40 cm，花序梗、主轴及分枝均被疣毛；孪生小穗柄分别长约 1.5 mm 和 4 mm，较粗糙，具疏长柔毛；小穗长 3 ~ 4.2 mm，无毛；第一颖长 2.4 ~ 3.4 mm，先端渐尖，具 3 ~ 7 脉，通常为 5 脉；第二颖长 2.8 ~ 3.6 mm，具 5 脉；第一小花雄性，长 3 ~ 3.5 mm，外稃具 3 ~ 5 脉，内稃略短；第二小花长卵形，外稃长 2.4 ~ 3 mm，无芒，常具长 0.2 ~ 0.6 mm 的小尖头，基盘毛长 1 ~ 1.6 mm，长约为稃体的 1/2。花果期 8 ~ 10 月。

| 生境分布 |

生于山坡草地、树荫下或湿地上。分布于湖

南长沙（岳麓）、郴州（北湖）、衡阳（衡阳）等。

| 资源情况 | 野生资源稀少。药材来源于野生。

| 采收加工 | 采收后晒干。

| 药材性状 | 本品秆高 90 ~ 150 cm，质稍硬。叶片卷缩，展开后长 15 ~ 40 cm，宽约 10 mm。圆锥花序具主轴及分枝，小穗长 3 ~ 4.2 mm。

| 功能主治 | 清热凉血。

| 用法用量 | 内服煎汤。

禾本科 Gramineae 芦竹属 *Arundo*

芦竹 *Arundo donax* L.

| 药 材 名 | 芦竹（药用部位：根茎。别名：荻芦竹）。

| 形态特征 | 多年生草本。根茎发达。秆粗大直立，高 3 ~ 6 m，直径（1 ~ ）1.5 ~ 2.5（ ~ 3.5）cm，质坚韧，具节多数，常分枝。叶鞘较节间长，无毛或颈部具长柔毛；叶舌平截，长约 1.5 mm，先端具短纤毛；叶片扁平，长 30 ~ 50 cm，宽 3 ~ 5 cm，上面与边缘微粗糙，基部白色，抱茎。圆锥花序极大型，长 30 ~ 60（ ~ 90）cm，宽 3 ~ 6 cm，分枝稠密，斜升；小穗长 10 ~ 12 mm，轴节长约 1 mm，含 2 ~ 4 小花；外稃中脉延伸成长 1 ~ 2 mm 的短芒，背面中部以下密生长柔毛，毛长 5 ~ 7 mm，基盘长约 0.5 mm，两侧上部具短柔毛，第一外稃长约 1 cm，内稃长约为外稃的一半；雄蕊 3。颖果细小，黑色。花果期 9 ~ 12 月。

| 生境分布 | 生于堤岸、道旁。分布于湘西南、湘中、湘东、湘北等。

| 资源情况 | 野生资源一般。栽培资源丰富。药材来源于野生和栽培。

| 采收加工 | 夏季采收，洗净，剔除须根，切片或整条晒干。

| 功能主治 | 苦，寒。清热利水。用于热病发狂，虚劳骨蒸，淋证，小便淋痛不利，风火牙痛。

| 用法用量 | 内服煎汤，15 ~ 30 g；或熬膏。外用适量，捣敷。

禾本科 Gramineae 燕麦属 *Avena*

野燕麦 *Avena fatua* L.

| 药 材 名 | 燕麦草（药用部位：全草。别名：乌麦、野麦草）。

| 形态特征 | 多年生地面芽草本。须根较坚韧。秆直立，光滑无毛，高 60 ~ 120 cm，具 2 ~ 4 节。叶鞘松弛，光滑或基部被微毛；叶舌透明膜质，长 1 ~ 5 mm；叶片扁平，长 10 ~ 30 cm，宽 4 ~ 12 mm，微粗糙或上面和边缘疏被柔毛。圆锥花序开展，金字塔形，长 10 ~ 25 cm，分枝具棱角，粗糙；小穗长 18 ~ 25 mm，含 2 ~ 3 小花；小穗柄弯曲下垂，先端膨胀；小穗轴密被淡棕色或白色硬毛，节脆硬，易断落，第一节间长约 3 mm；颖草质，近等长，通常具 9 脉；外稃质坚硬，第一外稃长 15 ~ 20 mm，背面中部以下被淡棕色或白色硬毛，芒自稃体中部稍下处伸出，长 2 ~ 4 cm，膝曲，芒柱棕色，

扭转。颖果被淡棕色柔毛，腹面具纵沟，长 6 ~ 8 mm。花果期 4 ~ 9 月。

| 生境分布 | 生于荒野、路旁、麦田中。湖南有广泛分布。

| 资源情况 | 野生资源较丰富。药材来源于野生。

| 采收加工 | 未结实前采收，晒干。

| 药材性状 | 本品秆直立，具 2 ~ 4 节。叶片扁平，长 10 ~ 30 cm，宽 4 ~ 12 mm。圆锥花序呈金字塔形。

| 功能主治 | 甘，温。补虚。用于吐血，自汗，崩漏。

| 用法用量 | 内服煎汤，15 ~ 30 g。

禾本科 Gramineae 簕竹属 *Bambusa*

粉单竹 *Bambusa chungii* Mc Clure

| 药 材 名 |

粉单竹（药用部位：叶芽）。

| 形态特征 |

竿高达 18 m，直径 6 ~ 8 cm，梢端稍弯，节间长 30 ~ 45（~ 100）cm，幼时有显著白粉；竿壁厚 3 ~ 5 mm；竿环平，箨环具 1 圈木栓质，上有倒生的棕色刺毛。箨鞘背面基部密生易脱落深色柔毛；箨耳窄长，边缘有缝毛；箨舌高约 1.5 mm；箨叶外反，淡黄绿色，卵状披针形，边缘内卷，背面密生刺毛。分枝高，每节具多数分枝，主枝较细，比侧枝稍粗。小枝具 6 ~ 7 叶；叶质较厚，披针形或线状披针形，长 10 ~ 20 cm，宽 1 ~ 2（~ 3.5）cm，下面初被微毛，后无毛，侧脉 5 ~ 6 对。笋期 6 ~ 9 月，7 月最盛。

| 生境分布 |

生于村旁平地或丘陵地。分布于湖南郴州（宜章）等。

| 资源情况 |

野生资源稀少。药材来源于野生。

| 功能主治 | 苦，寒。清心除烦，消暑，利湿，生津止渴。用于感冒发热，皮疹，小便不利等。

禾本科 Gramineae 慈竹属 *Neosinocalamus*

慈竹 *Neosinocalamus affinis* (Rendle) Keng f.

| 药 材 名 |

慈竹叶（药用部位：叶）、慈竹花（药用部位：花）、慈竹茹（药用部位：茎竿的中间层）、慈竹根（药用部位：根）、慈竹笋（药用部位：笋）。

| 形态特征 |

竿高 5 ~ 10 m，呈钓丝状，具 30 节；竿壁薄；节间圆筒形，长 15 ~ 60 cm，直径 3 ~ 6 cm，被疣基小刺毛，脱落成小疣痕点；竿环平坦；箨环明显，基部具银白色绒毛环，环宽 5 ~ 8 mm；箨鞘革质，呈“山”字形；箨舌呈流苏状，连缝毛长约 1 cm；箨片被白色小刺毛，具多脉，内卷如舟状；分枝呈半轮生状簇聚，主枝直径 5 mm。末级小枝具叶；叶鞘长 4 ~ 8 cm，无毛，具纵肋；叶舌截形，棕黑色，高 1 ~ 1.5 mm，上缘啮蚀状细裂；叶片窄披针形，长 10 ~ 30 cm，宽 1 ~ 3 cm，质薄，上面无毛，下面被柔毛，次脉 5 ~ 10 对；叶柄长 2 ~ 3 mm。花枝束生；假小穗长 1.5 cm；小穗轴无毛，粗扁；颖 0 ~ 1，长 6 ~ 7 mm；外稃卵形，长 8 ~ 10 mm，具多脉，先端具小尖头，边缘被纤毛，内稃长 7 ~ 9 mm，背部 2 脊上被纤毛，脊间无毛；鳞被 3，边缘被纤毛；雄蕊 6，花丝长

4 ~ 7 mm，花药长 4 ~ 6 mm；子房长 1 mm，花柱长 4 mm，被微毛，柱头 2 ~ 4，羽毛状。果实纺锤形，长 7.5 mm，被微柔毛，果皮质薄，黄棕色，呈囊果状。笋期 6 ~ 9 月或 12 月至翌年 3 月，花期 7 ~ 9 月。

| 生境分布 | 生于低山丘陵及平地。分布于湖南株洲（茶陵）、永州（东安）等。

| 资源情况 | 野生资源较少。栽培资源较丰富。药材来源于野生和栽培。

| 采收加工 |

慈竹叶：全年均可采摘，晒干或鲜用。

慈竹花：7 ~ 9 月采摘，晾干或鲜用。

慈竹茹：采收后砍取茎竿，刮去外层皮，将中间层刮成丝状，晒干。

慈竹根：全年均可采挖，洗净，鲜用或晒干。

慈竹笋：6 ~ 9 月或 12 月至翌年 3 月采收，鲜用或晒干。

| 功能主治 |

慈竹叶：甘、苦，凉。清心热，止烦渴。

慈竹花：用于劳伤吐血。

慈竹茹：甘，凉。清热凉血，除烦止呕。

慈竹根：用于乳汁不下。

慈竹笋：用于脱肛，疝气。

| 用法用量 |

慈竹叶：内服煎汤，6 ~ 9 g；或代茶饮。

慈竹花：内服煎汤，15 ~ 30 g，鲜品 30 ~ 60 g；或炖肉。

慈竹茹：内服煎汤，5 ~ 10 g。

慈竹根：内服煎汤，15 ~ 30 g，鲜品 60 ~ 120 g；或炖肉。

慈竹笋：内服煎汤，15 ~ 30 g，鲜品 60 ~ 120 g；或炖鳖甲。外用适量，烧存性，研末调敷。

| 附　　注 | 本种的拉丁学名在 FOC 中被修订为 *Bambusa emeiensis* L. C. Chia et H. L. Fung。

禾本科 Gramineae 簕竹属 *Bambusa*

孝顺竹 *Bambusa multiplex* (Lour.) Raeuschel ex J. A. ex J. H. Schult.

| 药 材 名 | 孝顺竹（药用部位：全株）。

| 形态特征 | 竿高 2 ~ 7 m，直径 5 ~ 25 mm，节间长 20 ~ 40 cm 或更长，微有白色粉。箨鞘硬脆，厚纸质，背面淡棕色，无毛；箨叶直立，三角形或长三角形，下面无毛或其基部具极少的刺毛，上面于脉间生有小刺毛；枝条多数簇生于 1 节；叶常 5 ~ 10 生于 1 小枝上；叶鞘长 1.5 ~ 4 cm，无毛或鞘口生有数条暗色缝毛；叶片质薄，长 4 ~ 14 cm，宽 5 ~ 20 mm，次脉（2 ~ ）4 ~ 8 对。小穗单生或数穗簇生于花枝每节，含 3 ~ 5 花或多至 12 花。

| 生境分布 | 生于丘陵山地溪边，栽培于庭院、公园。分布于湖南张家界（桑植）、怀化（沅陵、通道）、湘西州（永顺）等。

| 资源情况 | 野生资源稀少。药材来源于野生和栽培。

| 功能主治 | 清热利水，除烦。用于尿路感染，热病心烦。

禾本科 Gramineae 簕竹属 *Bambusa*

凤尾竹 *Bambusa multiplex* (Lour.) Raeusch. cv. *fernleaf* R. A. Young

| 药 材 名 | 凤尾竹（药用部位：叶）。

| 形态特征 | 多年生植物，高 3 ~ 6 m。竿中空；小枝稍下弯，直径 1.5 ~ 2.5 cm，具 9 ~ 13 叶；节间长 30 ~ 50 cm，幼时薄被白蜡粉，上半部被棕色至暗棕色小刺毛，老时光滑无毛；竿壁稍薄；节处稍隆起，无毛。末级小枝具 5 ~ 12 叶；叶鞘无毛，背部具脊；叶耳肾形，边缘被波曲状细长缝毛；叶舌圆拱形，高 0.5 mm，边缘微齿裂；叶片长 3.3 ~ 6.5 cm，宽 4 ~ 7 mm，上表面无毛，下表面粉绿色，密被短柔毛。假小穗单生或数枝簇生于花枝各节；小穗含（3 ~ ）5 ~ 13 小花，中间小花两性；外稃两侧稍不对称，长圆状披针形，无毛，具 19 ~ 21 脉，内稃线形，长 14 ~ 16 mm，具 2 脊，脊上被短纤毛；

花丝长 8 ~ 10 mm，花药紫色，先端具一簇白色画笔状毛；子房卵球形，长约 1 mm，先端被短硬毛，基部具子房柄，柱头自子房先端伸出，长 5 mm，羽毛状。

| 生境分布 | 栽培于庭园中。分布于湘西南、湘南、湘北等。

| 资源情况 | 栽培资源一般。药材来源于栽培。

| 采收加工 | 全年均可采摘，晒干或鲜用。

| 药材性状 | 本品皱缩卷曲，有的破碎，展开后长 3.3 ~ 6.5 cm，宽 4 ~ 7 mm。味甘。

| 功能主治 | 甘，凉。清热，除烦，利尿。

| 用法用量 | 内服煎汤。

| 附　　注 | 本种的拉丁学名在 FOC 中被修订为 *Bambusa multiplex* f. *fernleaf* (R. A. Young) T. P. Yi。

禾本科 Gramineae 䓴草属 *Beckmannia*

䓴草 *Beckmannia syzigachne* (Steud.) Fern.

|药 材 名| 䓴米（药用部位：种子。别名：水稗子）。

|形态特征| 一年生草本。秆直立，高 15 ~ 90 cm，具 2 ~ 4 节。叶鞘无毛，多长于节间；叶舌透明膜质，长 3 ~ 8 mm；叶片扁平，长 5 ~ 20 cm，宽 3 ~ 10 mm，粗糙或下面平滑。圆锥花序长 10 ~ 30 cm，分枝稀疏，直立或斜升；小穗扁平，圆形，灰绿色，常含 1 小花，长约 3 mm；颖草质，边缘质薄，白色，背部灰绿色，具淡色横纹；外稃披针形，具 5 脉，常具伸出颖外的短尖头；花药黄色，长约 1 mm。颖果黄褐色，长圆形，长约 1.5 mm，先端具丛生短毛。花果期 4 ~ 10 月。

|生境分布| 生于湿坡、水沟边或浅流水中。湖南各地均有分布。

| 资源情况 | 野生资源丰富。药材来源于野生。

| 采收加工 | 秋季采收，晒干。

| 功能主治 | 甘，寒。滋养益气，健胃利肠。

| 用法用量 | 内服适量，煮食。

禾本科 Gramineae 孔颖草属 *Bothriochloa*

臭根子草 *Bothriochloa bladhii* (Retz.) S. T. Blake

药材名

臭根子草（药用部位：全草）。

形态特征

多年生植物，丛生。秆直立或外倾在基部，相当粗壮，高可达 130 cm，有节的很多，节无毛或贴伏短髯毛。叶鞘无毛；叶片线形，长 10 ~ 40 cm，宽 1 ~ 4 mm，先端长渐尖，基部圆形，两面疏生疣毛或下面无毛，边缘粗糙。圆锥花序长 9 ~ 11cm，主轴长 3 ~ 5 cm，每节具 1 ~ 3 单纯的总状花序。总状花序长 2 ~ 5 cm，通常略带紫色，毛不显；节间的轴和花梗稀疏纤毛；无梗小穗 3 ~ 4 mm；更低的颖片披针形或狭长圆形，草质的或软骨质和有光泽，5 ~ 7 脉，上面外稃的芒雄蕊，比无柄的小穗狭窄 1 ~ 2.5 cm。花期 7 ~ 10 月，果期 7 ~ 10 月。

生境分布

生于海拔 800 m 以下的丘陵坡地、山石隙缝及路边、田埂。分布于湖南张家界（慈利）、邵阳（新宁）、郴州（宜章）等。

资源情况

野生资源稀少。药材来源于野生。

|功能主治| 清热解毒。

禾本科 Gramineae 臂形草属 *Brachiaria*

毛臂形草 *Brachiaria villosa* (Lam.) A. Camus

| 药 材 名 | 臂形草（药用部位：全草）。

| 形态特征 | 一年生草本。须根细弱。秆高 10 ~ 40 cm，基部倾斜，全体密被柔毛，鞘口及边缘更密。叶舌短小，被长约 1 mm 的纤毛；叶片卵状披针形，长 1 ~ 4 cm，宽 3 ~ 10 mm，两面密被柔毛，先端急尖，边缘呈波状折皱，基部钝圆。圆锥花序由 4 ~ 8 总状花序组成；总状花序长 1 ~ 3 cm，主轴与小穗轴密被柔毛；小穗卵形，先端尖，长约 2.5 mm，被短柔毛或近无毛；小穗柄长 0.5 ~ 1 mm，被毛；第一颖长为小穗的一半，具 3 脉，背部对向小穗轴，第二颖较小穗略短，具 5 脉；第一外稃与小穗等长，具 5 脉，内稃膜质，狭窄，第二外稃革质，稍包卷内稃，具横细皱纹；鳞被 2，膜质，折叠；花柱基分离。种子椭圆形，长约 2 mm。花果期 7 ~ 10 月。

| 生境分布 | 生于田野和山坡草地。分布于湖南邵阳（邵阳）等。

| 资源情况 | 野生资源稀少。药材来源于野生。

| 采收加工 | 夏、秋季采收，鲜用或晒干。

| 药材性状 | 本品秆高 10 ～ 40 cm。叶片卵状披针形，长 1 ～ 4 cm，宽 3 ～ 10 mm，先端急尖，边缘呈波状折皱。圆锥花序由 4 ～ 8 总状花序组成。种子椭圆形。

| 功能主治 | 甘、淡，微寒。清热，利尿，通便。用于小便赤涩，大便秘结。

| 用法用量 | 内服煎汤，15 ～ 30 g，鲜品 30 ～ 90 g。

禾本科 Gramineae 

Bromus

雀麦 *Bromus japonica* Thumb. ex Murr.

药材名

雀麦（药用部位：全草。别名：牡姓草、牛星草、野麦）。

形态特征

一年生草本。秆直立，高 40 ~ 90 cm。叶鞘闭合，被柔毛；叶舌先端近圆形，长 1 ~ 2.5 mm；叶片长 12 ~ 30 cm，宽 4 ~ 8 mm，两面被柔毛。圆锥花序开展，长 20 ~ 30 cm，宽 5 ~ 10 cm，具 2 ~ 8 分枝，向下弯垂；分枝细，长 5 ~ 10 cm，上部着生 1 ~ 4 小穗；小穗黄绿色，密生 7 ~ 11 小花，长 12 ~ 20 mm，宽约 5 mm；两颖近等长，脊粗糙，边缘膜质，第一颖长 5 ~ 7 mm，具 3 ~ 5 脉，第二颖长 5 ~ 7.5 mm，具 7 ~ 9 脉；外稃椭圆形，草质，边缘膜质，长 8 ~ 10 mm，一侧宽约 2 mm，具 9 脉，微粗糙，先端钝三角形，芒自先端下部伸出，长 5 ~ 10 mm，基部稍扁平，成熟后外弯，内稃长 7 ~ 8 mm，宽约 1 mm，两脊疏被细纤毛；小穗轴短棒状，长约 2 mm；花药长 1 mm。颖果长 7 ~ 8 mm。花果期 5 ~ 7 月。

生境分布

生于山野、荒坡、道旁。湖南有广泛分布。

| 资源情况 | 野生资源丰富。药材来源于野生。

| 采收加工 | 4 ~ 6 月采收，晒干。

| 药材性状 | 本品秆直立，高 40 ~ 90 cm。叶舌先端近圆形；叶片长 12 ~ 30 cm，宽 4 ~ 8 mm。圆锥花序开展；外稃椭圆形；小穗轴短棒状。

| 功能主治 | 甘，平。止汗，杀虫，催产。用于自汗盗汗，汗出不止，难产，虫积。

| 用法用量 | 内服煎汤，15 ~ 30 g。

禾本科 Gramineae 雀麦属 *Bromus*

疏花雀麦 *Bromus remotiflorus* (Steud.) Ohwi

| 药 材 名 | 雀麦（药用部位：全草）。

| 形态特征 | 多年生草本。根茎短。秆高 60 ~ 120 cm，具 6 ~ 7 节，节被柔毛。叶鞘闭合，密被倒生柔毛；叶舌长 1 ~ 2 mm；叶片长 20 ~ 40 cm，宽 4 ~ 8 mm，上面被柔毛。圆锥花序疏松开展，长 20 ~ 30 cm，每节具 2 ~ 4 分枝；分枝细长，孪生，粗糙，着生少数小穗，成熟时下垂；小穗疏生 5 ~ 10 小花，长（15 ~ ）20 ~ 25（ ~ 40）mm，宽 3 ~ 4 mm；颖窄披针形，先端渐尖至具小尖头，第一颖长 5 ~ 7 mm，具 1 脉，第二颖长 8 ~ 12 mm，具 3 脉；外稃窄披针形，长 10 ~ 12（ ~ 15）mm，每侧宽约 1.2 mm，边缘膜质，具 7 脉，先端渐尖，伸出长 5 ~ 10 mm 的直芒，内稃狭，短于外稃，

脊被细纤毛；小穗轴节间长 3 ~ 4 mm，着花疏松而外露；花药长 2 ~ 3 mm。颖果长 8 ~ 10 mm，贴生于稃内。花果期 6 ~ 7 月。

| 生境分布 | 生于海拔 1 800 ~ 2 000 m 的山坡、林缘、路旁、河边草地。分布于湖南衡阳（南岳、衡山）、邵阳（邵阳、绥宁、新宁）、常德（石门）、张家界（桑植）、郴州（宜章、苏仙）、怀化（沅陵、新晃、洪江、麻阳）、湘西州（泸溪、永顺）等。

| 资源情况 | 野生资源较少。药材来源于野生。

| 采收加工 | 采收后晒干。

| 药材性状 | 本品根茎短。秆高 60 ~ 120 cm。叶片长 20 ~ 40 cm，宽 4 ~ 8 mm。圆锥花序。

| 功能主治 | 止汗，催产。用于汗出不止，难产。

| 用法用量 | 内服煎汤，15 ~ 30 g。

禾本科 Poaceae 拂子茅属 *Calamagrostis*

拂子茅 *Calamagrostis epigeios* (L.) Roth

| **药 材 名** | 拂子茅（药用部位：全草）。

| **形态特征** | 多年生草本，具根茎。秆高 50 ~ 100 cm。叶片宽 4 ~ 8（~ 13）mm，粗糙。圆锥花序劲直，较密而窄，长 20 ~ 35 cm；小穗长 5 ~ 7 mm；颖近等长，草质，长 5 ~ 7 mm；外稃长约为颖的 1/2，先端 2 齿，基盘的毛几与颖等长，稃体背中部或稍上伸出 1 细芒，其长为外稃的 1 ~ 2 倍；小穗轴不延伸；雄蕊 3。

| **生境分布** | 生于丘陵、路边、湿润草地上。湖南各地均有分布。

| **资源情况** | 野生资源较丰富。药材来源于野生。

| 采收加工 | 夏末至秋季采收，晒干。

| 功能主治 | 催产助生。用于催产，产后出血。

禾本科 Gramineae 细柄草属 *Capillipedium*

细柄草 *Capillipedium parviflorum* (R. Br.) Stapf.

药 材 名

细柄草（药用部位：全草）。

形态特征

多年生。秆高 30 ~ 100 cm，不分枝或有直立的分枝。叶片条形，宽 2 ~ 7 mm，基部圆形或微收狭。圆锥花序疏散，有纤细的分枝及小分枝，总状花序 1 ~ 3 节生于枝端；穗轴逐节断落，节间与小穗柄均纤细并有纵沟，生有纤毛，小穗成对生于各节或 3 小穗顶生；无柄小穗长 3 ~ 4 mm，基盘钝；第 1 颖两侧上部有脊，背部微凹或有纵沟；芒自细小的第 2 外稃先端伸出，长 12 ~ 15 mm，膝曲；有柄小穗不孕，等长或短于无柄小穗。

生境分布

生于山坡草地、河边或灌丛中。分布于湖南常德（石门）、张家界（慈利、桑植）、湘西州（保靖、永顺）、怀化（新晃、芷江、洪江）、邵阳（洞口、新宁）、郴州（宜章）、衡阳（南岳）等。

资源情况

野生资源一般。药材来源于野生。

| 采收加工 | 夏、秋季采收，晒干或鲜用。

| 功能主治 | 祛风除湿。用于风湿性关节炎。

禾本科 Gramineae 虎尾草属 *Chloris*

虎尾草 *Chloris virgata* Sw.

| 药 材 名 |

虎尾草（药用部位：全草）。

| 形态特征 |

一年生草本。秆无毛，直立或基部膝曲，高 12 ~ 75 cm，直径 1 ~ 4 mm。叶鞘松散裹秆，无毛；叶舌长约 1 mm，无毛或具纤毛；叶线形，长 3 ~ 25 cm，宽 3 ~ 6 mm，两面无毛或边缘及上面粗糙。穗状花序 5 ~ 10 或更多，长 1.5 ~ 5 cm；小穗成熟后紫色，无柄，长约 3 mm；颖膜质，具 1 脉，第一颖长约 1.8 mm，第二颖等长于或略短于小穗，主脉延伸成长 0.5 ~ 1 mm 的小尖头；第一小花两性，倒卵状披针形，长 2.8 ~ 3 mm，外稃纸质，沿脉及边缘疏生柔毛或无毛，先端尖或 2 微裂，芒自先端稍下方伸出，长 0.5 ~ 1.5 cm，基盘具长约 0.5 mm 的毛，内稃膜质，稍短于外稃，脊上被微毛；第二小花不孕，长楔形，长约 1.5 mm，先端平截或微凹，芒长 4 ~ 8 mm，自背部上方一侧伸出。颖果淡黄色，纺锤形，无毛而半透明。花果期 6 ~ 10 月。

| 生境分布 |

生于路旁荒野、河岸沙地、土墙或房顶。分

布于湖南张家界（永定、武陵源）、湘西州（古丈、泸溪）等。

| 资源情况 | 野生资源一般。药材来源于野生。

| 功能主治 | 清热除湿，杀虫止痒。

禾本科 Gramineae 薏苡属 *Coix*

薏米 *Coix chinensis* Tod.

药 材 名

薏苡仁（药用部位：种仁。别名：苡米、苡仁）。

形态特征

一年生草本。秆高 1 ~ 1.5 m，具 6 ~ 10 节，多分枝。叶片宽大开展，无毛。总状花序腋生；雄花序位于雌花序上部，具 5 ~ 6 对雄小穗，雄小穗长约 9 mm，宽约 5 mm，雄蕊 3，花药长 3 ~ 4 mm；雌小穗位于花序下部，为甲壳质的总苞所包，总苞椭圆形，先端具颈状的喙，并具 1 斜口，基部短收缩，长 8 ~ 12 mm，宽 4 ~ 7 mm，具纵长直条纹，质较薄，揉搓和指压可破，暗褐色或浅棕色。颖果大，长圆形，长 5 ~ 8 mm，宽 4 ~ 6 mm，厚 3 ~ 4 mm，腹面具宽沟，基部具棕色种脐，质坚实，粉性，白色或黄白色。花果期 7 ~ 12 月。

生境分布

栽培于田间。分布于湖南株洲（炎陵）、郴州（汝城、桂东）等。

资源情况

栽培资源丰富。药材来源于栽培。

| 采收加工 | 秋季果实成熟时采收，晒干，剥出种子，除去种皮，收集种仁。

| 药材性状 | 本品为薏米的干燥成熟种仁，宽卵形或长椭圆形，长 4 ~ 8 mm，宽 3 ~ 6 mm。表面乳白色，光滑，稀具残存的黄褐色种皮，一端钝圆，另一端较宽而微凹，具一淡棕色点状种脐，背面圆凸，腹面具一较宽而深的纵沟。质坚实，断面白色，粉性。气微，味微甜。

| 功能主治 | 甘、淡，凉。健脾化湿，除痹止泻，清热排脓。用于水肿，脚气病，小便淋痛不利，湿痹拘挛，脾虚泄泻，肺痈，肠痈，扁平疣。

| 用法用量 | 内服煎汤，10 ~ 30 g；或入丸、散剂；或浸酒；或煮粥；或作羹。

| 附　　注 | 本种的拉丁学名在 FOC 中被修订为 *Coix lacryma-jobi* L. var. *ma-yuen* (Romanet du Caillaud) Stapf。

禾本科 Gramineae 薏苡属 *Coix*

薏苡 *Coix lacryma-jobi* L.

| 药 材 名 | 薏苡叶（药用部位：叶）、薏苡根（药用部位：根）。

| 形态特征 | 一年生粗壮草本。须根黄白色，海绵质，直径约 3 mm。秆直立，丛生，高 1 ~ 2 m，具 10 余节，节多分枝。叶鞘短于其节间，无毛；叶舌干膜质，长约 1 mm；叶片扁平宽大，开展，长 10 ~ 40 cm，宽 1.5 ~ 3 cm，基部圆形或近心形，中脉粗厚，在下面隆起，边缘粗糙，通常无毛。总状花序腋生成束，长 4 ~ 10 cm，直立或下垂，具长梗；雌小穗位于花序下部，外包以骨质念珠状总苞，总苞卵圆形，长 7 ~ 10 mm，直径 6 ~ 8 mm，珐琅质，质坚硬，有光泽，第一颖卵圆形，先端渐尖成喙状，具 10 余脉，包围着第二颖及第一外稃，第二外稃较颖短，具 3 脉，第二内稃较小，雄蕊常退化，雌蕊

具细长的柱头，自总苞先端伸出；雄小穗 2 ~ 3 对，着生于总状花序上部，长 1 ~ 2 cm，无柄雄小穗长 6 ~ 7 mm，第一颖草质，边缘内折成脊，具不等宽的翼，先端钝，具多数脉，第二颖舟形，外稃与内稃膜质，第一小花及第二小花常具雄蕊 3，花药橘黄色，长 4 ~ 5 mm。颖果小，含淀粉少，常不饱满。

| 生境分布 | 生于海拔 200 ~ 2 000 m 的潮湿的屋旁、池塘、河沟、山谷、溪涧或易受涝的农田中。湖南各地均有分布。

| 资源情况 | 野生资源丰富。药材来源于野生。

| 采收加工 | **薏苡叶：**夏、秋季采摘。

薏苡根：秋季采挖。

| 药材性状 | **薏苡叶：**本品扁平宽大，长 10 ~ 40 cm，宽 1.5 ~ 3 cm，基部圆形或近心形，中脉粗厚，边缘粗糙，通常无毛；叶舌长约 1 mm。

薏苡根：本品黄白色，直径约 3 mm，海绵质。

| 功能主治 | **薏苡叶：**温中散寒，益气补血。用于胃寒痛，气血虚弱。

薏苡根：清热，利湿，健脾，杀虫。用于黄疸，水肿，淋证，疝气，经闭，带下，虫积腹痛。

| 用法用量 | **薏苡叶：**内服煎汤，15 ~ 30 g。外用适量，煎汤洗。

薏苡根：内服煎汤，15 ~ 25 g。

禾本科 Gramineae 香茅属 *Cymbopogon*

橘草 *Cymbopogon goeringii* (Steud.) A. Camus

| 药 材 名 | 香茅草（药用部位：全草。别名：香茅）。

| 形态特征 | 多年生草本。秆直立，丛生，高 60 ~ 100 cm，具 3 ~ 5 节，节下被白粉或微毛。叶鞘无毛，下部者聚集于秆基部，质较厚，内面棕红色，老后向外反卷，上部者短于节间；叶舌长 0.5 ~ 3 mm，两侧具三角形耳状物并下延为叶鞘边缘的膜质部分；叶颈常被微毛；叶片线形，扁平，长 15 ~ 40 cm，宽 3 ~ 5 mm，先端长渐尖成丝状，边缘微粗糙，除基部下面被微毛外通常无毛。伪圆锥花序长 15 ~ 30 cm，狭窄，有间隔，具 1 ~ 2 回分枝；佛焰苞长 1.5 ~ 2 cm，宽约 2 mm，带紫色；总梗长 5 ~ 10 mm，上部被微毛；总状花序长 1.5 ~ 2 cm，向后反折；总状花序轴节间与小穗柄长 2 ~ 3.5 mm，

先端杯形，边缘被长 1 ~ 2 mm 的柔毛，毛向上渐长；无柄小穗长圆状披针形，长约 5.5 mm，中部宽约 1.5 mm，基盘被长约 0.5 mm 的短毛或近无毛；第一颖背部扁平，下部稍窄，略凹陷，上部具宽翼，脊间常具 2 ~ 4 脉，有时脉不明显；第二外稃长约 3 mm，芒自先端 2 裂齿间伸出，长约 12 mm，中部膝曲。

| 生境分布 | 生于海拔 1 500 m 以下的丘陵、山坡草地、荒野和平原路旁。湖南各地均有分布。

| 资源情况 | 野生资源丰富。药材来源于野生。

| 采收加工 | 夏、秋季的阴天或早上采收。

| 药材性状 | 本品秆高 60 ~ 100 cm，具 3 ~ 5 节。叶鞘质较厚；叶舌长 0.5 ~ 3 mm；叶片线形，扁平，长 15 ~ 40 cm，宽 3 ~ 5 mm，先端长渐尖成丝状，边缘微粗糙。

| 功能主治 | 辛，温。止咳平喘，止痛，止泻，止血。用于咳嗽。

| 用法用量 | 内服煎汤，50 ~ 100 g。

禾本科 Gramineae 狗牙根属 *Cynodon*

狗牙根 *Cynodon dactylon* (L.) Pars.

| 药 材 名 | 铁线草（药用部位：全草。别名：绊根草、堑头草）。

| 形态特征 | 多年生低矮草本，具根茎。秆细而坚韧，下部匍匐于地面蔓延甚长，节上常生不定根，直立部分高 10 ~ 30 cm，直径 1 ~ 1.5 mm；秆壁厚，光滑无毛，有时两侧略压扁。叶鞘微具脊，无毛或被疏柔毛，鞘口常被柔毛；叶舌被一轮纤毛；叶片线形，长 1 ~ 12 cm，宽 1 ~ 3 mm，通常两面无毛。穗状花序（2 ~ ）3 ~ 5（ ~ 6），长 2 ~ 5（ ~ 6）cm；小穗灰绿色或带紫色，长 2 ~ 2.5 mm，含 1 小花；第一颖长 1.5 ~ 2 mm，第二颖稍长，均具 1 脉，背部呈脊，边缘膜质；外稃舟形，具 3 脉，背部明显呈脊，脊上被柔毛，内稃与外稃近等长，具 2 脉；鳞被上缘近平截；花药淡紫色；子房无毛，柱头紫红色。

颖果长圆柱形。花果期 5 ~ 10 月。

| 生境分布 | 生于村庄附近、道旁、河岸、荒地、山坡。湖南各地均有分布。

| 资源情况 | 野生资源丰富。药材来源于野生。

| 采收加工 | 夏、秋季采收，洗净，晒干或鲜用。

| 药材性状 | 本品匍匐茎部分长可达 1 m，直立茎部分高 10 ~ 30 cm。叶线形，长 1 ~ 6 cm，宽 1 ~ 3 mm；叶鞘具脊，鞘口通常被柔毛。气微，味微苦。

| 功能主治 | 微甘，平。祛风活络，止血生肌。用于咽喉肿痛，肝炎，小便淋涩，鼻衄，咯血，便血，呕血，脚气病，水肿，风湿骨痛，瘾疹，半身不遂，手脚麻木，跌打损伤；外用于外伤出血，骨折，疮痈，小腿溃疡。

| 用法用量 | 内服煎汤，30 ~ 60 g；或浸酒。外用适量，捣敷。

禾本科 Gramineae 牡竹属 *Dendrocalamus*

麻竹 *Dendrocalamus latiflorus* Munro

| 药 材 名 |

麻竹（药用部位：花）。

| 形态特征 |

多年生植物。竿高 20 ~ 25 m，直径 15 ~ 30 cm，梢端长下垂或弧形弯曲；节间长 45 ~ 60 cm，幼时被白粉，无毛，节内具一圈棕色绒毛环；竿壁厚 1 ~ 3 cm；竿分枝习性高，每节分枝多数，主枝常单一；箨鞘易早落，厚革质，呈宽圆铲形，背面略被小刺毛，易脱落而变无毛，鞘口部分甚窄，宽约 3 cm；箨耳小，长 5 mm，宽 1 mm；箨舌高 1 ~ 3 mm，边缘微齿裂；箨片外翻，卵形至披针形，长 6 ~ 15 cm，宽 3 ~ 5 cm，腹面被淡棕色小刺毛。末级小枝具 7 ~ 13 叶；叶鞘长 19 cm，幼时被黄棕色小刺毛，后变无毛；叶耳无；叶舌凸起，高 1 ~ 2 mm，平截，边缘微齿裂；叶片长椭圆状披针形，长 15 ~ 35（~ 50）cm，宽 2.5 ~ 7（~ 13）cm，基部圆，先端渐尖成小尖头，上表面无毛，下表面中脉隆起并在其上被小锯齿，幼时次脉被细茸毛，次脉 7 ~ 15 对，小横脉尚明显；叶柄无毛，长 5 ~ 8 mm。

|生境分布| 生于水边、谷地、村旁。分布于湖南怀化（中方）、衡阳（衡东）、岳阳（平江）等。

|资源情况| 野生资源稀少。药材来源于野生。

|采收加工| 采收后鲜用或晒干。

|药材性状| 本品皱缩成团，呈卵形或椭圆形，雌蕊柱头单一。

|功能主治| 止咳化痰。

|用法用量| 内服煎汤。

禾本科 Gramineae 马唐属 *Digitaria*

升马唐 *Digitaria ciliaris* (Retz.) Koel.

| 药 材 名 | 升马唐（药用部位：全草）。

| 形态特征 | 一年生草本。秆基部横卧于地面，节处生根和分枝，高 30 ~ 90 cm。叶鞘常较节间短，多少被柔毛；叶舌长约 2 mm；叶片线形或披针形，长 5 ~ 20 cm，宽 3 ~ 10 mm，上面散被柔毛，边缘稍厚，微粗糙。总状花序 5 ~ 8，长 5 ~ 12 cm，呈指状排列于秆顶；小穗轴宽约 1 mm，边缘粗糙；小穗披针形，长 3 ~ 3.5 mm，孪生于小穗轴一侧；小穗柄微粗糙，先端平截；第一颖小，三角形，第二颖披针形，长约为小穗的 2/3，具 3 脉，脉间及边缘被柔毛；第一外稃与小穗等长，具 7 脉，脉平滑，中脉两侧的脉间较宽而无毛，其余脉间贴生柔毛，边缘被长柔毛，第二外稃椭圆状披针形，革质，黄绿色或带铅色，

先端渐尖，与小穗等长；花药长 0.5 ~ 1 mm。

| 生境分布 | 生于路旁、荒野、荒坡。分布于湖南长沙（岳麓）、常德（桃源）、永州（新田）、张家界（慈利）、怀化（芷江、洪江）、湘西州（永顺）等。

| 资源情况 | 野生资源一般。药材来源于野生。

| 采收加工 | 夏、秋季采收，晒干。

| 药材性状 | 本品秆高 30 ~ 90 cm。叶片线形或披针形，长 5 ~ 20 cm，宽 3 ~ 10 mm。小穗披针形；小穗柄微粗糙，先端平截。味甘。

| 功能主治 | 甘，寒。明目，清肺。用于目暗不明，肺热咳嗽。

| 用法用量 | 内服煎汤。

禾本科 Gramineae 马唐属 *Digitaria*

十字马唐 *Digitaria cruciata* (Nees) A. Camus

| 药材名 | 马唐（药用部位：全草）。

| 形态特征 | 一年生草本。秆高 30 ~ 100 cm，基部倾斜，具多数节，节被髭毛，着土后向下生根并向上抽出花枝。叶鞘常较节间短，疏被柔毛或无毛，鞘节被硬毛；叶舌长 1 ~ 2.5 mm；叶片线状披针形，长 5 ~ 20 cm，宽 3 ~ 10 mm，先端渐尖，基部近圆形，两面被疣基柔毛或上面无毛，边缘较厚，呈微波状，稍粗糙。总状花序长 3 ~ 15 cm，5 ~ 8 着生于长 1 ~ 4 cm 的主轴上，广开展，腋间被柔毛；小穗轴宽约 1 mm，边缘微粗糙；小穗长 2.5 ~ 3 mm，宽约 1.2 mm，孪生；第一颖微小，无脉，第二颖宽卵形，先端钝圆，边缘膜质，长约为小穗的 1/3，具 3 脉，多数无毛；第一外稃较小穗稍短，先端钝，具 7

脉，脉距近相等或中部脉间距离稍宽，表面无毛，边缘反卷，疏被柔毛，第二外稃成熟后肿胀，呈铅绿色，先端渐尖成粗硬小尖头，伸出第一外稃外而裸露；花药长约 1 mm。花果期 6 ~ 10 月。

| 生境分布 | 生于海拔 900 ~ 2 000 m 的山坡草地。分布于湖南怀化（洪江）、张家界（桑植）等。

| 资源情况 | 野生资源稀少。药材来源于野生。

| 采收加工 | 夏、秋季采收，晒干。

| 药材性状 | 本品秆高 30 ~ 100 cm。叶片线状披针形，先端渐尖，基部近圆形。总状花序腋间被柔毛。味甘。

| 功能主治 | 甘，寒。明目，清肺。用于目暗不明，肺热咳嗽。

| 用法用量 | 内服煎汤。

禾本科 Gramineae 马唐属 *Digitaria*

马唐 *Digitaria sanguinalis* (L.) Scop.

|药 材 名| 马唐（药用部位：全草。别名：羊麻、马饭）。

|形态特征| 一年生草本。秆直立或下部倾斜，膝曲上升，高 10 ~ 80 cm，直径 2 ~ 3 mm，无毛或节上被柔毛。叶鞘较节间短，无毛或散被疣基柔毛；叶舌长 1 ~ 3 mm；叶片线状披针形，长 8 ~ 17 cm，宽 5 ~ 15 mm，基部圆形，边缘较厚，微粗糙，被柔毛或无毛。总状花序长 5 ~ 18 cm，4 ~ 12 呈指状着生于长 1 ~ 2 cm 的主轴上；小穗轴直伸或开展，两侧具宽翼，边缘粗糙；小穗椭圆状披针形，长 3 ~ 3.5 mm；第一颖小，短三角形，无脉，第二颖具 3 脉，披针形，长约为小穗的 1/2，脉间及边缘多数被柔毛；第一外稃与小穗等长，具 7 脉，中脉平滑，两侧脉间距离较宽，无毛，边脉上具小

刺状粗糙，脉间及边缘被柔毛，第二外稃近革质，灰绿色，先端渐尖，与第一外稃等长；花药长约 1 mm。花果期 6 ~ 9 月。

| 生境分布 | 生于山坡草地、田野路旁。湖南各地均有分布。

| 资源情况 | 野生资源丰富。药材来源于野生。

| 采收加工 | 夏、秋季采收，晒干。

| 药材性状 | 本品长 40 ~ 100 cm。秆分枝，下部节上生根。叶片线状披针形，长 8 ~ 17 cm，宽 5 ~ 15 mm，先端渐尖或短尖，基部钝圆，两面无毛或疏被柔毛；叶鞘疏松裹秆，无毛或疏被柔毛。

| 功能主治 | 甘，寒。明目，润肺。用于目暗不明，肺热咳嗽。

| 用法用量 | 内服煎汤，9 ~ 15 g。

禾本科 Gramineae 马唐属 *Digitaria*

紫马唐 *Digitaria violascens* Link

| 药 材 名 | 紫马唐（药用部位：全草）。

| 形态特征 | 一年生草本。秆疏丛生，高 20 ~ 60 cm，基部倾斜，具分枝，无毛。叶鞘较节间短，无毛或被柔毛；叶舌长 1 ~ 2 mm；叶片线状披针形，质较软，扁平，长 5 ~ 15 cm，宽 2 ~ 6 mm，粗糙，基部圆形，无毛或上面基部及鞘口被柔毛。总状花序长 5 ~ 10 cm，4 ~ 10 呈指状排列于秆顶或散生于长 2 ~ 4 cm 的主轴上；小穗轴宽 0.5 ~ 0.8 mm，边缘微粗糙；小穗椭圆形，长 1.5 ~ 1.8 mm，宽 0.8 ~ 1 mm，2 ~ 3 生于各节；小穗柄稍粗糙；第一颖不存在，第二颖较小穗稍短，具 3 脉，脉间及边缘被柔毛；第一外稃与小穗等长，具 5 ~ 7 脉，脉间及边缘被柔毛，毛壁有小疣突，中脉两侧无

毛或毛较少，第二外稃与小穗近等长，中部宽约 0.7 mm，先端尖，有纵行颗粒状粗糙，紫褐色，革质，有光泽；花药长约 0.5 mm。花果期 7 ～ 11 月。

| 生境分布 | 生于海拔约 1 000 m 的山坡草地、路边、荒野。分布于湖南永州（零陵）、怀化（洪江）等。

| 资源情况 | 野生资源稀少。药材来源于野生。

| 采收加工 | 夏、秋季采收，晒干。

| 药材性状 | 本品多皱缩。秆高 20 ～ 60 cm。叶片呈线状披针形，基部圆形。小穗呈椭圆形。

| 功能主治 | 甘，寒。明目，清肺。用于肺热咳嗽。

| 用法用量 | 内服煎汤。

禾本科 Gramineae 稗属 *Echinochloa*

长芒稗 *Echinochloa caudata* Roshev.

| 药 材 名 |

长芒稗（药用部位：全草）。

| 形态特征 |

一年生草本。秆高 1 ~ 2 m。叶鞘无毛或常被疣基毛或仅被粗糙毛或仅边缘被毛；叶舌缺；叶片线形，长 10 ~ 40 cm，宽 1 ~ 2 cm，两面无毛，边缘增厚而粗糙。圆锥花序稍下垂，长 10 ~ 25 cm，宽 1.5 ~ 4 cm，主轴粗糙，具棱，疏被疣基长毛，分枝密集，常再分小枝；小穗卵状椭圆形，常带紫色，长 3 ~ 4 mm，脉上被硬刺毛，有时疏被疣基毛；第一颖三角形，长为小穗的 1/3 ~ 2/5，先端尖，具 3 脉，第二颖与小穗等长，先端具长 0.1 ~ 0.2 mm 的芒，具 5 脉；第一外稃草质，先端具长 1.5 ~ 5 cm 的芒，具 5 脉，脉上疏被刺毛，内稃膜质，先端被细毛，边缘被细睫毛，第二外稃革质，光亮，边缘包有同质的内稃；鳞被 2，楔形，折叠，具 5 脉；雄蕊 3；花柱基分离。花果期夏、秋季。

| 生境分布 |

生于田边、路旁及河边湿润处。分布于湖南邵阳（邵阳）、常德（武陵、安乡）、永州（双牌）等。

| 资源情况 | 野生资源较少。药材来源于野生。

| 采收加工 | 采收后晒干。

| 药材性状 | 本品秆高 1 ~ 2 m。叶片线形，长 10 ~ 40 cm，宽 1 ~ 2 cm。小穗卵状椭圆形。

| 功能主治 | 微苦，微温。止血，生肌。用于外伤出血。

| 用法用量 | 内服煎汤。

禾本科 Gramineae 稗属 *Echinochloa*

稗 *Echinochloa crusgalli* (L.) Beauv.

| 药 材 名 | 稗（药用部位：全草）。

| 形态特征 | 一年生草本。秆高 50 ~ 150 cm，光滑无毛，基部倾斜或膝曲。叶鞘疏松裹秆，平滑无毛，下部者较节间长，上部者较节间短；叶舌缺；叶片扁平，线形，长 10 ~ 40 cm，宽 5 ~ 20 mm，无毛，边缘粗糙。圆锥花序直立，近尖塔形，长 6 ~ 20 cm，主轴具棱，粗糙或被疣基长刺毛，分枝斜上举或贴向主轴，有时再分小枝；小穗轴粗糙或被疣基长刺毛；小穗卵形，长 3 ~ 4 mm，脉上密被疣基刺毛，具短柄或近无柄，密集排列于小穗轴一侧；第一颖三角形，长为小穗的 1/3 ~ 1/2，具 3 ~ 5 脉，脉上被疣基毛，基部包卷小穗，先端尖，第二颖与小穗等长，先端渐尖或具小尖头，具 5 脉，脉上被疣基毛；

第一小花通常中性，外稃草质，上部具 7 脉，脉上被疣基刺毛，先端延伸成一粗壮的芒，芒长 0.5 ~ 1.5（~ 3）cm，内稃薄膜质，狭窄，具 2 脊，第二外稃椭圆形，平滑，光亮，成熟后变硬，先端具小尖头，尖头上被一圈细毛，边缘内卷，包着同质的内稃，内稃先端露出。花果期夏、秋季。

| 生境分布 | 生于沼泽地、沟边及水稻田中。湖南各地均有分布。

| 资源情况 | 野生资源丰富。药材来源于野生。

| 采收加工 | 采收后晒干。

| 药材性状 | 本品秆高 50 ~ 150 cm，略弯曲。叶片扁平，线形，长 10 ~ 40 cm，宽 5 ~ 20 mm。圆锥花序直立，呈尖塔形。

| 功能主治 | 微苦，微温。止血，生肌。用于金疮，外伤出血，麻疹。

| 用法用量 | 内服煎汤。

| 附　　注 | 本种的拉丁学名在 FOC 中被修订为 *Echinochloa crus-galli* (L.) P. Beauv.。

禾本科 Gramineae 稗属 *Echinochloa*

无芒稗 *Echinochloa crus-galli* (L.) P. Beauv. var. *mitis* (Pursh) Peterm.

| 药 材 名 | 无芒稗（药用部位：全草。别名：落地稗）。

| 形态特征 | 一年生草本。秆高 50 ～ 120 cm，直立，粗壮。叶片长 20 ～ 30 cm，宽 6 ～ 12 mm。圆锥花序直立，长 10 ～ 20 cm，分枝斜上举而开展，常再分枝；小穗卵状椭圆形，长约 3 mm，无芒或具极短的芒，芒长常不及 0.5 mm，脉上被疣基硬毛。

| 生境分布 | 生于水边或路边草地上。湖南有广泛分布。

| 资源情况 | 野生资源较丰富。药材来源于野生。

| 采收加工 | 采收后晒干。

| 药材性状 | 本品秆高 50 ~ 120 cm。叶多皱缩破碎，完整叶片长 20 ~ 30 cm，宽 6 ~ 12 mm。圆锥花序直立；小穗呈卵状椭圆形。

| 功能主治 | 微苦，微温。止血，生肌。用于金疮，外伤出血，麻疹。

| 用法用量 | 内服煎汤。

禾本科 Gramineae 稗属 *Echinochloa*

西来稗 *Echinochloa crusgalli* (L.) Beauv. var. *zelayensis* (H. B. K.) Hitchc.

| 药 材 名 |

西来稗（药用部位：全草）。

| 形态特征 |

一年生。秆高 50 ~ 150 cm，光滑无毛，基部倾斜或膝曲。叶鞘疏松裹秆，平滑无毛，下部者长于而上部者短于节间；叶舌缺；叶片扁平，线形，长 10 ~ 40 cm，宽 5 ~ 20 mm，无毛，边缘粗糙。圆锥花序直立，近尖塔形，长 6 ~ 20 cm；主轴具棱，粗糙或具疣基长刺毛；分枝斜上举或贴向主轴，有时再分小枝；穗轴粗糙或生疣基长刺毛；小穗卵形，长 3 ~ 4 mm，脉上密被疣基刺毛，具短柄或近无柄，密生于穗轴的一侧；第一颖三角形，长为小穗的 1/3 ~ 1/2，具 3 ~ 5 脉，脉上具疣基毛，基部包卷小穗，先端尖；第二颖与小穗等长，先端渐尖或具小尖头，具 5 脉，脉上具疣基毛；第一小花通常中性，其外稃草质，上部具 7 脉，脉上具疣基刺毛，先端延伸成一粗壮的芒，芒长 0.5 ~ 1.5（~ 3）cm，内稃薄膜质，狭窄，具 2 脊；第二外稃椭圆形，平滑，光亮，成熟后变硬，先端具小尖头，尖头上有 1 圈细毛，边缘内卷，包着同质的内稃，但内稃先端露出。花果期夏秋季。

| **生境分布** | 生于沼泽地、沟边及水稻田中。分布于湖南长沙（浏阳）等。

| **资源情况** | 野生资源一般。药材来源于野生。

| **功能主治** | 止血，生肌。用于金疮，麻疹等。

禾本科 Gramineae 䅟属 *Eleusine*

䅟子 *Eleusine coracana* (L.) Gaertn.

| 药 材 名 | 䅟子（药用部位：种仁。别名：龙爪粟、鸭爪稗）。

| 形态特征 | 一年生草本，高 60 ~ 120 cm。秆直立，光滑，常分枝。叶鞘光滑；叶舌短，密被长 1 ~ 2 mm 的柔毛；叶片线形，长 30 ~ 60 cm，宽 5 ~ 10 mm，下面光滑，上面粗糙或被柔毛。穗状花序 2 ~ 9，簇生于秆顶，长 4 ~ 9 cm，成熟时常弯曲成鸡爪状；小穗含 5 ~ 6 小花，长 7 ~ 9 mm；颖披针形，先端尖，具脊，脊上具翼，翼上粗糙，第一颖长约 3 mm，第二颖长约 4 mm；外稃具脊，脊上具狭翼，第一外稃长约 4 mm，内稃具 2 脊，较外稃短；雄蕊 3，花药长约 1 mm。种子球形，长约 1.5 mm，黑褐色，表面皱纹不明显。

| 生境分布 | 生于水稻田或湿地中。栽培于山地水田。分布于湖南衡阳（南岳）、邵阳（洞口、绥宁、城步）、郴州（宜章、资兴）、永州（双牌）等。

| 资源情况 | 野生资源较少。栽培资源丰富。药材来源于栽培。

| 采收加工 | 秋季果实成熟时采收，晒干，剥出种子，除去种皮，收集种仁，晒干。

| 药材性状 | 本品呈球形，直径约 1.5 mm，种皮呈褐色，表面具不明显的皱纹，种仁小，黄白色。气微，味淡。

| 功能主治 | 甘，温。补中益气，涩肠止泻。

| 用法用量 | 内服适量，煮粥；或磨面蒸。

禾本科 Gramineae 䅟属 *Eleusine*

牛筋草 *Eleusine indica* (L.) Gaertn.

| 药 材 名 | 牛筋草（药用部位：全草。别名：蟋蟀草、路边草、鸭脚草）。

| 形态特征 | 一年生草本。根系极发达。秆丛生，基部倾斜，高 10 ~ 90 cm。叶鞘两侧压扁而具脊，松弛，无毛或疏被疣毛；叶舌长约 1 mm；叶片平展，线形，长 10 ~ 15 cm，宽 3 ~ 5 mm，无毛或上面被疣基柔毛。穗状花序 2 ~ 7 呈指状着生于秆顶，稀单生，长 3 ~ 10 cm，宽 3 ~ 5 mm；小穗长 4 ~ 7 mm，宽 2 ~ 3 mm，含 3 ~ 6 小花；颖披针形，具脊，脊粗糙，第一颖长 1.5 ~ 2 mm，第二颖长 2 ~ 3 mm；第一外稃长 3 ~ 4 mm，卵形，膜质，具脊，脊上具狭翼，内稃较外稃短，具 2 脊，脊上具狭翼；鳞被 2，折叠，具 5 脉。囊果卵形，长约 1.5 mm，基部下凹，具明显的波状皱纹。花果期 6 ~ 10 月。

| 生境分布 | 生于荒地及路旁。湖南各地均有分布。

| 资源情况 | 野生资源丰富。药材来源于野生。

| 采收加工 | 夏、秋采收，洗净，晒干或鲜用。

| 药材性状 | 本品根系极发达。秆丛生，高 10 ~ 90 cm。叶鞘两侧压扁而具脊，松弛；叶舌长约 1 mm；叶片平展，线形，长 10 ~ 15 cm，宽 3 ~ 5 mm。

| 功能主治 | 甘、淡，平。祛风除湿，清热解毒，散瘀止血。用于流行性乙型脑炎，流行性脑脊髓膜炎，风湿关节痛，黄疸，小儿消化不良，泄泻，痢疾，小便淋痛；外用于跌打损伤，外伤出血，犬咬伤。

| 用法用量 | 内服煎汤，50 ~ 100 g。外用适量，鲜品捣敷。

禾本科 Gramineae 画眉草属 *Eragrostis*

大画眉草 *Eragrostis cilianensis* (All.) Link ex Vign. Lut.

| 药 材 名 | 大画眉草（药用部位：全草。别名：星星草、西连画眉草）。

| 形态特征 | 一年生草本。秆粗壮，高 30 ~ 90 cm，直径 3 ~ 5 mm，直立，丛生，基部常膝曲，具 3 ~ 5 节，节下具一圈明显的腺体。叶鞘疏松裹秆，脉上具腺体，鞘口被长柔毛；叶舌被一圈成束的短毛，长约 0.5 mm；叶片线形，扁平，伸展，长 6 ~ 20 cm，宽 2 ~ 6 mm，无毛，叶脉与叶缘均具腺体。圆锥花序长圆形或尖塔形，长 5 ~ 20 cm，分枝粗壮，单生，上举，腋间被柔毛；小枝和小穗柄上均具腺体；小穗常密集簇生或单生，长圆形或卵状长圆形，墨绿色带淡绿色或黄褐色，压扁并弯曲，长 5 ~ 20 mm，宽 2 ~ 3 mm，含 10 ~ 40 小花；颖近等长，长约 2 mm，均具 1 脉或第二颖具 3 脉，脊上均具腺体；外稃呈广卵

形，先端钝，第一外稃长约 2.5 mm，宽约 1 mm，侧脉明显，主脉具腺体，暗绿色，有光泽，内稃宿存，较外稃稍短，脊上被短纤毛；雄蕊 3，花药长 0.5 mm。颖果近圆形，直径约 0.7 mm。花果期 7 ~ 10 月。

| 生境分布 | 生于山坡、路旁、旷野中。分布于湖南常德（石门）等。

| 资源情况 | 野生资源一般。药材来源于野生。

| 采收加工 | 夏、秋季采收，晒干或鲜用。

| 药材性状 | 本品秆高 30 ~ 90 cm，直径 3 ~ 5 mm，基部常膝曲，具 3 ~ 5 节，节下具腺体。叶片线形，扁平，长 6 ~ 20 cm，宽 2 ~ 6 mm，无毛，叶脉与叶缘均具腺体。圆锥花序长圆形或尖塔形。颖果近圆形。

| 功能主治 | 甘、淡，凉。疏风清热，利尿。用于砂淋，石淋，水肿，目赤。

| 用法用量 | 内服煎汤，15 ~ 30 g；鲜品 60 ~ 120 g。外用适量，煎汤洗。

知风草 *Eragrostis ferruginea* (Thunb.) Beauv.

|药材名|

知风草（药用部位：根）。

|形态特征|

多年生草本。秆丛生或单生，直立或基部膝曲，高 30 ~ 110 cm，粗壮，直径约 4 mm。叶鞘两侧极压扁，基部相互跨覆，均较节间长，光滑无毛，鞘口与两侧密被柔毛，主脉上通常具腺点；叶舌退化成一圈短毛，长约 0.3 mm；叶片平展或折叠，长 20 ~ 40 mm，宽 3 ~ 6 mm，上部叶片超出花序，常光滑无毛或上面近基部稀被疏毛。圆锥花序大而开展，每节具 1 ~ 3 分枝，分枝上举，枝腋间无毛；小穗柄长 5 ~ 15 mm，中部或中部偏上处具 1 腺体，小枝中部也常存在，腺体通常呈长圆形，稍凸起；小穗长圆形，长 5 ~ 10 mm，宽 2 ~ 2.5 mm，含 7 ~ 12 小花，多带黑紫色，稀黄绿色；颖开展，具 1 脉，第一颖披针形，长 1.4 ~ 2 mm，先端渐尖，第二颖长 2 ~ 3 mm，长披针形，先端渐尖；外稃卵状披针形，先端稍钝，第一外稃长约 3 mm，内稃较外稃短，脊上被小纤毛，宿存；花药长约 1 mm。颖果棕红色，长约 1.5 mm。花果期 8 ~ 12 月。

| 生境分布 | 生于山坡、路旁、草地。湖南各地均有分布。

| 资源情况 | 野生资源丰富。药材来源于野生。

| 采收加工 | 8 月采挖，除去地上部分，洗净，晒干或鲜用。

| 药材性状 | 本品卷曲成团，少数须根散开。

| 功能主治 | 甘，平。舒筋散瘀。用于跌打损伤。

| 用法用量 | 内服煎汤，6 ~ 9 g。外用适量，捣敷。

禾本科 Gramineae 画眉草属 *Eragrostis*

乱草 *Eragrostis japonica* (Thunb.) Trin.

| 药 材 名 | 香榧草（药用部位：全草）。

| 形态特征 | 一年生草本。秆直立或膝曲，丛生，高 30 ~ 100 cm，直径 1.5 ~ 2.5 mm，具 3 ~ 4 节。叶鞘一般较节间长，疏松裹秆，无毛；叶舌干膜质，长约 0.5 mm；叶片平展，长 3 ~ 25 cm，宽 3 ~ 5 mm，光滑无毛。圆锥花序长圆形，长 6 ~ 15 cm，宽 1.5 ~ 6 cm，长常超过植株的一半，分枝纤细，簇生或轮生，腋间无毛；小穗柄长 1 ~ 2 mm；小穗卵圆形，长 1 ~ 2 mm，含 4 ~ 8 小花，成熟后紫色，自小穗轴由上而下逐节断落；颖近等长，长约 0.8 mm，先端钝，具 1 脉；第一外稃长约 1 mm，广椭圆形，先端钝，具 3 脉，侧脉明显，内稃长约 0.8 mm，先端 3 齿裂，具 2 脊，脊上疏被短纤毛；雄蕊 2，花药长约 0.2 mm。

颖果棕红色，透明，卵圆形，长约 0.5 mm。花果期 6 ~ 11 月。

| 生境分布 | 生于田野、路旁、河边低湿处。湖南各地均有分布。

| 资源情况 | 野生资源丰富。药材来源于野生。

| 采收加工 | 夏季采收，晒干。

| 药材性状 | 本品多皱缩卷曲。秆高 30 ~ 100 cm，直径 1.5 ~ 2.5 mm。叶片展平后长 3 ~ 25 cm，宽 3 ~ 5 mm。圆锥花序长圆形，簇生或轮生。颖果呈卵圆形。

| 功能主治 | 咸，平。清热凉血。用于咯血，吐血。

| 用法用量 | 内服煎汤，30 ~ 60 g。

禾本科 Gramineae 画眉草属 *Eragrostis*

小画眉草 *Eragrostis minor* Host.

| 药材名 | 小画眉草（药用部位：全草。别名：蚊蚊草、星星草）。

| 形态特征 | 一年生草本。秆纤细，丛生，膝曲上升，高 15 ~ 50 cm，直径 1 ~ 2 mm，具 3 ~ 4 节，节下具一圈腺体。叶鞘较节间短，疏松裹秆，脉上具腺体，鞘口被长毛；叶舌被一圈长柔毛，长 0.5 ~ 1 mm；叶片线形，平展或卷缩，长 3 ~ 15 cm，宽 2 ~ 4 mm，下面光滑，上面粗糙并疏被柔毛，主脉及叶缘均具腺体。圆锥花序疏松开展，长 6 ~ 15 cm，宽 4 ~ 6 cm，每节具 1 分枝，分枝平展或上举，腋间无毛；花序轴、小枝及小穗柄上均具腺体；小穗长圆形，长 3 ~ 8 mm，宽 1.5 ~ 2 mm，含 3 ~ 16 小花，绿色或深绿色；小穗柄长 3 ~ 6 mm；颖锐尖，具 1 脉，脉上具腺点，第一颖长 1.6 mm，第二颖长约

1.8 mm；第一外稃长约 2 mm，广卵形，先端圆钝，具 3 脉，侧脉明显并靠近边缘，主脉上具腺体，内稃长约 1.6 mm，弯曲，脊上被纤毛，宿存；雄蕊 3，花药长约 0.3 mm。颖果红褐色，近球形，直径约 0.5 mm。花果期 6 ～ 9 月。

| 生境分布 | 生于草地、田野、路边。湖南各地均有分布。

| 资源情况 | 野生资源丰富。药材来源于野生。

| 采收加工 | 夏季采收，鲜用或晒干。

| 药材性状 | 本品秆高 15 ～ 50 cm，直径 1 ～ 2 mm。叶鞘较节间短，脉上具腺体，鞘口被长毛；叶舌长 0.5 ～ 1 mm；叶片线形，平展或卷缩，长 3 ～ 15 cm，宽 2 ～ 4 mm，主脉及叶缘均具腺体。颖果近球形。

| 功能主治 | 淡，凉。疏风清热，利尿。用于目赤，砂淋，石淋，脓疱疮。

| 用法用量 | 内服煎汤，50 ～ 100 g；或研末。外用适量，煎汤洗。

禾本科 Gramineae 画眉草属 *Eragrostis*

画眉草 *Eragrostis pilosa* (L.) Beauv.

药材名

画眉草（药用部位：全草。别名：榧子草）。

形态特征

一年生草本。秆丛生，直立或基部膝曲，高 15 ~ 60 cm，直径 1.5 ~ 2.5 mm，通常具 4 节，光滑。叶鞘疏松裹秆，长于或短于节间，压扁，鞘缘近膜质，鞘口被长柔毛；叶舌被一圈纤毛，长约 0.5 mm；叶片线形，扁平或卷缩，长 6 ~ 20 cm，宽 2 ~ 3 mm，无毛。圆锥花序开展或紧缩，长 10 ~ 25 cm，宽 2 ~ 10 cm，分枝单生、簇生或轮生，多直立向上，腋间被长柔毛；小穗具柄，长 3 ~ 10 mm，宽 1 ~ 1.5 mm，含 4 ~ 14 小花；颖膜质，披针形，先端渐尖，第一颖长约 1 mm，无脉，第二颖长约 1.5 mm，具 1 脉；第一外稃长约 1.8 mm，广卵形，先端尖，具 3 脉，内稃长约 1.5 mm，稍作弓形弯曲，脊上被纤毛，迟落或宿存；雄蕊 3，花药长约 0.3 mm。颖果长圆形，长约 0.8 mm。花果期 8 ~ 11 月。

生境分布

生于田野、旷地、路边。湖南各地均有分布。

| 资源情况 | 野生资源丰富。药材来源于野生。

| 采收加工 | 夏、秋季采收，除去泥土，晒干。

| 药材性状 | 本品秆高 15 ~ 60 cm，直径 1.5 ~ 2.5 mm，具 4 节，光滑。叶鞘压扁，鞘口被长柔毛；叶舌长约 0.5 mm；叶片线形，长 6 ~ 20 cm，宽 2 ~ 3 mm，无毛。

| 功能主治 | 甘、淡，凉。疏风清热，利尿。用于砂淋，石淋，水肿。

| 用法用量 | 内服煎汤，9 ~ 15 g。外用适量，烧存性，研末调搽。

禾本科 Gramineae 蜈蚣草属 *Eremochloa*

假俭草 *Eremochloa ophiuroides* (Munro) Hack.

| 药 材 名 | 假俭草（药用部位：全草）。

| 形态特征 | 多年生草本。匍匐茎强壮。秆斜升，高约 20 cm。叶鞘压扁，多密集跨生于秆基部，鞘口常被短毛；叶片条形，先端钝，无毛，长 3 ~ 8 cm，宽 2 ~ 4 mm，顶生叶片退化。总状花序顶生，稍弓曲，压扁，长 4 ~ 6 cm，宽约 2 mm；花序轴节间被短柔毛；无柄小穗长圆形，覆瓦状排列于花序轴一侧，长约 3.5 mm，宽约 1.5 mm，第一颖硬纸质，无毛，具 5 ~ 7 脉，两侧下部具篦状短刺或近无刺，先端具宽翅，第二颖舟形，厚膜质，具 3 脉，第一外稃膜质，近等长，第二小花两性，外稃先端钝，花药长约 2 mm，柱头红棕色；有柄小穗退化或仅存小穗柄，披针形，长约 3 mm，与花序轴贴生。花果期夏、秋季。

| 生境分布 | 生于山坡、旷野、路旁、湿草地。分布于湘中、湘东、湘西北等。

| 资源情况 | 野生资源较少。药材来源于野生。

| 采收加工 | 采收后晒干。

| 药材性状 | 本品秆基部多具叶鞘。叶片呈条形，先端钝。总状花序顶生，稍弯曲；柱头披针形。

| 功能主治 | 用于劳伤腰痛，骨节酸痛。

| 用法用量 | 内服煎汤。

禾本科 Gramineae 野黍属 *Eriochloa*

野黍 *Eriochloa villosa* (Thunb.) Kunth

| 药 材 名 | 野黍（药用部位：全草）。

| 形态特征 | 一年生草本。秆直立，基部分枝，稍倾斜，高 30 ~ 100 cm。叶鞘无毛或被毛或鞘缘一侧被毛，疏松裹秆，节被髭毛；叶舌被长约 1 mm 的纤毛；叶片扁平，长 5 ~ 25 cm，宽 5 ~ 15 mm，表面被微毛，背面光滑，边缘粗糙。圆锥花序狭长，长 7 ~ 15 cm，由 4 ~ 8 总状花序组成；总状花序长 1.5 ~ 4 cm，密被柔毛，常排列于主轴一侧；小穗卵状椭圆形，长 4.5 ~ 5（~ 6）mm，基盘长约 0.6 mm；小穗柄极短，密被长柔毛；第一颖微小，短于或长于基盘；第二颖与第一外稃均膜质，等长于小穗，均被细毛，前者具 5 ~ 7 脉，后者具 5 脉；第二外稃革质，稍短于小穗，先端钝，具细点状皱纹；

鳞被 2，折叠，长约 0.8 mm，具 7 脉；雄蕊 3；花柱分离。颖果卵圆形，长约 3 mm。花果期 7 ~ 10 月。

| 生境分布 | 生于田边、路旁、旷野、山坡、耕地和潮湿处。分布于湘中、湘东、湘南、湘西北等。

| 资源情况 | 野生资源一般。药材来源于野生。

| 采收加工 | 夏、秋季采收，除去泥土，晒干。

| 药材性状 | 本品秆高 30 ~ 100 cm。叶片扁平，长 5 ~ 25 cm，宽 5 ~ 15 mm，表面具微毛，背面光滑，边缘粗糙。圆锥花序狭长；小穗卵状椭圆形。颖果卵圆形。

| 功能主治 | 用于目赤。

| 用法用量 | 内服煎汤。外用适量。

禾本科 Gramineae 箭竹属 *Fargesia*

箭竹 *Fargesia spathacea* Franch.

| 药 材 名 | 拐棍竹（药用部位：叶。别名：竹叶、华桔草、华桔竹叶）。

| 形态特征 | 多年生植物。竿丛生或近散生，直立，高 1.5 ~ 4 m，直径 0.5 ~ 2 cm；节间长 15 ~ 18 cm，基部节间长 3 ~ 5 cm，圆筒形，幼时无白粉或微被白粉，无毛，纵向细肋不发达；竿柄长 7 ~ 13 cm，直径 7 ~ 20 mm；竿壁厚 2 ~ 3.5 mm，髓呈锯屑状；箨环隆起，幼时被灰白色短刺毛；竿环平坦或微隆起。

| 生境分布 | 生于山坡林缘或林内。分布于湖南常德（石门）等。

| 资源情况 | 野生资源稀少。药材来源于野生。

| 采收加工 | 夏末秋初采摘，晾干。

| 功能主治 | 甘，寒。清热除烦，利尿。用于发热烦躁，口渴，小便短赤。

| 用法用量 | 内服煎汤，3 ~ 9 g。

禾本科 Gramineae 牛鞭草属 *Hemarthria*

扁穗牛鞭草 *Hemarthria compressa* (L. f.) R. Br.

药材名

扁穗牛鞭草（药用部位：全草）。

形态特征

多年生草本。根茎横走，具分枝，节上生不定根及鳞片。秆直立部分高 20 ~ 40 cm，直径 1 ~ 2 mm，质稍硬。叶鞘口及叶舌被纤毛；叶片线形，长可达 10 cm，宽 3 ~ 4 mm，两面无毛。总状花序长 5 ~ 10 mm，直径约 1.5 mm，略扁，光滑无毛；无柄小穗陷入花序轴的凹穴中，长卵形，长 4 ~ 5 mm，第一颖近革质，等长于小穗，背面扁平，具 5 ~ 9 脉，两侧具脊，先端急尖或稍钝，第二颖纸质，略短于第一颖，与花序轴的凹穴完全愈合，第一小花仅存外稃，第二小花两性，外稃透明膜质，长约 4 mm，内稃长约为外稃的 2/3，先端圆钝，无脉；有柄小穗披针形，等长或稍长于无柄小穗，第一颖草质，卵状披针形，先端尖或钝，两侧具脊，第二颖舟形，先端渐尖，与花序轴的凹穴完全愈合，第一小花中性，仅存膜质外稃，长约 3.5 mm，第二小花两性，内、外稃均透明膜质，雄蕊 3，花药长约 2 mm。颖果长卵形，长约 2 mm。花果期夏、秋季。

| 生境分布 | 生于田边、路旁湿润处。分布于湖南常德（安乡）等。

| 资源情况 | 野生资源稀少。药材来源于野生。

| 采收加工 | 夏、秋季采收，洗净，干燥或鲜用。

| 药材性状 | 本品秆直立，高可超过 20 m，直径 1 ~ 2 mm。叶片线形，长可达 10 cm，两面无毛。

| 功能主治 | 用于久病体虚，食欲不振，感冒，风湿痹痛。

| 用法用量 | 内服煎汤，30 ~ 60 g。

禾本科 Gramineae 黄茅属 *Heteropogon*

黄茅 *Heteropogon contortus* (L.) Beauv. ex Roem. et Schult.

| 药 材 名 | 黄茅（药用部位：全草。别名：毛针子草、风气草、毛锥子）。

| 形态特征 | 多年生丛生草本。秆高 20 ~ 100 cm，基部常膝曲，上部直立，光滑无毛。叶鞘压扁而具脊，光滑无毛，鞘口常被柔毛；叶舌短，膜质，先端被纤毛；叶片线形，扁平或对折，长 10 ~ 20 cm，宽 3 ~ 6 mm，先端渐尖或急尖，基部稍收窄，两面粗糙或表面基部疏被柔毛。总状花序单生于主枝或分枝先端，长 3 ~ 7 cm，芒常于花序先端扭卷成 1 束，花序基部具 3 ~ 10 对同性小穗，无芒，宿存，上部具 7 ~ 12 对异性小穗；无柄小穗线形，两性，长 6 ~ 8 mm，基盘锐尖，被棕褐色髯毛，第一颖狭长圆形，革质，先端钝，背部圆形，被短硬毛或无毛，边缘包卷同质的第二颖，第二颖较窄，先端钝，具 2 脉，

脉间被短硬毛或无毛，边缘膜质，第一小花外稃长圆形，远短于颖，第二小花外稃极窄，向上延伸成2回膝曲的芒，芒长6 ~ 10 cm，芒柱扭转被毛，内稃常缺，雄蕊3，子房线形，花柱2；有柄小穗长圆状披针形，雄性或中性，无芒，常偏斜扭转覆盖无柄小穗，绿色或带紫色，第一颖长圆状披针形，草质，背部被疣基毛或无毛。

| 生境分布 | 生于海拔150 ~ 2 000 m的山坡、草地、石山上。分布于湖南娄底（新化）、湘西州（花垣）等。

| 资源情况 | 野生资源稀少。药材来源于野生。

| 采收加工 | 全年均可采收，晒干或鲜用。

| 药材性状 | 本品秆高20 ~ 100 cm。叶片线形，长10 ~ 20 cm，宽3 ~ 6 mm，先端渐尖或急尖。

| 功能主治 | 甘，温。祛风除湿，散寒，止咳。用于风寒咳嗽，风湿关节痛。

| 用法用量 | 内服煎汤，15 ~ 30 g；或捣汁；或浸酒。外用适量，捣敷。

禾本科 Gramineae 白茅属 *Imperata*

白茅 *Imperata cylindrica* (L.) Beauv.

| 药 材 名 | 白茅根（药用部位：根茎。别名：丝茅草根、茅草根）。

| 形态特征 | 多年生草本，具粗壮的长根茎。秆直立，高 30 ~ 80 cm，具 1 ~ 3 节，节上无毛。叶鞘聚生于秆基部，甚长于其节间，质较厚，老后破碎成纤维状；叶舌膜质，长约 2 mm，紧贴其背部或鞘口处被柔毛；分蘖叶片长约 20 cm，宽约 8 mm，扁平，质较薄，秆生叶片长 1 ~ 3 cm，窄线形，通常内卷，先端渐尖成刺状，下部渐窄或具柄，质硬，被白粉，基部上面被柔毛。圆锥花序稠密，长 20 cm，宽达 3 cm；小穗长 4.5 ~ 5（~ 6）mm，基盘被长 12 ~ 16 mm 的丝状柔毛；两颖草质，边缘膜质，近等长，具 5 ~ 9 脉，先端渐尖或稍钝，常被纤毛，脉间疏被长丝状毛；第一外稃卵状披针形，长为颖的 2/3，透明膜质，

无脉，先端尖或齿裂，第二外稃与内稃近等长，长约为颖的一半，卵圆形，先端具裂齿及纤毛；雄蕊 2，花药长 3 ~ 4 mm；花柱细长，基部多少连合，柱头 2，紫黑色，羽状，长约 4 mm，自小穗先端伸出。颖果椭圆形，长约 1 mm，胚长为颖果的一半。花果期 4 ~ 6 月。

| 生境分布 | 生于山坡、草地、路旁、荒野、沙地。湖南各地均有分布。

| 资源情况 | 野生资源丰富。栽培资源丰富。药材来源于野生和栽培。

| 采收加工 | 春、秋季采挖，洗净，除去须根及膜质叶鞘，捆成小把。

| 功能主治 | 甘，寒。凉血止血，清热利尿。用于血热吐血，衄血，尿血，热病烦渴，黄疸，水肿，热淋涩痛。

| 用法用量 | 内服煎汤，10 ~ 30 g，鲜品 30 ~ 60 g；或捣汁。外用适量，鲜品捣汁涂。

禾本科 Gramineae 箬竹属 *Indocalamus*

阔叶箬竹 *Indocalamus latifolius* (Keng) McClure

| 药 材 名 | 阔叶箬竹（药用部位：叶。别名：寮竹、箬竹）。

| 形态特征 | 多年生植物。竿高可达 2 m，直径 0.5 ~ 1.5 cm，每节具 1 分枝，上部具 2 ~ 3 分枝；节间长 5 ~ 22 cm，被微毛，尤以节下部较密；竿环略高；箨环平坦；箨鞘纸质，下部者紧抱竿，上部者疏松抱竿，背部被毛，边缘被棕色纤毛；箨耳疏被粗糙短缝毛；箨舌截形，先端无毛或被短缝毛；箨片直立。叶鞘无毛，先端稀被极小微毛，边缘无纤毛；叶舌截形，高 1 ~ 3 mm，先端无毛或稀被缝毛；叶耳无；叶片披针形，长 10 ~ 45 cm，宽 2 ~ 9 cm，次脉 6 ~ 13 对，小横脉明显，叶缘被小刺毛。圆锥花序长 6 ~ 20 cm，基部为叶鞘包裹，主轴密被微毛；小穗带紫色，圆柱形，长 2.5 ~ 7 cm，含 5 ~ 9 小花；

小穗轴节间长 4 ~ 9 mm，密被白色柔毛；颖质薄，第一颖长 5 ~ 10 mm，具不明显的 5 ~ 7 脉，第二颖长 8 ~ 13 mm，具 7 ~ 9 脉；外稃呈芒状，具 11 ~ 13 脉，脉间小横脉明显，第一外稃长 13 ~ 15 mm，内稃长 5 ~ 10 mm，脊间贴生小微毛，近先端被小纤毛；鳞被长 2 ~ 3 mm；花药紫色，长 4 ~ 6 mm；柱头 2，羽毛状。笋期 4 ~ 5 月。

| 生境分布 | 生于海拔 1 000 m 以下的山坡、林下、河岸。湖南各地均有分布。

| 资源情况 | 野生资源丰富。栽培资源丰富。药材来源于野生和栽培。

| 采收加工 | 全年均可采收，晒干。

| 药材性状 | 本品皱缩，展开后呈披针形，小横脉明显。

| 功能主治 | 甘，寒。清热解毒，止血。用于喉痹，失音，崩中。

| 用法用量 | 内服煎汤，9 ~ 15 g；或炒存性，入散剂。外用适量，炒炭存性，研末吹喉。

禾本科 Gramineae 箬竹属 *Indocalamus*

箬叶竹 *Indocalamus longiauritus* Hand.-Mazz.

药材名

箬叶竹（药用部位：叶）。

形态特征

多年生植物。竿高 0.84 ~ 1 m，直径 3.5 ~ 8 mm，每节具 1 分枝，上部 1 ~ 3 分枝，分枝上举，节间长 10 ~ 55 cm，暗绿色，节下具淡棕色带红色毛环；竿壁厚 1.5 ~ 2 mm；竿节平坦；竿环较箨环高；箨鞘革质，绿色带紫色，基部具木栓状隆起的环，背部被褐色疣基刺毛；箨耳大，镰形，长 3 ~ 55 mm，宽 1 ~ 6 mm，被放射状淡棕色长缝毛，毛长约 1 cm；箨舌高 0.5 ~ 1 mm，截形，边缘被长 0.3 ~ 3 mm 的流苏状缝毛；箨片长三角形至卵状披针形，直立，近圆形。叶鞘质坚硬，外缘被纤毛；叶耳镰形，边缘被棕色放射状缝毛；叶舌截形，高 1 ~ 1.5 mm，被毛；叶片大型，长 10 ~ 35.5 cm，宽 1.5 ~ 6.5 cm，次脉 5 ~ 12 对，小横脉长方格形，叶缘粗糙。圆锥花序细长，长 8 ~ 15.5 cm；花序轴密被白色毡毛；小穗长 1.5 ~ 3.7 cm，含 4 ~ 6 小花；小穗轴节间长 6.8 ~ 7.2 mm，呈扁棒状，具纵棱，密被白色绒毛，先端平截；颖 2，先端渐尖成芒状；外稃长圆状披针形，先端具芒状小尖头，脊上被纤毛；

花药长约 5 mm；柱头 2，羽毛状。颖果长椭圆形。花期 5 ~ 7 月，笋期 4 ~ 5 月。

| 生境分布 | 生于丘陵岗地附近。分布于湖南怀化（鹤城）、长沙（宁乡）。

| 资源情况 | 野生资源稀少。药材来源于野生。

| 采收加工 | 全年均可采摘，晒干。

| 药材性状 | 本品先端长尖，基部楔形，下表面无毛或被微毛，小横脉长方格形，叶缘粗糙。

| 功能主治 | 清热止血，解毒消肿。

| 用法用量 | 内服煎汤。外用适量。

禾本科 Gramineae 箬竹属 *Indocalamus*

箬竹 *Indocalamus tessellatus* (Munro) Keng f.

|药材名|

阔叶箬竹（药用部位：叶）。

|形态特征|

多年生植物。竿高 0.75 ~ 2 m，直径 4 ~ 7.5 mm；节间长约 25 cm，最长者可达 32 cm，在分枝一侧的基部微扁，一般呈绿色；竿壁厚 2.5 ~ 4 mm；竿环较箨环略隆起，节下方具红棕色贴竿的毛环；箨鞘较节间长，上部宽松抱竿，下部紧密抱竿，具纵肋；箨舌厚膜质，背部被棕色伏贴微毛；箨片窄披针形，竿下部者较窄，竿上部者稍宽。小枝具 2 ~ 4 叶；叶鞘紧密抱竿，具纵肋；叶片在成长植株上稍下弯，宽披针形，先端长尖，基部楔形，下表面灰绿色，中脉两侧或仅一侧被 1 毡毛，次脉 8 ~ 16 对，小横脉明显，呈方格形，叶缘具细锯齿。圆锥花序长 10 ~ 14 cm；小穗绿色带紫色，长 2.3 ~ 2.5 cm，近圆柱形，含 5 ~ 6 小花；小穗柄长 5.5 ~ 5.8 mm；小穗轴节间长 1 ~ 2 mm；颖 3，脉上被微毛，第一颖长 5 ~ 7 mm，具 5 脉，第二颖长 7 ~ 10.5 mm，具 7 脉，第三颖长 10 ~ 19 mm，具 9 脉；第一外稃长 11 ~ 13 mm，具 11 ~ 13 脉，基盘长 0.5 ~ 1 mm，第一内稃长约为外稃的 1/3，背部具 2 脊，先端具 2 齿及白色柔毛；子房及鳞被未见。

| 生境分布 | 生于低山丘陵、林下或林缘。湖南各地均有分布。

| 资源情况 | 野生资源丰富。药材来源于野生。

| 采收加工 | 全年均可采摘，晒干。

| 药材性状 | 本品皱缩，展开后呈宽披针形或长圆状披针形，先端长尖，小横脉明显，呈方格形，叶缘具细锯齿。

| 功能主治 | 甘，寒。清热解毒，止血，消肿。用于吐血，衄血，尿血，小便淋痛不利，喉痹，痈肿。

| 用法用量 | 内服煎汤，15 ~ 25 g；或煅存性，入散剂。外用适量，煅存性，研末吹喉。

禾本科 Gramineae 柳叶箬属 *Isachne*

柳叶箬 *Isachne globosa* (Thunb.) Kuntze

| 药 材 名 |

柳叶箬（药用部位：全草）。

| 形态特征 |

多年生草本。秆丛生，直立或基部节上生根而倾斜，高 30 ~ 60 cm，节上无毛。叶鞘较节间短，无毛，一侧边缘或其上部被疣基毛；叶舌纤毛状，长 1 ~ 2 mm；叶片披针形，长 3 ~ 10 cm，宽 3 ~ 8 mm，先端短渐尖，基部钝圆或微心形，两面均被微细毛而粗糙，边缘质厚，软骨质，全缘或微波状。圆锥花序卵圆形，长 3 ~ 11 cm，宽 1.5 ~ 4 cm，盛开时抽出鞘外，分枝斜升或开展，每分枝着生 1 ~ 3 小穗，分枝和小穗柄均具黄色腺斑；小穗椭圆状球形，长 2 ~ 2.5 mm，淡绿色，成熟后带紫褐色；两颖近等长，坚纸质，具 6 ~ 8 脉，无毛，先端钝或圆形，边缘狭膜质；第一小花通常雄性，幼时较第二小花稍狭窄，稃体质稍软，第二小花雌性，近球形，外稃边缘和背部常被微毛；鳞被楔形，先端平截或微凹。颖果近球形。花果期夏、秋季。

| 生境分布 |

生于水稻田、低湿地、浅水中。湖南各地均有分布。

| 资源情况 | 野生资源丰富。药材来源于野生。

| 采收加工 | 全年均可采收，晒干。

| 药材性状 | 本品秆高 30 ~ 60 cm，节上无毛。叶片披针形，长 3 ~ 10 cm，宽 3 ~ 8 mm，先端短渐尖，基部钝圆或微心形。圆锥花序卵圆形；小穗椭圆状球形。颖果近球形。

| 功能主治 | 用于小便淋痛，跌打损伤。

| 用法用量 | 外用适量。

禾本科 Gramineae 假稻属 *Leersia*

假稻 *Leersia japonica* (Makino) Honda

| 药 材 名 |

假稻（药用部位：全草）。

| 形态特征 |

多年生草本。秆下部伏卧于地面，节生多分枝的须根，上部斜升，高 60 ~ 80 cm，节密被倒毛。叶鞘较节间短，微粗糙；叶舌长 1 ~ 3 mm，基部两侧下延与叶鞘连合；叶片长 6 ~ 15 cm，宽 4 ~ 8 mm，粗糙或下面平滑。圆锥花序长 9 ~ 12 cm，分枝平滑，直立或斜升，具棱角，稍压扁；小穗长 5 ~ 6 mm，带紫色；外稃具 5 脉，脊被刺毛，内稃具 3 脉，中脉被刺毛；雄蕊 6，花药长 3 mm。花果期夏、秋季。

| 生境分布 |

生于海拔约 1 000 m 的山谷、水边湿地。分布于湖南长沙（望城）、常德（安乡）、永州（双牌）等。

| 资源情况 |

野生资源一般。药材来源于野生。

| 采收加工 |

夏、秋季采收，洗净，晒干。

| 药材性状 | 本品秆高 60 ~ 80 cm，具多分枝的须根。叶鞘较节间短，微粗糙；叶舌与叶鞘相连；叶片长 6 ~ 15 cm。圆锥花序具棱角。

| 功能主治 | 辛，温。祛湿，利水。用于风湿痹痛，下肢浮肿。

| 用法用量 | 内服煎汤，15 ~ 30 g。

禾本科 Gramineae 假稻属 *Leersia*

秕壳草 *Leersia sayanuka* Ohwi

| 药 材 名 |

秕壳草（药用部位：全草）。

| 形态特征 |

多年生草本，具根茎。秆直立，丛生，基部倾斜上升，具被鳞片的芽体，高 30 ~ 110 cm，节凹陷，被倒生微毛。叶鞘小刺状粗糙；叶舌长 1 ~ 2 mm，质硬，基部两侧下延与叶鞘边缘连合；叶片灰绿色，长 10 ~ 20 cm，宽 5 ~ 15 mm，粗糙。圆锥花序疏松开展，长达 20 cm，基部常为顶生叶鞘所包，分枝互生，长达 10 cm，细弱，上升，具小枝，下部常裸露，粗糙，具棱角；小穗轴节间长约 5 mm；小穗柄长 0.5 ~ 2 mm，粗糙，被微毛，先端膨大；小穗长 6 ~ 8 mm，宽 1.5 ~ 2 mm；外稃具 5 脉，脊上刺毛较长，两侧脉间被小刺毛，内稃脉间被细刺毛，中脉刺毛较粗长；雄蕊 2（~ 3），花药长 1 ~ 2 mm。颖果长圆形，长约 5 mm；种脐线形。花果期秋季。

| 生境分布 |

生于林下、溪旁、湖边湿草地。分布于湘北等。

| 资源情况 | 野生资源一般。药材来源于野生。

| 采收加工 | 夏、秋季采收，洗净，干燥或鲜用。

| 药材性状 | 本品秆直立，略呈圆柱状，长可超过 30 cm，被倒生微毛。叶片粗糙。

| 功能主治 | 清热，解表。

| 用法用量 | 内服煎汤。

禾本科 Gramineae 千金子属 *Leptochloa*

千金子 *Leptochloa chinensis* (L.) Ness

| 药材名 | 油草（药用部位：全草）。

| 形态特征 | 一年生草本。秆直立，基部膝曲或倾斜，高 30 ~ 90 cm，平滑无毛。叶鞘无毛，多数较节间短；叶舌膜质，长 1 ~ 2 mm，常撕裂，被小纤毛；叶片扁平或多少卷折，先端渐尖，两面微粗糙或下面平滑，长 5 ~ 25 cm，宽 2 ~ 6 mm。圆锥花序长 10 ~ 30 cm，分枝及主轴微粗糙；小穗多带紫色，长 2 ~ 4 mm，含 3 ~ 7 小花；颖具 1 脉，脊上粗糙，第一颖较短而狭窄，长 1 ~ 1.5 mm，第二颖长 1.2 ~ 1.8 mm；外稃先端钝，无毛或下部被微毛，第一外稃长约 1.5 mm；花药长约 0.5 mm。颖果长圆球形，长约 1 mm。

| 生境分布 | 生于山坡、河谷、平原湿地或园圃。湖南各地均有分布。

| 资源情况 | 野生资源丰富。药材来源于野生。

| 采收加工 | 夏、秋季采收，晒干。

| 功能主治 | 淡，平。逐水，破血，攻积。用于癥瘕，久热不退。

| 用法用量 | 内服煎汤，9 ~ 15 g。

禾本科 Gramineae 黑麦草属 *Lolium*

黑麦草 *Lolium perenne* L.

药材名

黑麦草（药用部位：全草）。

形态特征

多年生，具细弱根茎。秆丛生，高 30 ~ 90 cm，具 3 ~ 4 节，质软，基部节上生根。叶舌长约 2 mm；叶片线形，长 5 ~ 20 cm，宽 3 ~ 6 mm，柔软，具微毛，有时具叶耳。穗形穗状花序直立或稍弯，长 10 ~ 20 cm，宽 5 ~ 8 mm；小穗轴节间长约 1 mm，平滑无毛；颖披针形，为其小穗长的 1/3，具 5 脉，边缘狭膜质；外稃长圆形，草质，长 5 ~ 9 mm，具 5 脉，平滑，基盘明显，先端无芒，或上部小穗具短芒，第一外稃长约 7 mm；内稃与外稃等长，两脊生短纤毛。颖果长约为宽的 3 倍。花果期 5 ~ 7 月。

生境分布

生于堤坝、草地、路旁。湖南各地均有分布。

资源情况

野生资源一般。药材来源于野生。

| 功能主治 | 益气补中，润肺止咳，清热解毒，缓急止痛，调和药性。用于脾虚疲倦，心虚悸动，咳嗽气喘，痈疽喉痹。

禾本科 Gramineae 淡竹叶属 *Lophatherum*

淡竹叶 *Lophatherum gracile* Brongn.

| 药 材 名 | 淡竹叶（药用部位：茎叶。别名：碎骨子、山鸡米、金鸡米）。

| 形态特征 | 多年生草本，具木质根头。须根中部膨大成纺锤形小块根。秆直立，疏丛生，高 40 ~ 80 cm，具 5 ~ 6 节。叶鞘平滑或外侧边缘具纤毛；叶舌质硬，长 0.5 ~ 1 mm，褐色，背部被糙毛；叶片披针形，长 6 ~ 20 cm，宽 1.5 ~ 2.5 cm，具横脉，有时被柔毛或疣基小刺毛，基部收窄成柄状。圆锥花序长 12 ~ 25 cm，分枝斜升或开展，长 5 ~ 10 cm；小穗线状披针形，长 7 ~ 12 mm，宽 1.5 ~ 2 mm；小穗柄极短；颖先端钝，具 5 脉，边缘膜质，第一颖长 3 ~ 4.5 mm，第二颖长 4.5 ~ 5 mm；第一外稃长 5 ~ 6.5 mm，宽约 3 mm，具 7 脉，先端具尖头，内稃较短，其后具长约 3 mm 的小穗轴，不育外稃向

上渐狭小，互相密集包卷，先端具长约 1.5 mm 的短芒；雄蕊 2。颖果长椭圆形。花果期 6 ~ 10 月。

| 生境分布 | 生于山坡疏林或阴湿地。湖南各地均有分布。

| 资源情况 | 野生资源丰富。药材来源于野生。

| 采收加工 | 夏季未抽花穗前采收，晒干。

| 功能主治 | 甘、淡，寒。清热除烦，利尿。用于热病烦渴，小便赤涩淋痛，口舌生疮。

| 用法用量 | 内服煎汤，9 ~ 15 g。

禾本科 Gramineae 芒属 *Miscanthus*

五节芒 *Miscanthus floridulus* (Lab.) Warb. ex Schum. et Laut.

| 药 材 名 | 苦芦骨（药用部位：虫瘿）。

| 形态特征 | 多年生草本，具发达的根茎。秆高大似竹，高 2 ~ 4 m，无毛，节下具白粉。鞘节被微毛，长于或上部者稍短于节间；叶片披针状线形，长 25 ~ 60 cm，宽 1.5 ~ 3 cm，基部渐窄或呈圆形，先端长渐尖，中脉粗壮隆起，两面无毛或上面基部被柔毛，边缘粗糙。圆锥花序大型，主轴粗壮，延伸至超过花序的 2/3，分枝较细弱，长 15 ~ 20 cm，通常 10 余分枝簇生于基部各节；总状花序轴节间长 3 ~ 5 mm，无毛；小穗柄无毛，先端稍膨大，短柄长 1 ~ 1.5 mm，长柄向外弯曲；小穗卵状披针形，长 3 ~ 3.5 mm，基盘被较小穗长的丝状柔毛；第一颖无毛，先端渐尖或具 2 微齿，侧脉内折成 2 脊，

脊间中脉不明显，上部及边缘粗糙，第二颖与第一颖等长，具 3 脉，中脉呈脊，粗糙；第一外稃长圆状披针形，较颖稍短，先端钝圆，边缘被纤毛，第二外稃卵状披针形，先端尖或具 2 微齿，无毛或下部边缘被少数短纤毛，微粗糙，伸直或下部稍扭曲；雄蕊 3，花药长 1.2 ~ 1.5 mm，橘黄色；花柱极短，柱头紫黑色，自小穗中部两侧伸出。花果期 5 ~ 10 月。

| 生境分布 | 生于山坡、草地、河堤岸边。湖南各地均有分布。

| 资源情况 | 野生资源丰富。药材来源于野生。

| 采收加工 | 7 ~ 10 月采收。

| 功能主治 | 辛，温。理气，发表，散瘀。用于小儿疝气，小儿疹出不畅，月经不调。

| 用法用量 | 内服煎汤，15 ~ 30 g。

禾本科 Gramineae 芒属 *Miscanthus*

荻 *Miscanthus sacchariflorus* (Maxim.) Nakai

药材名

巴茅根（药用部位：根茎）。

形态特征

多年生草本。匍匐根茎长，发达，被鳞片，节处具粗根及幼芽。秆直立，高 1 ~ 1.5 m，直径约 5 mm，节被柔毛。叶鞘无毛，长于或上部者稍短于节间；叶舌短，长 0.5 ~ 1 mm；叶片扁平，宽线形，长 20 ~ 50 cm，宽 5 ~ 18 mm，边缘锯齿状粗糙，基部常收缩成柄，先端长渐尖，中脉白色，粗壮。圆锥花序开展成伞房状，主轴无毛，具 10 ~ 20 较细弱的分枝，腋间被柔毛，直立而后开展；总状花序轴节间长 4 ~ 8 mm，被短柔毛；小穗柄先端稍膨大，基部腋间常被柔毛，短柄长 1 ~ 2 mm，长柄长 3 ~ 5 mm；小穗线状披针形，长 5 ~ 5.5 mm，基盘被长为小穗 2 倍的丝状柔毛；第一颖 2 脊间具 1 脉或无脉，先端膜质，长渐尖，边缘和背部被长柔毛，第二颖与第一颖近等长，先端渐尖，具 3 脉；第一外稃稍短于颖，先端尖，被纤毛，第二外稃狭披针形，短于颖的 1/4，先端尖，被小纤毛，无脉或具 1 脉，稀具 1 芒状尖头，第二内稃长约为外稃的一半，被纤毛；雄蕊 3，花药长约 2.5 mm；柱头紫黑色，自小穗中部以下两侧伸出。

| 生境分布 | 生于山坡草地、堤岸及河滩地湿润处。湖南各地均有分布。

| 资源情况 | 野生资源丰富。药材来源于野生。

| 采收加工 | 全年均可采收，晒干。

| 药材性状 | 本品呈扁圆柱形，常弯曲，直径 2.5 ～ 5 mm，节常具极短的茸毛或鳞片，节间长 0.5 ～ 1.9 cm。表面黄白色，略具光泽及纵纹。质硬脆，断面皮部裂隙小，中心具 1 小孔，孔周围粉红色。气微，味淡。

| 功能主治 | 甘，凉。清热，活血。用于干血痨，潮热，产妇失血口渴，牙痛。

| 用法用量 | 内服煎汤，90 ～ 120 g。

| 附　　注 | 本种的拉丁学名在 FOC 中被修订为 *Miscanthus sacchariflorus* (Maxim.) Benth. et Hook. f. ex Franch.。

禾本科 Gramineae  芒属 *Miscanthus*

芒 *Miscanthus sinensis* Anderss.

| 药 材 名 |

芒花（药用部位：花序）、芒茎（药用部位：根茎）、芒气笋子（药用部位：含寄生虫的根茎）。

| 形态特征 |

多年生苇状草本。秆高 1 ~ 2 m，无毛或花序以下疏被柔毛。叶鞘无毛，较节间长；叶舌膜质，长 1 ~ 3 mm，先端及后面被纤毛；叶片线形，长 20 ~ 50 cm，宽 6 ~ 10 mm，下面疏被柔毛，被白粉，边缘粗糙。圆锥花序直立，长 15 ~ 40 cm，主轴无毛，延伸至花序中部以下，节与分枝腋间被柔毛，分枝较粗硬，直立，不再分枝或基部分枝具第二次分枝，长 10 ~ 30 cm；小枝节间三棱形，边缘微粗糙；小穗柄短柄长 2 mm，长柄长 4 ~ 6 mm；小穗披针形，长 4.5 ~ 5 mm，黄色，有光泽，基盘被与小穗等长的白色或淡黄色丝状毛；第一颖具 3 ~ 4 脉，边脉上部粗糙，先端渐尖，背部无毛，第二颖常具 1 脉，粗糙，边缘上部内折，被纤毛；第一外稃长圆形，膜质，长约 4 mm，边缘被纤毛，第二外稃明显较第一外稃短，先端 2 裂，裂片间具 1 芒，芒长 9 ~ 10 mm，棕色，膝曲，芒柱稍扭曲，长约 2 mm，第二内稃长约为外稃的 1/2；雄蕊 3，花药长 2 ~ 2.5 mm，紫褐色，先于雌蕊成熟；柱头羽状，长约 2 mm，自小穗中部两侧伸出。

| 生境分布 | 生于山坡、田埂、沟堤岸旁。湖南各地均有分布。

| 资源情况 | 野生资源丰富。药材来源于野生。

| 采收加工 | **芒花：**秋季采收。

芒茎：夏、秋季采收，洗净，切段，鲜用或晒干。

芒气笋子：夏季采收，晒干。

| 功能主治 | **芒花：**甘，平。活血通络。用于月经不调，半身不遂。

芒茎：甘，平。清热解毒，利尿。用于咳嗽，带下，小便淋痛不利。

芒气笋子：甘，平。调气，生津，补肾。用于妊娠呕吐，精枯阳痿。

| 用法用量 | **芒花：**内服煎汤，50 ~ 100 g。

芒茎：内服煎汤，100 ~ 150 g。

芒气笋子：内服煎汤，5 ~ 7 个。

禾本科 Gramineae 类芦属 *Neyraudia*

类芦 *Neyraudia reynaudiana* (Kunth) Keng ex Hitchc.

| 药 材 名 | 类芦（药用部位：幼苗、叶）。

| 形态特征 | 多年生草本。根茎木质，须根粗而坚硬。秆直立，高 2 ~ 3 m，直径 5 ~ 10 mm，节通常具分枝，节间被白粉。叶鞘无毛，沿颈部被柔毛；叶舌密被柔毛；叶片长 30 ~ 60 cm，宽 5 ~ 10 mm，扁平或卷折，先端长渐尖，无毛或上面被柔毛。圆锥花序长 30 ~ 60 cm，分枝细长，开展或下垂；小穗长 6 ~ 8 mm，含 5 ~ 8 小花；颖短小，长 2 ~ 3 mm；第一外稃不孕，无毛，外稃长约 4 mm，边缘被长约 2 mm 的柔毛，先端具长 1 ~ 2 mm 向外反曲的短芒，内稃较外稃短。花果期 8 ~ 12 月。

| 生境分布 | 生于河边、草坡或石山上。分布于湘北等。

| 资源情况 | 野生资源一般。药材来源于野生。

| 采收加工 | 采收后洗净。

| 药材性状 | 本品叶扁平或卷折，展开后长 30 ~ 60 cm，宽 5 ~ 10 mm，先端长渐尖，叶舌密被柔毛。

| 功能主治 | 甘、淡，平。清热利湿，解毒消肿。用于水肿，毒蛇咬伤，竹木刺入肉。

| 用法用量 | 内服煎汤，30 ~ 60 g。外用适量，捣敷。

禾本科 Gramineae 求米草属 *Oplismenus*

求米草 *Oplismenus undulatifolius* (Arduino) Beauv.

| 药 材 名 | 求米草（药用部位：全草）。

| 形态特征 | 秆纤细，基部平卧于地面，节处生根，上升部分高 20 ~ 50 cm。叶鞘短于或上部者长于节间，密被疣基毛；叶舌膜质，短小，长约 1 mm；叶片扁平，披针形至卵状披针形，长 2 ~ 8 cm，宽 5 ~ 18 mm，先端尖，基部略呈圆形而稍不对称，通常被细毛。圆锥花序长 2 ~ 10 cm，主轴密被疣基长刺柔毛，分枝短缩，有时下部的分枝延伸长达 2 cm；小穗卵圆形，被硬刺毛，长 3 ~ 4 mm，簇生于主轴或部分孪生；颖草质，第一颖长约为小穗的一半，先端具长 0.5 ~ 1（~ 1.5）cm 的硬直芒，具 3 ~ 5 脉，第二颖较第一颖长，先端芒长约 2 ~ 5 mm，具 5 脉；第一外稃草质，与小穗等长，具 7 ~ 9 脉，

先端芒长 1 ~ 2 mm，第一内稃通常缺，第二外稃革质，长约 3 mm，平滑，结实时变硬，边缘包着同质的内稃；鳞被 2，膜质；雄蕊 3；花柱基分离。花果期 7 ~ 11 月。

| 生境分布 | 生于山坡、林下和湿润处。湖南各地均有分布。

| 资源情况 | 野生资源丰富。药材来源于野生。

| 采收加工 | 夏、秋季采收，除去杂质，干燥。

| 药材性状 | 本品秆高 20 ~ 50 cm。叶片扁平，披针形至卵状披针形，长 2 ~ 8 cm，宽 5 ~ 18 mm，先端尖。

| 功能主治 | 用于跌打损伤。

| 用法用量 | 外用适量。

禾本科 Gramineae 稻属 *Oryza*

稻 *Oryza sativa* L.

| 药 材 名 | 稻芽（药用部位：成熟果实。别名：谷芽）。

| 形态特征 | 一年生水生草本。秆直立，高 0.5 ~ 1.5 m。叶鞘松弛，无毛；叶舌披针形，长 10 ~ 25 cm，两侧基部下延成叶鞘边缘；叶耳 2，镰形，抱茎；叶片线状披针形，长约 40 cm，宽约 1 cm，无毛，粗糙。圆锥花序大型，疏松，长约 30 cm，分枝多，棱粗糙，成熟期向下弯垂；小穗含 1 花，两侧甚压扁，长圆状卵形至椭圆形，长约 10 mm，宽 2 ~ 4 mm；颖极小，在小穗柄先端残留半月形痕迹；退化外稃 2，锥刺状，长 2 ~ 4 mm，两侧孕性花外稃质厚，具 5 脉，中脉呈脊，表面具方格状小乳头状突起，厚纸质，密被细毛，有芒或无芒，内稃与外稃同质，具 3 脉，先端尖而无喙；雄蕊 6，花药长 2 ~ 3 mm。

颖果长约 5 mm，宽约 2 mm，厚 1 ~ 1.5 mm；胚小，长约为颖果的 1/4。

| 生境分布 | 栽培于水田。湖南有广泛分布。

| 资源情况 | 栽培资源丰富。药材来源于栽培。

| 采收加工 | 采收后用水浸泡，保持适宜的温度、湿度，待须根长约 1 cm 时，干燥。

| 功能主治 | 甘，温。消食和中，健脾开胃。用于食积，腹胀，口臭，脾胃虚弱，食少不饥。

| 用法用量 | 内服煎汤，10 ~ 15 g，大剂量可用至 30 g；或研末。

禾本科 Gramineae 稻属 *Oryza*

籼稻 *Oryza sativa* L. subsp. *indica* Kato

| 药 材 名 | 籼稻（药用部位：种仁）。

| 形态特征 | 植株较高，质较软，分蘖松散。叶片淡绿色，较长，与茎间角度较大，被绒毛。圆锥花序主轴较短；小穗狭长，长 8.3 mm，宽 3.3 mm；芒短；稃毛稀疏而短。成熟颖果较少，穗轻；种子细长。

| 生境分布 | 栽培于水田。湖南有广泛分布。

| 资源情况 | 栽培资源丰富。药材来源于栽培。

| 采收加工 | 采收后剥出种子，晒干，除去种皮，收集种仁。

| 药材性状 | 本品呈扁椭圆形，细长，一端圆钝。表面浅白色，质坚硬，断面粉性。气微。

| 功能主治 | 消食和中，健脾开胃，除烦渴。用于食积，腹胀，口臭，脾胃虚弱，食少不饥。

| 用法用量 | 内服煎汤。

禾本科 Gramineae 稻属 *Oryza*

粳稻 *Oryza sativa* L. subsp. *japonica* Kato

| 药 材 名 | 陈仓米（药用部位：种仁。别名：白米）。

| 形态特征 | 一年生草本。秆直立，丛生，高约 1 m，中空有节，具分蘖。叶鞘无毛，与节间等长或下部者较节间长；叶舌膜质，质较硬，披针形，基部两侧下延与叶鞘边缘连合，长 8 ~ 25 mm，幼时具明显的叶耳；叶片线形，扁平，长 30 ~ 60 cm，宽 6 ~ 15 mm，粗糙，叶脉明显。圆锥花序疏松，成熟时向下弯垂，分枝具棱角，常粗糙；小穗长圆形，长 6 ~ 8 mm，每小穗具 1 花；不育花外稃锥刺状，无毛，可育花外稃硬纸质，具 5 脉，被细毛或稀无毛，无芒或有芒，内稃具 3 脉，被细毛；鳞被 2，卵圆形，长约 1 mm；雄蕊 6，花药长约 2 mm，花丝细弱；子房长圆形，光滑，花柱 2，柱头羽毛状，有时具第三

枝退化的花柱。颖果矩圆形，平滑，淡黄色、白色；种子具明显的线状种脐。花期 7 ~ 8 月，果期 8 ~ 9 月。

| 生境分布 | 栽培于水田。湖南有广泛分布。

| 资源情况 | 栽培资源丰富。药材来源于栽培。

| 采收加工 | 秋季颖果成熟时采收，剥出种子，晒干，除去种皮，收集种仁。

| 药材性状 | 本品呈矩圆形，平滑，具线状种脐。

| 功能主治 | 温中和胃，益气止泻。用于烦躁口渴，热毒血痢，伤暑发热。

| 用法用量 | 内服适量，煎汤；或入丸、散剂。

禾本科 Gramineae 雀稗属 *Paspalum*

双穗雀稗 *Paspalum paspaloides* (Michx.) Scribn.

| 药 材 名 | 铜钱草（药用部位：全草）。

| 形态特征 | 多年生草本。匍匐茎横走，粗壮，长达 1 m，向上直立部分高 20 ~ 40 cm，节被柔毛。叶鞘较节间短，背部具脊，边缘或上部被柔毛；叶舌长 2 ~ 3 mm，无毛；叶片披针形，长 5 ~ 15 cm，宽 3 ~ 7 mm，无毛。总状花序对生，长 2 ~ 6 cm；小穗轴宽 1.5 ~ 2 mm；小穗倒卵状长圆形，长约 3 mm，先端尖，疏被微柔毛；第一颖退化或微小，第二颖贴生柔毛，具明显的中脉；第一外稃具 3 ~ 5 脉，通常无毛，先端尖，第二外稃草质，与小穗等长，黄绿色，先端尖，被毛。

| 生境分布 | 生于田边、路旁。湖南有广泛分布。

| 资源情况 | 野生资源较丰富。药材来源于野生。

| 采收加工 | 夏季采收，晒干或鲜用。

| 药材性状 | 本品茎粗壮，长达 1 m，节被柔毛。叶鞘较节间短，背部具脊；叶片披针形，长 5 ~ 15 cm，宽 3 ~ 7 mm，无毛。小穗倒卵状长圆形。

| 功能主治 | 甘，平。活血解毒，祛风除湿。用于跌打肿痛，骨折筋伤，风湿痹痛，痰火，疮毒。

| 用法用量 | 内服煎汤，10 ~ 15 g；或入散剂。外用适量，捣敷；或研末调敷。

| 附　　注 | 本种的拉丁学名在 FOC 中被修订为 *Paspalum distichum* L.。

禾本科 Gramineae 雀稗属 *Paspalum*

雀稗 *Paspalum thunbergii* Kunth ex Steud.

| 药 材 名 | 雀稗（药用部位：全草）。

| 形态特征 | 多年生草本。秆直立，丛生，高 50 ~ 100 cm，节被长柔毛。叶鞘具脊，较节间长，被柔毛；叶舌膜质，长 0.5 ~ 1.5 mm；叶片线形，长 10 ~ 25 cm，宽 5 ~ 8 mm，两面被柔毛。总状花序 3 ~ 6，长 5 ~ 10 cm，互生于长 3 ~ 8 cm 的主轴上，形成总状圆锥花序，分枝腋间被长柔毛；小穗轴宽约 1 mm；小穗柄长 0.5 ~ 1 mm；小穗椭圆状倒卵形，长 2.6 ~ 2.8 mm，宽约 2.2 mm，散生微柔毛，先端圆形或微凸；第二颖与第一外稃等长，膜质，具 3 脉，边缘被明显的微柔毛，第二外稃与小穗等长，革质，有光泽。花果期 5 ~ 10 月。

| 生境分布 | 生于山坡草地、荒野或水边湿地。湖南各地均有分布。

| 资源情况 | 野生资源丰富。药材来源于野生。

| 采收加工 | 夏季采收，鲜用或晒干。

| 药材性状 | 本品秆高 50 ~ 100 cm。叶片线形，长 10 ~ 25 cm，宽 5 ~ 8 mm。小穗椭圆状倒卵形，先端圆形或微凸。

| 功能主治 | 用于目赤肿痛，风热咳喘，肝炎，跌打损伤。

| 用法用量 | 内服煎汤。外用适量。

禾本科 Gramineae 

Pennisetum

狼尾草 *Pennisetum alopecuroides* (L.) Spreng.

| 药 材 名 |

狼尾草（药用部位：全草。别名：狗仔尾、黑狗尾草）、狼尾草根（药用部位：根）。

| 形态特征 |

多年生草本。须根粗壮。秆直立，丛生，高 30 ~ 120 cm，花序下方者密被柔毛。叶鞘光滑，两侧压扁，主脉呈脊，基部者跨生状，上部者较节间长；叶舌被长约 2.5 mm 的纤毛；叶片线形，长 10 ~ 80 cm，宽 3 ~ 8 mm，先端长渐尖，基部被疣毛。圆锥花序直立，长 5 ~ 25 cm，宽 1.5 ~ 3.5 cm，主轴密被柔毛；总梗长 2 ~ 3（~ 5）mm，刚毛粗糙，淡绿色或紫色，长 1.5 ~ 3 cm；小穗单生，稀双生，线状披针形，长 5 ~ 8 mm；第一颖微小或缺，长 1 ~ 3 mm，膜质，先端钝，脉不明显或具 1 脉，第二颖卵状披针形，先端短尖，具 3 ~ 5 脉，长约为小穗的 1/3 ~ 2/3；第一小花中性，第一外稃与小穗等长，具 7 ~ 11 脉，第二外稃与小穗等长，披针形，具 5 ~ 7 脉，边缘包着同质的内稃；鳞被 2，楔形；雄蕊 3，花药先端无毫毛；花柱基部连合。颖果长圆形，长约 3.5 mm。花果期夏、秋季。

生境分布 生于田岸、路旁、山坡、旷野。湖南各地均有分布。

资源情况 野生资源丰富。药材来源于野生。

采收加工 **狼尾草：**夏、秋季采收，洗净，晒干。

狼尾草根：全年均可采收，洗净，晒干或鲜用。

功能主治 **狼尾草：**清肺止咳，凉血明目。用于肺热咳嗽，目赤肿痛。

狼尾草根：清肺止咳，解毒。用于肺热咳嗽，疮毒。

用法用量 **狼尾草：**内服煎汤，9 ~ 15 g。

狼尾草根：内服煎汤，30 ~ 60 g。

禾本科 Gramineae 狼尾草属 *Pennisetum*

象草 *Pennisetum purpureum* Schum.

| 药 材 名 | 象草（药用部位：全草）。

| 形态特征 | 多年生丛生大型草本。秆直立，高 2 ~ 4 m，花序基部密生柔毛。叶鞘光滑或具疣毛；叶舌短小，具纤毛；叶片线形，质较硬，上面疏生刺毛，近基部有小疣毛，下面无毛。圆锥花序长 10 ~ 30 cm，宽 1 ~ 3 cm；主轴密生长柔毛；刚毛金黄色、淡褐色或紫色，生长柔毛而呈羽毛状；小穗通常单生或 2 ~ 3 簇生，披针形，近无柄，如簇生则具短柄，成熟时与主轴交成直角呈近篦齿状排列；第一颖脉不明显；第二颖披针形，长约为小穗的 1/3，具 1 脉或无脉；第一小花中性或雄性，第一外稃长约为小穗的 4/5，具 5 ~ 7 脉；第二外稃与小穗等长，具 5 脉；鳞被 2，微小；雄蕊 3，花药先端具毫毛；

花柱基部连合。颖果长圆形或椭圆形，背腹压扁。花果期 8 ~ 10 月。

| 生境分布 | 栽培于植物园、公园、郊区等。分布于湖南长沙（浏阳）、衡阳（祁东）等。

| 资源情况 | 栽培资源较少。药材来源于栽培。

| 采收加工 | 夏、秋季采收，鲜用或晒干。

| 功能主治 | 明目，散血。用于肝病。

| 用法用量 | 内服煎汤，9 ~ 15 g。外用适量，捣敷。

禾本科 Gramineae 显子草属 *Phaenosperma*

显子草 *Phaenosperma globosa* Munro ex Benth.

|药材名|

显子草（药用部位：全草。别名：岩高粱、乌珠茅）。

|形态特征|

多年生草本。根较稀疏，质硬。秆单生或少数丛生，光滑无毛，直立，质坚硬，高 100 ~ 150 cm，具 4 ~ 5 节。叶鞘光滑，通常较节间短；叶舌质硬，长 5 ~ 15（~ 25）mm，两侧下延；叶片宽线形，常翻转而使上面向下呈灰绿色，下面向上呈深绿色，两面粗糙或平滑，基部狭窄，先端渐尖细，长 10 ~ 40 cm，宽 1 ~ 3 cm。圆锥花序长 15 ~ 40 cm，分枝在下部者多轮生，长 5 ~ 10 cm，幼时向上斜升，成熟时极开展；小穗背腹压扁，长 4 ~ 4.5 mm；两颖不等长，第一颖长 2 ~ 3 mm，具明显的 1 脉或 3 脉，两侧脉甚短，第二颖长约 4 mm，具 3 脉；外稃长约 4.5 mm，具 3 ~ 5 脉，两侧脉不明显，内稃略短于或近等长于外稃；花药长 1.5 ~ 2 mm。颖果倒卵球形，长约 3 mm，黑褐色，表面具皱纹，成熟后露出稃外。花果期 5 ~ 9 月。

| 生境分布 | 生于海拔 150 ~ 1 800 m 的山坡林下、山谷溪旁及路边草丛中。湖南各地均有分布。

| 资源情况 | 野生资源丰富。药材来源于野生。

| 采收加工 | 夏、秋季采收。

| 功能主治 | 甘，平。补虚，健脾，活血，调经。用于经闭，病后体虚。

| 用法用量 | 内服煎汤，50 g。

禾本科 Gramineae 虉草属 *Phalaris*

虉草 *Phalaris arundinacea* L.

| 药 材 名 |

五色草（药用部位：全草。别名：草芦、马羊草）。

| 形态特征 |

多年生草本，有根茎。秆通常单生或少数丛生，高 60 ~ 140 cm，具 6 ~ 8 节。叶鞘无毛，下部者较节间长，上部者较节间短；叶舌薄膜质，长 2 ~ 3 mm；叶片扁平，幼嫩时微粗糙，长 6 ~ 30 cm，宽 1 ~ 1.8 cm。圆锥花序紧密，狭窄，长 8 ~ 15 cm，分枝直向上举，密生小穗；小穗长 4 ~ 5 mm，无毛或被微毛；颖脊上粗糙，上部具极狭的翼；孕性花外稃宽披针形，长 3 ~ 4 mm，上部被柔毛，内稃舟形，背具 1 脊，脊两侧疏被柔毛，花药长 2 ~ 2.5 mm；不孕花外稃 2，退化成线形，被柔毛。花果期 6 ~ 8 月。

| 生境分布 |

生于林下、潮湿草地及水湿处。湖南各地均有分布。

| 资源情况 |

野生资源丰富。药材来源于野生。

| 采收加工 | 夏、秋季采收，晒干。

| 药材性状 | 本品秆高 60 ~ 140 cm，具 6 ~ 8 节。叶舌长 2 ~ 3 mm；叶片扁平，幼嫩时微粗糙，长 6 ~ 30 cm，宽 1 ~ 1.8 cm。

| 功能主治 | 用于带下，月经不调。

| 用法用量 | 内服煎汤，9 ~ 15 g。

禾本科 Gramineae 芦苇属 *Phragmites*

芦苇 *Phragmites australis* (Cav.) Trin. ex Steud.

药材名

芦根（药用部位：根茎。别名：苇根、芦头）。

形态特征

多年生草本。根茎十分发达。秆直立，高 1 ~ 3（~ 8）m，直径 1 ~ 4 cm，具 20 余节，基部和上部的节间较短，下部第 4 ~ 6 节的节间最长，长 20 ~ 25（~ 40）cm，节下被蜡粉。叶鞘下部者较节间短，上部者较节间长；叶舌边缘密被一圈长约 1 mm 的短纤毛，两侧缘毛长 3 ~ 5 mm，易脱落；叶片披针状线形，长 30 cm，宽 2 cm，无毛，先端长渐尖成丝状。圆锥花序大型，长 20 ~ 40 cm，宽约 10 cm，分枝多数，长 5 ~ 20 cm，着生稠密下垂的小穗；小穗柄长 2 ~ 4 mm，无毛；小穗长约 12 mm，含 4 花；颖具 3 脉，第一颖长 4 mm，第二颖长约 7 mm；第一不孕外稃雄性，长约 12 mm，第二外稃长 11 mm，具 3 脉，先端长渐尖，基盘延长，两侧密被与外稃等长的丝状柔毛，与无毛小穗轴连合处具明显的关节，成熟后易自关节脱落，内稃长约 3 mm，两脊粗糙；雄蕊 3，花药长 1.5 ~ 2 mm，黄色。颖果长约 1.5 mm。

| 生境分布 | 生于池沼、河岸、道旁、滩地湿润处。湖南有广泛分布。

| 资源情况 | 野生资源较丰富。药材来源于野生。

| 采收加工 | 全年均可采挖，除去芽、须根及膜状叶，鲜用或晒干。

| 功能主治 | 甘，寒。清热生津，除烦，止呕，利尿。用于热病烦渴，胃热呕吐，肺热咳嗽，肺痈吐脓，热淋涩痛。

| 用法用量 | 内服煎汤，15 ~ 30 g，鲜品加倍；或捣汁。

禾本科 Gramineae 刚竹属 *Phyllostachys*

桂竹 *Phyllostachys bambusoides* Sieb. et Zucc.

| 药 材 名 | 斑竹根（药用部位：根）、斑竹壳（药用部位：箨叶）、斑竹花（药用部位：花）。

| 形态特征 | 多年生木本。竿高 20 m，直径达 15 cm，幼竿无毛，无白粉；节间长达 40 cm；竿壁厚约 5 mm；竿环较箨环稍高；箨鞘革质，背面黄褐色，具紫褐色斑块、小斑点和脉纹，疏被脱落性淡褐色直立刺毛；箨耳呈镰状或无，紫褐色，繸毛生长良好；箨舌拱形，淡褐色或带绿色，边缘被纤毛；箨片带状，中间绿色，两侧紫色，边缘黄色，外翻。末级小枝具 2 ~ 4 叶；叶耳半圆形，繸毛发达，呈放射状；叶舌伸出；叶片长 5.5 ~ 15 cm，宽 1.5 ~ 2.5 cm。花枝呈穗状，长 5 ~ 8 cm，基部具 3 ~ 5 鳞片状苞片；佛焰苞 6 ~ 8，叶耳小或无，繸毛短，

缩小叶圆卵形至线状披针形，基部收缩呈圆形，上端渐尖成芒状，每佛焰苞腋内具 1 ~ 3 假小穗，基部 1 ~ 3 佛焰苞腋内无假小穗而佛焰苞早落；小穗披针形，长 2.5 ~ 3 cm，含 1 ~ 3 小花；小穗轴先端具退化小花，呈针状延伸至先端小花的内稃后方，节间多被细柔毛；颖 1 或无；外稃长 2 ~ 2.5 cm，被微毛，呈芒状，内稃较外稃稍短，除 2 脊外背部无毛；鳞被菱状长椭圆形，长 3.5 ~ 4 mm；花药长 11 ~ 14 mm；花柱长，柱头 3，羽毛状。笋期 5 月下旬。

| 生境分布 | 生于低山坡。分布于湖南怀化（辰溪）等。

| 资源情况 | 野生资源稀少。药材来源于野生。

| 采收加工 | **斑竹根**：9 ~ 10 月采挖，晒干。

斑竹壳：4 ~ 7 月采收，除去毛，晒干或鲜用。

斑竹花：采收后晒干或鲜用。

| 功能主治 | **斑竹根**：苦，寒。祛风除湿，止咳平喘。用于风湿痹痛，咳嗽气喘，筋骨疼痛。

斑竹壳：清血热，透斑疹。用于斑疹。

斑竹花：用于猩红热。

| 用法用量 | **斑竹根**：内服煎汤，15 ~ 30 g。

斑竹壳：内服煎汤，6 ~ 9 g；或烧灰冲服。

斑竹花：内服煎汤，6 g。

| 附　　注 | 本种的拉丁学名在 FOC 中被修订为 *Phyllostachys reticulata* (Ruprecht) K. Koch。

禾本科 Gramineae 刚竹属 *Phyllostachys*

淡竹 *Phyllostachys glauca* McClure

药材名

竹茹（药用部位：茎竿的中间层）。

形态特征

多年生草本。单生或丛生。竿高 6 ~ 8 m，直径 3 ~ 4.5 cm；节间壁厚，节间长 30 ~ 36 cm，幼时被白粉；节稍隆起；分枝常自竿基部第一节开始分出，数枝簇生于节上；竿箨早落；箨鞘背面无毛，干时肋纹稍隆起，先端呈不对称的拱形，外侧一边稍下斜至箨鞘全长的 1/10 ~ 1/8 处；箨耳稍不等大，靠外侧 1 箨耳稍大，卵形，略具波褶，边缘被波曲状刚毛，小的 1 箨耳椭圆形；箨舌高 2.5 ~ 3.5 mm，边缘被短流苏毛；箨片直立，呈不对称的三角形或狭三角形，基部两侧与箨耳相连，连接部分宽约 0.5 mm。叶披针形至狭披针形，长 10 ~ 18 cm，宽 11 ~ 17 mm，背面密被短柔毛。

生境分布

生于河滩或山脚处。湖南各地均有分布。

资源情况

野生资源一般。药材来源于野生。

| 采收加工 | 全年均可采收，除去外皮，将稍带绿色的中间层刮成丝条或削成薄条，捆扎成束，阴干。

| 功能主治 | 用于痰热咳嗽，音哑。

| 用法用量 | 内服煎汤，5 ~ 10 g；或入丸、散剂。外用适量，熬膏贴。

禾本科 Gramineae 刚竹属 *Phyllostachys*

水竹 *Phyllostachys heteroclada* Oliver

药材名

水竹叶（药用部位：叶）。

形态特征

多年生草本。竿高约 6 m，直径达 3 cm，幼竿具白粉并疏被短柔毛；节间长达 30 cm；竿壁厚 3 ~ 5 mm；竿环在较粗的竿中较平坦，与箨环同高，在较细的竿中明显隆起而较箨环高；分枝角度大，近水平开展；箨鞘背面深绿色带紫色，无斑点，具白粉，无毛或疏被短毛，边缘被白色或淡褐色纤毛；箨耳小，明显可见，淡紫色，卵形或长椭圆形，有时呈短镰形，边缘被数条紫色繸毛，小的箨鞘上无箨耳及鞘口繸毛或仅被数条细弱的繸毛；箨舌低，微凹至微呈拱形，边缘被白色短纤毛；箨片直立，三角形至狭三角形，绿色、绿紫色或紫色，背部呈舟形隆起。

生境分布

生于河堤、湖边、山坡或灌丛中。湖南有广泛分布。

资源情况

野生资源较丰富。药材来源于野生。

| 采收加工 | 夏、秋季采收，晒干或鲜用。

| 功能主治 | 清热，凉血，化痰。

| 用法用量 | 内服煎汤，15 ~ 25 g，鲜品 50 ~ 100 g。外用适量，捣敷。

禾本科 Gramineae 刚竹属 *Phyllostachys*

毛竹 *Phyllostachys heterocycla* (Carr.) Mitford

| 药 材 名 | 毛竹（药用部位：叶、根茎、笋。别名：南竹、茅竹）。

| 形态特征 | 多年生植物。竿高超过 20 m，直径超过 20 m，幼竿密被细柔毛及厚白粉，老竿无毛，由绿色渐变为绿黄色；箨环被毛；基部节间甚短，向上逐节较长，中部节间长达 40 cm 或更长；竿壁厚约 1 cm；竿环不明显，较箨环低或在细竿中隆起；箨鞘背面黄褐色或紫褐色，具黑褐色斑点，密被棕色刺毛；箨耳微小，缕毛发达；箨舌宽短，强隆起而呈尖拱形，边缘被粗长纤毛；箨片较短，长三角形至披针形，波状弯曲，绿色，初时直立，后外翻。末级小枝具 2 ~ 4 叶；叶耳不明显；叶鞘口被脱落性缕毛；叶舌隆起；叶片较小，较薄，披针形，长 4 ~ 11 cm，宽 0.5 ~ 1.2 cm，下表面沿中脉基部被柔毛，次脉 3 ~ 6

对，再次脉 9。

| 生境分布 | 栽培于山坡。湖南有广泛分布。

| 资源情况 | 栽培资源丰富。药材来源于栽培。

| 采收加工 | 4 月采收，鲜用。

| 功能主治 | 叶，甘，寒。清热利尿，活血，祛风。用于烦热，消渴，小儿发热，高热不退，疳积。根茎，用于风湿关节痛。笋，甘，寒。解毒。用于小儿痘疹不透。

| 用法用量 | 内服煎汤，叶 25 ~ 50 g，根茎 100 ~ 250 g。笋，外用适量，鲜品捣敷。

| 附　　注 | 本种的拉丁学名在《中国生物物种名录》2022 版中修订为 *Phyllostachys edulis* (Carrière) J. Houzeau。

禾本科 Gramineae 刚竹属 *Phyllostachys*

紫竹 *Phyllostachys nigra* (Lodd. ex Lindl.) Munro

| 药 材 名 |

紫竹（药用部位：根）。

| 形态特征 |

多年生植物。竿高 4 ~ 8 m，稀达 10 m，直径可达 5 cm，幼竿绿色，密被细柔毛及白粉，一年生以后的竿逐渐出现紫色斑点，最后全部呈紫黑色，无毛；中部节间长 25 ~ 30 cm；竿壁厚约 3 mm；竿环与箨环均隆起，竿环较箨环高或两环等高；箨鞘背面红褐色或带绿色，无斑点或常具极微小、不明显的深褐色斑点，斑点在箨鞘上端常密集成片，被微量白粉及较密的淡褐色刺毛；箨耳长圆形至镰形，紫黑色，边缘被紫黑色缝毛；箨舌拱形至尖拱形，紫色，边缘被长纤毛；箨片三角形至三角状披针形，绿色，脉紫色，舟状，直立或稍开展，微皱曲或波状。末级小枝具 2 ~ 3 叶；叶耳不明显，鞘口被脱落性缝毛；叶舌稍伸出；叶片质薄，长 7 ~ 10 cm，宽约 1.2 cm。花枝呈短穗状，长 3.5 ~ 5 cm，基部具 4 ~ 8 逐渐增大的鳞片状苞片；佛焰苞 4 ~ 6，除边缘外无毛或被微毛，叶耳不存在，鞘口被少数缝毛或无，缩小叶细小，通常呈锥状，每佛焰苞腋内具 1 ~ 3 假小穗。

生境分布 生于山坡、林缘。分布于湘南等。

资源情况 野生资源较少。栽培资源一般。药材来源于野生和栽培。

采收加工 全年均可采收，洗净，加工。

功能主治 辛，平。祛风，散瘀，解毒。用于风湿痹痛，经闭，癥瘕，狂犬咬伤。

用法用量 内服煎汤，25 ~ 50 g。

禾本科 Gramineae 刚竹属 *Phyllostachys*

毛金竹

Phyllostachys nigra (Lodd. ex Lindl.) Munro var. *henonis* (Mitford) Stapf ex Rendle

药材名 竹茹（药用部位：茎的干燥中间层）、竹沥（药材来源：茎经火烤后流出的液汁）、竹叶（药用部位：叶）、竹卷心（药用部位：卷而未放的幼叶）。

形态特征 竿高 7 ~ 18 m，直径 2 ~ 4 cm，竿中部节间长 25 ~ 30 cm，竿壁厚达 5 mm；新竿淡绿色，密被细柔毛，有白粉，箨环有毛；竿一直保持绿色，无毛，竿环与箨环均隆起。笋期 4 月下旬。竿箨短于节间，淡红褐色或绿褐色，密被淡褐色毛，有黄褐色缘毛，无斑点；箨耳长椭圆形，或裂成 2 瓣，紫黑色，有紫黑色、弯曲长缝毛；箨舌紫色，与箨鞘顶部等宽，先端微波状，有缺刻，两侧有纤毛，中间无毛；箨叶三角形或三角状披针形，绿色，有多数紫色脉纹，舟

状隆起，初折皱，直立，后微波状，外展。每小枝 2 ~ 3 叶；叶耳不明显，鞘口初被粗缝毛，后常脱落，叶舌背面基部有时被粗毛；叶披针形，长 4 ~ 10 cm，宽 1 ~ 1.5 cm，质较薄，下面基部有细毛。

| 生境分布 | 生于山坡或栽培于庭院。分布于湖南湘西州（龙山、花垣）、张家界（桑植）、常德（石门）、怀化（沅陵、通道）、邵阳（新宁）、永州（东安）、长沙（浏阳）、衡阳（南岳）等。

| 资源情况 | 野生资源较少。药材来源于栽培。

| 采收加工 | **竹茹：**全年均可采制，取新鲜茎，除去外皮，将稍带绿色的中间层刮成丝条，或削成薄片，捆扎成束，阴干。前者称“散竹茹”，后者称“齐竹茹”。

| 药材性状 | **竹茹：**卷曲成团的不规则丝条或呈长条形薄片状。宽窄厚薄不等，浅绿色、黄绿色或黄白色。纤维性，体轻松，质柔韧，有弹性。气微，味淡。

| 功能主治 | **竹茹：**清热化痰，除烦止呕。用于痰热咳嗽，胆火挟痰，烦热呕吐，惊悸失眠，中风痰迷，舌强不语，胃热呕吐，妊娠恶阻，胎动不安。

竹沥：清热化痰。用于肺热咳嗽痰多，气喘胸闷，中风舌强，痰涎壅盛，小儿痰热惊风。

竹卷心：清心除烦，消暑止渴。

| 用法用量 | 内服煎汤，5 ~ 10 g。

禾本科 Gramineae 刚竹属 *Phyllostachys*

斑竹 *Phyllostachys bambusoides* Sieb. et Zucc. f. *lacrima-deae* Keng f. et Wen

| 药材名 |

斑竹根（药用部位：根及根茎）。

| 形态特征 |

竿高 15 ~ 20 m，直径 8 ~ 10 cm，茎和分枝均有紫褐色斑块和斑点，幼竿无毛，无白粉或被不易察觉的白粉，偶可在节下方具稍明显的白粉环；节间长达 40 cm，壁厚约 5 mm；竿环稍高于箨环。竹环均隆起。箨鞘革质，背面黄褐色，竿有紫褐色或淡褐色斑点，疏生脱落性淡褐色直立刺毛；箨耳小形或大形而呈镰状，有时无箨耳，紫褐色，缝毛通常生长良好，亦偶可无缝毛；箨舌拱形，淡褐色或带绿色，边缘生较长或较短的纤毛；箨片带状，中间绿色，两侧紫色，边缘黄色，平直或偶可在先端微皱曲，外翻。末级小枝具 2 ~ 4 叶。叶耳半圆形，缝毛发达，常呈放射状；叶舌明显伸出，拱形或有时截形；叶片长 5.5 ~ 15 cm，宽 1.5 ~ 2.5 cm。花枝呈穗状，长 5 ~ 8 cm，偶可长达 10 cm，基部有 3 ~ 5 逐渐增大的鳞片状苞片；佛焰苞 6 ~ 8，叶耳小形或近无，缝毛通常存在，短，缩小叶圆卵形至线状披针形，基部收缩呈圆形，上端渐尖成芒状，每片佛焰苞腋内具 1 或有时 2、稀 3 的假小穗，惟基部 1 ~ 3 的苞腋内无假小穗而苞早落。小穗披针形，长 2.5 ~ 3 cm，含 1 或 2（~ 3）小花；小穗轴呈针状延伸于最上孕性小花的内稃后方，其先端常有不同程度的退化小花，节间除针状延伸的部分外，均具细柔毛；颖 1 或无；外稃长 2 ~ 2.5 cm，被稀疏微毛，先端渐尖呈芒状；内稃稍短于其外稃，除 2 脊外，背部无毛或常于先端有微毛；鳞被菱状长椭圆形，长 3.5 ~ 4 mm；花药长 11 ~ 14 mm；花柱较长，柱头 3，羽毛状。竹鞘呈黄褐色，侧边有耳和毛；竹叶呈三角形至带形。笋期 5 ~ 7 月。

| 生境分布 | 生于海拔 500 m 以内的缓坡地、平原台地或谷地。分布于湖南岳阳（岳阳）、长沙（岳麓）、永州（宁远、江华）等。

| 资源情况 | 野生资源稀少。栽培资源一般。药材来源于野生或栽培。

| 功能主治 | 祛风热，通经络，止血。

禾本科 Gramineae 刚竹属 *Phyllostachys*

刚竹 *Phyllostachys mitis* A. et C. Riv.

| 药 材 名 | 刚竹（药用部位：根、果实）。

| 形态特征 | 多年生植物。竿高 6 ~ 15 m，直径 4 ~ 10 cm，幼时无毛，微被白粉，绿色，成长的竿呈绿色或黄绿色；中部节间长 20 ~ 45 cm；竿壁厚约 5 mm；竿环不明显；箨环微隆起；箨鞘背面呈乳黄色或绿黄褐色带灰色，具绿色脉纹，无毛，微被白粉，具淡褐色或褐色略呈圆形的斑点及斑块；箨耳及鞘口繸毛均缺；箨舌绿黄色，拱形或截形，边缘被淡绿色或白色纤毛；箨片狭三角形至带状，外翻，微皱曲，绿色，边缘橘黄色。末级小枝具 2 ~ 5 叶；叶鞘近无毛或仅上部被细柔毛；叶耳及鞘口繸毛均发达；叶片长圆状披针形或披针形，长 5.6 ~ 13 cm，宽 1.1 ~ 2.2 cm。花枝未见。笋期 5 月中旬。

| 生境分布 | 生于丘陵岗地附近。分布于湖南怀化（洪江）、永州（冷水滩）等。

| 资源情况 | 野生资源较丰富。药材来源于野生。

| 采收加工 | 根，采挖后除去泥土及根皮，切段，干燥。果实，采收后晒干，置干燥处防蛀。

| 功能主治 | 淡、微苦，寒。祛风热，通经络，止血。用于风热咳嗽，气喘，四肢顽痹，筋骨疼痛，崩中。

| 用法用量 | 根，内服煎汤，15 ~ 30 g。果实，炒炭存性，研末吞服，15 ~ 60 g。

| 附　　注 | 本种的拉丁学名在FOC中被修订为 *Phyllostachys sulphurea* (Carrière) Rivière et C. Rivière var. *viridis* R. A. Young。

禾本科 Gramineae 刚竹属 *Phyllostachys*

早竹 *Phyllostachys praecox* C. D. Chu et C. S. Chao

| 药 材 名 | 早竹茹（药用部位：茎的中间层）。

| 形态特征 | 竿高 8 ~ 10 m，直径 4 ~ 6 cm，中部节间长 15 ~ 25 cm，常一侧肿胀，不匀称；新竿深绿色，节部紫褐色，密被白粉，无毛；老竿绿色、带黄绿色或灰绿色，有时具隐约黄色纵条纹，竿环和箨环均中度隆起。笋期 3 月下旬至 4 月初。竿箨淡黑褐色或褐绿色，无毛，初多少有白粉，密被褐色斑点，有紫褐色脉纹；无箨耳和缝毛；箨舌褐绿色或紫褐色，先端弓形，有不规则波状细齿，具纤毛，两侧下延或微下延；箨叶窄带状披针形，折皱。每小枝 2 ~ 3 叶，稀 5 ~ 6 叶；叶鞘先端有缝毛，后脱落或残存；叶带状披针形，最下面叶片较短，披针形，长 6 ~ 18 cm，宽 1 ~ 2.2 cm，下面近基部有毛或近无毛；叶耳小，缝毛短。

| 生境分布 | 栽培种。栽培于湖南怀化（新晃、芷江）等。

| 资源情况 | 栽培资源一般。药材来源于栽培。

| 功能主治 | 清热化痰，除烦止渴。

| 附　　注 | 本种在 FOC 中被修订为禾本科 Poaceae 刚竹属 *Phyllostachys* 早竹 *Phyllostachys violascens* (Carrière) Riviere et C. Rivière。

禾本科 Gramineae 苦竹属 *Pleioblastus*

苦竹 *Pleioblastus amarus* (Keng) Keng f.

|药 材 名|

苦竹叶（药用部位：叶）。

|形态特征|

竿高 3 ~ 5 m，直径 1.5 ~ 2 cm，直立；竿壁厚约 6 mm，幼竿淡绿色，具白粉，老后渐呈绿黄色，被灰白色粉斑；节间圆筒形，在分枝一侧下部稍扁平，通常长 27 ~ 29 cm，节下方粉环明显；竿环隆起，高于箨环；箨环具箨鞘基部木栓质的残留物，幼竿的箨环被一圈发达的棕紫褐色刺毛；分枝 5 ~ 7 着生于各节，稍开展；箨鞘革质，绿色，被较厚的白粉，上部边缘橙黄色至焦枯色，背部无毛或被棕红色或白色微细刺毛，易脱落，基部密被棕色刺毛，边缘密被金黄色纤毛；箨耳不明显或无，被数条直立的短縫毛，易脱落而变无毛；箨舌截形，高 1 ~ 2 mm，淡绿色，被厚的脱落性白粉，边缘被短纤毛；箨片狭长披针形，开展，易向内卷折，腹面无毛，背面被白色、不明显的短绒毛，边缘具锯齿。

|生境分布|

生于向阳山坡、山谷或平原。分布于湘南等。

| 资源情况 | 野生资源较少。药材来源于野生。

| 采收加工 | 夏、秋季采摘，鲜用或晒干。

| 功能主治 | 苦，寒。清热明目，利窍，解毒，杀虫。用于消渴，烦热不眠，目赤，口疮，失音，烫火伤。

| 用法用量 | 内服煎汤，6 ~ 12 g。外用适量，烧存性，研末调敷。

禾本科 Gramineae 早熟禾属 *Poa*

早熟禾 *Poa annua* L.

| 药 材 名 | 早熟禾（药用部位：全草。别名：发汗草）。

| 形态特征 | 一年生或冬性草本。秆直立或倾斜，质软，高 6 ~ 30 cm，全体平滑无毛。叶鞘稍压扁，中部以下闭合；叶舌长 1 ~ 3（~ 5）mm，圆头；叶片扁平或对折，长 2 ~ 12 cm，宽 1 ~ 4 mm，质柔软，常具横脉纹，先端急尖成船形，边缘微粗糙。圆锥花序宽卵形，长 3 ~ 7 cm，开展；分枝 1 ~ 3 着生于各节，平滑；小穗卵形，含 3 ~ 5 小花，长 3 ~ 6 mm，绿色；颖质薄，边缘宽膜质，先端钝，第一颖披针形，长 1.5 ~ 2（~ 3）mm，具 1 脉，第二颖长 2 ~ 3（~ 4）mm，具 3 脉；外稃卵圆形，先端与边缘宽膜质，具明显的 5 脉，脊与边脉下部被柔毛，间脉近基部被柔毛，基盘无绵毛，第一外稃长

3 ~ 4 mm，内稃与外稃近等长，两脊密被丝状毛；花药黄色，长 0.6 ~ 0.8 mm。颖果纺锤形，长约 2 mm。花期 4 ~ 5 月，果期 6 ~ 7 月。

| 生境分布 | 生于路边、田野、草地。湖南各地均有分布。

| 资源情况 | 野生资源丰富。药材来源于野生。

| 采收加工 | 秋季采收，洗净，晒干，切段。

| 药材性状 | 本品秆高 6 ~ 30 cm，全体平滑无毛。叶片扁平或对折，长 2 ~ 12 cm，宽 1 ~ 4 mm，质柔软，先端急尖成船形，边缘微粗糙。圆锥花序宽卵形，平滑；小穗卵形。颖果纺锤形。

| 功能主治 | 用于咳嗽，湿疹，跌打损伤。

| 用法用量 | 外用适量。

禾本科 Gramineae 早熟禾属 *Poa*

草地早熟禾 *Poa pratensis* L.

药材名

草地早熟禾（药用部位：根茎）。

形态特征

多年生草本，具发达的匍匐根茎。秆疏丛生，直立，高 50 ~ 90 cm，具 2 ~ 4 节。叶鞘平滑或糙涩，较节间及叶片长；叶舌膜质，长 1 ~ 2 mm，蘖生者较短；叶片线形，扁平或内卷，长约 30 cm，宽 3 ~ 5 mm，先端渐尖，平滑或边缘与上面微粗糙，蘖生叶片较狭长。圆锥花序金字塔形或卵圆形，长 10 ~ 20 cm，宽 3 ~ 5 cm；分枝开展，每节具 3 ~ 5 分枝，微粗糙或下部平滑，二次分枝，小枝上着生 3 ~ 6 小穗，基部主枝长 5 ~ 10 cm，中部以下裸露；小穗柄较短；小穗卵圆形，绿色至草黄色，含 3 ~ 4 小花，长 4 ~ 6 mm；颖卵圆状披针形，先端尖，平滑，有时脊上部微粗糙，第一颖长 2.5 ~ 3 mm，具 1 脉，第二颖长 3 ~ 4 mm，具 3 脉；外稃膜质，先端稍钝而多少膜质，脊与边脉在中部以下密被柔毛，间脉明显，基盘被稠密的长绵毛，第一外稃长 3 ~ 3.5 mm，内稃较短于外稃，脊粗糙至被小纤毛；花药长 1.5 ~ 2 mm。颖果纺锤形，具 3 棱，长约 2 mm。花期 5 ~ 6 月，7 ~ 9 月结果。

| 生境分布 | 生于山坡、路旁、草地。分布于湖南张家界（武陵源）等。

| 资源情况 | 野生资源稀少。药材来源于野生。

| 采收加工 | 夏、秋季采挖，除去须根及泥土，鲜用或晒干。

| 功能主治 | 用于消渴。

| 用法用量 | 内服煎汤，10 ~ 15 g。

禾本科 Gramineae 早熟禾属 *Poa*

硬质早熟禾 *Poa sphondylodes* Trin.

| 药 材 名 | 龙须草（药用部位：地上全草）。

| 形态特征 | 多年生密丛型草本。秆高 30 ~ 60 cm，具 3 ~ 4 节，顶节位于中部以下，上部常裸露，花序以下和节下均多少糙涩。叶鞘基部带淡紫色，顶生者长 4 ~ 8 cm，长于叶片；叶舌长约 4 mm，先端尖；叶片长 3 ~ 7 cm，宽 1 mm，稍粗糙。圆锥花序紧缩而稠密，长 3 ~ 10 cm，宽约 1 cm，分枝长 1 ~ 2 cm，4 ~ 5 分枝着生于主轴各节，粗糙；小穗柄短于小穗，侧枝基部着生小穗；小穗绿色，成熟后草黄色，长 5 ~ 7 mm，含 4 ~ 6 小花；颖具 3 脉，先端锐尖，硬纸质，稍粗糙，长 2.5 ~ 3 mm，第一颖稍短于第二颖；外稃坚纸质，具 5 脉，间脉不明显，先端具极窄的膜质，膜质下带黄铜色，脊下部 2/3 和

边脉下部 1/2 被长柔毛，基盘被中量绵毛，第一外稃长约 3 mm，内稃等长或稍长于外稃，脊粗糙，被微细纤毛，先端稍凹；花药长 1 ~ 1.5 mm。颖果长约 2 mm，腹面有凹槽。

｜生境分布｜ 生于山坡、草地、路旁。分布于湖南衡阳（衡南）、娄底（娄星、新化）等。

｜资源情况｜ 野生资源稀少。药材来源于野生。

｜采收加工｜ 秋季采收，洗净，晒干，切段。

｜药材性状｜ 本品秆高 30 ~ 60 cm，具 3 ~ 4 节。叶鞘基部带淡紫色，顶生者长 4 ~ 8 cm，长于其叶片；叶舌长约 4 mm，先端尖；叶片长 3 ~ 7 cm，宽 1 mm，稍粗糙。圆锥花序紧缩而稠密。

｜功能主治｜ 甘、淡，平。清热解毒，利尿，止痛。用于小便淋涩，黄水疮。

｜用法用量｜ 内服煎汤，6 ~ 9 g。

禾本科 Gramineae 金发草属 *Pogonatherum*

金丝草 *Pogonatherum crinitum* (Thunb.) Kunth

| 药 材 名 | 金丝草（药用部位：全草。别名：墙头草、水路草）。

| 形态特征 | 秆丛生，直立或基部稍倾斜，高 10 ~ 30 cm，直径 0.5 ~ 0.8 mm，具纵条纹，粗糙，通常具 3 ~ 7 节，稀具 10 余节，节上被白色髯毛，少分枝。叶鞘短于或长于节间，向上部渐狭，稍不抱茎，边缘薄纸质，除鞘口或边缘被细毛外，余均无毛，有时下部叶鞘被短毛；叶舌短，纤毛状；叶片线形，扁平，稀内卷或对折，长 1.5 ~ 5 cm，宽 1 ~ 4 mm，先端渐尖，基部为叶鞘顶宽的 1/3，两面均被微毛而粗糙。

| 生境分布 | 生于田埂、山边、路旁、河边、溪边、石缝瘠土或灌木下阴湿地。分布于湘西北、湘西南、湘南等。

| 资源情况 | 野生资源一般。药材来源于野生。

| 采收加工 | 全年均可采收，洗净，晒干。

| 药材性状 | 本品秆高 10 ~ 30 cm，直径 0.5 ~ 0.8 mm，具纵条纹。叶舌短，纤毛状；叶片线形，扁平，长 1.5 ~ 5 cm，宽 1 ~ 4 mm，先端渐尖。

| 功能主治 | 甘、淡，寒。清热解毒，利尿通淋，凉血。

| 用法用量 | 内服煎汤，25 ~ 50 g。

禾本科 Gramineae 金发草属 *Pogonatherum*

金发草 *Pogonatherum paniceum* (Lam.) Hack.

| 药 材 名 | 金发草（药用部位：全草。别名：竹蒿草、笔须）。

| 形态特征 | 秆硬似竹，基部具鳞片，直立或基部倾斜，高 30 ~ 60 cm，直径 1 ~ 2 mm，具 3 ~ 8 节；节凸起，被髯毛，上部具多回分枝。叶鞘边缘和鞘口被疣毛；叶舌短，长约 0.4 mm；叶片线形，扁平或内卷，质较硬，长 1.5 ~ 5.5 cm，宽 1.5 ~ 4 mm，先端渐尖，基部收缩，两面均粗糙。总状花序稍弯曲，乳黄色，长 1.3 ~ 3 cm，宽约 2 mm；花序轴节间与小穗柄近等长，先端稍膨大，两侧被细长纤毛；无柄小穗长 2.5 ~ 3 mm，基盘毛长 1 ~ 1.5 mm，第一颖扁平，薄纸质，较第二颖稍短，背部具 3 ~ 5 脉，无芒，第二颖舟形，具 1 脉而延伸成芒，芒长 13 ~ 20 mm，稍曲折，第一小花雄性，外稃长圆状披

针形，透明膜质，无芒，具 1 脉，内稃长圆形，透明膜质，具 2 脉，先端被短纤毛，雄蕊 2，花药黄色，长约 1.8 mm，第二小花两性，外稃透明膜质，先端 2 裂，裂片尖，自裂齿间伸出弯曲的芒，芒长 15 ~ 18 mm，透明膜质，雄蕊 2，花药黄色，长约 1.8 mm，子房细小，卵状长圆形，长约 0.3 mm，无毛，花柱 2，自基部分离，柱头帚刷状，长约 2 mm；有柄小穗较小，雄蕊 1。花果期 4 ~ 10 月。

| 生境分布 | 生于山坡、石缝、河边、湿地。分布于湖南怀化（麻阳、洪江）、湘西州（吉首、泸溪）等。

| 资源情况 | 野生资源较少。药材来源于野生。

| 采收加工 | 秋季采收，洗净，鲜用或晒干。

| 药材性状 | 本品秆高 30 ~ 60 cm。叶片线形，质较硬，长 1.5 ~ 5.5 cm，宽 1.5 ~ 4 mm，先端渐尖。

| 功能主治 | 甘，凉。清热利尿。用于黄疸，脾大，消化不良，疳积，消渴。

| 用法用量 | 内服煎汤，9 ~ 15 g，鲜品 30 ~ 60 g。

禾本科 Gramineae 棒头草属 *Polypogon*

棒头草 *Polypogon fugax* Nees ex Steud.

| 药 材 名 | 棒头草（药用部位：全草）。

| 形态特征 | 一年生草本。秆丛生，基部膝曲，光滑，高 10 ~ 75 cm。叶鞘光滑无毛，短于或下部者长于节间；叶舌膜质，长圆形，长 3 ~ 8 mm，常 2 裂或先端具不整齐的裂齿；叶片扁平，微粗糙或下面光滑，长 2.5 ~ 15 cm，宽 3 ~ 4 mm。圆锥花序穗状，长圆形或卵形，较疏松，具缺刻或间断，分枝长可达 4 cm；小穗长约 2.5 mm，灰绿色或部分带紫色；颖长圆形，疏被短纤毛，先端 2 浅裂，芒自裂口处伸出，细直，微粗糙，长 1 ~ 3 mm；外稃光滑，长约 1 mm，先端具微齿，中脉延伸成长约 2 mm 而易脱落的芒；雄蕊 3，花药长 0.7 mm。颖果椭圆形，一面扁平，长约 1 mm。花果期 4 ~ 9 月。

| 生境分布 | 生于低山、平原近水湿处。湖南各地均有分布。

| 资源情况 | 野生资源丰富。药材来源于野生。

| 采收加工 | 秋季采收，洗净，晒干或鲜用。

| 药材性状 | 本品秆高 10 ~ 75 cm。叶片扁平，长 2.5 ~ 15 cm，宽 3 ~ 4 mm。颖果椭圆形。

| 功能主治 | 用于关节痛。

| 用法用量 | 内服煎汤。

禾本科 Gramineae 鹅观草属 *Roegneria*

鹅观草 *Roegneria kamoji* Ohwi

| 药材名 | 鹅观草（药用部位：全草。别名：茅草箭、茅灵芝）。

| 形态特征 | 多年生草本。秆直立或基部倾斜，高 30 ~ 100 cm。叶鞘外侧边缘常被纤毛；叶片扁平，长 5 ~ 40 cm，宽 3 ~ 13 mm。穗状花序长 7 ~ 20 cm，弯曲或下垂；小穗绿色或带紫色，长 13 ~ 25 mm（除芒外），含 3 ~ 10 小花；颖卵状披针形至长圆状披针形，先端锐尖至具短芒，芒长 2 ~ 7 mm，边缘宽膜质，第一颖长 4 ~ 6 mm，第二颖长 5 ~ 9 mm；外稃披针形，具较宽的膜质边缘，背部及基盘近无毛或仅基盘两侧被极微小的短毛，上部具明显的 5 脉，脉上稍粗糙，第一外稃长 8 ~ 11 mm，先端延伸成芒，芒粗糙，劲直或上部稍曲折，长 20 ~ 40 mm，内稃与外稃近等长，先端钝头，脊明显具翼，翼缘被细小纤毛。

| **生境分布** | 生于山坡、路旁、林下和潮湿草地。湖南各地均有分布。

| **资源情况** | 野生资源丰富。药材来源于野生。

| **采收加工** | 夏、秋季采收，晒干。

| **药材性状** | 本品秆高 30 ～ 100 cm。叶鞘外侧边缘常被纤毛；叶片扁平，长 5 ～ 40 cm，宽 3 ～ 13 mm。穗状花序长 7 ～ 20 cm，弯曲或下垂。

| **功能主治** | 甘，凉。清热，凉血，镇痛。用于咳嗽痰中带血，劳伤疼痛，丹毒。

| **用法用量** | 内服煎汤，50 g；或浸酒。

| **附　　注** | 本种的拉丁学名在 FOC 中被修订为 *Elymus kamoji* (Ohwi) S. L. Chen。

禾本科 Gramineae 筒轴茅属 *Rottboellia*

筒轴茅 *Rottboellia exaltata* L.

| 药 材 名 |

筒轴茅（药用部位：全草）。

| 形态特征 |

一年生粗壮草本。须根粗壮，常具支柱根。秆直立或低矮丛生，高可达 2 m，直径可达 8 mm，无毛。叶鞘被硬刺毛或无毛；叶舌长约 2 mm，上缘被纤毛；叶片线形，长可达 50 cm，宽可达 2 cm，中脉粗壮，无毛或上面疏被短硬毛，边缘粗糙。总状花序粗壮直立，上部渐尖，长可达 15 cm，直径 3 ~ 4 mm；花序轴节间肥厚，长约 5 mm，易逐节断落；无柄小穗嵌生于凹穴中，第一颖质厚，卵形，背面糙涩，先端钝或具 2 ~ 3 微齿，多脉，边缘具极窄的翅，第二颖质较薄，舟形，第一小花雄性，花药常较第二小花的花药短小而色深，第二小花两性，花药黄色，长约 2 mm，柱头紫色；有柄小穗的小穗柄与花序轴节间愈合，小穗着生于花序轴节间 1/2 ~ 2/3 处，绿色，卵状长圆形，含 2 雄性小花或退化。颖果长圆状卵形。花果期秋季。

| 生境分布 |

生于田野、旷地、山谷或疏林下。分布于湘

北、湘南等。

| 资源情况 | 野生资源较少。药材来源于野生。

| 采收加工 | 夏、秋季采收，晒干。

| 药材性状 | 本品秆高可达 2 m，直径可达 8 mm。叶片线形，长可达 50 cm，宽可达 2 cm，中脉粗壮，边缘粗糙。有柄小穗卵状长圆形。

| 功能主治 | 用于小便淋痛不利。

| 用法用量 | 内服煎汤。

| 附　　注 | 本种的拉丁学名被修订为 *Rottboellia cochinchinensis* (Loureiro) Clayton。

禾本科 Gramineae 甘蔗属 *Saccharum*

斑茅 *Saccharum arundinaceum* Retz.

药材名

斑茅（药用部位：根。别名：大密、芭茅）。

形态特征

多年生草本。秆粗壮，高 2 ~ 4（~ 6）m，直径 1 ~ 2 cm，具多数节，无毛。叶鞘较节间长，被柔毛；叶舌膜质，长 1 ~ 2 mm，先端平截；叶片线状披针形，长 1 ~ 2 m，宽 2 ~ 5 cm，无毛，上面基部被柔毛，边缘锯齿状粗糙。圆锥花序稠密，长 30 ~ 80 cm，宽 5 ~ 10 cm，主轴无毛，每节具分枝 2 ~ 4，腋间被微毛；总状花序轴节间与小穗柄呈细线形，长 3 ~ 5 mm，被长丝状柔毛，先端膨大；无柄小穗与有柄小穗呈狭披针形，长 3.5 ~ 4 mm，黄绿色或带紫色，基盘小，被长 1 mm 的短柔毛；两颖等长，先端渐尖，第一颖沿脊微粗糙，两侧脉不明显，背部被柔毛，第二颖具 3（~ 5）脉，脊粗糙，边缘被纤毛，背部无毛，在有柄小穗中，颖背部被长柔毛；第一外稃具 1 ~ 3 脉，先端尖，边缘被小纤毛，第二外稃披针形，先端具小尖头，具长 3 mm 的短芒，边缘被细纤毛，第二内稃长圆形，长约为外稃的一半，先端被纤毛；花药长 1.8 ~ 2 mm；柱头紫黑色，长约 2 mm，长为花柱的 2 倍，自小穗中部两侧伸出。颖果长圆形，长约 3 mm，胚长为颖果的一半。花果期 8 ~ 12 月。

| 生境分布 | 生于海拔 200 ~ 2 000 m 的山坡、溪涧、河岸和路边草地。湖南各地均有分布。

| 资源情况 | 野生资源丰富。药材来源于野生。

| 采收加工 | 夏、秋季采收。

| 功能主治 | 甘，淡。通窍，利水，破血，通经。用于跌打损伤，筋骨疼痛，经闭，水肿，臌胀。

| 用法用量 | 内服煎汤，25 ~ 100 g。

禾本科 Gramineae 甘蔗属 *Saccharum*

甘蔗 *Saccharum officinarum* L.

|药 材 名| 甘蔗（药用部位：茎秆）。

|形态特征| 多年生高大实心草本。根茎粗壮发达。秆高 3 ~ 5（~ 6）m，直径 2 ~ 4（~ 5）cm，具 20 ~ 40 节，下部节间较短而粗大，被白粉。叶鞘较节间长，除鞘口被柔毛外余无毛；叶舌极短，被纤毛；叶片长达 1 m，宽 4 ~ 6 cm，无毛，中脉粗壮，白色，边缘具锯齿状粗糙。圆锥花序大型，长约 50 cm，主轴除节被毛外余无毛，花序以下部分不被丝状柔毛；总状花序多数轮生，稠密；总状花序轴节间与小穗柄无毛；小穗线状长圆形，长 3.5 ~ 4 mm；基盘被长于小穗 2 ~ 3 倍的丝状柔毛；第一颖脊间无脉，不被柔毛，先端尖，边缘膜质，第二颖具 3 脉，中脉呈脊，粗糙，无毛或被纤毛；第一外稃膜质，

与颖近等长，无毛，第二外稃微小，无芒或退化，第二内稃披针形；鳞被无毛。

| 生境分布 | 栽培于田间。分布于湖南株洲（攸县）、张家界（桑植）、常德（石门）等。

| 资源情况 | 栽培资源较少。药材来源于栽培。

| 采收加工 | 10 月采收。

| 药材性状 | 本品秆高 3 ~ 5 m，直径 2 ~ 4 cm，具 20 ~ 40 节，下部节间较短而粗大，被白粉。

| 功能主治 | 甘，寒。清热，生津，下气，润燥。用于热炽津伤，心烦口渴，呕吐反胃，肺燥咳嗽，大便燥结。

| 用法用量 | 内服煎汤，50 ~ 150 g；或榨汁冲服。

禾本科 Gramineae 甘蔗属 *Saccharum*

甜根子草 *Saccharum spontaneum* L.

| 药材名 | 甜根子草（药用部位：根茎、秆）。

| 形态特征 | 多年生草本，根茎长。秆高 1 ~ 4 m，节上具银白色长毛，节下有白粉，在花序下有白色柔毛。叶鞘长于节间，除鞘口生柔毛及基部有柔毛外，余均无毛；叶舌钝，长约 2 mm，具小纤毛；叶片长可达 100 cm，宽 3 ~ 6 mm，通常无毛。圆锥花序银白色，长 20 ~ 60 cm，分枝细弱上举；无柄小穗长 3 ~ 4 mm，基盘有长为小穗 2 ~ 3 倍的白色丝状柔毛；有柄小穗与无柄小穗相似，柄长约 3 mm。两颖等长，颖片无毛，下部近草质，上部近膜质，第 1 颖扁平而有 2 脊，脊间无脉，第 2 颖舟形；第 1 外稃卵状长圆形，先端尖，边缘有纤毛，第 2 外稃狭窄而稍短，有纤毛，内稃不存在。花果期秋季。

| 生境分布 | 生于平原和山坡、河旁溪流岸边或砾石沙滩荒洲上，常连片形成单优势群落。分布于湖南长沙（岳麓）、郴州（宜章）、湘西州（吉首）等。

| 资源情况 | 野生资源丰富。药材来源于野生。

| 采收加工 | 全年均可采挖根茎，秋季采收秆，去叶片，切段，通常鲜用。

| 功能主治 | 清热，止咳，利尿。用于感冒发热，口干，咳嗽，热淋，小便不利。

| 用法用量 | 内服煎汤，15 ~ 30 g。

禾本科 Gramineae 囊颖草属 *Sacciolepis*

囊颖草 *Sacciolepis indica* (L.) A. Chase

| 药材名 | 囊颖草（药用部位：全草）。

| 形态特征 | 一年生草本，通常丛生。秆基部常膝曲，高 20 ~ 100 cm，有时下部节上生根。叶鞘具棱脊，较节间短，常松弛；叶舌膜质，长 0.2 ~ 0.5 mm，先端被短纤毛；叶片线形，长 5 ~ 20 cm，宽 2 ~ 5 mm，基部较窄，无毛或被毛。圆锥花序紧缩成圆筒状，长 1 ~ 16 cm 或更长，宽 3 ~ 5 mm，向两端渐狭或下部渐狭，主轴无毛，具棱，分枝短；小穗卵状披针形，向先端渐尖而弯曲，绿色或带紫色，长 2 ~ 2.5 mm，无毛或被疣基毛；第一颖长为小穗的 1/3 ~ 2/3，通常具 3 脉，基部包裹小穗，第二颖背部囊状，与小穗等长，具明显的 7 ~ 11 脉，通常 9 脉；第一外稃与第二颖等长，通常具 9 脉，第一

内稃退化或短小，透明膜质，第二外稃平滑光亮，长约为小穗的 1/2，边缘包着较小而同质的内稃；鳞被 2，阔楔形，折叠，具 3 脉；花柱基分离。颖果椭圆形，长约 0.8 mm，宽约 0.4 mm。花果期 7 ~ 11 月。

| 生境分布 | 生于水稻田边、浅水或湿地中。分布于湖南常德(安乡)、怀化（鹤城、辰溪）、湘西州（古丈）等。

| 资源情况 | 野生资源较少。药材来源于野生。

| 采收加工 | 秋末采收，晒干。

| 药材性状 | 本品秆高 20 ~ 100 cm。叶片线形，长 5 ~ 20 cm，宽 2 ~ 5 mm，基部较窄。颖果椭圆形。

| 功能主治 | 用于疮疡，跌打损伤。

| 用法用量 | 外用适量。

禾本科 Gramineae 狗尾草属 *Setaria*

大狗尾草 *Setaria faberii* Herrm.

| 药 材 名 | 大狗尾草（药用部位：全草。别名：狗尾巴）。

| 形态特征 | 一年生草本，具支柱根。秆粗壮高大，直立或基部膝曲，高 50 ~ 120 cm，直径达 6 mm，光滑无毛。叶鞘松弛，边缘被细纤毛，部分基部叶鞘边缘膜质，无毛；叶舌密被长 1 ~ 2 mm 的纤毛；叶片线状披针形，长 10 ~ 40 cm，宽 5 ~ 20 mm，无毛或上面被较细的疣毛，少数下面被细疣毛，先端渐尖，细长，基部钝圆或渐狭至近柄状，边缘具细锯齿。圆锥花序紧缩成圆柱状，长 5 ~ 24 cm，宽 6 ~ 13 mm（芒除外），通常垂头，主轴被较密的长柔毛，花序基部不间断或偶有间断；小穗椭圆形，长约 3 mm，先端尖，下托以 1 ~ 3 较粗而直的刚毛，刚毛通常绿色，稀带浅褐紫色，粗糙，长 5 ~ 15 mm；

第一颖长为小穗的 1/3 ～ 1/2，宽卵形，先端尖，具 3 脉，第二颖长为小穗的 3/4 或较小穗稍短，少数长为小穗的 1/2，先端尖，具 5 ～ 7 脉；第一外稃与小穗等长，具 5 脉，内稃膜质，披针形，长为外稃的 1/3 ～ 1/2，第二外稃与第一外稃等长，具细横皱纹，先端尖，成熟后背部极膨胀隆起；鳞被楔形；花柱基部分离。颖果椭圆形，先端尖。花果期 7 ～ 10 月。

| 生境分布 | 生于山坡和荒野。湖南各地均有分布。

| 资源情况 | 野生资源丰富。药材来源于野生。

| 采收加工 | 秋末采收，晒干或鲜用。

| 药材性状 | 本品秆高 50 ～ 120 cm，直径达 6 mm，光滑无毛。叶鞘松弛，边缘被细纤毛；叶片线状披针形，长 10 ～ 40 cm，宽 5 ～ 20 mm。颖果椭圆形。

| 功能主治 | 甘，平。清热消疳，杀虫止痒。用于疳积，风疹，牙痛。

| 用法用量 | 内服煎汤，6 ～ 12 g，鲜品 30 ～ 60 g。外用适量，煎汤洗；或捣敷。

| 附　　注 | 本种的拉丁学名在 FOC 中被修订为 *Setaria faberi* R. A. W. Herrmann。

禾本科 Gramineae 狗尾草属 *Setaria*

金色狗尾草 *Setaria glauca* (L.) Beauv.

| 药 材 名 | 金色狗尾草（药用部位：全草）。

| 形态特征 | 一年生草本，单生或丛生。秆直立或基部倾斜膝曲，高 20 ~ 90 cm，光滑无毛，仅花序下面稍粗糙。叶鞘下部压扁，具脊，上部圆形，光滑无毛，边缘薄膜质；叶舌被纤毛；叶片线状披针形或狭披针形，长 5 ~ 40 cm，宽 2 ~ 10 mm，先端长渐尖，基部钝圆，上面粗糙，下面光滑，近基部疏被长柔毛。圆锥花序紧密，呈圆柱状或狭圆锥状，长 3 ~ 17 cm，宽 4 ~ 8 mm，直立，主轴被短细柔毛，刚毛金黄色或稍带褐色，粗糙，长 4 ~ 8 mm，先端尖，通常一簇中仅具 1 发育小穗；第一颖宽卵形或卵形，长为小穗的 1/3 ~ 1/2，先端尖，具 3 脉，第二颖宽卵形，长为小穗的 1/2 ~ 2/3，先端稍钝，具 5 ~ 7

脉；第一小花雄性或中性，具 5 脉，内稃膜质，与第二小花等长等宽，具 2 脉，通常含雄蕊 3 或无，第二小花两性，外稃革质，与第一外稃等长，先端尖，成熟时背部极隆起，具明显的横皱纹；鳞被楔形；花柱基部连合。花果期 6 ~ 10 月。

| 生境分布 | 生于田边、路旁、旷野、湿地。湖南各地均有分布。

| 资源情况 | 野生资源较丰富。药材来源于野生。

| 采收加工 | 夏、秋季采收，晒干。

| 药材性状 | 本品秆高 20 ~ 90 cm。叶舌被纤毛；叶片披针形，长 5 ~ 40 cm，宽 2 ~ 10 mm，先端长渐尖，基部钝圆，近基部疏被长柔毛。

| 功能主治 | 淡，凉。清热明目，止泻。用于目赤肿痛，睑缘炎，赤白痢。

| 用法用量 | 内服煎汤，15 ~ 25 g。

| 附　　注 | 本种的拉丁学名在 FOC 中被修订为 *Setaria pumila* (Poiret) Roemer et Schultes。

禾本科 Gramineae 狗尾草属 *Setaria*

棕叶狗尾草 *Setaria palmifolia* (Koen.) Stapf

| 药 材 名 | 竹头草（药用部位：根）。

| 形态特征 | 多年生。具根茎，须根较坚韧。秆直立或基部稍膝曲，高 0.75 ~ 2 m，直径 3 ~ 7 mm，具支柱根。叶鞘松弛，具疣毛，上部边缘具疣基纤毛，毛易脱落，下部边缘薄纸质，无纤毛；叶舌长约 1 mm，具纤毛；叶片纺锤状宽披针形，长 20 ~ 59 cm，宽 2 ~ 7 cm，先端渐尖，基部窄缩成柄状，近基部边缘有疣基毛，具纵深折皱。圆锥花序主轴延伸甚长，呈开展或狭窄的塔形，长 20 ~ 60 cm，宽 2 ~ 10 cm，主轴具棱角，分枝排列疏松，长达 30 cm；小穗卵状披针形，长 2.5 ~ 4 mm，紧密或稀疏排列于小枝的一侧；第一颖三角状卵形，长为小穗的 1/3 ~ 1/2，具 3 ~ 5 脉；第二颖长为小穗的 1/2 ~ 3/4，

具 5 ~ 7 脉；第一小花雄性或中性，先端渐尖成稍弯的小尖头，具 5 脉，内稃膜质，窄而短小，呈狭三角形，长为外稃的 2/3；第二小花两性，第二外稃具不明显的横皱纹，先端具硬的小尖头，成熟小穗不易脱落；鳞被凹楔形，基部沿脉色深；花柱基部连合。颖果卵状披针形，长 2 ~ 3 mm，具不甚明显的横皱纹。叶上下表皮脉间中央 3 ~ 4 行为壁较薄的长细胞，两边 2 ~ 3 行为壁较厚的长细胞。花果期 8 ~ 12 月。

| 生境分布 | 生于海拔 1 800 m 以下的山谷、林下和山坡阴湿处。湖南各地均有分布。

| 资源情况 | 野生资源丰富。药材来源于野生。

| 采收加工 | 夏、秋季采收，晒干。

| 功能主治 | 用于脱肛，阴挺。

禾本科 Gramineae 狗尾草属 *Setaria*

皱叶狗尾草 *Setaria plicata* (Lam.) T. Cooke

| 药 材 名 |

马草（药用部位：全草）。

| 形态特征 |

多年生草本。须根细韧。秆通常细弱，直立或基部倾斜，高 45 ~ 130 cm；节、叶鞘与叶片交接处被白色短毛。叶鞘背脉常呈脊，密或疏被疣毛或短毛，毛易脱落，边缘近膜质；叶舌边缘密被纤毛；叶片质薄，椭圆状披针形或线状披针形，长 4 ~ 43 cm，宽 0.5 ~ 3 cm，先端渐尖，基部渐狭成柄状，具较浅的纵向折皱，边缘无毛。圆锥花序狭长圆形或线形，长 15 ~ 33 cm，分枝斜向上升，长 1 ~ 13 cm，上部者排列紧密，下部者具分枝，排列疏松而开展，主轴具棱角，被短毛而粗糙；小穗着生于小枝一侧，卵状披针形，绿色或微紫色，长 3 ~ 4 mm，部分小穗下托以 1 细刚毛，毛长 1 ~ 2 cm 或不明显；颖薄纸质，第一颖宽卵形，先端钝圆，边缘膜质，长为小穗的 1/4 ~ 1/3，具 3（~ 5）脉，第二颖长为小穗的 1/2 ~ 3/4，具 5 ~ 7 脉；第一小花通常中性或具 3 雄蕊，第一外稃具 5 脉，内稃膜质，较外稃狭，边缘稍内卷，具 2 脉，第二小花两性，第二外稃具明显的横皱纹；鳞被 2；花柱基部连合。

颖果狭长卵形，先端具硬而小的尖头。花果期 6 ~ 10 月。

| 生境分布 | 生于山谷、山坡和草地。湖南各地均有分布。

| 资源情况 | 野生资源丰富。药材来源于野生。

| 采收加工 | 秋后采收，晒干。

| 药材性状 | 本品须根细韧。秆高 45 ~ 130 cm；节、叶鞘与叶片交接处被白色短毛。叶鞘背脉常呈脊；叶片质薄，椭圆状披针形或线状披针形，长 4 ~ 43 cm，宽 0.5 ~ 3 cm。颖果狭长卵形。

| 功能主治 | 淡，平。解毒，杀虫，祛风。用于疥癣，丹毒。

| 用法用量 | 外用适量，捣敷。

禾本科 Gramineae 狗尾草属 *Setaria*

狗尾草 *Setaria viridis* (L.) Beauv.

| 药 材 名 | 狗尾草（药用部位：全草）。

| 形态特征 | 一年生草本。根须状，具支柱根。秆直立或基部膝曲，高 10 ~ 100 cm，基部直径 3 ~ 7 mm。叶鞘松弛，无毛或疏被柔毛或疣毛，边缘被较长的密绵毛状纤毛；叶舌极短，边缘被长 1 ~ 2 mm 的纤毛；叶片扁平，长三角状狭披针形或线状披针形，先端长渐尖或渐尖，基部钝圆、近截状或渐窄，长 4 ~ 30 cm，宽 2 ~ 18 mm，通常无毛或疏被疣毛，边缘粗糙。圆锥花序紧密呈圆柱状或基部稍疏离，直立或稍弯垂，主轴被较长的柔毛，长 2 ~ 15 cm，宽 4 ~ 13 mm，刚毛长 4 ~ 12 mm，粗糙或微粗糙，直立或稍扭曲，通常绿色或褐黄色带紫红色或紫色；小穗 2 ~ 5 簇生于主轴上或更多着生于短小

枝上，椭圆形，先端钝，长 2 ~ 2.5 mm，铅绿色；第一颖卵形、宽卵形，长约为小穗的 1/3，先端钝或稍尖，具 3 脉，第二颖与小穗近等长，椭圆形，具 5 ~ 7 脉；第一外稃与小穗等长，具 5 ~ 7 脉，先端钝，内稃短小狭窄，第二外稃椭圆形，先端钝，具细点状皱纹，边缘内卷，狭窄；鳞被楔形，先端微凹；花柱基部分离。颖果灰白色。花果期 5 ~ 10 月。

| 生境分布 | 生于路旁、草地和旷野。湖南各地均有分布。

| 资源情况 | 野生资源丰富。药材来源于野生。

| 采收加工 | 秋季采收，晒干。

| 药材性状 | 本品秆高 10 ~ 100 cm，基部直径 3 ~ 7 mm。叶舌极短；叶片扁平，披针形，先端长渐尖，基部钝圆，长 4 ~ 30 cm，宽 2 ~ 18 mm。

| 功能主治 | 淡，凉。清热，祛湿，消肿。用于痈肿，疮癣，目赤。

| 用法用量 | 内服煎汤。外用适量。

禾本科 Gramineae 高粱属 *Sorghum*

高粱 *Sorghum bicolor* (L.) Moench

| 药 材 名 |

高粱（药用部位：种仁）。

| 形态特征 |

一年生草本。秆高 3 ~ 5 m，直径 2 ~ 5 cm，具支柱根。叶鞘无毛；叶舌硬膜质，先端圆形，边缘被纤毛；叶片线状披针形，长 40 ~ 70 cm，宽 3 ~ 8 cm，基部圆形，表面暗绿色，背面淡绿色，两面无毛，边缘软骨质，被小刺毛，中脉较宽，白色。圆锥花序疏松，长 15 ~ 45 cm，宽 4 ~ 10 cm，主轴具纵棱，疏被柔毛，分枝 3 ~ 7，轮生，基部较密；总状花序 3 ~ 6；无柄小穗长 4.5 ~ 6 mm，宽 3.5 ~ 4.5 mm，被髯毛，两颖革质，上部及边缘被毛，初呈黄绿色，后呈淡红色至暗棕色，第一颖背部圆凸，上部 1/3 质薄，向下质变硬而有光泽，具 12 ~ 16 脉，具横脉，先端尖或具 3 小齿，第二颖具 7 ~ 9 脉，背部圆凸，舟形，边缘被细毛，外稃透明膜质，第一外稃披针形，边缘被长纤毛，第二外稃披针形至长椭圆形，具 2 ~ 4 脉，先端稍 2 裂，自裂齿间伸出一膝曲的芒，芒长 14 mm，雄蕊 3，花药长 3 mm，子房倒卵形，花柱分离，柱头帚状；有柄小穗线形至披针形，雄性或中性，宿存，褐色至暗红棕色，小穗柄长约

2.5 mm，第一颖具 9 ~ 12 脉，第二颖具 7 ~ 10 脉。颖果两面平凸，长 3.5 ~ 4 mm，淡红色至红棕色，成熟时宽 2.5 ~ 3 mm，先端微外露。花果期 6 ~ 9 月。

| 生境分布 | 栽培于山坡旱地、田间地头。湖南各地均有分布。

| 资源情况 | 栽培资源较少。药材来源于栽培。

| 采收加工 | 种子成熟后采收，剥出种子，除去种皮，收集种仁。

| 功能主治 | 甘、涩，温。调中气，涩肠胃。用于霍乱，痢疾，小便淋痛不利，小儿消化不良。

| 用法用量 | 内服煎汤，15 ~ 30 g。

禾本科 Gramineae 高粱属 *Sorghum*

拟高粱 *Sorghum propinquum* (Kunth) Hitchc.

药材名

高粱七（药用部位：根茎）。

形态特征

多年生密丛型草本。根茎粗壮；须根坚韧。秆直立，高 1.5 ~ 3 m，基部直径 1 ~ 3 cm，具多节，节上被灰白色短柔毛。叶鞘无毛或鞘口内面及边缘被柔毛；叶舌质较硬，长 0.5 ~ 1 mm，被长约 2 mm 的细毛；叶片线形或线状披针形，长 40 ~ 90 cm，宽 3 ~ 5 cm，两面无毛，中脉较粗，在两面隆起，绿黄色，边缘软骨质，疏被向上的微细小刺毛，稍粗糙。圆锥花序开展，长 30 ~ 50 cm，宽 6 ~ 15 cm，分枝纤细，3 ~ 6 轮生，下部者长 15 ~ 20 cm，基部腋间被柔毛；总状花序具 3 ~ 7 节，其下裸露部分长 2 ~ 6 cm；小穗成熟后，小穗柄与小穗均易脱落；无柄小穗椭圆形或狭椭圆形，长 3.8 ~ 4.5 mm，宽 1.2 ~ 2 mm，先端尖或具小尖头，疏被柔毛，基盘钝，被细毛；颖薄革质，具不明显的横脉，第一颖具 9 ~ 11 脉，脉在上部明显，边缘内折，两侧具不明显的脊，先端无齿或具不明显的 3 小齿，第二颖具 7 脉，上部具脊，略呈舟形，疏被柔毛。花果期夏、秋季。

| 生境分布 | 生于河岸或草地。分布于湖南株洲（醴陵）、衡阳（衡南）等。

| 资源情况 | 野生资源稀少。药材来源于野生。

| 采收加工 | 全年均可采挖，洗净，鲜用或晒干。

| 功能主治 | 甘，凉。清肺热，益气血。用于劳伤咳嗽，吐血。

| 用法用量 | 内服炖肉，125 g，鲜品 250 g。

禾本科 Gramineae 大油芒属 *Spodiopogon*

油芒 *Spodiopogon cotulifer* (Thunb.) A. Camus

| 药 材 名 | 油芒（药用部位：全草）。

| 形态特征 | 多年生草本。秆高大，高 60 ~ 80 cm，直径 3 ~ 8 mm，具 5 ~ 13 节，质硬，平滑无毛；节膨大；节下被白粉，不分枝。叶鞘疏松裹秆，无毛，鞘口被柔毛；叶舌膜质，褐色，长 2 ~ 3 mm；叶片披针状线形，长 15 ~ 60 cm，宽 8 ~ 20 mm，基部呈柄状，贴生柔毛，上部及边缘微粗糙。圆锥花序长 15 ~ 30 cm，先端下垂，分枝轮生，细弱，长 5 ~ 15 cm，下部裸露，上部具 6 ~ 15 节，节被短髭毛，不易折断，每节具 1 长柄小穗及 1 短柄小穗，节间无毛；小穗柄上部膨大，边缘被细短毛，短柄长约 2 mm；小穗线状披针形，长 5 ~ 6 mm；第一颖草质，背部粗糙，具 9 脉，脉间疏被及边缘密被柔毛，先端渐尖，

具2微齿或小尖头，第二颖具7脉，脉上部微粗糙，中部脉间疏被柔毛，先端具小尖头至短芒；第一外稃透明膜质，长圆形，边缘被细纤毛，第一内稃较窄，长约3 mm，无毛，第二外稃窄披针形，长约4 mm，中部以上2裂，自裂齿间伸出1芒，芒长12 ~ 15 mm，芒柱长约4 mm，芒针扭转；花药黄色，长2.5 ~ 3 mm，花丝长0.5 mm；柱头紫褐色，长约4 mm，自小穗先端伸出；鳞被2，截形，长约0.8 mm，先端被柔毛。花果期9 ~ 11月。

| 生境分布 | 生于海拔200 ~ 1 000 m的山坡、山谷和荒地路旁。分布于湘中、湘东等。

| 资源情况 | 野生资源较少。药材来源于野生。

| 采收加工 | 夏、秋季采收，切段，晒干或鲜用。

| 药材性状 | 本品秆质坚硬，无毛。叶片呈披针状线形，基部呈柄状，贴生柔毛。味甘。

| 功能主治 | 甘，平。清热解表，活血通经。用于风热感冒，痢疾，痛经，闭经。

| 用法用量 | 内服煎汤，9 ~ 15 g。

| 附　　注 | 本种的拉丁学名在FOC中被修订为*Spodiopogon cotulifer* (Thunberg) Hackel。

禾本科 Gramineae 大油芒属 *Spodiopogon*

大油芒 *Spodiopogon sibiricus* Trin.

药材名

大油芒（药用部位：全草）。

形态特征

多年生草本。根茎长，质坚硬，密被鳞状苞片。秆直立，通常单一，高 70 ~ 150 cm，具 5 ~ 9 节。叶鞘多数较节间长，无毛或上部被柔毛，鞘口被长柔毛；叶舌干膜质，平截，长 1 ~ 2 mm；叶片线状披针形，长 15 ~ 30 cm，宽 8 ~ 15 mm，先端长渐尖，基部渐狭，中脉粗壮隆起，两面贴生柔毛或基部被疣基柔毛。圆锥花序长 10 ~ 20 cm，主轴无毛，腋间被柔毛，分枝近轮生，下部裸露，上部单一或具 2 小枝；总状花序长 1 ~ 2 cm，具 2 ~ 4 节，节被髯毛，节间及小穗柄较小穗的 1/3 ~ 2/3 短，两侧被长纤毛，背部粗糙，先端膨大成杯状；小穗长 5 ~ 5.5 mm，宽披针形，草黄色或稍带紫色，基盘被长约 1 mm 的短毛，无柄小穗具 3 脉，除脊与边缘被柔毛外余无毛，有柄小穗具 5 ~ 7 脉，脉间被柔毛；第一颖草质，先端尖或具 2 微齿，具 7 ~ 9 脉，脉粗糙隆起，脉间被长柔毛，边缘内折，膜质，第二颖与第一颖近等长，先端尖或具 1 小尖头；第一外稃透明膜质，卵状披针形，与小穗等长，先端尖，具 1 ～ 3 脉，边缘被纤毛。

| 生境分布 | 生于山坡、草原、灌丛、草甸。分布于湘中、湘东、湘西北等。

| 资源情况 | 野生资源较少。药材来源于野生。

| 采收加工 | 夏、秋季采收，切段，晒干或鲜用。

| 药材性状 | 本品秆高 70 ～ 150 cm。叶片线状披针形，长 15 ～ 30 cm，宽 8 ～ 15 mm，先端长渐尖，基部渐狭，中脉粗壮隆起。

| 功能主治 | 淡，平。用于胸闷，气胀，月经过多。

| 用法用量 | 内服煎汤，9 ～ 15 g。

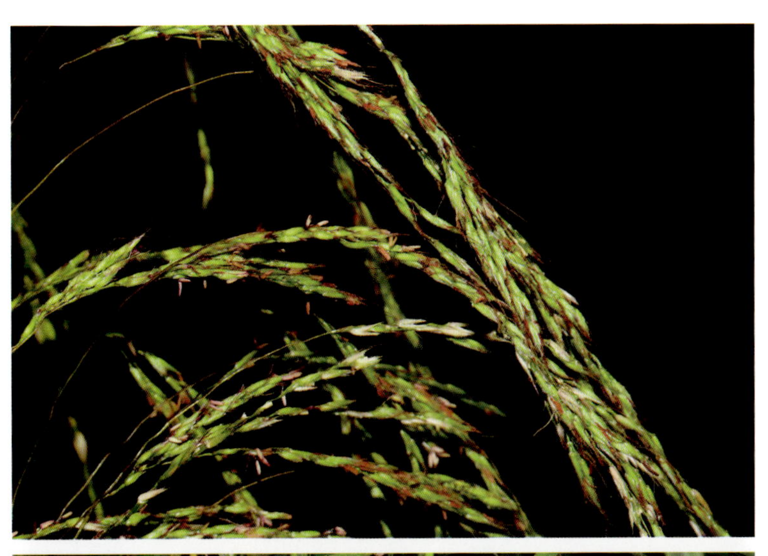

禾本科 Gramineae 鼠尾粟属 *Sporobolus*

鼠尾粟 *Sporobolus fertilis* (Stend.) W. D. Clayt.

| 药 材 名 | 鼠尾粟（药用部位：全草）。

| 形态特征 | 多年生草本。须根较粗壮且较长。秆直立，丛生，高 25 ~ 120 cm，基部直径 2 ~ 4 mm，质较坚硬，平滑无毛。叶鞘疏松裹秆，基部者较宽，平滑无毛或边缘稀被极短的纤毛，下部者较节间长，上部者较节间短；叶舌极短，长约 0.2 mm，纤毛状；叶片质较硬，平滑无毛或仅上面基部疏被柔毛，通常内卷，少数扁平，先端长渐尖，长 15 ~ 65 cm，宽 2 ~ 5 mm。圆锥花序紧缩成线形，常间断或稠密近穗形，长 7 ~ 44 cm，宽 0.5 ~ 1.2 cm，分枝稍坚硬，直立，与主轴贴生或倾斜，通常长 1 ~ 2.5 cm，基部者较长，一般不及 6 cm；小穗密集着生于分枝上，灰绿色，略带紫色，长 1.7 ~ 2 mm；颖膜质，

第一颖小，长约 0.5 mm，先端尖或钝，具 1 脉；外稃与小穗等长，先端稍尖，具 1 中脉及 2 不明显的侧脉；雄蕊 3，花药黄色，长 0.8 ~ 1 mm。囊果成熟后红褐色，明显较外稃和内稃短，长 1 ~ 1.2 mm，长圆状倒卵形或倒卵状椭圆形，先端平截。花果期 3 ~ 12 月。

| 生境分布 | 生于海拔 1 000 ~ 2 000 m 的田野、路边、山坡草地。湖南各地均有分布。

| 资源情况 | 野生资源丰富。药材来源于野生。

| 采收加工 | 夏、秋季采收，鲜用或晒干。

| 药材性状 | 本品须根较粗壮且较长。秆高 25 ~ 120 cm，基部直径 2 ~ 4 mm，质较坚硬。叶舌极短，长约 0.2 mm，纤毛状；叶片质较硬，平滑，通常内卷，少数扁平。

| 功能主治 | 甘、淡，平。清热解毒，凉血。用于伤暑烦热，痢疾，热结便秘，尿血。

| 用法用量 | 内服煎汤。

禾本科 Gramineae  菅属 *Themeda*

黄背草 *Themeda japonica* (Willd.) Tanaka

|药 材 名|

黄背草（药用部位：全草）。

|形态特征|

多年生草本。秆粗壮，直立，高 80 ~ 110 cm。叶鞘被脱落性疣基长柔毛；叶舌长 1 ~ 2 mm，先端钝圆，被短纤毛；叶片狭条形，长 10 ~ 40 cm，宽 4 ~ 5 mm，仅上面基部疏被疣基长纤毛。假圆锥花序狭窄，长 30 ~ 40 cm，佛焰苞舟形，被毛或无毛；总状花序自佛焰苞中抽出，长 1 ~ 2 cm，具 7 小穗，基部具 1 近轮生的雄性或中性小穗，无芒，上部 3 小穗中具 1 两性小穗，基盘被髯毛；第一颖革质，边缘内卷，第二颖与第一颖等长或较第一颖短，边缘膜质，透明；第一小花外稃膜质，透明，内稃不存在，第二小花外稃短，具 1 长芒或无芒。花果期 6 ~ 10 月。

|生境分布|

生于干燥或湿润的山坡草地。湖南有广泛分布。

|资源情况|

野生资源较丰富。药材来源于野生。

| 采收加工 | 夏、秋季采收，晒干。

| 功能主治 | 甘，温。活血调经，祛风除湿。用于经闭，风湿痛；根还用于滑胎。

| 用法用量 | 内服煎汤，30 ~ 60 g。

禾本科 Gramineae 菅属 *Themeda*

菅 *Themeda villosa* (Poir.) A. Camus

药材名

菅（药用部位：根茎。别名：蚂蚱草、接骨草、大响铃草）。

形态特征

多年生草本，具根头与须根。秆粗壮，多簇生，高 1 ~ 2 m，两侧压扁或具棱，黄白色或褐色，平滑无毛，有光泽，实心，髓白色。叶鞘光滑无毛，具粗脊；叶舌膜质，短，被纤毛；叶片线形，长 1 m，宽 0.7 ~ 1.5 cm，两面粗糙，白色，中脉粗，叶缘厚。大型伪圆锥花序由具佛焰苞的总状花序组成，长 1 m；总状花序长 2 ~ 3 cm，由 9 ~ 11 小穗组成，具总花梗；总花梗先端膨大，佛焰苞舟形，长 2 ~ 3.5 cm，具脊，具多脉；有柄小穗似总苞状小穗，颖草质，第一颖狭披针形，长 10 ~ 15 mm，具 13 脉，背面被疏毛，第二颖长 8 mm，具 5 脉，半透明，上部边缘被纤毛，外稃长 7 ~ 8 mm，透明，边缘被睫毛，内稃较短，透明，卵状，雄蕊 3，花药长 4 ~ 5 mm；无柄小穗长 7 ~ 8 mm，基盘被毛，颖硬革质，第一颖长圆状披针形，长 7 ~ 8 mm，先端截形，边缘内卷，脊圆形，背部及边缘密被褐色短毛，具 7 ~ 8 脉，第二颖狭披针形，长 7 mm，具 3 脉，先端钝，背面密被褐色短毛，第一小花不孕，外稃长 5.5 mm，透明，第二小花两性，外稃狭披针形。颖果成熟时栗褐色。花果期 8 月至翌年 1 月。

| 生境分布 | 生于山坡草地。分布于湘中、湘东等。

| 资源情况 | 野生资源一般。药材来源于野生。

| 采收加工 | 7 ~ 10 月采挖，鲜用或晒干。

| 功能主治 | 辛，温。解表散寒，祛风除湿。用于风寒感冒，风湿麻痹，淋证，水肿。

| 用法用量 | 内服煎汤，15 ~ 30 g。外用适量，捣敷。

禾本科 Gramineae 粽叶芦属 *Thysanolaena*

粽叶芦 *Thysanolaena maxima* (Roxb.) Kuntze

| 药 材 名 | 粽叶芦（药用部位：根）。

| 形态特征 | 多年生丛生草本。秆高 2 ~ 3 m，直立，粗壮，具白色髓部，不分枝。叶鞘无毛；叶舌长 1 ~ 2 mm，质硬，平截；叶片披针形，长 20 ~ 50 cm，宽 3 ~ 8 cm，具横脉，先端渐尖，基部心形，具柄。圆锥花序大型，质柔软，长达 50 cm，分枝多，斜向上升，下部裸露，基部主枝长达 30 cm；小穗长 1.5 ~ 1.8 mm；小穗柄长约 2 mm，具关节；颖无脉，长为小穗的 1/4；第一花仅具外稃，与小穗近等长，第二外稃卵形，厚纸质，背部圆形，具 3 脉，先端具小尖头，边缘被柔毛，内稃膜质，较短小；花药长约 1 mm，褐色。颖果长圆形，长约 0.5 mm。花果期春、夏、秋季。

| 生境分布 | 生于山坡、山谷、溪边、疏林或灌丛中。分布于湖南岳阳（君山）、衡阳（衡山）等。

| 资源情况 | 野生资源一般。药材来源于野生。

| 采收加工 | 采收后晒干。

| 功能主治 | 甘，凉。清热利湿，止咳平喘。用于泄泻，小儿消化不良，哮喘，风热咳嗽。

| 用法用量 | 内服煎汤。

| 附　　注 | 本种的拉丁学名在FOC中被修订为 *Thysanolaena latifolia* (Roxburgh ex Hornemann) Honda。

禾本科 Gramineae 小麦属 *Triticum*

普通小麦 *Triticum aestivum* L.

药材名

浮小麦（药用部位：种子）。

形态特征

一年生或二年生草本，高 60 ~ 100 cm。秆直立，通常具 6 ~ 9 节。叶鞘光滑，常较节间短；叶舌膜质，短小；叶片扁平，长披针形，长 15 ~ 40 cm，宽 8 ~ 14 mm，先端渐尖，基部方圆形。穗状花序直立，长 3 ~ 10 cm；小穗两侧扁平，长约 12 mm，平行或近平行排列于小穗轴上，每小穗具 3 ~ 9 花，仅下部的花结实，节间长约 1 mm；颖短，革质，第一颖较第二颖宽，两者背面均具锐利的脊，有时延伸成芒，具 6 ~ 9 纵脉；外稃膜质，微裂成 3 齿状，中央的齿常延伸成芒，背面具 5 ~ 9 脉，内稃与外稃等长或较外稃略短，脊上具鳞毛状窄翼，翼缘被细毛；雄蕊 3，花药长 1.5 ~ 2 mm，呈“丁”字形着生，花丝细长；子房卵形。颖果矩圆形或近卵形，长约 6 mm，浅褐色。花期 4 ~ 5 月，果期 5 ~ 6 月。

生境分布

栽培于田间、山坡旱地。湖南各地均有分布。

| 资源情况 | 栽培资源丰富。药材来源于栽培。

| 采收加工 | 果实成熟时采收，脱粒，晒干或磨成面粉。

| 功能主治 | 甘，微寒。养心安神，止虚汗。用于神志不安，失眠。

| 用法用量 | 内服煎汤，50 ~ 100 g；或煮粥；或面粉冷水调服；或面粉炒黄，温水调服。外用适量，炒焦，研末调敷；或面粉干撒；或面粉炒黄，调敷。

禾本科 Gramineae 玉蜀黍属 *Zea*

玉蜀黍 *Zea mays* L.

|药材名|

玉米须（药用部位：花柱、柱头。别名：包谷须）。

|形态特征|

一年生高大草本。秆直立，通常不分枝，高1 ~ 4 m，基部各节具支柱根。叶鞘具横脉；叶舌膜质，长约2 mm；叶片扁平宽大，线状披针形，基部圆形呈耳状，无毛或被髭柔毛，中脉粗壮，边缘微粗糙。顶生雄圆锥花序大型，主轴、总状花序轴及腋间均被细柔毛，雄小穗孪生，长达1 cm，小穗柄1长1短，分别长1 ~ 2 mm及2 ~ 4 mm，被细柔毛，两颖近等长，膜质，具10脉，被纤毛，外稃及内稃透明膜质，较颖稍短，花药橙黄色，长约5 mm；雌花序为多数宽大的鞘状苞片包裹，雌小穗孪生，呈16 ~ 30纵行排列于粗壮的花序轴上，两颖等长，宽大，无脉，被纤毛，外稃及内稃透明膜质，雌蕊具极长而细弱的线形花柱。颖果球形或扁球形，成熟后露出颖和稃外，大小随生长条件不同而各异，一般长5 ~ 10 mm，长较宽略短；胚长为颖果的1/2 ~ 2/3。花果期秋季。

| 生境分布 | 栽培于山坡旱田。湖南各地均有分布。

| 资源情况 | 栽培资源丰富。药材来源于栽培。

| 采收加工 | 花柱受粉后采收，晒干。

| 功能主治 | 甘，平。疏肝利胆，利尿消肿。用于水肿，胁痛，黄疸，高血压，消渴，石淋。

| 用法用量 | 内服煎汤，30 ~ 60 g；或煮食；或磨粉作饼。

禾本科 Gramineae 菰属 *Zizania*

菰 *Zizania latifolia* (Griseb.) Stapf

| 药 材 名 |

茭白（药用部位：嫩茎秆）、菰根（药用部位：根）、菰米（药用部位：果实）。

| 形态特征 |

多年生草本，具匍匐根茎。须根粗壮。秆高大直立，高 1 ~ 2 m，直径约 1 cm，具多数节，基部节上生不定根。叶鞘较节间长，肥厚，具小横脉；叶舌膜质，长约 1.5 cm，先端尖；叶片扁平宽大，长 50 ~ 90 cm，宽 15 ~ 30 mm。圆锥花序长 30 ~ 50 cm，分枝多数簇生，上升，果期开展；雄小穗长 10 ~ 15 mm，两侧压扁，着生于花序下部或分枝上部，带紫色，外稃具 5 脉，先端渐尖，具小尖头，内稃具 3 脉，中脉呈脊，被毛，雄蕊 6，花药长 5 ~ 10 mm；雌小穗圆筒形，长 18 ~ 25 mm，宽 1.5 ~ 2 mm，着生于花序上部和分枝下方与主轴贴生处，外稃具 5 脉，粗糙，芒长 20 ~ 30 mm，内稃具 3 脉。颖果圆柱形，长约 12 mm；胚小，长为果体的 1/8。

| 生境分布 |

生于湖沼、水沟、浅水处。栽培于水田。湖南各地均有分布。

| 资源情况 | 野生资源一般。栽培资源丰富。药材来源于野生和栽培。

| 采收加工 | **茭白：**秋季采收，鲜用或晒干。

菰根：秋季采挖，洗净，鲜用或晒干。

菰米：9 ~ 10 月果实成熟后采收，除去外皮，扬净，晒干。

| 功能主治 | **茭白：**甘，凉。清热除烦，止渴，通乳，通利二便。

菰根：甘，寒。清热解毒。用于黄疸，小便淋痛不利。

菰米：甘，寒。清热除烦，生津止渴。

| 用法用量 | **茭白：**内服煎汤，25 ~ 50 g。

菰根：内服煎汤，100 ~ 150 g。

菰米：内服煎汤，15 ~ 25 g。

棕榈科 Palmae 散尾葵属 *Chrysalidocarpus*

散尾葵 *Chrysalidocarpus lutescens* H. Wendl.

| 药 材 名 | 散尾葵（药用部位：叶鞘纤维）。

| 形态特征 | 从生灌木，高 2 ~ 5 m。茎直径 4 ~ 5 cm，基部略膨大。叶羽状全裂，平展而稍下弯，长约 1.5 m；羽片 40 ~ 60 对，2 列，黄绿色，表面被蜡质白粉，披针形，长 35 ~ 50 cm，宽 1.2 ~ 2 cm，先端长尾状渐尖并具不等长的 2 短裂，先端羽片渐短，长约 10 cm；叶柄及叶轴光滑，黄绿色，上面具沟槽，背面圆凸；叶鞘长而略膨大，通常黄绿色，初时被蜡质白粉，具纵向沟纹。圆锥花序生于叶鞘下方，长约 0.8 m，具 2 ~ 3 分枝，分枝长 20 ~ 30 cm，其上具 8 ~ 10 小穗轴；小穗轴长 12 ~ 18 cm；花小，卵球形，金黄色，呈螺旋状着生于小穗轴上；雄花萼片和花瓣各 3，上面具条纹脉，雄蕊 6，花药

多少呈“丁”字形着生；雌花萼片和花瓣与雄花略同，子房 1 室，花柱短，柱头粗。果实略呈陀螺形或倒卵形，长 1.5 ~ 1.8 cm，直径 0.8 ~ 1 cm，鲜时土黄色，干时紫黑色，外果皮光滑，中果皮具网状纤维；种子略呈倒卵形，胚乳均匀，中央具狭长的空腔，胚侧生。花期 5 月，果期 8 月。

| 生境分布 | 栽培于庭院或花圃中。分布于湖南郴州（嘉禾）、娄底（涟源）等。

| 资源情况 | 栽培资源一般。药材来源于栽培。

| 采收加工 | 全年均可采收，除去叶片，晒干。

| 功能主治 | 微苦、涩，凉。收敛止血。用于吐血，咯血，便血，崩漏。

| 用法用量 | 内服炒炭煎汤，10 ~ 15 g。

棕榈科 Palmae 蒲葵属 *Livistona*

蒲葵 *Livistona chinensis* (Jacq.) R. Br.

|药 材 名| 蒲葵根（药用部位：根）、蒲葵叶（药用部位：叶）、蒲葵子（药用部位：种子）。

|形态特征| 多年生常绿乔木，高达 20 m。叶宽肾状扇形，直径超过 1 m，掌状深裂至中部，裂片线状披针形，宽 1.8 ~ 2 cm，2 深裂，长达 50 cm，先端裂成 2 丝状下垂的小裂片，两面绿色；叶柄长 1 ~ 2 m，下部两侧具下弯的黄绿色或淡褐色短刺。肉穗花序呈圆锥状，长超过 1 m，腋生，具 6 分枝花序，分枝花序长 10 ~ 20 cm；总梗具 6 ~ 7 佛焰苞，佛焰苞棕色，管状，质坚硬；花小，两性，黄绿色，长约 2 mm；花萼裂至基部成 3 宽三角形的裂片，裂片覆瓦状排列；花冠长于花萼的 2 倍，几裂至基部；雄蕊 6，花丝合生成环。核果椭圆形，长 1.8 ~ 2.2 cm，直径 1 ~ 1.2 cm，黑褐色；种子椭圆形，长 1.5 cm。

| 生境分布 | 栽培于公园、庭院。分布于湘南等。

| 资源情况 | 栽培资源一般。药材来源于栽培。

| 采收加工 | **蒲葵根：** 全年均可采挖，洗净，晒干。

蒲葵叶： 全年均可采摘，切碎，晒干。

蒲葵子： 春季采收，除去杂质，晒干。

| 药材性状 | **蒲葵叶：** 本品呈扇形，直径可超过 1 m，掌状深裂至中部，裂片线状披针形，宽约 2 cm，先端渐尖，2 深裂，分裂部分长达 50 cm，下弯；叶柄长可超过 1 m，平凸状，下部边缘具 2 列倒钩刺。气微，味淡。

| 功能主治 | **蒲葵根：** 甘、苦、涩，凉。止痛，平喘。用于各种疼痛，哮喘。

蒲葵叶： 甘、涩，平。收敛止血，止汗。用于咯血，吐血，衄血，崩漏，外伤出血，自汗，盗汗。

蒲葵子： 甘、苦，平；有小毒。活血化瘀，软坚散结。用于慢性肝炎，癥瘕积聚。

| 用法用量 | **蒲葵根：** 内服煎汤，6 ~ 9 g；或制成片剂、注射剂。

蒲葵叶： 内服煎汤，6 ~ 9 g；或煅存性，研末，3 ~ 6 g。外用适量，煅存性，研末撒。

蒲葵子： 内服煎汤，15 ~ 30 g。

棕榈科 Palmae 棕榈属 *Trachycarpus*

棕榈 *Trachycarpus fortunei* (Hook.) H. Wendl.

| 药 材 名 | 棕榈（药用部位：叶柄）、棕榈皮（药用部位：叶柄、叶鞘纤维）、棕榈根（药用部位：根）、棕树心（药用部位：心材）、棕榈叶（药用部位：叶）、棕榈花（药用部位：花蕾、花）、棕榈子（药用部位：成熟果实）。

| 形态特征 | 乔木，高 3 ～ 10 m。裸露树干直径 10 ～ 15 cm。叶片呈近圆形，30 ～ 50 深裂，裂片具折皱，线状剑形，宽 2.5 ～ 4 cm，长 60 ～ 70 cm，先端 2 短裂；叶柄长 75 ～ 80 cm，两侧具细圆齿，先端具明显的戟突。花序粗壮，多次分枝，自叶腋抽出，通常雌雄异株；雄花序长约 40 cm，具 2 ～ 3 分枝，下部分枝长 15 ～ 17 cm，雄花无梗，每 2 ～ 3 花密集着生于小穗轴上，黄绿色，卵球形，花

萼3，卵状，先端急尖，花冠约长于花萼2倍，花瓣阔卵形，雄蕊6，花药卵状箭头形；雌花序长80 ~ 90 cm，花序梗长约40 cm，其上有3佛焰苞，具4 ~ 5圆锥状分枝，下部的分枝长约35 cm，再2 ~ 3回分枝，雌花淡绿色，2 ~ 3花聚生，花无梗，球形，着生于短瘤突上，萼片阔卵形，3裂，基部合生，花瓣卵状近圆形，长于萼片1/3，退化雄蕊6，心皮被银色毛。果实阔肾形，具脐，宽11 ~ 12 mm，高7 ~ 9 mm，成熟时由黄色变为淡蓝色，被白粉，柱头残留在侧面；种子胚乳均匀，角质，胚侧生。花期4月，果期12月。

| 生境分布 | 生于岗地、低山、中山。湖南各地均有分布。

| 资源情况 | 野生资源稀少。栽培资源丰富。药材来源于野生和栽培。

| 采收加工 |

棕榈：采棕叶时割取叶柄下延部分和鞘片，除去纤维状棕毛，晒干。

棕榈皮：全年均可采收，多于 9 ～ 10 月采收，除去残皮，晒干。

棕榈根：全年均可采挖，洗净，切段，晒干或鲜用。

棕树心：全年均可采收，除去茎皮，取木质部，切段，晒干。

棕榈叶：全年均可采摘，晒干或鲜用。

棕榈花：4 ～ 5 月花将开或刚开放时连花序采收，晒干。

棕榈子：霜降前后果皮呈淡蓝色时采收，晒干。

| 药材性状 |

棕榈：本品呈长条板状，一端较窄而厚，另一端较宽而稍薄，大小不等。表面红棕色，粗糙，具纵直皱纹，一面具明显凸出的纤维，纤维两侧着生多数棕色茸毛。质硬而韧，不易折断，断面纤维性。气微，味淡。

棕榈皮：本品为粗长纤维，呈束状或片状，长 20 ～ 40 cm，大小不一，棕褐色。质韧，不易撕断。气微，味淡。

棕榈叶：本品呈近圆形，30 ～ 50 深裂，裂片具折皱，线状剑形，宽 2.5 ～ 4 cm，长 60 ～ 70 cm。

棕榈花：本品花序粗壮，多次分枝。

棕榈子：本品呈肾形或近球形，常一面隆起，另一面凹下，凹面具沟，长 8 ～ 10 mm，宽 5 ～ 8 mm。表面灰黄色或绿黄色，平滑或具不规则的网状皱纹，外果皮、中果皮较薄，常脱落而露出灰棕色或棕黑色的坚硬内果皮；种仁乳白色，角质状。气微，味微涩、微甜。

| 功能主治 |

棕榈：苦、涩，平。归肺、肝、大肠经。收敛止血。用于吐血，衄血，尿血，便血，崩漏。

棕榈皮：苦、涩，平。归肺、肝、大肠经。收敛止血。用于吐血，衄血，尿血，便血，崩中，外伤出血。

棕榈根：苦、涩，凉。收敛止血，涩肠止痢，祛湿，消肿，解毒。用于吐血，便血，崩漏，带下，痢疾，淋浊，水肿，关节疼痛，瘰疬，流注，跌打肿痛。

棕树心：苦、涩，平。养心安神，收敛止血。用于心悸，头晕，崩漏，脱肛，子宫脱垂。

棕榈叶：苦、涩，平。收敛止血，降血压。用于吐血，劳伤，高血压。

棕榈花：苦、涩，平。止血，止泻，活血，散结。用于崩中，带下，肠风，泻痢，瘰疬。

棕榈子：苦、甘、涩，平。止血，涩肠，固精。用于肠风，崩漏，带下，泻痢，遗精。

| 用法用量 |

棕榈：内服煎汤，3 ~ 9 g。

棕榈皮：内服煎汤，10 ~ 15 g。外用适量，研末敷。

棕榈根：内服煎汤，15 ~ 30 g。外用适量，煎汤洗；或捣敷。

棕树心：内服煎汤，10 ~ 15 g；或研末。外用适量，捣敷。

棕榈叶：内服煎汤，6 ~ 12 g；或代茶饮。

棕榈花：内服煎汤，3 ~ 10 g；或研末，3 ~ 6 g。外用适量，煎汤洗。

棕榈子：内服煎汤，10 ~ 15 g；或研末，6 ~ 9 g。

天南星科 Araceae 菖蒲属 *Acorus*

菖蒲 *Acorus calamus* L.

| 药 材 名 | 水菖蒲（药用部位：根茎）。

| 形态特征 | 多年生草本。根茎横走，稍扁，分枝，直径 5 ~ 10 mm，外皮黄褐色，芳香；肉质根多数，长 5 ~ 6 cm，具毛发状须根。叶基生，基部两侧膜质叶鞘宽 4 ~ 5 mm，向上渐狭，至叶 1/3 处渐行脱落、消失；叶片剑状线形，长 90 ~ 150 cm，中部宽 1 ~ 3 cm，基部宽，对褶，中部以上渐狭，草质，绿色，光亮，中肋在两面明显隆起，侧脉 3 ~ 5 对，平行，纤弱，多数延伸至叶尖。花序梗三棱形，长 15 ~ 50 cm；叶状佛焰苞剑状线形，长 30 ~ 40 cm；肉穗花序斜向上或近直立，狭锥状圆柱形，长 4.5 ~ 8 cm，直径 6 ~ 12 mm；花黄绿色，花被片长约 2.5 mm，宽约 1 mm；花丝长 2.5 mm，宽约 1 mm；子房长圆柱形，长 3 mm，直径 1.25 mm。浆果长圆形，红色。花期 2 ~ 9 月。

| 生境分布 | 生于河、湖、渠边、浅池塘或沼泽湿地。湖南各地均有分布。

| 资源情况 | 野生资源丰富。栽培资源一般。药材来源于野生和栽培。

| 采收加工 | 全年均可采收，以 8 ~ 9 月采收为佳，洗净泥沙，除去须根，晒干。

| 药材性状 | 本品呈扁圆柱形，长 10 ~ 24 cm，节间长 0.2 ~ 1.5 cm，上侧具较大的类三角形叶痕，下侧具凹陷的圆点状根痕，节上残留棕色毛须。表面类白色至棕红色，具细纵纹。质硬，折断面海绵状，类白色或淡棕色，横切面内皮层环明显，具多数小空洞及维管束小点。气较浓烈而特异，味苦、辛。以根茎粗大、表面色黄白、去尽鳞叶及须根者为佳。

| 功能主治 | 辛、苦，温。归心、肝、胃经。化痰开窍，除湿健胃，杀虫止痒。用于痰厥，中风，癫痫，惊悸，健忘，耳鸣，耳聋，食积腹痛，痢疾，泄泻，风湿痹痛，湿疹，疥疮。

| 用法用量 | 内服煎汤，3 ~ 6 g；或入丸、散剂。外用适量，煎汤洗；或研末调敷。

天南星科 Araceae 菖蒲属 *Acorus*

金钱蒲 *Acorus gramineus* Soland.

|药材名| 石菖蒲（药用部位：根茎）。

|形态特征| 多年生草本，高 20 ~ 30 cm。根茎较短，长 5 ~ 10 cm，横走或斜伸，芳香，外皮淡黄色，上部多分枝，呈丛生状；节间长 1 ~ 5 mm。根肉质，多数，长可达 15 cm，须根密集。叶基对折，两侧膜质叶鞘棕色，下部宽 2 ~ 3 mm，上延至叶片中部以下，先端渐狭，脱落；叶片质较厚，线形，绿色，长 20 ~ 30 cm，极狭，宽不及 6 mm，先端长渐尖，无中肋，平行脉多数。花序梗长 2.5 ~ 15 cm；叶状佛焰苞短，长 3 ~ 14 cm，长为肉穗花序的 1 ~ 2 倍，稀较肉穗花序短，狭，宽 1 ~ 2 mm；肉穗花序黄绿色，圆柱形，长 3 ~ 9.5 cm，直径 3 ~ 5 mm。果序直径达 1 cm；果实黄绿色。花期 5 ~ 6 月，

果实 7 ~ 8 月成熟。

| 生境分布 | 生于水边湿地、山溪旁、岩石缝中或石上。湖南有广泛分布。

| 资源情况 | 野生资源一般。药材来源于野生。

| 采收加工 | 秋、冬季采挖，剪去叶片和须根，洗净，晒干，撞去毛须即可。

| 药材性状 | 本品呈不规则形，长 5 ~ 10 cm。表面淡黄色。气芳香，味微苦。

| 功能主治 | 辛、苦，微温。豁痰开窍，化湿和胃，宁心益志。用于热病神昏，痰厥，健忘，失眠，耳鸣，耳聋，噤口痢，风湿痹痛。

| 用法用量 | 内服煎汤。

天南星科 Araceae 菖蒲属 *Acorus*

石菖蒲 *Acorus tatarinowii* Schott

| 药 材 名 | 石菖蒲（药用部位：根茎。别名：九节菖蒲）、石菖蒲花（药用部位：花）。

| 形态特征 | 多年生草本。根茎芳香，直径 2 ~ 5 mm，淡褐色，节间长 3 ~ 5 mm，上部分枝甚密，植株因而呈丛生状，分枝常被纤维状宿存的叶基；根肉质，具多数须根。叶无柄；叶片基部两侧膜质叶鞘宽可达 5 mm，上延至近叶片中部，先端渐狭，脱落；叶片薄，暗绿色，线形，长 20 ~ 50 cm，基部对折，中部以上平展，宽 7 ~ 13 mm，先端渐狭，无中肋，平行脉多数，稍隆起。花序梗腋生，长 4 ~ 15 cm，三棱形；叶状佛焰苞长 13 ~ 25 cm，长为肉穗花序的 2 ~ 5 倍或更长，稀与肉穗花序近等长；肉穗花序圆柱状，长 2.5 ~ 8.5 cm，直径 4 ~ 7 mm，

上部渐尖，直立或稍弯；花白色。成熟果序长 7 ~ 8 cm，直径可达 1 cm；幼果绿色，成熟时黄绿色或黄白色。花果期 2 ~ 6 月。

| 生境分布 | 生于林下、湿地或溪旁石上。湖南各地均有分布。

| 资源情况 | 野生资源丰富。栽培资源丰富。药材来源于野生和栽培。

| 采收加工 | **石菖蒲：** 栽种 3 ~ 4 年后的早春或冬末采挖，剪去叶片和须根，洗净，鲜用或晒干后撞去毛须。

石菖蒲花： 2 ~ 5 月花开放时采收，晒干。

| 药材性状 | **石菖蒲：** 本品呈扁圆柱形，多弯曲，常具分枝。表面棕褐色或灰棕色，粗糙，具疏密不匀的环节，具细纵纹，一面残留须根或圆点状根痕。质硬，断面纤维性，类白色或微红色，内皮层环明显，可见多数维管束小点。气芳香，味苦、微辛。

| 功能主治 | **石菖蒲：** 辛、苦，微温。归心、肝、脾经。豁痰开窍，化湿和胃，宁心益志。用于热病神昏，痰厥，健忘，失眠，耳鸣，耳聋，噤口痢，风湿痹痛。

石菖蒲花： 调经行血。

| 用法用量 | **石菖蒲：** 内服煎汤，3 ~ 6 g，鲜品加倍；或入丸、散剂。外用适量，煎汤洗；或研末调敷。

石菖蒲花： 内服煎汤，1.5 ~ 3 g。

天南星科 Araceae 广东万年青属 *Aglaonema*

广东万年青 *Aglaonema modestum* Schott ex Engl.

|药 材 名| 广东万年青（药用部位：根茎、茎叶）。

|形态特征| 多年生常绿草本。茎直立或上升，高 40 ~ 70 cm，直径 1.5 cm；节间长 1 ~ 2 cm，上部节间短缩。鳞叶草质，披针形，长 7 ~ 8 cm，先端长渐尖，基部扩大抱茎；叶柄长 5 ~ 20 cm，1/2 以上具鞘；叶片深绿色，卵形或卵状披针形，长 15 ~ 25 cm，宽 10 ~ 13 cm，不等侧，先端渐尖头长 2 cm，基部钝或呈宽楔形，侧脉 4 ~ 5 对，在表面常下凹，在背面隆起。花序梗纤细，长 10 ~ 12.5 cm；佛焰苞长 5.5 ~ 7 cm，宽 1.5 cm，长圆状披针形，基部下延，先端长渐尖；肉穗花序长为佛焰苞的 2/3，具长 1 cm 的梗，圆柱形，细长，先端渐尖；雄花序长 2 ~ 3 cm，直径 3 ~ 4 mm，雄蕊先端呈四方形，

花药每室具（1 ~ ）2 圆形顶孔；雌花序长 5 ~ 7.5 mm，直径 5 mm，雌蕊近球形，上部收缩为短的花柱，柱头盘状。浆果绿色至黄红色，长圆形，长 2 cm，直径 8 mm，冠以宿存的柱头；种子 1，长圆形，长 1.7 cm。花期 5 月，果期 10 ~ 11 月。

| 生境分布 | 栽培于庭院、公园。湖南各地均有分布。

| 资源情况 | 栽培资源丰富。药材来源于栽培。

| 采收加工 | 根茎，秋后采收，鲜用或切片晒干。茎叶，夏末采收，鲜用或切段晒干。

| 功能主治 | 辛、微苦，寒；有毒。清热凉血，消肿拔毒，止痛。用于咽喉肿痛，白喉，肺热咳嗽，吐血，热毒下血，疮疡肿毒，蛇犬咬伤。

| 用法用量 | 内服煎汤，6 ~ 15 g。外用适量，捣汁含漱；或捣敷；或煎汤洗。

天南星科 Araceae 海芋属 *Alocasia*

尖尾芋 *Alocasia cucullata* (Lour.) Schott

| 药 材 名 | 尖尾芋（药用部位：根茎）。

| 形态特征 | 直立草本。地上茎圆柱形，直径 3 ~ 6 cm，黑褐色，具环形叶痕，自基部伸出多数短缩的芽条，发出新枝，呈丛生状。叶柄绿色，长 25 ~ 30（~ 80）cm，自中部至基部强烈扩大成宽鞘；叶片膜质至亚革质，深绿色，背面色稍淡，宽卵状心形，先端骤狭，具凸尖，长 10 ~ 16（~ 40）cm，宽 7 ~ 18（~ 28）cm，基部圆形；中肋和一级侧脉较粗，侧脉 5 ~ 8 对，其中下部 2 对自中肋基部发出，下倾，然后弧曲上升。花序梗圆柱形，稍粗壮，常单生，长 20 ~ 30 cm；佛焰苞近肉质，管部长圆状卵形，淡绿色至深绿色，长 4 ~ 8 cm，直径 2.5 ~ 5 cm，檐部狭舟状，边缘内卷，先端具狭长凸尖，长

5 ~ 10 cm，宽 3 ~ 5 cm，外面上部淡黄色，下部淡绿色；肉穗花序较佛焰苞短，长约 10 cm；雌花序长 1.5 ~ 2.5 cm，圆柱形，基部斜截形，中部直径 7 mm；不育雄花序长 2 ~ 3 cm，直径约 3 mm，能育雄花序近纺锤形，长 3.5 cm，中部直径 8 mm，苍黄色、黄色；附属器淡绿色、黄绿色，狭圆锥形，长约 3.5 cm，下部直径 6 mm。浆果近球形，直径 6 ~ 8 mm；种子通常 1。花期 5 月。

| 生境分布 | 生于溪谷湿地、田边。分布于湖南永州（道县）、怀化（通道）等。

| 资源情况 | 野生资源稀少。药材来源于野生。

| 采收加工 | 全年均可采收，剥去外层粗皮，鲜用或切片晒干。

| 功能主治 | 辛、微苦，寒；有大毒。清热解毒，消肿止痛。用于钩端螺旋体病，伤寒，肺结核，支气管炎；外用于毒蛇咬伤，毒蜂螫伤，蜂窝织炎。

| 用法用量 | 内服煎汤，3 ~ 9 g。外用适量，鲜品捣敷。

天南星科 Araceae 海芋属 *Alocasia*

海芋 *Alocasia macrorrhiza* (L.) Schott

| 药材名 | 海芋（药用部位：根茎、茎）。

| 形态特征 | 大型常绿草本，具匍匐根茎。地上茎直立。茎高各异，有的高不及 10 cm，有的高 3 ~ 5 m，直径 10 ~ 30 cm，基部具不定芽条。叶柄绿色或污紫色，螺旋状排列，粗厚，长可达 1.5 m，基部连鞘宽 5 ~ 10 cm；叶片箭状卵形，边缘波状，长 50 ~ 90 cm，宽 40 ~ 90 cm，后裂片 1/10 ~ 1/5 连合，前裂片三角状卵形，先端锐尖，长大于宽，一级侧脉 9 ~ 12 对，下部的粗如手指，向上渐狭，后裂片多少圆形，后基脉交互成约 90° ；叶柄和中肋黑色、褐色或白色。花序梗 2 ~ 3 丛生，圆柱形，长 12 ~ 60 cm，通常绿色，有时污紫色；佛焰苞管部绿色，长 3 ~ 5 cm，直径 3 ~ 4 cm，卵形或短椭圆形，

檐部蕾时绿色，花时黄绿色、绿白色，凋萎时黄色或白色，舟状，先端喙状，长 10 ~ 30 cm；肉穗花序芳香；雌花序白色，长 2 ~ 4 cm；不育雄花序绿白色，长 2.5 ~ 6 cm，能育雄花序淡黄色，长 3 ~ 7 cm；附属器淡绿色至乳黄色，圆锥形，长 3 ~ 5.5 cm，直径 1 ~ 2 cm，具不规则的槽纹。浆果红色，卵状，长 8 ~ 10 mm，直径 5 ~ 8 mm；种子 1 ~ 2。

| 生境分布 | 生于海拔 1 700 m 以下的山野间。分布于湘中、湘东、湘南、湘西南、湘北等。

| 资源情况 | 野生资源一般。药材来源于野生。

| 采收加工 | 全年均可采收，除去外皮，切片，清水浸漂 5 ~ 7 天，勤换水，取出后鲜用或晒干。

| 药材性状 | 本品多横切成片，类圆形或长椭圆形，常卷曲成各种形态，直径 6 ~ 10 cm，厚 2 ~ 3 cm。表面棕色或棕褐色。质轻，易折断，断面白色或黄白色，颗粒性。气微，味淡，嚼之麻舌而刺喉。

| 功能主治 | 辛，寒；有毒。清热解毒，行气止痛，散结消肿。用于流行性感冒，腹痛，肺结核，风湿骨痛，疔疮，痈疽肿毒，瘰疬，附骨疽，斑秃，疥癣，蛇虫咬伤。

| 用法用量 | 内服煎汤，3 ~ 9 g，鲜品 15 ~ 30 g。外用适量，捣敷；或焙贴；或煨热擦。

| 附　　注 | 本种的拉丁学名在 FOC 中被修订为 *Alocasia odora* (Roxburgh) K. Koch。

天南星科 Araceae 磨芋属 *Amorphophallus*

南蛇棒 *Amorphophallus dunnii* Tutcher

| 药材名 |

南蛇棒（药用部位：块茎）。

| 形态特征 |

块茎扁球形，厚 2 ~ 8 cm，直径 4.5 ~ 13 cm，顶部扁平，几不下凹，密生具分枝的肉质根。鳞叶多数，线形，膜质，内面的长 10 cm，宽 1 cm；叶柄长 50 ~ 90 cm，直径 1 cm，干时绿白色，具暗绿色小块斑点；叶片 3 全裂，裂片在距基部 10 cm 以上处 2 次分叉，小裂片互生，长 7 ~ 8 cm，宽 3 ~ 4 cm，先端骤狭渐尖，基部楔形，顶生 2 小裂片倒披针形或披针形，先端锐尖，基部楔形，一侧下延，长 14 ~ 18 cm，宽 3 ~ 6 cm，表面绿色，背面淡绿色。花序梗长 23 ~ 60 cm，颜色同叶柄；佛焰苞绿色、浅绿白色，长卵形或椭圆形，长 12 ~ 26 cm，宽 14 cm，下部席卷，上部呈舟状展开；肉穗花序短于佛焰苞，长 8 ~ 19 cm；雌花序长约 2 cm，直径 1 ~ 3 cm，基部稍狭，子房倒卵形，长 1 ~ 2.5 mm，先端渐狭为长 0.3 ~ 0.5 mm 的花柱，柱头盘状；雄花序长 1.4 ~ 4.5 cm，直径约 2 cm，花药无柄，圆柱形，长 1 mm；附属器长圆锥形或纺锤形，绿色、黄白色，长 4.5 ~ 14 cm，中下部直径

1.5 ~ 6 cm，中部以上渐狭，先端钝圆。浆果蓝色；种子黑色。花期 3 ~ 4 月，果实 7 ~ 8 月成熟。

| 生境分布 | 生于海拔 200 ~ 800 m 的路边或林下湿地。分布于湘中、湘东、湘北、湘南等。

| 资源情况 | 野生资源一般。药材来源于野生。

| 采收加工 | 采挖后剪去叶片和须根，洗净，干燥。

| 药材性状 | 本品呈扁球形，顶部扁平，具肉质根。

| 功能主治 | 消肿散结，解毒止痛。外用于小儿麻痹后遗症。

| 用法用量 | 内服煎汤。外用适量。

天南星科 Araceae 磨芋属 *Amorphophallus*

磨芋 *Amorphophallus rivieri* Durieu

| 药 材 名 |

魔芋（药用部位：块茎）。

| 形态特征 |

多年生草本。块茎扁球形，直径 7.5 ~ 25 cm，顶部中央多少下凹，暗红褐色，颈部周围具多数肉质根及纤维状须根。叶柄长 45 ~ 150 cm，基部直径 3 ~ 5 cm，黄绿色，光滑，具绿褐色或白色斑块；基部膜质鳞叶 2 ~ 3，披针形，内面的渐长大，长 7.5 ~ 20 cm；叶片绿色，3 裂，一次裂片具长 50 cm 的柄，小裂片长 2 ~ 8 cm，长圆状椭圆形，先端骤狭渐尖，基部宽楔形，外侧下延成翅状；侧脉多数，纤细，平行，近边缘联结为集合脉。花序梗长 50 ~ 70 cm，直径 1.5 ~ 2 cm，色泽同叶柄；佛焰苞漏斗形，长 20 ~ 30 cm，基部席卷，管部长 6 ~ 8 cm，宽 3 ~ 4 cm，苍绿色，杂以暗绿色斑块，边缘紫红色，檐部长 15 ~ 20 cm，宽约 15 cm，心状圆形，锐尖，边缘折波状，外面绿色，内面深紫色；肉穗花序比佛焰苞长 1 倍；雌花序圆柱形，长约 6 cm，直径 3 cm，紫色，子房长约 2 mm，苍绿色或紫红色，2 室，花柱与子房近等长，柱头边缘 3 裂；雄花序紧接，长 8 cm，直径 2 ~ 2.3 cm，花丝长 1 mm，宽 2 mm，花药长 2 mm；附属器长圆锥形，长 20 ~ 25 cm，中空，深紫色。浆果球形或扁球形，成熟时黄绿色。花期 4 ~ 6 月，果实 8 ~ 9 月成熟。

| 生境分布 | 生于疏林下、林缘或溪谷两旁的湿润土地中。栽培于园地、山坡。湖南各地均有分布。

| 资源情况 | 野生资源丰富。栽培资源丰富。药材来源于野生和栽培。

| 采收加工 | 10 ~ 11 月采收，洗净，鲜用或切片晒干。

| 药材性状 | 本品呈扁圆形，切面灰白色，具多数细小维管束小点，周边暗红褐色，具细小圆点及根痕。质坚硬，粉性。嚼之微有麻舌感。

| 功能主治 | 辛、苦，寒；有毒。化痰消积，解毒散结，行瘀止痛。用于咳嗽，积滞，疟疾，瘰疬，癥瘕，跌打损伤，痈肿，疔疮，丹毒，烫火伤，蛇咬伤。

| 用法用量 | 内服煎汤，9 ~ 15 g，久煎 2 小时以上。外用适量，捣敷；或磨醋涂。

| 附　　注 | 本种的拉丁学名在 FOC 中被修订为 *Amorphophallus konjac* K. Koch。

天南星科 Araceae 磨芋属 *Amorphophallus*

疏毛磨芋 *Amorphophallus sinensis* Belval

| 药 材 名 | 蛇头草（药用部位：块茎）。

| 形态特征 | 块茎扁球形，直径 3 ~ 20 cm。鳞叶 2，卵形、披针状卵形，具青紫色、淡红色斑块；叶柄长可达 1.5 m，光滑，绿色，具白色斑块；叶片 3 裂，第一次裂片二叉分枝，最后羽状深裂，小裂片卵状长圆形，先端渐尖，长 6 ~ 10 cm，宽 3 ~ 3.5 cm。花序梗长 25 ~ 45 cm，光滑，绿色，具白色斑块；佛焰苞长 15 ~ 20 cm，管部席卷，外面绿色，具白色斑块，内面暗青紫色，基部具疣皱，长 6 ~ 8 cm，直径 1 ~ 2 cm，檐部展开成斜漏斗状，边缘波状，膜质，长渐尖，直立，后外仰，外面淡绿色，内面淡红色，边缘带杂色，两面均具白色圆形斑块，长 12 ~ 15 cm，展平后宽 9 ~ 10 cm；肉穗花序长 10 ~ 22 cm；雌

花序长 2 ~ 3 cm，直径 1 ~ 1.2 cm，子房球形，花柱不存在，柱头不明显地浅裂，2 室；雄花序长 3 ~ 4 cm，直径 0.7 ~ 1.2 cm，雄蕊 3 ~ 4，药隔外凸；附属器长圆锥形，长 7 ~ 14 cm，直径 0.8 ~ 1.8 cm，长常为花序的 2 倍，深青紫色，散生长约 10 mm 的紫色硬毛。浆果红色，后变蓝色。花期 5 月。

| 生境分布 | 生于海拔 800 m 以下的山谷、林下、灌丛中。分布于湖南永州（道县）等。

| 资源情况 | 野生资源稀少。药材来源于野生。

| 采收加工 | 10 ~ 11 月采收，洗净，鲜用或切片晒干。

| 药材性状 | 本品呈扁球形，直径 3 ~ 20 cm。

| 功能主治 | 辛，温；有毒。消肿散结，解毒止痛，化痰。用于痈疖肿毒，毒蛇咬伤，丹毒，烫火伤，跌打损伤，恶性肿瘤。

| 用法用量 | 内服煎汤，9 ~ 15 g，久煎 2 小时以上。外用适量，捣敷；或磨醋涂。

天南星科 Araceae 磨芋属 *Amorphophallus*

滇磨芋 *Amorphophallus yunnanensis* Engl.

| 药 材 名 | 滇磨芋（药用部位：块茎）。

| 形态特征 | 块茎球形，顶部下凹，直径 4 ~ 7 cm，密生肉质须根。叶单生，无毛；叶柄长可达 1 m，绿色，具绿白色斑块；叶片 3 全裂，裂片 2 歧羽状分裂，下部小裂片长 5 ~ 7.5 cm，宽 3 ~ 5.5 cm，椭圆形或披针形，顶生小裂片长 15 ~ 25 cm，宽 5.5 ~ 7.5 cm，披针形，先端锐尖，基部一侧下延 4 ~ 8 mm。花序梗长 25 ~ 40 cm，直径 1 cm，绿褐色，具绿白色斑块，基部的鳞叶卵形、披针形至线形，最外面的鳞叶长 4 ~ 5 cm，宽 4 cm，内面的鳞叶渐长，长达 30 cm，先端锐尖，膜质，绿色，具斑纹；佛焰苞干时膜质至纸质，长 15 ~ 18 cm，直径 3 ~ 5 cm，展平后宽 7 ~ 11 cm，卵形或披针形，先端锐尖，微

弯，具绿白色斑点；肉穗花序远短于佛焰苞，长 6.8 ~ 9 cm，具长 0.5 ~ 1.3 cm 的梗或无梗；雌花序长 15 ~ 35 mm，直径 15 ~ 20 mm，绿色，子房球形，花柱长 1.5 mm，柱头点状；雄花序长 15 ~ 40 mm，直径 12 ~ 23 mm，圆柱形或椭圆形，白色；花丝分离，极短，花药长 2 ~ 5 mm，倒卵状长圆形，顶部平截，肾形，宽 1.5 mm；附属器长 38 ~ 50 mm，直径 16 ~ 25 mm，近圆柱形或三角状卵圆形，乳白色或幼时绿白色。花期 4 ~ 5 月。

| 生境分布 | 生于山坡林下或荒地草坡。分布于湖南怀化（麻阳）、湘西州（古丈、永顺）、益阳（安化）等。

| 资源情况 | 野生资源较少。药材来源于野生。

| 采收加工 | 采挖后剪去叶片和须根，洗净，干燥。

| 药材性状 | 本品呈球形，顶部下凹，直径 4 ~ 7 cm，具肉质须根。

| 功能主治 | 用于疮疡，瘰疬，红斑狼疮，蛇咬伤。

| 用法用量 | 内服煎汤。外用适量。

天南星科 Araceae 雷公连属 *Amydrium*

雷公连 *Amydrium sinense* (Engl.) H. Li

| 药 材 名 | 雷公药（药用部位：全株。别名：下山虎）。

| 形态特征 | 附生藤本。茎较细弱，直径 3 ~ 5 mm，借肉质气生根紧贴于树干上；节间长 3 ~ 5 cm。叶柄上面具槽，基部扩大，长 8 ~ 15 cm，上部具长约 1 cm 的关节，叶柄鞘达关节，呈撕裂状脱落；叶片革质，表面亮绿色，背面黄绿色，镰状披针形，全缘，基部宽楔形至近圆形，长 13 ~ 23 cm，宽 5 ~ 8 cm，一侧宽常为另一侧的 2 倍，中肋在表面平坦，在背面隆起，侧脉与中肋成 30° 斜伸，后弧形上升，边缘连接，细脉网状。花序梗淡绿色，长 5.5 cm；佛焰苞肉质，蕾时绿色，席卷成纺锤形，先端渐尖，长 7 cm，中部直径 2.2 cm，盛花时展开成短舟状，近卵圆形，长 8 ~ 9 cm，黄绿色至黄色；花两性；

子房顶部五边形至六边形，柱头无柄；花丝基部宽，药隔线形，药室长圆形，自顶部外向纵裂。浆果绿色，成熟时黄色、红色，味臭；种子 1 ~ 2，棕褐色，倒卵状肾形，长约 2 mm，腹面扁平。花期 6 ~ 7 月，果期 7 ~ 11 月。

| 生境分布 | 生于海拔 550 ~ 1 100 m 的常绿阔叶林中，常附生于树干或石崖上。分布于湖南永州（道县）、怀化（通道）、湘西州（永顺）等。

| 资源情况 | 野生资源稀少。药材来源于野生。

| 采收加工 | 全年均可采收，鲜用或切片晒干。

| 药材性状 | 本品茎较细弱，直径 3 ~ 5 mm，节间长 3 ~ 5 cm。叶片呈镰状披针形，长 13 ~ 23 cm，宽 5 ~ 8 cm。种子呈倒卵状肾形。

| 功能主治 | 辛、微苦，凉。舒筋活络，祛瘀止痛。用于风湿麻痹，心绞痛，骨折，跌打损伤。

| 用法用量 | 内服煎汤，9 ~ 15 g。

天南星科 Araceae 天南星属 *Arisaema*

刺柄南星 *Arisaema asperatum* N. E. Brown

| 药 材 名 |

绿南星（药用部位：块茎）。

| 形态特征 |

多年生草本。块茎扁球形，直径约 3 cm。鳞叶宽线状披针形，内面的长 15 ~ 20 cm，带紫红色。叶柄长 30 ~ 50 cm，密被乳突状白色弯刺，基部 5 cm 呈鞘筒状，鞘上缘斜截形，直径 2 cm；叶 1，叶片 3 全裂，裂片无柄，中裂片宽倒卵形，先端微凹，具细尖头，基部楔形，长 16 ~ 23 cm，宽 18 ~ 27 cm，侧裂片菱状椭圆形，长 17 ~ 28 cm，宽 15 ~ 22 cm，中肋背面具白色弯刺，幼株叶片边缘深波状，叶柄和叶裂片中肋背面无刺或具极稀疏的弯刺。花序梗长 25 ~ 60 cm，具疣，粗糙；佛焰苞暗紫黑色，具绿色纵纹，管部圆柱形，长 5 ~ 6 cm，喉部无耳，不外卷，檐部倒披针形或卵状披针形，先端渐尖，近直立，长 8 ~ 12 cm；肉穗花序单性；雄花序圆柱形，长约 3 cm，雄花具短柄，花药 2 ~ 3，黄色，药室扁圆球形，汇合，顶部马蹄形开裂；雌花序圆锥状，长 2 ~ 3 cm，子房圆柱形，柱头盘状，近无柄；各附属器圆柱形，长 6.5 ~ 9 cm，基部骤然增粗 2.5 ~ 4 mm，基底截形，具长 3 ~ 5 mm

的柄，向上渐狭，伸出喉外，近直立。花期 5 ~ 6 月。

| 生境分布 | 生于海拔 1 300 ~ 2 000 m 的干山坡、灌丛中或林下阴湿处。分布于湖南怀化（洪江）等。

| 资源情况 | 野生资源稀少。药材来源于野生。

| 采收加工 | 秋季或春季生叶前采挖，洗净，鲜用或晒干。

| 药材性状 | 块茎扁圆形，表面棕色，周围麻点状根痕细小，周边具较多凸出的侧芽。气微，嚼之微麻舌。

| 功能主治 | 辛，温。祛痰，止咳，镇痛。用于劳伤；外用于疥疮，痈疽。

| 用法用量 | 内服煎汤，2.5 ~ 4.5 g。外用适量，捣敷。

天南星科 Araceae 天南星属 *Arisaema*

云台南星 *Arisaema du-bois-reymondiae* Engl.

| 药 材 名 | 云台南星（药用部位：块茎）。

| 形态特征 | 多年生草本。块茎球形，小。鳞叶先端扩展，微缺，具小尖头，长 10 ~ 17 cm。叶柄长 20 ~ 29 cm，下部具鞘；叶 2，叶片鸟足状分裂，裂片 9，倒披针形，先端骤狭渐尖，全缘，基部渐狭，长 9 ~ 10 cm，宽 3 ~ 4 cm，中裂片具长 3 ~ 10 mm 的柄，侧裂片无柄，较小。花序梗短于叶柄，与叶鞘等长或稍长；佛焰苞紫色，檐部内面具白色条纹，管部长 5 ~ 7.5 cm，檐部长 5 ~ 7.5 cm，宽 3 ~ 4 cm，长圆状椭圆形，先端短渐尖；肉穗花序长 2.5 cm；附属器长 8 cm，直立，棒状，基部具柄，散生长 5 mm 的线形中性花，先端浑圆，直径 4 ~ 5 mm，下部纺锤形。

生境分布 生于海拔 1 800 m 以下的山坡、林下、林缘、灌木、竹林中。分布于湘南，以及邵阳（绥宁）、怀化（中方）等。

资源情况 野生资源稀少。药材来源于野生。

采收加工 采收后剪去叶片和须根，洗净，干燥。

药材性状 本品呈球形，体型偏小。

功能主治 用于肺痈咳嗽；外用于无名肿毒初起，面神经麻痹，毒蛇咬伤，神经性皮炎。

用法用量 内服煎汤。外用适量。

天南星科 Araceae 天南星属 *Arisaema*

一把伞南星 *Arisaema erubescens* (Wall.) Schott

| 药 材 名 |

天南星（药用部位：块茎）。

| 形态特征 |

多年生草本。块茎扁球形，直径可达 6 cm，表皮黄色，有时淡红紫色。鳞叶绿白色、粉红色，具紫褐色斑纹。叶柄长 40 ~ 80 cm，中部以下具鞘，鞘粉绿色，上部绿色，有时具褐色斑块；叶 1，极稀 2，叶片放射状分裂，裂片无定数，幼株裂片 3 ~ 4，多年生植株裂片多至 20，常 1 裂片上举，其余裂片呈放射状平展，披针形、长圆形至椭圆形，无柄，长 6 ~ 24 cm，宽 6 ~ 35 mm，先端长渐尖，具线形长尾或无长尾。花序梗于果时下弯或否；佛焰苞绿色，背面具白色或淡紫色条纹；雄肉穗花序花密，雄花淡绿色至暗褐色，雄蕊 2 ~ 4，附属器下部光滑；雌花序附属器棒状或圆柱形。果序柄下弯或直立；浆果红色；种子 1 ~ 2，球形，淡褐色。花期 5 ~ 7 月，果实 9 月成熟。

| 生境分布 |

生于海拔 100 ~ 2 000 m 的林下、灌丛阴湿地、草坡、荒地。湖南各地均有分布。

资源情况 野生资源丰富。药材来源于野生。

采收加工 10 月采挖，撞去表皮，洗净，晒干或烘干。

药材性状 本品呈扁圆球形，直径 2 ~ 5.5 cm。先端较平，中心茎痕微浅凹，四周具叶痕形成的环纹，周围具大的麻点状根痕，不明显，周边无小侧芽。表面淡黄色至淡棕色，质坚硬，断面白色，粉性。气微，味辣，嚼之有麻舌感。

功能主治 苦、辛，温；有毒。归肺、肝、脾经。祛风解痉，化痰散结。用于中风痰壅，口眼㖞斜，半身不遂，手足麻木，风痰眩晕，癫痫，惊风，破伤风，咳嗽痰多，痈肿，瘰疬，跌打损伤，毒蛇咬伤。

用法用量 内服煎汤，3 ~ 9 g，一般炮制后用；或入丸、散剂。外用适量，研末，以醋或酒调敷。

天南星科 Araceae 天南星属 *Arisaema*

象头花 *Arisaema franchetianum* Engl.

| 药材名 |

象头花（药用部位：块茎）。

| 形态特征 |

多年生草本。块茎扁球形，直径 1 ~ 6 cm，具多数小球茎，肉红色。鳞叶 2 ~ 3；叶 1，幼株叶片心状箭形，全缘，两侧基部近圆形，成年植株叶片近革质，3 全裂，裂片近无柄，中裂片卵形、宽椭圆形或近倒卵形，长 7 ~ 23 cm，全缘；叶柄长 20 ~ 50 cm，肉红色，下部 1/5 ~ 1/4 鞘状。花序梗长 10 ~ 15 cm，肉红色，果期下弯；佛焰苞污紫色或深紫色，具白色或绿白色宽条纹，管部长 4 ~ 6 cm，圆筒形，喉部边缘反卷，檐部盔状，长 4.5 ~ 11 cm，具线状尾尖，下垂；雄肉穗花序紫色，长圆锥形，长 1.5 ~ 4 cm，花疏，雄花具粗短梗，花药 2 ~ 5，药室球形，顶孔开裂，附属器绿紫色，圆锥形，长 3.5 ~ 6 cm，向下渐窄成短柄，中部以下下弯，有时弯成圆圈，稀近直立；雌花序圆柱形，长 1.2 ~ 3.8 cm，花密，子房绿紫色，顶部近五角形，柱头凸起，胚珠 2，近纺锤形，白色。浆果红色，倒圆锥形，长约 1.2 cm；种子 1 ~ 2，种皮淡褐色，骨质，泡沫状。

生境分布 生于海拔 960 ~ 2 000 m 的林下、灌丛、沟边及田间阴湿草丛中。分布于湖南张家界（武陵源）、郴州（嘉禾）等。

资源情况 野生资源稀少。药材来源于野生。

采收加工 夏季采挖，洗净，鲜用或切片晒干。

药材性状 本品扁平，直径 1 ~ 6 cm，主块茎周边着生多数凸起的小侧芽，略似爪。表面深棕色。质坚硬，角质。气微，味微辛、麻。

功能主治 辛，温；有大毒。散瘀解毒，消肿止痛。用于食积胃痛，乳痈，瘰疬，无名肿痛，毒蛇咬伤。

用法用量 内服适量，浸酒。外用适量，捣敷。

天南星科 Araceae 天南星属 *Arisaema*

天南星 *Arisaema heterophyllum* Blume

|药材名|

天南星（药用部位：块茎）。

|形态特征|

多年生草本。块茎扁球形，直径 2 ~ 4 cm。鳞叶 4 ~ 5。叶 1，叶片鸟足状分裂，裂片 13 ~ 19，倒披针形、长圆形或线状长圆形，先端骤窄渐尖，全缘，暗绿色，下面淡绿色，中裂片无柄或具长 1.5 cm 的柄，长 3 ~ 15 cm，侧裂片长 7.7 ~ 31 cm，向外渐小，排成蝎尾状；叶柄圆柱形，粉绿色，长 30 ~ 50 cm，下部 3/4 呈鞘筒状，鞘端斜截形。花序梗长 30 ~ 55 cm；佛焰苞管部圆柱形，长 3.2 ~ 8 cm，粉绿色，喉部平截，外缘稍外卷，檐部卵形或卵状披针形，长 4 ~ 9 cm，下弯成近盔状，背面深绿色、淡绿色或淡黄色，先端骤窄渐尖；肉穗花序两性，下部雌花序长 1 ~ 2.2 cm，雌花球形，花柱明显，柱头小，胚珠 3 ~ 4，上部雄花序长 1.5 ~ 3.2 cm，多数不育，有的为钻形中性花；雄花序单性，长 3 ~ 5 cm，雄花具梗，花药 2 ~ 4，白色，顶孔横裂；附属器基部直径 0.5 ~ 1.1 cm，苍白色，向上细，长 10 ~ 20 cm，至佛焰苞喉部上升。浆果黄红色、红色，圆柱形，长约 5 mm；种子 1，

棒头状，黄色，具红色斑点。花期 4 ~ 5 月，果期 7 ~ 9 月。

| 生境分布 | 生于灌丛、草地及林下。湖南各地均有分布。

| 资源情况 | 野生资源丰富。栽培资源丰富。药材来源于野生和栽培。

| 采收加工 | 10 月采挖，除去泥土、茎叶、须根，刮净表皮，洗净，用硫黄熏至色白，晒干。

| 药材性状 | 本品呈扁球形，表面类白色或淡棕色，较光滑，先端具凹陷的茎痕，周围具 1 圈 1 ~ 3 列显著的根痕，周边偶具少数微凸起的小侧芽。气微，味辣，嚼之有麻舌感。

| 功能主治 | 苦、辛，温；有毒。归肺、肝、脾经。祛风解痉，化痰散结。用于中风痰壅，口眼㖞斜，半身不遂，手足麻木，风痰眩晕，癫痫，惊风，破伤风，咳嗽痰多，痈肿，瘰疬，跌打损伤，毒蛇咬伤。

| 用法用量 | 内服煎汤，3 ~ 9 g，一般炮制后用；或入丸、散剂。外用适量，研末，以醋或酒调敷。

天南星科 Araceae 天南星属 *Arisaema*

湘南星 *Arisaema hunanense* Hand.-Mazz.

| 药 材 名 |

湘南星（药用部位：块茎）。

| 形态特征 |

块茎扁球形，直径 2 cm。鳞叶膜质，线状披针形，内面的长 10 ~ 15 cm。叶柄长 45 ~ 55 cm，下部 1/2 具鞘；叶 2，叶片鸟足状分裂，裂片 7 ~ 9，倒披针形，长 10 ~ 25 cm，宽 2.5 ~ 6 cm，先端骤狭短渐尖，基部渐狭，中裂片具短柄，较侧裂片大，侧裂片无柄，间距 4 ~ 6 mm，侧脉脉距 4 ~ 6 mm，集合脉距边缘 3 ~ 5 mm。花序梗短于叶柄，伸出叶柄鞘 3 ~ 6 cm，较粗壮；佛焰苞干时内面淡红色，管部圆柱形，长 7 cm，上部直径 2 cm，喉部边缘稍外卷，檐部卵状披针形，先端长渐尖，长 6 cm；肉穗花序单性；雄花序长 1.5 cm；雌花序长 2.5 cm，子房椭圆形，长约 3 mm，花柱短，柱头小，画笔状；附属器无柄，长圆锥形，长 4 ~ 7 cm，中部直径 1 ~ 4.5 mm，向两头渐狭，上部弯曲外伸或近直立，先端外倾，雌花序附属器下部 1.5 cm 具长 4 ~ 5 mm 的钻形中性花或否，雄花序附属器光滑，常较短。花期 3 ~ 5 月。

| 生境分布 | 生于海拔 200 ~ 750 m 的林下及山谷阴湿地。分布于湘中、湘西南、湘南等。

| 资源情况 | 野生资源丰富。药材来源于野生。

| 功能主治 | 有毒。外用于疮疡肿毒。

天南星科 Araceae 天南星属 *Arisaema*

花南星 *Arisaema lobatum* Engl.

| 药 材 名 | 花南星（药用部位：块茎）。

| 形态特征 | 多年生草本。块茎近球形，直径 1 ~ 4 cm。叶 1 或 2，叶片 3 全裂，中裂片具长 1.5 ~ 5 cm 的柄，长圆形或椭圆形，长 8 ~ 22 cm，侧裂片无柄，长圆形，外侧宽为内侧的 2 倍，下部 1/3 具宽耳，长 5 ~ 23 cm；叶柄长 17 ~ 35 cm，下部 1/2 ~ 2/3 具鞘，黄绿色，具紫色斑块。花序梗与叶柄近等长，常较短；佛焰苞外面淡紫色，管部漏斗状，长 4 ~ 7 cm，上部直径 1 ~ 2.5 cm，喉部无耳，斜截形，略外卷或否，先端骤狭为檐部，檐部披针形，先端狭渐尖，长 4 ~ 7 cm，有时具长 2 ~ 3 cm 的尾尖，宽 2.5 ~ 3 cm，深紫色或绿色，下弯或垂立；肉穗花序单性；雄花序长 1.5 ~ 2.5 cm，花疏，雄花具短柄，

花药 2 ~ 3，药室卵圆形，青紫色，顶孔纵裂；雌花序圆柱形或近球形，长 1 ~ 2 cm，子房倒卵圆形，钝，柱头无柄；各附属器具长 6 mm 的细柄（直径约 1 mm），基部截形，直径 4 ~ 6 mm，向中部稍收缩，向上增粗成棒状，先端钝圆，长 4 ~ 5 cm，直立。浆果具种子 3。花期 4 ~ 7 月，果期 8 ~ 9 月。

| 生境分布 | 生于海拔 600 ~ 2 000 m 的山谷、林下、草坡或荒地。分布于湘中、湘东、湘南、湘西北等。

| 资源情况 | 野生资源一般。药材来源于野生。

| 采收加工 | 夏、秋季采挖，除去须根及茎叶，洗净，鲜用或晒干。

| 药材性状 | 本品呈扁圆形，幼时可见周围着生小块茎，长大后小块茎脱落而留有疤痕。表面深棕色。气微，味辛、麻，有毒。

| 功能主治 | 苦、辛，温；有毒。燥湿，化痰，祛风，消肿，散结。用于咳嗽痰多，中风口眼㖞斜，半身不遂，惊风，痈肿，毒蛇咬伤。

| 用法用量 | 内服煎汤，3 ~ 6 g，需炮制后用。外用适量，捣敷。

天南星科 Araceae 天南星属 *Arisaema*

灯台莲 *Arisaema sikokianum* Franch. var. *serratum* (Makino) Hand.-Mazt.

| 药 材 名 | 灯台莲（药用部位：块茎。别名：山苞米）。

| 形态特征 | 多年生草本。块茎扁球形，直径 2 ~ 3 cm。鳞叶 2，内面的披针形，膜质。叶柄长 20 ~ 30 cm，下面 1/2 呈鞘筒状，鞘筒上缘近平截；叶 2，叶片鸟足状 5 裂，裂片卵形、卵状长圆形或长圆形，全缘，中裂片具叶长 0.5 ~ 2.5 cm 的柄，长 13 ~ 18 cm，宽 9 ~ 12 cm，先端锐尖，基部楔形，侧裂片与中裂片相距 1 ~ 4 cm，大小与中裂片近相等，具短柄或无柄，外侧裂片无柄，较小，内侧基部楔形，外侧圆形或耳状，一级侧脉 8 ~ 10 对。花序梗略短于叶柄或与叶柄近等长；佛焰苞淡绿色至暗紫色，具淡紫色条纹，管部漏斗状，长 4 ~ 6 cm，上部直径 1.5 ~ 2 cm，喉部边缘近截形，无耳，檐部卵

状披针形至长圆状披针形，长 6 ~ 10 cm，宽 2.5 ~ 5.5 cm；肉穗花序单性；雄花序圆柱形，长 2 ~ 3 cm，直径 2 mm，花疏，雄花近无柄，花药 2 ~ 3，药室卵形，外向纵裂；雌花序近圆锥形，长 2 ~ 3 cm，下部直径 1 cm，花密，子房卵圆形，柱头小，圆形，胚珠 3 ~ 4；各附属器明显具细柄，直立，直径 4 ~ 5 mm，上部棒状或近球形。果序长 5 ~ 6 cm，圆锥形，下部直径 3 cm；浆果黄色，长圆锥形；种子 1 ~ 3，卵圆形，光滑，具柄。花期 5 月，果实 8 ~ 9 月成熟。

| 生境分布 | 生于海拔 200 ~ 1 500 m 的山坡林下或沟谷岩石上。湖南各地均有分布。

| 资源情况 | 野生资源丰富。药材来源于野生。

| 采收加工 | 夏、秋季采挖，除去茎叶及须根，洗净，鲜用或切片晒干。

| 功能主治 | 苦、辛，温；有毒。燥湿化痰，息风止痉，消肿止痛。用于痰湿咳嗽，风痰眩晕，癫痫，中风，口眼㖞斜，破伤风，痈肿，毒蛇咬伤。

| 用法用量 | 内服煎汤，3 ~ 6 g，需炮制后用。外用适量，捣敷；或研末，以醋调敷。

| 附　　注 | 本种的拉丁学名在 FOC 中被修订为 *Arisaema bockii* Engler。

天南星科 Araceae 天南星属 *Arisaema*

瑶山南星 *Arisaema sinii* Krause

| 药 材 名 | 瑶山南星（药用部位：块茎）。

| 形态特征 | 多年生草本。块茎小，扁球形，直径 1.5 ~ 2 cm，具多数细根。叶柄长 25 ~ 30 cm，直径 4 ~ 6 mm，具不规则的绿色斑块，基部具薄鞘；叶 1 ~ 2，叶片薄纸质，绿色，无毛，3 裂，中裂片卵形或卵状长圆形，先端狭长渐尖，基部渐狭，具短柄，长 12 ~ 15 cm，宽 7 ~ 7.5 cm，侧裂片斜卵形或卵状长圆形，先端长渐尖，基部不等侧，上侧斜钝，下侧圆形并稍下延，具短柄，长 10 ~ 14 cm，宽 6.5 ~ 7.5 cm，各裂片侧脉 10 ~ 12 对，与中肋成 70° ~ 75°，近边缘弧曲上升，连成细弱的集合脉。佛焰苞绿白色、白色，全长约 10 cm，管部席卷，直径 1.2 ~ 1.4 cm，喉部具浅耳，稍外卷，檐部

与管部近等长，先端狭渐尖；肉穗花序单性；雄花序狭圆锥形，长 2 ~ 2.5 cm，雄花无柄，花药 1 ~ 4，药室顶孔开裂；雌花序短圆柱形，子房无花柱，柱头圆形；附属器棒状或圆柱形，近直立，先端钝，基部狭，雌花序附属器常较长，基部散生少数线形中性花，有时夹杂少数雄花，雄花序附属器光滑或下部具少数钻形中性花。花期 5 ~ 6 月，果期 7 ~ 8 月。

| **生境分布** | 生于海拔 1 000 ~ 2 000 m 的林下或山谷阴湿处。分布于湖南郴州（嘉禾）、衡阳（常宁）等。

| **资源情况** | 野生资源稀少。药材来源于野生。

| **采收加工** | 采挖后剪去叶片和须根，洗净，干燥。

| **药材性状** | 本品呈扁球形，较小，具多数细根。

| **功能主治** | 辛，温；有毒。燥湿化痰，和胃健脾。外用于蛇虫咬伤。

| **用法用量** | 内服煎汤。外用适量。

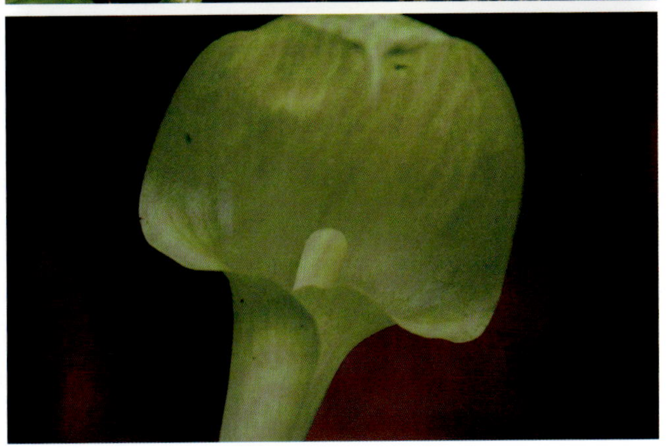

天南星科 Araceae 芋属 *Colocasia*

野芋 *Colocasia antiquorum* Schott

| 药材名 | 野芋（药用部位：块茎）、野芋叶（药用部位：叶）。

| 形态特征 | 湿生草本。块茎球形，具多数须根。匍匐茎常自块茎基部外伸，长或短，具小球茎。叶柄肥厚，直立，长可达 1.2 m；叶片薄革质，表面略发亮，盾状卵形，基部心形，长超过 50 cm，前裂片宽卵形，先端锐尖，宽略短于长，一级侧脉 4 ~ 8 对，后裂片卵形，钝，长约为前裂片的 1/2，2/3 ~ 3/4 连合甚至完全连合，基部弯缺为宽钝的三角形或圆形，基脉相交成 30° ~ 40°。花序梗较叶柄甚短；佛焰苞苍黄色，长 15 ~ 25 cm，管部淡绿色，长圆形，长为檐部的 1/5 ~ 1/2，檐部狭长，线状披针形，先端渐尖；肉穗花序短于佛焰苞；雌花序与不育雄花序等长，长 2 ~ 4 cm，子房具极短的花柱；能育雄花序与附属器长 4 ~ 8 cm。

| 生境分布 | 生于山谷林下阴湿处或水沟旁。湖南各地均有分布。

| 资源情况 | 野生资源丰富。药材来源于野生。

| 采收加工 | **野芋：**夏、秋季采挖，鲜用或切片晒干。

野芋叶：春、夏季采收，鲜用或晒干。

| 药材性状 | **野芋：**本品呈球形，具多数须根。

野芋叶：本品叶柄肥厚，长可达 1.2 m；叶片薄革质，盾状卵形，基部心形。

| 功能主治 | **野芋：**辛，寒；有大毒。清热解毒，散瘀消肿。用于疮痈肿毒，乳痈，颈淋巴结炎，痔疮，疥癣，跌打损伤，蛇虫咬伤。

野芋叶：辛，寒；有毒。清热解毒，消肿止痛。用于疔疮肿毒，蛇虫咬伤。

| 用法用量 | **野芋：**外用适量，捣敷；或磨汁涂。

野芋叶：外用适量，捣敷。

天南星科 Araceae 芋属 *Colocasia*

芋 *Colocasia esculenta* (L.) Schott

| 药 材 名 | 芋头（药用部位：根茎）、芋叶（药用部位：叶）、芋梗（药用部位：叶柄）、芋头花（药用部位：花序）。

| 形态特征 | 一年生或多年生湿生草本。块茎通常卵形，常具多数小球茎。叶柄长于叶片，长 20 ~ 90 cm，绿色；叶 2 ~ 3 或更多，叶片卵状，长 20 ~ 50 cm，先端短尖或短渐尖，侧脉 4 对，斜伸至叶缘，后裂片浑圆，1/3 ~ 1/2 合生，弯缺较钝，深 3 ~ 5 cm，基脉相交成 30°，外侧脉 2 ~ 3，内侧脉 1 ~ 2，不明显。花序梗常单生，短于叶柄；佛焰苞长短不一，一般约 20 cm，管部绿色，长约 4 cm，直径 2.2 cm，长卵形，檐部披针形或椭圆形，长约 17 cm，展开成舟状，边缘内卷，淡黄色至绿白色；肉穗花序长约 10 cm，短于佛焰苞；雌花序

长圆锥状，长 3 ~ 3.5 cm，下部直径 1.2 cm；中性花序长 3 ~ 3.3 cm，细圆柱状；雄花序圆柱形，长 4 ~ 4.5 cm，直径 7 mm，先端骤狭；附属器钻形，长约 1 cm，直径不及 1 mm。花期 2 ~ 4 月、8 ~ 9 月。

| 生境分布 | 生于岗地、低山。栽培于田边、沟边。湖南各地均有分布。

| 资源情况 | 野生资源丰富。栽培资源丰富。药材来源于野生和栽培。

| 采收加工 | **芋头：** 秋季采挖，除去须根及地上部分，洗净，鲜用或晒干。

芋叶： 7 ~ 8 月采收，鲜用或晒干。

芋梗： 8 ~ 9 月采收，除去叶片，洗净，鲜用或切段晒干。

芋头花： 花开时采收，鲜用或晒干。

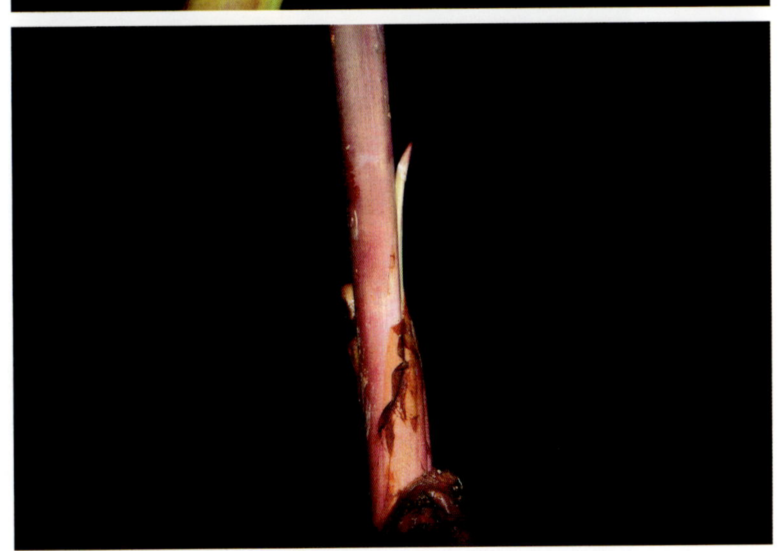

| 药材性状 | **芋头：**本品呈椭圆形、卵圆形或圆锥形，大小不一，有的先端具顶芽。外表面褐黄色或黄棕色，具不规则的纵沟纹及点状环纹，环节上具多数毛须或连成片状，外皮栓化，易撕裂。横切面类白色或青白色，有黏性，质硬。气特异，味甘、微涩，嚼之有黏性。

芋叶：本品为不规则碎片，上表面黑绿色，下表面灰白色。质碎。气微，味微涩。

| 功能主治 | **芋头：**甘、辛，平。归胃经。健脾补虚，散结解毒。用于脾胃虚弱，纳少乏力，消渴，瘰疬，腹中痞块，无名肿毒，赘疣，鸡眼，疥癣，烫火伤。

芋叶：辛、甘，平。止泻，敛汗，消肿，解毒。用于泄泻，自汗，盗汗，痈疽肿毒，黄水疮，蛇虫咬伤。

芋梗：辛，平。祛风，利湿，解毒，化瘀。用于荨麻疹，过敏性紫癜，泄泻，痢疾，小儿盗汗，黄水疮，无名肿毒，蛇头疔，蜂螯伤。

芋头花：辛，平；有毒。理气止痛，散瘀止血。用于气滞胃痛，噎膈，吐血，子宫脱垂，小儿脱肛，内、外痔，鹤膝风。

| 用法用量 | **芋头：**内服煎汤，60 ~ 120 g；或入丸、散剂。外用适量，捣敷；或醋磨涂。

芋叶：内服煎汤，15 ~ 30 g，鲜品 30 ~ 60 g。外用适量，捣汁涂；或捣敷。

芋梗：内服煎汤，15 ~ 30 g。外用适量，捣敷；或研末敷。

芋头花：内服煎汤，15 ~ 30 g。外用适量，捣敷。

天南星科 Araceae 芋属 *Colocasia*

大野芋 *Colocasia gigantea* (Blume) Hook. f.

| 药 材 名 | 大野芋（药用部位：全草或块茎）。

| 形态特征 | 多年生常绿草本。根茎倒圆锥形，直径 3 ~ 5(~ 9) cm，长 5 ~ 10 cm，直立。叶柄淡绿色，具白粉，长可达 1.5 m，下部 1/2 鞘状，闭合；叶丛生，叶片长圆状心形、卵状心形，长可达 1.3 m，宽可达 1 m，有时更大，边缘波状，后裂片圆形，裂弯开展。花序梗近圆柱形，常 5 ~ 8 并列于同一叶柄鞘内，先后抽出，长 30 ~ 80 cm，直径 1 ~ 2 cm，每花序梗围以 1 鳞叶；鳞叶膜质，披针形，先端渐尖，长与花序梗近相等，展平宽 3 cm，背部具 2 棱突；佛焰苞长 12 ~ 24 cm，管部绿色，椭圆形，长 3 ~ 6 cm，直径 1.5 ~ 2 cm，席卷，檐部长 8 ~ 19 cm，粉白色，长圆形或椭圆状长圆形，基部

兜状，呈舟形展开，直径 2 ～ 3 cm，先端锐尖，直立；肉穗花序长 9 ～ 20 cm；雌花序圆锥状，奶黄色，基部斜截形；不育雄花序长圆锥状，长 3 ～ 4.5 cm，下部直径 1 ～ 2 cm，能育雄花序长 5 ～ 14 cm，雄花棱柱状，长 4 mm，雄蕊 4，药室长圆柱形；附属器极短小，锥形，长 1 ～ 5 mm。浆果圆柱形，长 5 mm；种子多数，纺锤形，具多条明显的纵棱。花期 4 ～ 6 月，果实 9 月成熟。

| 生境分布 | 生于海拔 100 ～ 700 m 的石灰岩地区的沟谷地带，常见于林下湿地或石缝中。分布于湘西南、湘西北、湘南等。

| 资源情况 | 野生资源一般。药材来源于野生。

| 采收加工 | 秋季采挖，除去茎叶及须根，洗净，鲜用。

| 药材性状 | 本品根茎呈直立的倒圆锥形。叶片呈心形。肉穗花序圆锥状，花序梗呈圆柱形，具鳞叶。

| 功能主治 | 解毒，消肿止痛，祛痰镇痉。外用于疮疡肿毒。

| 用法用量 | 外用适量，鲜品捣敷。

天南星科 Araceae 半夏属 *Pinellia*

滴水珠 *Pinellia cordata* N. E. Brown

| 药 材 名 | 滴水珠（药用部位：块茎）。

| 形态特征 | 多年生草本。块茎球形、卵球形至长圆形，长 2 ~ 4 cm，直径 1 ~ 1.8 cm，表面密生多数须根。叶柄长 12 ~ 25 cm，常紫色或绿色，具紫斑，几无鞘，下部及先端各具珠芽 1；叶 1，幼株叶片心状长圆形，长 4 cm，宽 2 cm，多年生植株叶片心形、心状三角形、心状长圆形或心状戟形，表面绿色、暗绿色，背面淡绿色或红紫色，两面沿脉颜色较淡，先端长渐尖，有时呈尾状，基部心形，长 6 ~ 25 cm，宽 2.5 ~ 7.5 cm，后裂片圆形或锐尖，稍外展。花序梗短于叶柄，长 3.7 ~ 18 cm；佛焰苞绿色、淡黄色带紫色或青紫色，长 3 ~ 7 cm，管部长 1.2 ~ 2 cm，直径 4 ~ 7 mm，檐部椭圆形，长 1.8 ~ 4.5 cm，

先端钝或锐尖，直立或稍下弯，展平宽 1.2 ~ 3 cm；肉穗花序；雌花序长 1 ~ 1.2 cm；雄花序长 5 ~ 7 mm；附属器青绿色，长 6.5 ~ 20 cm，先端渐狭成线形，略呈“之”字形上升。花期 3 ~ 6 月，果实 8 ~ 9 月成熟。

| 生境分布 | 生于海拔 800 m 以下的山地林缘、溪边、村旁或阴湿的岩石边及峭壁上。分布于湘西北、湘西南、湘南、湘中、湘东等。

| 资源情况 | 野生资源一般。药材来源于野生。

| 采收加工 | 春、夏季采挖，洗净，鲜用或晒干。

| 药材性状 | 本品扁圆球形，厚约 1 mm，四周有时可见疣状凸起的小块茎。表面浅黄色或浅棕色，先端平，中心具凹陷的茎痕，有时可见点状根痕，底部扁圆，具皱纹，表面较粗糙。质坚硬，断面白色，富粉性。气微，味辛、辣，嚼之麻舌而刺喉。

| 功能主治 | 辛，温；有小毒。解毒消肿，散瘀止痛。用于毒蛇咬伤，乳痈，无名肿毒，深部脓肿，瘰疬，头痛，胃痛，腰痛，跌打损伤。

| 用法用量 | 内服研末，0.3 ~ 0.6 g。外用适量，捣敷。

天南星科 Araceae 半夏属 *Pinellia*

虎掌 *Pinellia pedatisecta* Schott

| 药材名 |

虎掌（药用部位：块茎、叶）。

| 形态特征 |

多年生草本。块茎近圆球形，直径可达 4 cm，四周常具多数小球茎；根密集，肉质，长 5 ~ 6 cm。叶柄淡绿色，长 20 ~ 70 cm，下部具鞘；叶 1 ~ 3 或更多，叶片鸟足状分裂，裂片 6 ~ 11，披针形，先端渐尖，基部渐狭，楔形，中裂片长 15 ~ 18 cm，宽 3 cm，两侧裂片依次渐短小，最外的有时长 4 ~ 5 cm，侧脉 6 ~ 7 对，距边缘 3 ~ 4 mm 处弧曲，联结为集合脉，网脉不明显。花序梗长 20 ~ 50 cm，直立；佛焰苞淡绿色，管部长圆形，长 2 ~ 4 cm，直径约 1 cm，向下渐收缩，檐部长披针形，先端锐尖，长 8 ~ 15 cm，基部展平宽 1.5 cm；肉穗花序；雌花序长 1.5 ~ 3 cm；雄花序长 5 ~ 7 mm；附属器黄绿色，细线形，长 10 cm，直立或略呈"S"形弯曲。浆果卵圆形，绿色至黄白色，小，藏于宿存的佛焰苞管部内。花期 6 ~ 7 月，果实 9 ~ 11 月成熟。

| 生境分布 |

生于海拔 1 000 m 以下的林下、山谷或河谷

阴湿处。湖南各地均有分布。

| 资源情况 | 野生资源丰富。药材来源于野生。

| 采收加工 | 块茎，7 ~ 9 月采挖，除去泥土及须根，浸于水中，搓去外皮，晒干或烘干。叶鲜用。

| 药材性状 | 本品块茎呈不规则类圆形，由主块茎及附着的小块茎组成，形如虎掌。表面淡黄色或淡棕色，每块茎中心具 1 茎痕，周围具点状须根痕。质坚实而重，断面不平坦，色白，粉性。嚼之有麻舌感。

| 功能主治 | 苦，热；有大毒。祛风，通络，止痛。用于风寒湿痹，肢体关节酸痛、屈伸不利。

| 用法用量 | 外用适量，块茎磨酒擦，鲜叶捣敷。

天南星科 Araceae 半夏属 *Pinellia*

半夏 *Pinellia ternata* (Thunb.) Breit.

| 药 材 名 | 半夏（药用部位：块茎。别名：水玉、守田、地珠半夏）。

| 形态特征 | 块茎圆球形，直径 1 ~ 2 cm，具须根。叶 2 ~ 5，有时 1；叶柄长 15 ~ 20 cm，基部具鞘，鞘内、鞘部以上或叶片基部（叶柄顶头）有直径 3 ~ 5 mm 的珠芽，珠芽在母株上萌发或落地后萌发；幼苗叶片卵状心形至戟形，为全缘单叶，长 2 ~ 3 cm，宽 2 ~ 2.5 cm；老株叶片 3 全裂，裂片绿色，背面色淡，长圆状椭圆形或披针形，两头锐尖，中裂片长 3 ~ 10 cm，宽 1 ~ 3 cm，侧裂片稍短；全缘或具不明显的浅波状圆齿，侧脉 8 ~ 10 对，细弱，细脉网状，密集，集合脉 2 圈。花序梗长 25 ~ 30（~ 35）cm，长于叶柄；佛焰苞绿色或绿白色，管部狭圆柱形，长 1.5 ~ 2 cm，檐部长圆形，绿

色，有时边缘青紫色，长 4 ~ 5 cm，宽 1.5 cm，钝或锐尖；肉穗花序雌花序长 2 cm，雄花序长 5 ~ 7 mm，其中间隔 3 mm，附属器绿色变青紫色，长 6 ~ 10 cm，直立，有时呈“S”形弯曲。浆果卵圆形，黄绿色，先端渐狭为明显的花柱。花期 5 ~ 7 月，果实 8 月成熟。

| 生境分布 | 生于草坡、荒地、玉米地、田边或疏林下。湖南各地均有分布。

| 资源情况 | 野生资源丰富。栽培资源一般。药材来源于野生和栽培。

| 采收加工 | 夏、秋季采挖，洗净，除去外皮和须根，晒干。

| 药材性状 | 本品呈类球形，有的稍偏斜，直径 0.7 ~ 1.6 cm。表面白色或浅黄色，先端有凹陷的茎痕，周围密布麻点状根痕；下面钝圆，较光滑。质坚实，断面洁白，富粉性。气微，味辛、辣、麻舌而刺喉。

| 功能主治 | 辛，温；有毒。归脾、胃、肺经。燥湿化痰，降逆止呕，消痞散结。用于湿痰寒痰，咳喘痰多，痰饮眩悸，风痰眩晕，痰厥头痛，呕吐反胃，胸脘痞闷，梅核气；外用于痈肿痰核。

| 用法用量 | 内服炮制后煎汤，3 ~ 9 g。外用适量，磨汁涂；或研末酒调敷。

天南星科 Araceae 大薸属 *Pistia*

大薸 *Pistia stratiotes* L.

| 药 材 名 | 大薸（药用部位：叶）。

| 形态特征 | 水生漂浮草本。根多数，长而悬垂，须根羽状，密集。叶簇生，呈莲座状，叶片常因发育阶段不同而形状各异，呈倒三角形、倒卵形、扇形、倒卵状长楔形，长 1.3 ~ 10 cm，宽 1.5 ~ 6 cm，先端截头状或浑圆，基部厚，两面被毛，基部毛尤为浓密，叶脉扇状伸展，背面明显隆起成折皱状。佛焰苞白色，长 0.5 ~ 1.2 cm，外被茸毛。花期 5 ~ 11 月。

| 生境分布 | 生于池塘和水田。分布于湖南衡阳（衡南）、怀化（通道）、岳阳（岳阳、华容）等。

| 资源情况 | 野生资源稀少。药材来源于野生。

| 采收加工 | 夏、秋季采收，晒干或鲜用。

| 药材性状 | 本品簇生成莲座状，长 1.3 ~ 10 cm，宽 1.5 ~ 6 cm，先端截头状或浑圆，基部厚，两面被毛，叶脉扇状伸展，背面明显隆起成折皱状。

| 功能主治 | 辛，凉。祛风发汗，利尿解毒。用于感冒，水肿，小便不利，风湿痹痛，皮肤瘙痒，荨麻疹，麻疹不透；外用于紫白癜风，湿疹。

| 用法用量 | 内服煎汤，9 ~ 15 g。外用适量，鲜品捣汁涂；或煎汤洗。

天南星科 Araceae 石柑属 *Pothos*

石柑子 *Pothos chinensis* (Raf.) Merr.

| 药 材 名 | 石柑子（药用部位：全草）。

| 形态特征 | 附生藤本，长 0.4 ~ 6 m。茎亚木质，淡褐色，近圆柱形，具纵条纹，直径约 2 cm，节间长 1 ~ 4 cm，节上常束生长 1 ~ 3 cm 的气生根，分枝，枝下部常具鳞叶 1；鳞叶线形，长 4 ~ 8 cm，宽 3 ~ 7 mm，先端锐尖，具多数平行纵脉。叶片纸质，鲜时表面深绿色，背面淡绿色，干后表面黄绿色，背面淡黄色，椭圆形、披针状卵形至披针状长圆形，长 6 ~ 13 cm，宽 1.5 ~ 5.6 cm，先端渐尖至长渐尖，常具芒状尖头，基部钝，中肋在表面稍下陷，在背面隆起，侧脉 4 对，最下 1 对基出，弧形上升，细脉多数，近平行；叶柄倒卵状长圆形或楔形，长 1 ~ 4 cm，宽 0.5 ~ 1.2 cm，大小约为叶片的 1/6。花序腋生，基

部具苞片 4 ～ 5，苞片卵形，长 5 mm，上部苞片渐大，具纵脉多数，花序梗长 0.8 ～ 1.8 cm；佛焰苞卵状，绿色，长 8 mm，展开宽 10 ～ 15 mm，先端锐尖；肉穗花序短，椭圆形至近圆球形，淡绿色、淡黄色，长 7 ～ 8 mm，直径 5 ～ 6 mm，花序梗长 3 ～ 5 mm。浆果黄绿色至红色，卵形或长圆形，长约 1 cm。花果期全年。

| 生境分布 | 生于林中阴湿处，常匍匐于岩石上或附生于树干上。分布于湖南永州（江永）、怀化（通道）等。

| 资源情况 | 野生资源稀少。药材来源于野生。

| 采收加工 | 春、夏季采收，洗净，鲜用或切段晒干。

| 药材性状 | 本品茎近圆柱形，具纵条纹，分枝，枝下部常具鳞叶 1。鳞叶线形，长 4 ～ 8 cm，宽 3 ～ 7 mm；叶片披针状卵形至披针状长圆形，先端渐尖至长渐尖，常具芒状尖头。

| 功能主治 | 辛、苦，平；有小毒。归肝、胃经。行气止痛，消积，祛风除湿，散瘀解毒。用于心胃气痛，疝气，疳积，食积胀满，晚期血吸虫病，风湿痹痛，脚气病，跌打损伤，骨折，中耳炎，耳疮，鼻窦炎。

| 用法用量 | 内服煎汤，3 ～ 15 g；或浸酒。外用适量，浸酒搽；或鲜品捣敷。

天南星科 Araceae 犁头尖属 *Typhonium*

犁头尖 *Typhonium divaricatum* (L.) Decne.

| 药材名 | 犁头尖（药用部位：全草或块茎）。

| 形态特征 | 多年生草本。块茎近球形、头状或椭圆形，直径 1 ~ 2 cm，褐色，具环节，颈部具纤维状须根。叶 4 ~ 8，叶片戟状三角形，前裂片卵形，长 7 ~ 10 cm，后裂片长卵形，外展，长 6 cm，基部弯缺，叶脉绿色，侧脉 3 ~ 5 对，集合脉 2 圈；叶柄长 20 ~ 24 cm，基部 4 cm 呈鞘状，鸢尾式排列，上部圆柱形。花序梗单一，生于叶腋，长 9 ~ 11 cm，淡绿色，圆柱形，直径 2 mm，直立；佛焰苞管部绿色，卵形，长 1.6 ~ 3 cm，檐部绿紫色，卷成长角状，长 12 ~ 18 cm，花时展开，后仰，卵状长披针形，宽 4 ~ 5 cm，中部以上骤窄成下垂带状，先端旋曲，内面深绿色，外面绿紫色；肉穗花序无梗；雌花序圆锥形，

长 1.5 ～ 3 mm；中性花序线形，长 1.7 ～ 4 cm，上升或下弯，下部 7 ～ 8 mm 处具花，连花直径 4 mm，无花部分直径约 1 mm，淡绿色；雄花序长 4 ～ 9 mm，橙黄色；附属器深紫色，具强烈粪臭，长 10 ～ 13 cm，基部斜截形，具细柄，向上成鼠尾状。

| 生境分布 | 生于海拔 1 200 m 以下的田野、路旁、低洼湿地及杂草丛中。湖南各地均有分布。

| 资源情况 | 野生资源丰富。药材来源于野生。

| 采收加工 | 秋季采收，洗净，鲜用或晒干。

| 药材性状 | 本品块茎长圆锥形，直径 0.3 ～ 1 cm；表面褐色，栓皮薄，不易剥落，稍具皱纹，芽痕多偏向一侧，须根痕遍布全体，并具多数外凸的珠芽痕。

| 功能主治 | 苦、辛，温；有毒。解毒消肿，散瘀止血。用于痈疽疔疮，无名肿毒，瘰疬，血管瘤，疥癣，毒蛇咬伤，蜂螫伤，跌打损伤，外伤出血。

| 用法用量 | 外用适量，捣敷；或磨汁涂；或研末撒。

| 附　　注 | 本种的拉丁学名在 FOC 中被修订为 *Typhonium blumei* Nicolson et Sivadasan。

天南星科 Araceae 犁头尖属 *Typhonium*

独角莲 *Typhonium giganteum* Engl.

| 药 材 名 | 白附子（药用部位：块茎）。

| 形态特征 | 多年生草本。块茎倒卵形、卵球形或卵状椭圆形，大小不等，直径 2 ~ 4 cm，外被暗褐色小鳞片，具 7 ~ 8 环节，颈部周围具多数须根。叶与花序同时抽出，通常一至二年生植株具 1 叶，三至四年生植株具 3 ~ 4 叶；叶柄圆柱形，长约 60 cm，密生紫色斑点，中部以下具膜质叶鞘；叶片幼时角状，后展开，箭形，长 15 ~ 45 cm，宽 9 ~ 25 cm，先端渐尖，基部箭状，后裂片叉开，中肋在背面隆起，一级侧脉 7 ~ 8 对，最下部的 2 侧脉基部重叠，集合脉与边缘相距 5 ~ 6 mm。花序梗长 15 cm；佛焰苞紫色，管部圆筒形或长圆状卵形，长约 6 cm，直径 3 cm，檐部卵形，展开长达 15 cm，先端渐尖，常

弯曲；肉穗花序近无梗，长达 14 cm；雌花序圆柱形，长约 3 cm，直径 1.5 cm，子房圆柱形，顶部平截，胚珠 2，柱头无柄，圆形；中性花序长 3 cm，直径约 5 mm；雄花序长 2 cm，直径 8 mm，雄花无柄，药室卵圆形，顶孔开裂；附属器紫色，长 2 ~ 6 cm，直径 5 mm，圆柱形，直立，基部无柄，先端钝。花期 6 ~ 8 月，果期 7 ~ 9 月。

| 生境分布 | 生于海拔 1 500 m 以下的山坡、荒地、水沟旁、林下、山涧阴湿地。分布于湖南常德（石门）、湘西州（龙山）等。

| 资源情况 | 野生资源稀少。药材来源于野生。

| 采收加工 | 冬季倒苗后采挖，堆积发酵，使外皮皱缩易脱，除去粗皮或切成厚 2 ~ 3 mm 的薄片，晒干。

| 药材性状 | 本品卵圆形或椭圆形，长 2 ~ 5 cm，直径 1 ~ 3 cm，先端残留茎痕或芽痕。表面白色或淡黄色，略平滑，具环纹及点状根痕。质坚硬，断面白色，粉质。无臭，味淡，嚼之麻辣刺舌。

| 功能主治 | 辛、甘，温；有毒。归胃、肝经。祛风痰，通经络，解毒镇痛。用于中风痰壅，口眼㖞斜，偏头痛，破伤风，毒蛇咬伤，瘰疬结核，痈肿。

| 用法用量 | 内服煎汤，3 ~ 6 g；或研末，0.5 ~ 1 g。外用适量，捣敷；或研末调敷。

| 附　　注 | 本种的拉丁学名在 FOC 中被修订为 *Sauromatum giganteum* (Engler) Cusimano et Hetterscheid。

浮萍科 Lemnaceae 浮萍属 *Lemna*

浮萍 *Lemna minor* L.

| 药 材 名 | 浮萍（药用部位：全草）。

| 形态特征 | 漂浮植物。叶状体对称，表面绿色，背面浅黄色、绿白色或紫色，近圆形、倒卵形或倒卵状椭圆形，全缘，长 1.5 ~ 5 mm，宽 2 ~ 3 mm，上面稍凸起或沿中线隆起，具 3 脉，脉不明显，背面垂生丝状根 1，根白色，长 3 ~ 4 cm，根冠钝头，根鞘无翅，叶状体背面一侧具囊；新叶状体于囊内形成浮出，以极短的细柄与母体相连，随后脱落。雌花具弯生胚珠 1。果实无翅，近陀螺状；种子具凸出的胚乳及 12 ~ 15 纵肋。

| 生境分布 | 生于沼泽、湖泊、水田及其他静水水域中。湖南有广泛分布。

| 资源情况 | 野生资源丰富。药材来源于野生。

| 采收加工 | 6 ~ 9 月采收，除去杂质，洗净，晒干或鲜用。

| 药材性状 | 本品叶状体呈卵形、卵圆形或卵状椭圆形，单个散生或 2 ~ 5 集生；上表面淡绿色至灰绿色，下表面紫绿色至紫棕色，边缘整齐或微卷，上表面两侧具 1 小凹陷，下表面具多数须根。质轻，易碎。气微，味淡。

| 功能主治 | 辛，寒。归肺、膀胱经。发汗解表，透疹止痒，利水消肿，清热解毒。用于风热表证，麻疹不透，瘾疹瘙痒，水肿，癃闭，疮癣，丹毒，烫伤。

| 用法用量 | 内服煎汤，3 ~ 9 g，鲜品 15 ~ 30 g；或捣汁饮；或入丸、散剂。外用适量，煎汤熏洗；或研末撒或调敷。

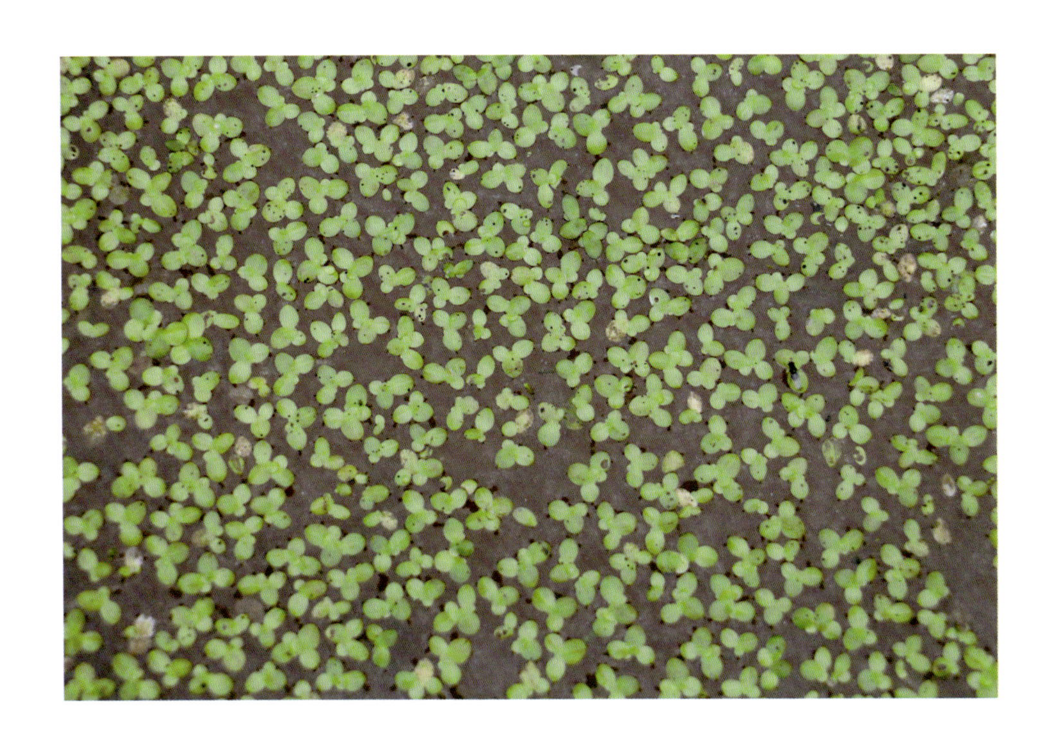

浮萍科 Lemnaceae 紫萍属 *Spirodela*

紫萍 *Spirodela polyrrhiza* (L.) Schleid.

| 药材名 | 浮萍（药用部位：全草）。

| 形态特征 | 叶状体扁平，阔倒卵形，长 5 ~ 8 mm，宽 4 ~ 6 mm，先端钝圆，表面绿色，背面紫色，具掌状脉 5 ~ 11，背面中央具 5 ~ 11 根；根长 3 ~ 5 cm，白绿色，根冠尖，脱落，根基附近一侧囊内形成圆形新芽；新芽萌发后，幼小叶状体渐从囊内浮出，以一细弱的柄与母体相连。肉穗花序具 2 雄花和 1 雌花。

| 生境分布 | 生于水田、水塘、湖湾、水沟或静水水域中。湖南有广泛分布。

| 资源情况 | 野生资源丰富。药材来源于野生。

| 采收加工 | 6 ~ 9 月采收，除去杂质，洗净，晒干或鲜用。

| 药材性状 | 本品叶状体呈卵圆形，直径 3 ~ 6 mm；上表面淡绿色至灰绿色，下表面紫绿色至紫棕色，边缘整齐或微卷，上表面两侧具 1 小凹陷，下表面具多数须根。质轻，易碎。气微，味淡。以表面色绿、背面色紫者为佳。

| 功能主治 | 辛，寒。归肺、膀胱经。发汗解表，透疹止痒，利水消肿，清热解毒。用于风热表证，麻疹不透，瘾疹瘙痒，水肿，丹毒，烫伤。

| 用法用量 | 内服煎汤，3 ~ 9 g，鲜品 15 ~ 30 g；或捣汁饮；或入丸、散剂。外用适量，煎汤熏洗；或研末撒或调敷。

| 附　　注 | 本种的拉丁学名在 FOC 中被修订为 *Spirodela polyrhiza* (L.) Schleid.。

黑三棱科 Sparganiaceae 黑三棱属 *Sparganium*

黑三棱 *Sparganium stoloniferum* (Graebn) Buch.-Ham.

药材名

黑三棱（药用部位：块茎）。

形态特征

多年生水生或沼生草本。块茎膨大，较茎粗 2 ~ 3 倍或更粗；根茎粗壮。茎直立，粗壮，高 0.7 ~ 1.2 m 或更高，挺水。叶片长（20 ~ ）40 ~ 90 cm，宽 0.7 ~ 1.6 cm，具中脉，上部扁平，下部背面呈龙骨状凸起，或呈三棱形，基部鞘状。圆锥花序开展，长 20 ~ 60 cm，具 3 ~ 7 侧枝，每侧枝上着生 7 ~ 11 雄性头状花序和 1 ~ 2 雌性头状花序，主轴先端通常具 3 ~ 5 或更多雄性头状花序，无雌性头状花序；雄性头状花序呈球形，直径约 10 mm，花被片匙形，膜质，先端浅裂，早落，花丝长约 3 mm，丝状，弯曲，褐色，花药近倒圆锥形，长 1 ~ 1.2 mm，宽约 0.5 mm；雌花花被片长 5 ~ 7 mm，宽 1 ~ 1.5 mm，着生于子房基部，宿存，柱头分叉或不分叉，长 3 ~ 4 mm，向上渐尖，花柱长约 1.5 mm，子房无柄。果实长 6 ~ 9 mm，倒圆锥形，上部通常膨大成冠状，具棱，褐色。花果期 5 ~ 10 月。

| 生境分布 | 生于海拔 1 500 m 以下的湖泊、河沟、沼泽、水塘边浅水处。分布于湖南怀化（洪江、溆浦）、衡阳（衡东）、长沙（浏阳）等。

| 资源情况 | 野生资源较少。药材来源于野生。

| 采收加工 | 秋季采收，除去根茎及须根，洗净或削去外皮，晒干。

| 药材性状 | 本品近球形，直径 2 ~ 3 cm。表面棕黑色，凹凸不平，具少数点状须根痕，除去外皮者下端略呈锥形，黄白色或灰白色，具残存的根茎疤痕及未除净的外皮黑斑，并有刀削痕。质轻而坚硬，难折断，入水中漂浮于水面，稀下沉，碎断面平坦，黄白色或棕黄色。气微，味淡，嚼之微辛、涩。

| 功能主治 | 辛、苦，平。归肝、脾经。祛瘀通经，破血消癥，行气消积。用于血滞经闭，痛经，产后腹痛，跌打瘀肿，腹中痞块，食积腹痛。

| 用法用量 | 内服煎汤，4.5 ~ 9 g。

香蒲科 Typhaceae 香蒲属 *Typha*

长苞香蒲 *Typha angustata* Bory et Chaubard

| 药 材 名 | 蒲黄（药用部位：花粉）、香蒲（药用部位：全草）、蒲棒（药用部位：果穗）、蒲蒻（药用部位：带有部分嫩茎的根茎）、蒲黄滓（药用部位：筛选蒲黄后剩下的花蕊、毛茸等杂质）。

| 形态特征 | 多年生水生或沼生草本。根茎粗壮，乳黄色，先端白色。叶长 0.4 ~ 1.5 m，宽 3 ~ 8 mm，上部扁平，中部以下渐隆起；叶鞘长，抱茎。雌、雄花序远离；雄花序长 7 ~ 30 cm，花序轴被弯曲柔毛，叶状苞片 1 ~ 2，长约 32 cm，宽约 8 mm，脱落，雄蕊（2 ~ ）3，花药长圆形，长 1.2 ~ 1.5 mm，花丝下部合生成短柄；雌花序位于下部，长 4.7 ~ 23 cm，叶状苞片较叶宽，脱落，雌花具小苞片，孕性雌花子房披针形，长约 1 mm，子房柄长 3 ~ 6 mm，花柱长 0.5 ~ 1.5 mm，

柱头宽线形或披针形，较花柱宽，不孕雌花子房近倒圆锥形，白色丝状毛极多，生于子房柄基部，短于柱头。小坚果纺锤形，长约 1.2 mm，纵裂，果皮具褐色斑点；种子黄褐色，长约 1 mm。花果期 6 ～ 8 月。

| 生境分布 | 生于池沼、水边。分布于湖南邵阳（邵阳）、郴州（嘉禾）等。

| 资源情况 | 野生资源一般。药材来源于野生。

| 采收加工 | **蒲黄：**6 ～ 7 月花粉成熟时采收，晒干，搓碎，筛去杂质。

香蒲：春、夏季植株生长旺盛时采收，切段，晒干。

蒲棒：夏末果实成熟时采收，晒干。

| 药材性状 | **蒲黄：**本品为黄色细粉。质轻松，易飞扬，手捻有润滑感，入水不沉。无臭，味淡。

| 功能主治 | **蒲黄：**甘、微辛，平。归心、脾经。止血，祛瘀，利尿。用于吐血，咯血，血痢，便血，崩漏，外伤出血，心腹疼痛，经闭腹痛，产后瘀痛，痛经，跌仆肿痛，血淋涩痛，带下，重舌，口疮，聤耳，阴下湿痒。

香蒲：利尿通便，消痈。用于关格，二便不利，乳痈。

蒲棒：甘、微辛，平。用于外伤出血。

蒲蒻：甘，平。清热凉血，利水消肿。用于孕妇劳热，胎动下血，消渴，口疮，热痢，淋证，带下，水肿。

蒲黄滓：涩肠，止血。用于便血，血痢。

| 用法用量 | **蒲黄：**内服煎汤，5 ～ 10 g，包煎；或入丸、散剂。外用适量，研末撒或调敷。

香蒲：内服煎汤，3 ～ 9 g；或研末；或烧灰，入丸、散剂。外用适量，捣敷。

蒲蒻：内服煎汤，3 ～ 9 g；或绞汁。

蒲黄滓：内服入散剂，3 ～ 6 g。

| 附　　注 | 本种的拉丁学名在 FOC 中被修订为 *Typha domingensis* Persoon。

香蒲科 Typhaceae 香蒲属 *Typha*

水烛香蒲 *Typha angustifolia* L.

药材名

蒲黄（药用部位：花粉）。

形态特征

水生或沼生草本。根茎灰黄色，先端白色。地上茎直立，粗壮，高 1.5 ~ 3 m。叶片长 54 ~ 120 cm，宽 0.4 ~ 0.9 cm，上部扁平，中部以下腹面微凹，背面向下呈凸形，下部横切面呈半圆形；叶鞘抱茎。雌、雄花序相距 2.5 ~ 6.9 cm；雄花序轴被褐色扁柔毛，单出或分叉，叶状苞片 1 ~ 3，雄花由 3 雄蕊合生，有时 2 或 4，花药长约 2 mm，长矩圆形，花粉粒单体，近球形、卵形或三角形，纹饰网状，花丝短细，下部合生成柄，长 1.5 ~ 3 mm，向下渐宽；雌花序长 15 ~ 30 cm，基部具 1 叶状苞片，叶状苞片通常较叶片宽，雌花具小苞片，孕性雌花柱头窄条形或披针形，长 1.3 ~ 1.8 mm，花柱长 1 ~ 1.5 mm，子房纺锤形，长约 1 mm，具褐色斑点，子房柄纤细，长约 5 mm，不孕雌花子房倒圆锥形，长 1 ~ 1.2 mm，具褐色斑点，先端黄褐色，不育柱头短尖，白色丝状毛着生于子房柄基部，并向上延伸，与小苞片等长，短于柱头。小坚果椭圆形，长约 1.5 mm，具褐色斑点，纵裂；种子深褐色，长 1 ~ 1.2 mm。花果期 6 ~ 9 月。

| 生境分布 | 生于池沼、沟边、河岸边、积水湿地或浅水中。湖南各地均有分布。

| 资源情况 | 野生资源丰富。药材来源于野生。

| 采收加工 | 6 ~ 7 月花粉成熟时采收，晒干，搓碎，筛去杂质。

| 药材性状 | 本品为黄色细粉。质轻松，易飞扬，手捻有润滑感，入水不沉。无臭，味淡。

| 功能主治 | 甘、微辛，平。归心、脾经。止血，祛瘀，利尿。用于吐血，咯血，血痢，便血，崩漏，外伤出血，心腹疼痛，经闭腹痛，产后瘀痛，痛经，跌仆肿痛，血淋涩痛，带下，重舌，口疮，聤耳，阴下湿痒。

| 用法用量 | 内服煎汤，5 ~ 10 g，包煎；或入丸、散剂。外用适量，研末撒或调敷。

香蒲科 Typhaceae 香蒲属 *Typha*

香蒲 *Typha orientalis* Presl

| 药 材 名 | 蒲黄（药用部位：花粉）。

| 形态特征 | 多年生水生或沼生草本。地上茎粗壮，向上渐细，高 1.3 ~ 2 m。叶片条形，长 40 ~ 70 cm，宽 0.4 ~ 0.9 cm，光滑无毛，上部扁平，下部腹面微凹，背面逐渐隆起成凸形，横切面呈半圆形；叶鞘抱茎。雌、雄花序紧密连接；雄花序长 2.7 ~ 9.2 cm，花序轴被白色弯曲柔毛，自基部向上具 1 ~ 3 叶状苞片，花后脱落，雄花通常由 3 雄蕊组成，有时 2 或 4 合生，花药长约 3 mm，2 室，条形，花粉粒单体，花丝很短，基部合生成短柄；雌花序长 4.5 ~ 15.2 cm，基部具 1 叶状苞片，花后脱落，雌花无小苞片，孕性雌花柱头匙形，外弯，长 0.5 ~ 0.8 mm，花柱长 1.2 ~ 2 mm，子房纺锤形至披针形，子房柄

细弱，长约 2.5 mm，不孕雌花子房长约 1.2 mm，近圆锥形，先端呈圆形，不发育柱头宿存，白色丝状毛通常单生，有时几枚基部合生，稍长于花柱，短于柱头。小坚果椭圆形至长椭圆形，果皮具长形褐色斑点；种子褐色，微弯。

| 生境分布 | 生于湖泊、池塘、沟渠、沼泽及河流缓冲带。湖南各地均有分布。

| 资源情况 | 野生资源丰富。药材来源于野生。

| 采收加工 | 6 ~ 7 月花粉成熟时采收，晒干，搓碎，筛去杂质。

| 药材性状 | 本品为黄色细粉，质轻松，易飞扬，捻之有润滑感，入水不沉。无臭，味淡。

| 功能主治 | 甘、微辛，平。归心、脾经。止血，祛瘀，利尿。用于吐血，咯血，血痢，便血，崩漏，外伤出血，心腹疼痛，经闭腹痛，产后瘀痛，痛经，跌仆肿痛，血淋涩痛，带下，重舌，口疮，聤耳，阴下湿痒。

| 用法用量 | 内服煎汤，5 ~ 10 g，包煎；或入丸、散剂。外用适量，研末撒或调敷。

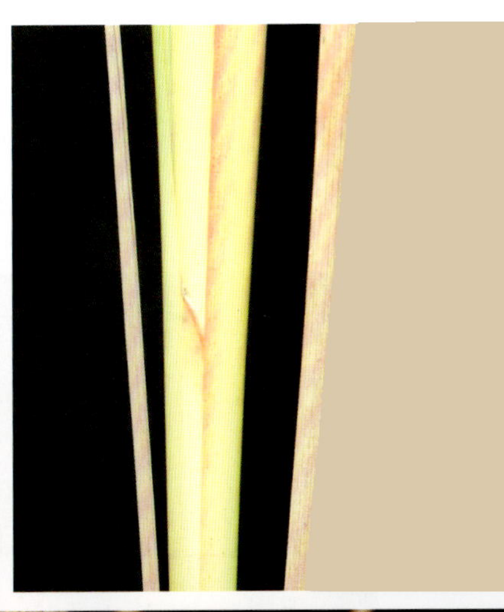

莎草科 Cyperaceae 球柱草属 *Bulbostylis*

球柱草 *Bulbostylis barbata* (Rottb.) Kunth

| 药 材 名 | 球柱草（药用部位：全草）。

| 形态特征 | 一年生草本，无根茎。秆丛生，细，无毛，高 6 ~ 20 cm。叶纸质，线形，长 4 ~ 8 cm，宽 0.4 ~ 0.8 mm，全缘或边缘微外卷，背面叶脉间疏被微柔毛，叶鞘薄膜质，具白色长柔毛状缘毛。苞片 2 ~ 3，极细，线形，边缘外卷，背面疏被微柔毛，长 1 ~ 2.5 cm 或较短；长侧枝聚伞头状花序，具密聚的无柄小穗 3 至数个；小穗披针形或卵状披针形，长 3 ~ 6.5 mm，宽 1 ~ 1.5 mm，具 7 ~ 13 花；鳞片膜质，卵形或近宽卵形，长 1.5 ~ 2 mm，宽 1 ~ 1.5 mm，棕色或黄绿色，先端具外弯芒状短尖，被疏缘毛或背面被疏微柔毛，背面具龙骨状突起，具脉 1（~ 3），黄绿色；雄蕊 1（~ 2），花药长圆形；

花柱基盘状。小坚果倒卵形或三棱形，长 0.8 mm，宽 0.5 ~ 0.6 mm，白色或淡黄色，呈方形网纹，先端平截或微凹。花果期 4 ~ 10 月。

| 生境分布 | 生于海拔 130 ~ 500 m 的海边沙地、河滩沙地、田边、沙田湿地。分布于湖南邵阳（洞口）、张家界（慈利）、郴州（宜章）、永州（祁阳）等。

| 资源情况 | 野生资源丰富。药材来源于野生。

| 功能主治 | 凉血止血。用于呕血，咯血，衄血，尿血，便血。

| 用法用量 | 内服煎汤，3 ~ 9 g。外用适量，捣敷。

莎草科 Cyperaceae 球柱草属 *Bulbostylis*

丝叶球柱草 *Bulbostylis densa* (Wall.) Hand.-Mzt.

| 药 材 名 | 丝叶球柱草（药用部位：全草）。

| 形态特征 | 一年生草本，无根茎。秆丛生，细，无毛，高 7 ~ 35 cm。叶纸质，线形，长 5 ~ 10 cm，有时长达 13 cm，宽 0.5 mm，细而多，全缘，边缘微外卷，先端渐尖，背面叶脉间疏被微柔毛；叶鞘薄膜质，先端具长柔毛。苞片 2 ~ 3，线形，很细，基部膜质，先端渐尖，全缘，边缘微外卷，背面疏被微柔毛，长 0.8 ~ 1.5 cm 或较短；长侧枝聚伞花序简单或近复出，具 1 小穗，稀 2 ~ 3，散生；顶生小穗无柄，长圆状卵形或卵形，长 3 ~ 6 mm，稀长 8 ~ 9 mm，宽 1.5 mm，基部近圆形，先端急尖，具 7 ~ 17 或更多花；鳞片膜质，卵形或近宽卵形，长 1.5 ~ 2 mm，宽 1 ~ 1.5 mm，褐色，基部圆形，先

端钝，稀近急尖，仅下部无花的鳞片有时具芒状短尖，背面具龙骨状突起，具黄绿色脉 1 ~ 3，被缘毛；雄蕊 2，花药长圆状卵形或卵形，基部近楔形，先端急尖。小坚果倒卵形、三棱形，长 0.8 mm，宽 0.5 ~ 0.6 mm，成熟时灰紫色，表面具排列整齐的透明小突起，先端截形或微凹，具盘状花柱基。花果期 4 ~ 12 月。

| 生境分布 | 生于海拔 100 ~ 2 000 m 的海边、河边沙地、荒坡、路旁及松林下。分布于湖南益阳（安化）等。

| 资源情况 | 野生资源稀少。药材来源于野生。

| 采收加工 | 采收后晒干。

| 药材性状 | 本品多皱缩卷曲。秆丛生，高 7 ~ 35 cm。叶线形，纸质，先端渐尖。果实呈倒卵形、三棱形，表面具小突起。

| 功能主治 | 甘、淡，凉。清热。用于湿疹，中暑，泄泻，跌打肿痛，尿频。

| 用法用量 | 内服煎汤。

莎草科 Cyperaceae 薹草属 *Carex*

浆果薹草 *Carex baccans* Nees

药材名

山稗子（药用部位：种子）、山稗子根（药用部位：全草或根）。

形态特征

多年生草本。秆密丛生，直立而粗壮，高 80 ~ 150 cm，直径 5 ~ 6 mm，三棱形，无毛，中部以下生叶。叶基生和秆生，平展，宽 8 ~ 12 mm，基部具红褐色、分裂成网状的宿存叶鞘。苞片叶状，长于花序，基部具长鞘；圆锥花序复出，长 10 ~ 35 cm；支圆锥花序 3 ~ 8，单生，长圆形，长 5 ~ 6 cm，宽 3 ~ 4 cm，下部 1 ~ 3 支圆锥花序疏远，其余的甚接近，支花序梗坚挺，基部 1 支花序梗长 12 ~ 14 cm，上部的渐短，通常不伸出苞鞘外；小苞片鳞片状，披针形，长 3.5 ~ 4 mm，革质，仅基部 1 小苞片具短鞘；雄花鳞片长 2 ~ 2.5 mm，膜质，栗褐色；雌花鳞片长 2 ~ 2.5 mm，纸质，紫褐色或栗褐色，仅具 1 绿色的中脉，边缘白色，膜质，花柱基部不增粗，柱头 3；果囊倒卵状球形或近球形，肿胀，长 3.5 ~ 4.5 mm，近革质，成熟时鲜红色或紫红色，有光泽，具多数纵脉，基部具短柄，先端骤缩成短喙，喙口具 2 小齿；小坚果椭圆形、三棱形，长

3 ~ 3.5 mm，成熟时褐色，基部具短柄，先端具短尖头。花果期 8 ~ 12 月。

| 生境分布 | 生于河边、路旁、山坡、林缘、疏林及灌丛中。湖南各地均有分布。

| 资源情况 | 野生资源丰富。药材来源于野生。

| 采收加工 | **山稗子：**夏、秋季果实成熟时采收，除去杂质，晒干。

山稗子根：夏、秋季采收，洗净，晒干。

| 功能主治 | **山稗子：**甘、微辛，平。透疹止咳，补中利水。用于麻疹，水痘，百日咳，脱肛，浮肿。

山稗子根：苦、涩，微寒。凉血止血，调经。用于月经不调，崩漏，鼻衄，消化道出血。

| 用法用量 | **山稗子：**内服煎汤，3 ~ 15 g；或入丸、散剂。

山稗子根：内服煎汤，15 ~ 30 g。

莎草科 Cyperaceae 薹草属 *Carex*

青绿薹草 *Carex breviculmis* R. Br.

| 药材名 | 青绿薹草（药用部位：全草）。

| 形态特征 | 多年生草本。根茎短。秆丛生，高 8 ~ 40 cm，纤细，三棱形，上部稍粗糙，基部叶鞘淡褐色，撕裂成纤维状。叶短于秆，宽 2 ~ 3（~ 5）mm，平张，边缘粗糙，质硬。苞片最下部的呈叶状，长于花序，具短鞘，鞘长 1.5 ~ 2 mm，其余的呈刚毛状，无鞘；小穗 2 ~ 5，顶生小穗雄性，长圆形，长 1 ~ 1.5 cm，宽 2 ~ 3 mm，无柄，紧靠其下部的雌小穗，侧生小穗雌性，长圆形，长 0.6 ~ 1.5（~ 2）cm，宽 3 ~ 4 mm，具稍密生的花，无柄或最下部的小穗具长 2 ~ 3 mm 的短柄；雄花鳞片倒卵状长圆形，先端渐尖，具短尖头，膜质，黄白色，背面中间绿色；雌花鳞片长圆形，先端截形或圆形，长 2 ~

2.5 mm，宽 1.2 ~ 2 mm，膜质，苍白色，背面中间绿色，具 3 脉，向先端延伸成芒，芒长 2 ~ 3.5 mm，花柱基部膨大成圆锥状，柱头 3；果囊倒卵形、钝三棱形，长 2 ~ 2.5 mm，宽 1.2 ~ 2 mm，膜质，淡绿色，具多脉，上部密被短柔毛，基部渐狭，具短柄，先端急缩成圆锥状短喙，喙口微凹。小坚果紧包于果囊中，卵形，长约 1.8 mm，栗色，先端缢缩成环盘。花果期 3 ~ 6 月。

| 生境分布 | 生于岗地、低山附近。湖南有广泛分布。

| 资源情况 | 野生资源较丰富。药材来源于野生。

| 采收加工 | 采收后洗净，干燥。

| 药材性状 | 本品秆呈三棱形。叶边缘粗糙，质硬。果囊近等长于雌花鳞片，倒卵形、钝三棱形。

| 功能主治 | 用于肺热咳嗽，咯血，哮喘，顿咳。

| 用法用量 | 内服煎汤。

莎草科 Cyperaceae 薹草属 *Carex*

褐果薹草 *Carex brunnea* Thunb.

| 药 材 名 | 褐果薹草（药用部位：全草）。

| 形态特征 | 多年生草本。根茎短，无地下匍匐茎。秆密丛生，细长，高 40 ~ 70 cm，锐三棱形，平滑，基部具多叶。叶宽 2 ~ 3 mm，下部对折，向上渐平展，两面及边缘粗糙，具鞘；叶鞘短，膜质部分常开裂。苞片下部的叶状，上部的刚毛状，具鞘；鞘长 7 ~ 20 mm，褐绿色；小穗数个，常 1 ~ 2 生于同一苞片鞘内，多数不分枝，排列稀疏，间距长可超过 10 cm，全部为雄雌顺序，雄花部分较雌花部分短，圆柱形，长 1.5 ~ 3 cm，具多数密生的花，具柄，下部的柄长，向上渐短；雄花鳞片卵形，长约 3 mm，先端急尖，膜质，黄褐色，背面具 1 脉；雌花鳞片卵形，长约 2.5 mm，无短尖头，膜质，淡黄褐色，

具褐色短条纹，背面具 3 脉，花柱基部稍增粗，柱头 2；果囊近直立，长于鳞片，椭圆形，扁平凸状，长 3 ~ 3.5 mm，膜质，褐色，背面具 9 细脉，两面被白色短硬毛，基部急缩成短柄，先端急狭成短喙，喙长不及 1 mm，先端具 2 齿。小坚果紧包于果囊内，近圆形，扁双凸状，黄褐色，基部无柄。

| **生境分布** | 生于海拔 250 ~ 1 800 m 的山坡、山谷林下、灌丛中、河边、路边阴处或水边阳处。分布于湖南长沙（岳麓）、常德（桃源、鼎城、津市）、湘西州（保靖）等。

| **资源情况** | 野生资源较少。药材来源于野生。

| **采收加工** | 采收后洗净，干燥。

| **药材性状** | 本品秆呈锐三棱形。叶两面及边缘粗糙。果囊椭圆形或近圆形，扁平凸状。果实紧包于果囊内，近圆形，扁双凸状。

| **功能主治** | 收敛，止痒。

| **用法用量** | 内服煎汤。

莎草科 Cyperaceae 薹草属 *Carex*

中华薹草 *Carex chinensis* Retz.

| 药 材 名 | 中华薹草（药用部位：全草）。

| 形态特征 | 多年生草本。根茎短，斜生，木质。秆丛生，高 20 ~ 55 cm，纤细，钝三棱形，基部具褐棕色分裂成纤维状的老叶鞘。叶长于秆，宽 3 ~ 9 mm，边缘粗糙，淡绿色，革质。苞片短叶状，具长鞘，鞘扩大；小穗 4 ~ 5，远离，顶生 1 小穗雄性，窄圆柱形，长 2.5 ~ 4.2 cm，小穗柄长 2.5 ~ 3.5 cm，侧生小穗雌性，先端和基部常具几朵雄花，花稍密，小穗柄直立，纤细；雄花鳞片倒披针形，先端具短芒，芒长 7.5 mm，棕色；雌花鳞片长圆状披针形，先端截形，有时微凹或渐尖，淡白色，背面 3 脉绿色，延伸成粗糙的长芒，花柱基部膨大，柱头 3；果囊长于鳞片，斜展，菱形或倒卵形、近膨胀三棱形，长

3 ~ 4 mm，膜质，黄绿色，疏被短柔毛，具多脉，基部渐狭成柄，先端急缩成中等长的喙，喙口具 2 齿。小坚果紧包于果囊中，菱形、三棱形，棱面凹陷，先端骤缩成短喙，喙先端膨大成环状。花果期 4 ~ 6 月。

| 生境分布 | 生于海拔 200 ~ 1 700 m 的山谷阴处、溪边岩石和草丛中。分布于湘西北、湘西南、湘中、湘东等。

| 资源情况 | 野生资源一般。药材来源于野生。

| 采收加工 | 采收后晒干。

| 药材性状 | 本品根茎木质。秆高 20 ~ 55 cm。叶缘粗糙，革质。顶生小穗雄性，侧生小穗雌性，具雄花，小穗柄纤细；果囊黄绿色，具多脉。小坚果菱形，棱面凹陷。

| 功能主治 | 理气止痛。

| 用法用量 | 内服煎汤。

莎草科 Cyperaceae 薹草属 *Carex*

十字薹草 *Carex cruciata* Wahlenb.

| 药 材 名 | 十字苔草（药用部位：全草）。

| 形态特征 | 多年生草本。秆丛生，高 40 ~ 90 cm，三棱形。叶基生和秆生，宽 4 ~ 13 mm，基部具暗褐色分裂成纤维状的宿存叶鞘。圆锥花序复出，长 20 ~ 40 cm；支圆锥花序多单生，卵状三角形，长 4 ~ 15 cm，宽 3 ~ 6 cm，支花序梗坚挺，钝三棱形，最下部 1 支花序梗长 10 ~ 18 cm，向上渐短；小苞片鳞片状，长约 1.5 mm；枝先出叶囊状，内无花，背面具多数脉；小穗极多数，全部自枝先出叶中生出，横展，长 5 ~ 12 mm，两性，雄雌顺序，雄花部分与雌花部分近等长；雄花鳞片披针形，长约 2.5 mm，先端渐尖，具短尖头，膜质，淡褐白色，密生棕褐色斑点和短线；雌花鳞片卵形，长约 2 mm，先端钝，

具短芒，膜质，淡褐色，密生褐色斑点和短线，具3脉，花柱基部增粗，柱头3；果囊长于鳞片，椭圆形，肿胀，长3 ~ 3.2 mm，淡褐白色，具棕褐色斑点和短线，有数条隆起的脉，基部近无柄，上部渐狭成中等长的喙，两侧被短刺毛或无毛，喙口斜截形。小坚果卵状椭圆形、三棱形，长约1.5 mm，成熟时暗褐色。花果期5 ~ 11月。

| 生境分布 | 生于海拔330 ~ 2 000 m的林边、沟边草地、路旁、火烧迹地。分布于湘西北、湘西南、湘南、湘中、湘东等。

| 资源情况 | 野生资源一般。药材来源于野生。

| 采收加工 | 夏、秋季采收，洗净，切段，晒干。

| 功能主治 | 辛、甘，平。凉血止血，解表透疹。用于痢疾，麻疹不出，消化不良。

| 用法用量 | 内服煎汤，6 ~ 15 g。

莎草科 Cyperaceae 薹草属 *Carex*

穹隆薹草 *Carex gibba* Wahlenb.

| 药 材 名 | 穹隆薹草（药用部位：全草）。

| 形态特征 | 多年生草本。根茎短，木质。秆丛生，高 20 ~ 60 cm，直径 1.5 cm，直立，三棱形，基部老叶鞘褐色，纤维状。叶长于或等长于秆，宽 3 ~ 4 mm，柔软。苞片叶状，长于花序；小穗卵形或长圆形，长 0.5 ~ 1.2 mm，宽 3 ~ 5 mm，雌雄顺序；花密生；穗状花序上部小穗较接近，下部小穗疏离，基部 1 小穗有分枝，长 3 ~ 8 mm；雌花鳞片宽卵形或倒卵状圆形，长 1.8 ~ 2 mm，两侧白色，膜质，中部绿色，具 3 脉，先端芒长 0.7 ~ 1 mm，花柱基部增粗，圆锥状，柱头 3；果囊宽卵形或倒卵形，平凸状，长 3.2 ~ 3.5 mm，宽约 2 mm，膜质，淡绿色，平滑，无脉，边缘具翅，上部边缘具不规则

的细齿，喙短而扁，喙口具 2 齿。小坚果紧包于果囊内，近圆形，平凸状，长约 2.2 mm，宽约 1.5 mm，淡绿色。花果期 4 ~ 8 月。

| 生境分布 | 生于海拔 1 200 ~ 2 000 m 的林间或林边湿润草地上。分布于湘西南、湘南、湘中、湘东等。

| 资源情况 | 野生资源一般。药材来源于野生。

| 采收加工 | 采收后晒干。

| 功能主治 | 用于风湿关节痛。

| 用法用量 | 内服煎汤。

莎草科 Cyperaceae 薹草属 *Carex*

舌叶薹草 *Carex ligulata* Nees

| 药 材 名 | 舌叶薹草（药用部位：全草）。

| 形态特征 | 多年生草本。根茎粗短，木质，具较多须根。秆疏丛生，高 35 ~ 70 cm，三棱形，较粗壮，上部棱上粗糙，基部包以红褐色无叶片的鞘。叶片上部的长于秆，下部的短，宽 6 ~ 12 mm，有时可达 15 mm，平张，边缘有时稍内卷，质较柔软，背面具明显的小横隔脉；叶舌明显，锈色；叶鞘较长，最长可达 6 cm。苞片叶状，长于花序，下面苞片的鞘稍长，上面苞片的鞘短或近无鞘；小穗 6 ~ 8，下部的间距稍长，上部的间距较短，顶生小穗为雄小穗，圆柱形或长圆状圆柱形，长 2.5 ~ 4 cm，宽 5 ~ 6 mm，密生多数花，具小穗柄，上面的小穗柄较短；雌花鳞片卵形或宽卵形，长约 3 mm，先端急尖，常具短尖

头，膜质，无毛，中间具绿色中脉，花柱短，基部稍增粗，柱头3；果囊近直立，长于鳞片，倒卵形、钝三棱形，长4 ~ 5 mm，绿褐色，具锈色短条纹，密被白色短硬毛，具2明显的侧脉，基部渐狭成楔形，先端急狭成中等长的喙，喙口具2短齿。小坚果紧包于果囊内，椭圆形、三棱形，长2.5 ~ 3 mm，棕色，平滑。花果期5 ~ 7月。

| 生境分布 | 生于海拔600 ~ 2 000 m的山坡林下、草地、山谷沟边或河边湿地。分布于湘西北、湘西南、湘南等。

| 资源情况 | 野生资源一般。药材来源于野生。

| 采收加工 | 采收后晒干。

| 药材性状 | 本品多卷曲。根茎木质。秆呈三棱形。叶展平后宽6 ~ 15 mm。果实椭圆形。

| 功能主治 | 辛、甘，平。凉血，止血，解表透疹。用于痢疾，麻疹不出，消化不良。

| 用法用量 | 内服煎汤。

莎草科 Cyperaceae 薹草属 *Carex*

套鞘薹草 *Carex maubertiana* Boott

| 药 材 名 | 套鞘薹草（药用部位：全草）。

| 形态特征 | 多年生草本。根茎粗短，木质，无地下匍匐茎。秆丛生，高 60 ~ 80 cm，稍细，坚挺，钝三棱形，基部具褐色无叶片的鞘。叶较密生，上部叶片长于秆，下部叶片较短，宽 4 ~ 6 mm，较坚挺，边缘稍外卷，背面有小横隔脉；叶鞘较长，常上下套叠而紧包秆，鞘口具明显的紫红色叶舌。苞片叶状，长于花序，具鞘；小穗 6 ~ 9，上面的小穗间距短，下面的小穗间距较长，顶生小穗为雄小穗，狭圆柱形，长 2 ~ 3 cm，具短柄，其余小穗为雌小穗，圆柱形，长 2 ~ 3 cm，密生多数花，具短柄；雌花鳞片宽卵形，长约 1.8 mm，先端急尖，具短尖头，膜质，淡黄色，具锈色短条纹，中间具 1 淡

绿色中脉，花柱短，基部稍增粗，柱头3；果囊近直立，长于鳞片，宽倒卵形，长约3 mm，膜质，黄绿色，具锈色短条纹，密被白色短硬毛，背面具2明显的侧脉，基部急狭成短柄，先端急狭成较短的喙，喙口具2短齿。小坚果紧包于果囊内，宽椭圆形、三棱形，长约2 mm，基部急狭成短柄，先端急尖。花果期6～9月。

| 生境分布 | 生于海拔400～1 000 m的山坡林下或路边阴湿处。分布于湖南郴州（北湖）、怀化（会同、洪江）、湘西州（龙山）等。

| 资源情况 | 野生资源一般。药材来源于野生。

| 采收加工 | 采收后晒干。

| 药材性状 | 本品木质根茎粗短。秆高60～80 cm。具叶鞘，叶卷曲，背面具横隔脉。花序具鞘，雄小穗顶生，小穗柄短。小坚果呈椭圆形，基部急狭成短柄。

| 功能主治 | 辛、甘，平。清热，利尿。用于淋证，烫火伤。

| 用法用量 | 内服煎汤。

莎草科 Cyperaceae 薹草属 *Carex*

条穗薹草 *Carex nemostachys* Steud.

| 药 材 名 | 条穗薹草（药用部位：全草）。

| 形态特征 | 多年生草本。根茎粗短，木质，具地下匍匐茎。秆高 40 ~ 90 cm，粗壮，三棱形，上部粗糙，基部具黄褐色撕裂成纤维状的老叶鞘。叶长于秆，宽 6 ~ 8 mm，较坚挺，下部常折合，上部平张，两侧脉明显，脉和边缘均粗糙。苞片下面的呈叶状，上面的呈刚毛状，长于或短于秆，无鞘；小穗 5 ~ 8，常聚生于秆顶部，顶生小穗为雄小穗，线形，长 5 ~ 10 cm，近无柄，其余小穗为雌小穗，长圆柱形，长 4 ~ 12 cm，密生多数花，近无柄或下部的小穗具很短的柄；雄花鳞片披针形，长约 5 mm，先端具芒，芒常粗糙，膜质，边缘稍内卷；雌花鳞片狭披针形，长 3 ~ 4 mm，先端具芒，芒粗糙，膜质，苍白色，具 1 ~ 3

脉，柱头 3；果囊后期向外张开，稍短于鳞片，卵形或宽卵形、钝三棱形，长约 3 mm，膜质，褐色，具少数脉，疏被短硬毛，基部宽楔形，先端急缩成长喙，喙向外弯，喙口斜截形。小坚果较松地包于果囊内，宽倒卵形或近椭圆形、三棱形，长约 1.8 mm，淡棕黄色。花果期 9 ~ 12 月。

| 生境分布 | 生于海拔 300 ~ 1 600 m 的小溪旁、沼泽地、林下阴湿处。分布于湘西南、湘北、湘中、湘东等。

| 资源情况 | 野生资源一般。药材来源于野生。

| 采收加工 | 采收后洗净，干燥。

| 药材性状 | 本品根茎较粗，具地下匍匐茎。果囊宽倒卵形或近椭圆形、三棱形，膜质。

| 功能主治 | 利水。用于水肿。

| 用法用量 | 内服煎汤。

莎草科 Cyperaceae 薹草属 *Carex*

镜子薹草 *Carex phacota* Spreng.

| 药 材 名 | 三棱草（药用部位：全草）。

| 形态特征 | 多年生草本。根茎短。秆丛生，高 20 ~ 75 cm，锐三棱形，基部具淡黄褐色或深黄褐色的叶鞘，细裂成网状。叶与秆近等长，宽 3 ~ 5 mm，平张，边缘反卷。苞片下部的呈叶状，明显长于花序，无鞘，上部的呈刚毛状；小穗 3 ~ 5，接近，先端 1 小穗雄性，稀顶部具少数雌花，线状圆柱形，长 4.5 ~ 6.5 cm，宽 1.5 ~ 2 mm，具柄，侧生小穗雌性，稀顶部具少数雄花，长圆柱形，长 2.5 ~ 6.5 cm，宽 3 ~ 4 mm，花密，小穗柄纤细，最下部的 1 小穗柄长 2 ~ 3 cm，向上渐短，略粗糙，下垂；雌花鳞片长圆形，长约 2 mm（芒除外），先端平截或凹，具粗糙芒尖，中间淡绿色，两侧苍白色，具锈色点

线，具 3 脉，花柱长，基部不膨大，柱头 2；果囊长于鳞片，宽卵形或椭圆形，长 2.5 ～ 3 mm，宽约 1.8 mm，双凸状，密生乳头状突起，暗棕色，无脉，基部宽楔形，先端急尖成短喙，喙口全缘或微凹。小坚果稍松地包于果囊中，近圆形或宽卵形，长 1.5 mm，褐色，密生小乳头状突起。花果期 3 ～ 5 月。

| 生境分布 | 生于沟边草丛中、水边和路旁潮湿处。湖南各地均有分布。

| 资源情况 | 野生资源丰富。药材来源于野生。

| 采收加工 | 夏、秋季采收，洗净，切段，鲜用或晒干。

| 药材性状 | 本品根茎较短。秆高 20 ～ 75 cm，基部具叶鞘。叶片卷曲，展开后宽 3 ～ 5 mm。果囊宽卵形或椭圆形。小坚果呈近圆形或宽卵形。

| 功能主治 | 辛，平。解表透疹，催生。用于小儿麻疹不透，难产。

| 用法用量 | 内服煎汤，6 ～ 15 g，鲜品 30 ～ 60 g。

莎草科 Cyperaceae 薹草属 *Carex*

大理薹草 *Carex rubrobrunnea* C. B. Clarke var. *taliensis* (Franch.) Kukenth.

| 药 材 名 | 大理苔草（药用部位：全草）。

| 形态特征 | 多年生草本。根茎短。秆丛生，高 20 ~ 60 cm，三棱形，稍坚挺，平滑，上部稍粗糙，基部具褐色呈网状分裂的老叶鞘。叶长于秆，宽 3 ~ 4 mm，平张，革质，边缘粗糙。苞片最下部的 1 ~ 2 呈叶状，长于花序，上部的呈刚毛状，无鞘；小穗 4 ~ 6，接近，排列成帚状，顶生 1 小穗雄性或雌雄顺序，线状圆柱形或近棒状，长 4 ~ 5.5 cm，宽 2 ~ 4 mm，花密，具柄或近无柄，侧生小穗雌性，有时先端具雄花，圆柱形，长 3.5 ~ 7 cm，宽 3 ~ 4 mm，具多而密生的花，基部的小穗柄长 1 ~ 1.5 cm，其余的小穗柄渐短或近无柄；雌花鳞片披针形，先端渐尖，具短芒尖，长约 3 mm，中间 3 脉绿色，两侧栗色，边缘狭，

白色，膜质，柱头2，长为果囊的2倍；果囊稍短于鳞片，长圆形或长圆状披针形，平凸状，长3 ~ 4 mm，黄绿色，密生锈色树脂状点线，先端急缩成中等长的喙，喙口具2齿。小坚果紧包于果囊中，宽倒卵形，长约1.5 mm。花果期3 ~ 5月。

| 生境分布 | 生于海拔1 500 ~ 2 000 m的山谷沟边、石隙间、林下。分布于湖南邵阳（绥宁）、怀化（靖州）等。

| 资源情况 | 野生资源稀少。药材来源于野生。

| 采收加工 | 采收后晒干。

| 药材性状 | 本品根茎短。秆呈三棱形。叶长，呈披针形，革质。果囊呈长圆形或长圆状披针形。小坚果包于果囊中，宽倒卵形。

| 功能主治 | 清热利湿，消疮止痒。

| 用法用量 | 内服煎汤。

莎草科 Cyperaceae 薹草属 *Carex*

花葶薹草 *Carex scaposa* C. B. Clarke

| 药材名 | 翻天红（药用部位：全草）。

| 形态特征 | 多年生草本。根茎匍匐，木质。秆侧生，高 20 ~ 80 cm，坚挺。叶基生和秆生；基生叶丛生，窄椭圆形、椭圆状披针形或椭圆状带形，长 10 ~ 35 cm，先端渐尖，两面无毛或下面粗糙，具 3 隆起的脉及多数细脉，叶柄不明显至长达 30 cm；秆生叶佛焰苞状，生于秆的下部或中部以下，褐色，纸质。圆锥花序复出；支花序 3 至数枚，圆锥状，单生或双生，支花序梗坚挺，长 4 ~ 8 cm；小穗两性，雄雌顺序，长圆状圆柱形，雄花部分线状披针形，短于雌花部分或与雌花部分近等长；雌花鳞片卵形，先端渐尖，膜质，黄绿色，有褐色斑点，花柱基部不增粗，柱头 3；果囊椭圆形、三棱形，

长 3 ~ 4 mm，纸质，淡黄绿色，密生褐色斑点，腹面具 2 侧脉，先端具喙，喙长为果囊的 1/2，喙口微凹。小坚果椭圆形、三棱形，长 1.5 ~ 2.2 mm，褐色。花果期 5 ~ 11 月。

| 生境分布 | 生于海拔 400 ~ 1 500 m 的常绿阔叶林林下、水旁、山坡阴处或石灰岩山坡峭壁上。分布于湘西南、湘南、湘中、湘东等。

| 资源情况 | 野生资源较丰富。药材来源于野生。

| 采收加工 | 夏、秋季采收，洗净，鲜用或切段晒干。

| 药材性状 | 本品秆高 20 ~ 80 cm。基生叶呈椭圆形，长 10 ~ 35 cm，先端渐尖，具多脉。果囊椭圆形，纸质。

| 功能主治 | 辛、甘，平。凉血，止血，解表透疹。用于急性胃肠炎，跌打损伤，瘀血作痛，腰肌劳损。

| 用法用量 | 内服煎汤，3 ~ 10 g。外用适量，鲜品捣敷。

莎草科 Cyperaceae 薹草属 *Carex*

硬果薹草 *Carex sclerocarpa* Franch.

| 药 材 名 | 硬果薹草（药用部位：全草）。

| 形态特征 | 多年生草本。根茎斜升。秆丛生，高 30 ~ 60 cm，中等细，三棱形，平滑，基部常包以褐红色叶鞘。叶短于秆，宽 5 ~ 6 mm，平张，具 2 明显的侧脉，具叶鞘，下部的叶鞘常呈褐红色。苞片叶状，短于秆，通常具长的苞片鞘；小穗 6 ~ 7，顶生小穗为雄小穗，线形，长达 4 cm，近无柄，其余小穗为雌小穗，狭圆柱形，长 2.5 ~ 7 cm，具多数较密生的花，上面 2 小穗密生于秆顶部，近无柄，下面的小穗稍疏远，小穗柄短；雄花鳞片线状披针形，长 3.5 ~ 4 mm，先端具芒，苍白色，具淡绿色中脉；雌花鳞片披针形，长约 2 mm，先端渐尖，具短芒，膜质，苍白色，具淡绿色中脉，花柱基部稍增粗，柱头 3，

通常较短；果囊斜展开，长于鳞片，椭圆形、钝三棱形，长约 2.8 mm，膜质，褐绿色，具 5 不明显的脉，脉上被短硬毛，基部楔形，先端急缩成中等长的喙，喙口斜截形，后期微凹。小坚果较紧地包于果囊内，近椭圆形、三棱形，长约 1 mm，淡黄色，具细小的颗粒状突起。花果期 5 ~ 6 月。

| 生境分布 | 生于海拔 900 ~ 1 700 m 的林下。分布于湖南怀化（麻阳）、郴州（嘉禾）、邵阳（绥宁）等。

| 资源情况 | 野生资源稀少。药材来源于野生。

| 采收加工 | 采收后洗净，干燥。

| 药材性状 | 本品秆呈三棱形，质平滑。叶短于秆，平张，具 2 明显的侧脉。果囊椭圆形、钝三棱形。小坚果较紧地包于果囊内，近椭圆形、三棱形。

| 功能主治 | 用于痢疾，麻疹不出，消化不良等。

| 用法用量 | 内服煎汤。

莎草科 Cyperaceae 薹草属 *Carex*

宽叶薹草 *Carex siderosticta* Hance

| 药 材 名 | 崖棕根（药用部位：根）。

| 形态特征 | 多年生草本。根茎长。营养茎和花茎有间距；花茎高达 30 cm，苞鞘上部膨大成佛焰苞状，长 2 ~ 2.5 cm，苞片长 5 ~ 10 mm，近基部的叶鞘无叶片，淡棕褐色；营养茎的叶长圆状披针形，长 10 ~ 20 cm，宽 1 ~ 2.5（~ 3）cm，有时具白色条纹，中脉及 2 侧脉较明显，叶上面无毛，下面沿脉疏被柔毛。小穗 3 ~ 6（~ 10），单生或孪生于各节，雄雌顺序，线状圆柱形，长 1.5 ~ 3 cm，花疏；小穗柄长 2 ~ 6 cm，多伸出鞘外；雄花鳞片披针状长圆形，先端尖，长 5 ~ 6 mm，两侧透明膜质，中间绿色，具 3 脉；雌花鳞片椭圆状长圆形至披针状长圆形，先端钝，长 4 ~ 5 cm，两侧透明膜质，中

间绿色，具 3 脉，疏生锈点，花柱宿存，基部不膨大，先端稍伸出果囊外，柱头 3；果囊倒卵形或椭圆形、三棱形，长 3 ~ 4 mm，平滑，具多条明显凸起的细脉，基部渐狭，具很短的柄，先端骤狭成短喙或近无喙，喙口平截。小坚果紧包于果囊中，椭圆形、三棱形，长约 2 mm。花果期 4 ~ 5 月。

| 生境分布 | 生于海拔 1 000 ~ 2 000 m 的针阔叶混交林、阔叶林林下或林缘。分布于湖南怀化（洪江）、湘西州（永顺）等。

| 资源情况 | 野生资源稀少。药材来源于野生。

| 采收加工 | 夏、秋季采收，洗净，切段，晒干。

| 功能主治 | 甘、辛，温。益气养血，活血调经。用于气血虚弱，倦怠无力，心悸失眠，月经不调，经闭。

| 用法用量 | 内服煎汤，9 ~ 12 g。

莎草科 Cyperaceae 薹草属 *Carex*

三穗薹草 *Carex tristachya* Thunb.

|药材名| 三穗薹草（药用部位：全草）。

|形态特征| 多年生草本。根茎短。秆丛生，高 20 ~ 45 cm，纤细，钝三棱形，平滑，基部叶鞘暗褐色，碎裂成纤维状。叶短于或近等长于秆，宽 2 ~ 4（~ 5）mm，平张，边缘粗糙。苞片叶状，长于小穗，具鞘，鞘长 6 ~ 12 mm；小穗 4 ~ 6，上部接近，排列成帚状，有的最下部 1 小穗远离，顶生小穗雄性，线状圆柱形，长 1 ~ 4 cm，宽 1 ~ 1.5 mm，近无柄，侧生小穗雌性，圆柱形，长 1 ~ 3（~ 3.5）cm，宽 2 ~ 3 mm，花稍密生，上部的小穗柄短而包藏于苞鞘内，最下部的小穗柄伸出，长 2.5 ~ 3.5（~ 5.5）cm，直立，纤细；雄花鳞片宽卵形，基部两侧边缘分离至稍合生，花丝扁化，不合生；雌花鳞片椭圆形或长圆

形，长约 2 mm，先端钝、截形或急尖，具短尖头，背面中间绿色，两侧淡黄色，花柱基部膨大成圆锥状，柱头 3；果囊长于鳞片，直立，卵状纺锤形、三棱形，长 3 ~ 3.2 mm，膜质，绿色，具多脉，被短柔毛，基部渐狭，具短柄，上部渐狭成喙，喙口具 2 微齿。小坚果紧包于果囊中，卵形，长 2 ~ 2.5 mm，淡褐色，先端缢缩成环状。花果期 3 ~ 5 月。

| 生境分布 | 生于海拔 600 m 的山坡路边、林下潮湿处。分布于湖南衡阳（祁东）、怀化（麻阳）等。

| 资源情况 | 野生资源稀少。药材来源于野生。

| 采收加工 | 采收后洗净，干燥或鲜用。

| 药材性状 | 本品根茎短。秆呈钝三棱形。叶缘粗糙。果囊长于鳞片，直立，卵状纺锤形、三棱形，膜质。小坚果呈卵形，先端缢缩成环状。

| 功能主治 | 辛、甘，平。凉血，止血，解表透疹。用于痢疾，麻疹不出。

| 用法用量 | 内服煎汤。

莎草科 Cyperaceae 莎草属 *Cyperus*

阿穆尔莎草 *Cyperus amuricus* Maxim.

| 药 材 名 | 阿穆尔莎草（药用部位：全草）。

| 形态特征 | 一年生草本。根为须根。秆丛生，纤细，高 5 ~ 50 cm，扁三棱形，平滑，基部叶较多。叶短于秆，宽 2 ~ 4 mm，平张，边缘平滑。叶状苞片 3 ~ 5，下面 2 苞片常长于花序；长侧枝聚伞花序简单，具 2 ~ 10 辐射枝，辐射枝最长达 12 cm；穗状花序蒲扇形、宽卵形或长圆形，长 10 ~ 25 mm，宽 8 ~ 30 mm，具 5 至多数小穗；小穗排列疏松，斜展，后期平展，线形或线状披针形，长 5 ~ 15 mm，宽 1 ~ 2 mm，具 8 ~ 20 花；小穗轴具白色透明的翅，翅宿存；鳞片排列稍松，膜质，近圆形或宽倒卵形，先端具由龙骨状突起延伸出的稍长的短尖头，长约 1 mm，中脉绿色，具 5 脉，两侧紫红色

或褐色，稍具光泽；雄蕊 3，花药短，椭圆形，药隔突出于花药先端，红色；花柱极短，柱头 3，较短。小坚果倒卵形或长圆形、三棱形，与鳞片近等长，先端具小短尖头，黑褐色，密生微凸起的细点。花果期 7 ~ 10 月。

| 生境分布 | 生于田间、山坡、河边。分布于湖南邵阳（邵阳）、娄底（新化）、湘西州（吉首）等。

| 资源情况 | 野生资源稀少。药材来源于野生。

| 采收加工 | 采收后洗净，鲜用或晒干。

| 药材性状 | 本品具须根。秆呈扁三棱形，平滑。小坚果先端具黑褐色短尖头，具微凸起的细点。

| 功能主治 | 疏表解热，调经止痛。用于风湿骨痛，瘫痪，麻疹。

| 用法用量 | 内服煎汤。

莎草科 Cyperaceae 莎草属 *Cyperus*

扁穗莎草 *Cyperus compressus* L.

| 药 材 名 | 扁穗莎草（药用部位：全草）。

| 形态特征 | 一年生丛生草本。根为须根。秆稍纤细，高 5 ~ 25 cm，锐三棱形，基部具较多叶。叶短于或近等长于秆，宽 1.5 ~ 3 mm，折合或平张，灰绿色；叶鞘紫褐色。苞片 3 ~ 5，叶状，长于花序；长侧枝聚伞花序简单，具（1 ~ ）2 ~ 7 辐射枝，辐射枝最长达 5 cm；穗状花序近头状，花序轴短，具 3 ~ 10 小穗；小穗排列紧密，斜展，线状披针形，长 8 ~ 17 mm，宽约 4 mm，近四棱形，具 8 ~ 20 花；鳞片紧密，呈覆瓦状排列，稍厚，卵形，先端具稍长的芒，芒长约 3 mm，背面具龙骨状突起，中间较宽部分绿色，两侧苍白色或麦秆色，有时具锈色斑纹，具 9 ~ 13 脉；雄蕊 3，花药线形，药隔突出于花

药先端；花柱长，柱头 3，较短。小坚果倒卵形、三棱形，侧面凹陷，长约为鳞片的 1/3，深棕色，表面密生细点。花果期 7 ~ 12 月。

| 生境分布 | 生于旷野、荒地上。湖南各地均有分布。

| 资源情况 | 野生资源丰富。药材来源于野生。

| 采收加工 | 采收后洗净，鲜用或晒干。

| 药材性状 | 本品具须根。秆呈锐三棱形，基部具较多叶。小坚果呈三棱形，侧面凹陷，表面具细点。

| 功能主治 | 养心，行血调经。外用于跌打损伤。

| 用法用量 | 外用适量，鲜品捣敷。

莎草科 Cyperaceae 莎草属 *Cyperus*

长尖莎草 *Cyperus cuspidatus* H. B. K.

| 药 材 名 | 长尖莎草（药用部位：全草）。

| 形态特征 | 一年生草本，具须根。秆丛生，细弱，高 1.5 ~ 15 cm，三棱形，平滑。叶少，短于秆，宽 1 ~ 2 mm，常向内折合。苞片 2 ~ 3，线形，长于花序；长侧枝聚伞花序简单，具 2 ~ 5 辐射枝，辐射枝最长达 2 cm；小穗 5 至多数，排列成折扇状，线形，长 4 ~ 12 mm，宽约 1.5 mm，具 8 ~ 26 花；鳞片较松，呈覆瓦状排列，长圆形，长 1 ~ 1.5 mm，先端平截，背面具龙骨状突起，绿色，延伸出先端成较长而向外弯的芒，芒长约为鳞片的 2/3，两侧紫红色或褐色，具 3 明显的脉；雄蕊 3，花药短，椭圆形；花柱长，柱头 3。小坚果长圆状倒卵形或长圆形、三棱形，长约为鳞片的 1/2，深褐色，具多数

疣状小突起。花果期 6 ~ 9 月。

| 生境分布 | 生于河边沙地上。分布于湖南郴州（桂东）等。

| 资源情况 | 野生资源稀少。药材来源于野生。

| 采收加工 | 采收后洗净，鲜用或晒干。

| 药材性状 | 本品具须根。秆细弱，呈三棱形，平滑。叶少。小坚果呈长圆状倒卵形或长圆形、三棱形，具疣状突起。

| 功能主治 | 养心，调经，行气。外用于跌打损伤。

| 用法用量 | 内服煎汤，3 ~ 9 g。

莎草科 Cyperaceae 莎草属 *Cyperus*

异型莎草 *Cyperus difformis* L.

| 药材名 | 王母钗（药用部位：全草。别名：碱草、五粒关）。

| 形态特征 | 一年生草本。根为须根。秆丛生，扁三棱形，平滑。叶短于秆，宽 2 ~ 6 mm，平张或折合；叶鞘稍长，褐色。苞片 2，少 3，叶状，长于花序；长侧枝聚伞花序简单，少数为复出，具 3 ~ 9 辐射枝，辐射枝长短不等，最长达 2.5 cm，或有时近无花梗；头状花序球形，具极多数小穗，直径 5 ~ 15 mm；小穗密聚，披针形或线形，长 2 ~ 8 mm，宽约 1 mm，具 8 ~ 28 花；小穗轴无翅；鳞片排列稍松，膜质，近扁圆形，先端圆，长不及 1 mm，中间淡黄色，两侧深红紫色或栗色，边缘具白色透明的边，具 3 不明显的脉；雄蕊 2，有时 1，花药椭圆形，药隔不突出于花药先端；花柱极短，柱头 3，短。小

坚果倒卵状椭圆形或三棱形，几与鳞片等长，淡黄色。花果期 7 ~ 10 月。

| 生境分布 | 生于丘陵岗地。湖南各地均有分布。

| 资源情况 | 野生资源较丰富。药材来源于野生。

| 采收加工 | 7 ~ 8 月采收，连根拔起，洗净，鲜用或晒干。

| 功能主治 | 咸、微苦，凉。利尿通淋，行气活血。用于热淋，小便不利，跌打损伤。

| 用法用量 | 内服煎汤，9 ~ 15 g，鲜品 30 ~ 60 g；或烧存性研末。

莎草科 Cyperaceae 莎草属 *Cyperus*

畦畔莎草 *Cyperus haspan* L.

| 药 材 名 | 畦畔莎草（药用部位：全草）。

| 形态特征 | 一年生或多年生草本。根茎短缩，具多数须根。秆丛生或散生，稍细弱，高 2 ~ 100 cm，扁三棱形，平滑。叶短于秆，宽 2 ~ 3 mm，有时仅具叶鞘而无叶片。苞片 2，叶状，常较花序短，稀长于花序；长侧枝聚伞花序复出或简单，稀多次复出，具多数细长松散的第一次辐射枝，辐射枝最长达 17 cm；小穗通常 3 ~ 6，稀 14 呈指状排列，线形或线状披针形，长 2 ~ 12 mm，宽 1 ~ 1.5 mm，具 6 ~ 24 花；小穗轴无翅；鳞片密，呈覆瓦状排列，膜质，长圆状卵形，长约 1.5 mm，先端具短尖头，背面稍呈龙骨状凸起，绿色，两侧紫红色或苍白色，具 3 脉；雄蕊 1 ~ 3，花药线状长圆形，先端具白

色刚毛状附属物；花柱中等长，柱头 3。小坚果宽倒卵形、三棱形，长约为鳞片的 1/3，淡黄色，具疣状小突起。

| 生境分布 | 生于山坡草地、田边及水田、浅水池塘等水湿处。分布于湘中、湘东等。

| 资源情况 | 野生资源一般。药材来源于野生。

| 采收加工 | 采收后洗净，鲜用或晒干。

| 药材性状 | 本品根茎较短，具须根。秆细弱，呈扁三棱形。小坚果呈倒卵形，具疣状小突起。

| 功能主治 | 用于新生儿破伤风。

| 用法用量 | 内服煎汤。

莎草科 Cyperaceae 莎草属 *Cyperus*

碎米莎草 *Cyperus iria* L.

| 药材名 | 三楞草（药用部位：全草）。

| 形态特征 | 一年生草本，无根茎，具须根。秆丛生，细弱或稍粗壮，高 8 ~ 85 cm，扁三棱形，基部具少数叶。叶短于秆，宽 2 ~ 5 mm，平张或折合；叶鞘红棕色或棕紫色。叶状苞片 3 ~ 5，下面 2 ~ 3 苞片常较花序长；长侧枝聚伞花序复出，稀简单，具 4 ~ 9 辐射枝，辐射枝最长达 12 cm，每辐射枝具 5 ~ 10 穗状花序或更多；穗状花序卵形或长圆状卵形，长 1 ~ 4 cm，具 5 ~ 22 小穗；小穗排列松散，斜展，长圆形、披针形或线状披针形，压扁，长 4 ~ 10 mm，宽约 2 mm，具 6 ~ 22 花；小穗轴近无翅；鳞片排列疏松，膜质，宽倒卵形，先端微缺，具极短的短尖头，不突出于鳞片先端，背面具龙骨状突

起，绿色，具 3 ~ 5 脉，两侧呈黄色或麦秆黄色，上端边缘白色透明；雄蕊 3，花丝着生于环形胼胝体上，花药短，椭圆形，药隔不突出于花药先端；花柱短，柱头 3。小坚果倒卵形或椭圆形、三棱形，与鳞片等长，褐色，密生微凸起的细点。花果期 6 ~ 10 月。

| 生境分布 | 生于山坡、田间、路旁阴湿处。湖南各地均有分布。

| 资源情况 | 野生资源丰富。药材来源于野生。

| 采收加工 | 8 ~ 9 月抽穗时采收，洗净，晒干。

| 药材性状 | 本品具须根。秆高 8 ~ 85 cm，扁三棱形。叶宽 2 ~ 5 mm，平张或折合。小坚果倒卵形或椭圆形、三棱形，具微凸起的细点。

| 功能主治 | 辛，微温。归肝经。祛风除湿，活血调经。用于风湿筋骨疼痛，瘫痪，月经不调，闭经，痛经，跌打损伤。

| 用法用量 | 内服煎汤，10 ~ 30 g；或浸酒。

莎草科 Cyperaceae 莎草属 *Cyperus*

具芒碎米莎草 *Cyperus microiria* Steud.

|药材名| 具芒碎米莎草（药用部位：全草）。

|形态特征| 一年生草本，具须根。秆丛生，高 20 ~ 50 cm，稍细，锐三棱形，平滑，基部具叶。叶短于秆，宽 2.5 ~ 5 mm，平张；叶鞘红棕色，表面稍带白色。叶状苞片 3 ~ 4，长于花序；长侧枝聚伞花序复出或多次复出，稍密或疏松，具 5 ~ 7 辐射枝，辐射枝长短不等，最长达 13 cm；穗状花序卵形、宽卵形或近三角形，长 2 ~ 4 cm，宽 1 ~ 3 cm，具多数小穗；小穗排列稍稀疏，斜展，线形或线状披针形，长 6 ~ 15 mm，宽约 1.5 mm，具 8 ~ 24 花；小穗轴直，具白色透明的狭边；鳞片排列疏松，膜质，宽倒卵形，先端圆形，长约 1.5 mm，麦秆黄色或白色，背面具龙骨状突起，具脉 3 ~ 5，绿色，中脉延

伸出先端而呈短尖；雄蕊 3，花药长圆形；花柱极短，柱头 3。小坚果倒卵形、三棱形，与鳞片近等长，深褐色，密生微凸起的细点。花果期 8 ~ 10 月。

｜生境分布｜ 生于河岸边、路旁或草原湿处。分布于湖南株洲（石峰）等。

｜资源情况｜ 野生资源稀少。药材来源于野生。

｜采收加工｜ 采收后洗净，鲜用或晒干。

｜药材性状｜ 本品秆稍细，锐三棱形，平滑。叶卷曲。小坚果呈倒卵形，深褐色，具微凸起的细点。

｜功能主治｜ 利湿通淋，行气活血。用于风湿骨病。

｜用法用量｜ 内服煎汤，15 ~ 20 g。

莎草科 Cyperaceae 莎草属 *Cyperus*

毛轴莎草 *Cyperus pilosus* Vahl

| 药 材 名 | 毛轴莎草（药用部位：全草）。

| 形态特征 | 多年生草本，高 30 ~ 70 cm。根茎细长。秆散生，粗壮，锐三角形，上部较粗糙。叶片宽 6 ~ 8 mm，边缘粗糙；叶鞘短，淡褐色。叶状苞片 3，长于花序；聚伞花序复出；穗状花序卵形，长 1.5 ~ 3 cm，无总花梗；花序梗被淡黄色粗硬毛；小穗线状披针形，长 5 ~ 10，具花 8 ~ 18，小穗轴有白色狭翅；鳞片排列稍松，宽卵形，长约 2 mm，先端有短尖，脉 5 ~ 7，中间绿色，两侧黄褐色，边缘有白色透明的翅；雄蕊 3，花药短，长圆形；花柱细长，有棕色斑，柱头 3。小坚果三棱状卵形，长约 1 mm，具短尖，成熟时黑色。花果期 8 ~ 11 月。

| 生境分布 | 生于水田边、河边潮湿处。分布于湖南湘西州（永顺）、怀化（新晃、芷江、洪江）、郴州（宜章）、长沙（岳麓）等。

| 资源情况 | 野生资源丰富。药材来源于野生。

| 采收加工 | 夏、秋季采收，洗净，晒干。

| 功能主治 | 活血散瘀，利水消肿。用于跌打损伤，浮肿。

| 用法用量 | 内服煎汤，3 ~ 9 g。

莎草科 Cyperaceae 莎草属 *Cyperus*

莎草 *Cyperus rotundus* L.

| 药 材 名 | 香附（药用部位：根茎）、莎草（药用部位：茎叶）。

| 形态特征 | 多年生草本。匍匐根茎长；块茎椭圆形。秆稍细弱，高 15 ~ 95 cm，锐三棱形，平滑，基部呈块茎状。叶较多，短于秆，宽 2 ~ 5 mm，平张；叶鞘棕色，常裂成纤维状。叶状苞片 2 ~ 3（~ 5），常长于花序，有时短于花序；长侧枝聚伞花序简单或复出，具（2 ~ ）3 ~ 10 辐射枝，辐射枝最长达 12 cm；穗状花序陀螺形，稍疏松，具 3 ~ 10 小穗；小穗斜展，线形，长 1 ~ 3 cm，宽约 1.5 mm，具 8 ~ 28 花；小穗轴具白色透明较宽的翅；鳞片稍密，呈覆瓦状排列，膜质，卵形或长圆状卵形，长约 3 mm，先端急尖或钝，无短尖头，中间绿色，两侧紫红色或红棕色，具 5 ~ 7 脉；雄蕊 3，花药长，线形，暗血

红色，药隔突出于花药先端；花柱长，柱头 3，细长，伸出鳞片外。小坚果长圆状倒卵形、三棱形，长为鳞片的 1/3 ~ 2/5，具细点。

| 生境分布 | 生于山坡草地、耕地、路旁、水边潮湿处。湖南各地均有分布。

| 资源情况 | 野生资源丰富。药材来源于野生。

| 采收加工 | 香附：春、秋季采挖，燎去须根，晒干。
莎草：春、夏季采收，洗净，鲜用或晒干。

| 药材性状 | 香附：本品呈纺锤形或稍弯曲，长 2 ～ 3.5 cm，直径 0.5 ～ 1 cm。表面棕褐色或黑褐色，具不规则纵皱纹及明显而略隆起的环节 6 ～ 10，节上具暗棕色毛须及须根痕，具细密纵脊纹。质坚硬，蒸煮者断面角质样，棕黄色或棕红色，生晒者断面粉性，类白色，内皮层环明显，中柱色较深，有点状维管束散在。气香，味微苦。

| 功能主治 | 香附：辛、甘、微苦，平。归肝、三焦经。理气解郁，调经止痛，安胎。用于胁肋胀痛，乳房胀痛，疝气疼痛，月经不调，脘腹痞满疼痛，嗳气吞酸，呕恶，经行腹痛，崩漏，带下，胎动不安。
莎草：苦、辛，凉。行气开郁，祛风止痒，宽胸利痰。用于胸闷不舒，风疹瘙痒，疮痈肿毒。

| 用法用量 | 香附：内服煎汤，5 ～ 10 g；或入丸、散剂。外用适量，研末撒或调敷。
莎草：内服煎汤，10 ～ 30 g。外用适量，鲜品捣敷；或煎汤沐浴。

莎草科 Cyperaceae 羊胡子草属 *Eriophorum*

丛毛羊胡子草 *Eriophorum comosum* Nees

| 药 材 名 | 岩梭（药用部位：全草）、岩梭花（药用部位：花）。

| 形态特征 | 多年生草本。根茎短而粗。秆密丛生，钝三棱形，稀圆筒状，无毛，高 14 ~ 78 cm，直径 1 ~ 2 mm，基部具宿存的黑色或褐色的鞘。秆生叶无，基生叶多数，叶片线形，边缘内卷，具细锯齿，向上渐狭成刚毛状，先端三棱形，长于花序，宽 0.5 ~ 1 mm。叶状苞片长于花序；小苞片披针形，上部刚毛状，边缘具细齿；长侧枝聚伞花序伞房状，长 6 ~ 22 cm，具极多数小穗；小穗单生或 2 ~ 3 簇生，长圆形，开花时椭圆形，长 6 ~ 12 mm，基部具空鳞片 4；空鳞片 2 大 2 小，小空鳞片长约为大空鳞片的 1/2，卵形，先端具小短尖头，褐色，膜质，中肋明显，呈龙骨状凸起；有花鳞片形同空鳞片而稍

大，长 2.3 ~ 3 mm；下位刚毛极多数，成熟时长超过鳞片，长达 7 mm，无细刺；雄蕊 2，花药先端具紫黑色披针形短尖头，短尖头长约为花药的 1/3；柱头 3。小坚果狭长圆形、扁三棱形，先端锐尖，有喙，深褐色，有的下部具棕色斑点，长 2.5 mm，宽约 0.5 mm。花果期 6 ~ 11 月。

| 生境分布 | 生于岩壁上或田边、荒地。分布于湘西南、湘西北等。

| 资源情况 | 野生资源较少。药材来源于野生。

| 采收加工 | **岩梭**：夏、秋季采收，洗净，晒干。

岩梭花：6 ~ 7 月采摘，晒干。

| 药材性状 | **岩梭**：本品秆高 14 ~ 78 cm，直径 1 ~ 2 mm。叶片线形，边缘内卷，具细锯齿，向上渐狭成刚毛状，先端三棱形，宽 0.5 ~ 1 mm。

岩梭花：小穗长圆形，开花时椭圆形；花药先端具披针形短尖头。

| 功能主治 | **岩梭**：辛，温。祛风除湿，通经活络。用于风湿骨痛，跌打损伤。

岩梭花：辛，温。止咳平喘。用于咳嗽。

| 用法用量 | **岩梭**：内服煎汤，9 ~ 12 g。

岩梭花：内服煎汤，9 ~ 12 g。

莎草科 Cyperaceae 飘拂草属 *Fimbristylis*

复序飘拂草 *Fimbristylis bisumbellata* (Forsk.) Bubani

| 药 材 名 | 复序飘拂草（药用部位：全草）。

| 形态特征 | 一年生草本，无根茎，具须根。秆密丛生，较细弱，高 4 ~ 20 cm，扁三棱形，平滑，基部具少数叶。叶短于秆，宽 0.7 ~ 1.5 mm，平展，先端边缘具小刺，有时背面被疏硬毛；叶鞘短，黄绿色，具锈色斑纹，被白色长柔毛。叶状苞片 2 ~ 5，近直立，下面 1 ~ 2 苞片较长于或等长于花序，其余苞片短于花序，线形；长侧枝聚伞花序复出或多次复出，松散，具 4 ~ 10 辐射枝，辐射枝纤细，最长达 4 cm；小穗单生于第一次或第二次辐射枝先端，长圆状卵形、卵形或长圆形，先端急尖，长 2 ~ 7 mm，宽 1 ~ 1.8 mm，具 10 ~ 20 或更多花；鳞片稍紧密，呈螺旋状排列，膜质，宽卵形，棕色，长 1.2 ~ 2 mm，

背面具绿色龙骨状突起，有3脉；雄蕊1～2，花药长圆状披针形，药隔稍突出；花柱长而扁，基部膨大，具缘毛，柱头2。小坚果宽倒卵形，双凸状，长约0.8 mm，黄白色，基部具极短的柄，表面具横长圆形网纹。花果期7～9月，个别地区花期至11月。

| 生境分布 | 生于河边、沟旁、山溪边、沙地、沼泽地及山坡潮湿处。分布于湖南郴州（安仁）、永州（祁阳）、怀化（芷江）等。

| 资源情况 | 野生资源稀少。药材来源于野生。

| 采收加工 | 夏、秋季采收，洗净，晒干。

| 药材性状 | 本品秆细弱，呈扁三棱形，平滑。叶先端边缘具小刺，有时背面被疏硬毛；叶鞘具锈色斑纹。

| 功能主治 | 祛痰定喘，止血消肿。

| 用法用量 | 内服煎汤。

莎草科 Cyperaceae 飘拂草属 *Fimbristylis*

两歧飘拂草 *Fimbristylis dichotoma* (L.) Vahl

| 药 材 名 | 飘拂草（药用部位：全草）。

| 形态特征 | 一年生草本。秆丛生，高 15 ~ 50 cm，无毛或被疏柔毛。叶线形，略短于或等长于秆，宽 1 ~ 2.5 mm，被柔毛或无毛，先端急尖或钝；叶鞘革质，先端近平截，膜质部分较宽而呈浅棕色。苞片 3 ~ 4，叶状，通常 1 ~ 2 苞片长于花序，无毛或被毛；长侧枝聚伞花序复出，稀简单，疏散或紧密；小穗单生于辐射枝先端，卵形、椭圆形或长圆形，长 4 ~ 12 mm，宽约 2.5 mm，具多数花；鳞片卵形、长圆状卵形或长圆形，长 2 ~ 2.5 mm，褐色，有光泽，具脉 3 ~ 5，中脉先端延伸成短尖头；雄蕊 1 ~ 2，花丝较短；花柱扁平，长于雄蕊，上部被缘毛，柱头 2。小坚果宽倒卵形，双凸状，长约 1 mm，具 7 ~ 9

明显的纵肋，网纹近横长圆形，无疣状突起，具褐色果柄。花果期 7 ~ 10 月。

| 生境分布 | 生于空旷草地、田野或水稻田中。分布于湘西北、湘西南、湘中、湘东、湘北等。

| 资源情况 | 野生资源一般。药材来源于野生。

| 采收加工 | 夏、秋季采收，洗净，晒干。

| 功能主治 | 淡，寒。清热利尿，解毒。用于小便不利，湿热浮肿，淋证，胎毒。

| 用法用量 | 内服煎汤，6 ~ 9 g。外用适量，煎汤洗。

莎草科 Cyperaceae 飘拂草属 *Fimbristylis*

水虱草 *Fimbristylis miliacea* (L.) Vahl

| 药 材 名 | 水虱草（药用部位：全草）。

| 形态特征 | 一年生草本。秆丛生，高 10 ~ 60 cm，扁四棱形，具纵槽，基部包着1 ~ 3无叶片的鞘；鞘侧扁，鞘口斜裂，向上渐狭窄，有时呈刚毛状，长（1.5 ~ ）3.5 ~ 9 cm。叶长于或短于或等长于秆，侧扁，套褶，剑状，边缘具稀疏细齿，向先端渐狭成刚毛状，宽 1.5 ~ 2 mm；叶鞘侧扁，背面呈锐龙骨状，前面具锈色膜质边缘，鞘口斜裂，无叶舌。苞片 2 ~ 4，刚毛状，基部宽，具锈色膜质边缘，较花序短；长侧枝聚伞花序复出或多次复出，稀简单，具多数小穗，辐射枝 3 ~ 6，细而粗糙，长 0.8 ~ 5 cm；小穗单生于辐射枝先端，球形或近球形，先端极钝，长 1.5 ~ 5 mm，宽 1.5 ~ 2 mm；鳞片膜质，卵形，先

端极钝，长 1 mm，栗色，具白色狭边，背面具龙骨状突起，具 3 脉，沿侧脉深褐色，中脉绿色；雄蕊 2，花药长圆形，先端钝，长 0.75 mm，长为花丝的 1/2；花柱三棱形，基部稍膨大，无缘毛，柱头 3，长为花柱的 1/2。小坚果倒卵形或宽倒卵形、钝三棱形，长 1 mm，麦秆黄色，具疣状突起和横长圆形网纹。

| 生境分布 | 生于溪边、沼泽地、水田及潮湿山坡、路旁和草地。湖南各地均有分布。

| 资源情况 | 野生资源丰富。药材来源于野生。

| 采收加工 | 夏、秋季采收，洗净，鲜用或晒干。

| 药材性状 | 本品秆高 10 ~ 60 cm，扁四棱形，具纵槽。叶侧扁，套褶，剑状，边缘具稀疏细齿，向先端渐狭成刚毛状，宽 1.5 ~ 2 mm；叶鞘侧扁，背面呈锐龙骨状，前面具锈色膜质边缘，鞘口斜裂，无叶舌。小坚果倒卵形或宽倒卵形、钝三棱形。

| 功能主治 | 甘、淡，凉。清热利尿，活血。用于风热咳嗽，小便短赤，胃肠炎，跌打损伤。

| 用法用量 | 内服煎汤，30 ~ 60 g。外用适量，捣敷。

| 附　　注 | 本种的拉丁学名在 FOC 中被修订为 *Fimbristylis littoralis* Gaudich.。

莎草科 Cyperaceae 黑莎草属 *Gahnia*

黑莎草 *Gahnia tristis* Nees

药材名 黑莎草（药用部位：全草）。

形态特征 多年生丛生草本。须根粗，具根茎。秆粗壮，高 0.5 ~ 1.5 m，圆柱状，质坚实，空心。叶基生和秆生，具鞘；叶鞘红棕色，长 10 ~ 20 cm；叶片狭长，质极硬，硬纸质或近革质，长 40 ~ 60 cm，宽 0.7 ~ 1.2 cm，自下而上渐狭，先端钻形，边缘通常内卷，边缘及背面具刺状细齿。苞片叶状，具长鞘，向上鞘渐短，边缘及背面具刺状细齿；圆锥花序紧缩成穗状，长 14 ~ 35 cm，由 7 ~ 15 卵形或矩形穗状分枝组成，下面的穗状分枝较长，相距较远，向上渐短而渐紧密；小苞片鳞片状，卵状披针形；小穗排列紧密，纺锤形，具 8 鳞片，稀 10；鳞片螺旋状排列，基部 6 鳞片中空无花，初期黄棕色，后期暗褐色，卵

状披针形，具 1 脉，质坚硬，最上面 2 鳞片最小，宽卵形，先端微凹并微具缘毛，其中上面 1 鳞片具两性花，下面 1 鳞片具雄蕊或无花；无下位刚毛；雄蕊 3，花丝细长，花药线状长圆形或线形，药隔先端突出于花药外；花柱细长，柱头 3，细长。小坚果倒卵状长圆形、三棱形，长约 4 mm，平滑，具光泽，骨质，未成熟时白色或淡棕色，成熟时黑色。

| 生境分布 | 生于海拔 130 ~ 730 m 的干燥荒坡或山脚灌丛中。分布于湖南邵阳（大祥）、常德（鼎城）等。

| 资源情况 | 野生资源稀少。药材来源于野生。

| 采收加工 | 采收后洗净，晒干。

| 药材性状 | 本品具根茎，须根粗。秆呈空心圆柱状。叶片狭长，质极硬。小坚果呈倒卵状长圆形、三棱形，骨质。

| 功能主治 | 用于阴挺。

| 用法用量 | 内服煎汤。

莎草科 Cyperaceae 荸荠属 *Heleocharis*

荸荠 *Heleocharis dulcis* (Burm. f.) Trin.

| 药 材 名 | 荸荠（药用部位：球茎）。

| 形态特征 | 多年生草本。秆多数，丛生，直立，圆柱状，高 15 ~ 60 cm，直径 1.5 ~ 3 mm，具多数横隔膜，干后具节，不明显，灰绿色，光滑无毛，基部具 2 ~ 3 叶鞘。叶鞘近膜质，绿黄色、紫红色或褐色，高 2 ~ 20 cm，鞘口斜，先端急尖；叶缺如。小穗顶生，圆柱状，长 1.5 ~ 4 cm，直径 6 ~ 7 mm，淡绿色，先端钝或近急尖，具多数花，小穗基部 2 鳞片中空无花，抱小穗基部一周，其余鳞片均具花；鳞片松散，呈覆瓦状排列，宽长圆形或卵状长圆形，先端钝圆，背部灰绿色，近革质，边缘微黄色，干膜质，具淡棕色细点，具 1 中脉；下位刚毛 7，长于小坚果的 1.5 倍，有倒刺；柱头 3，花柱基从宽的基部向上急骤

变狭变扁而呈三角形，不为海绵质，基部具领状环，环与小坚果同质，宽约为小坚果的 1/2。小坚果宽倒卵形，双凸状，先端不缢缩，长约 2.4 mm，宽 1.8 mm，成熟时棕色，光滑。花果期 5 ~ 10 月。

| 生境分布 | 生于池塘、河流浅水处。栽培于田间。湖南各地均有分布。

| 资源情况 | 野生资源一般。栽培资源丰富。药材来源于栽培。

| 采收加工 | 冬季采挖，洗净泥土，鲜用或风干。

| 药材性状 | 本品呈圆球形，稍扁，大小不等，大者直径可达 3 cm，下端中央凹陷，先端具多数聚生的嫩芽，外包有枯黄的鳞片，节明显，环状，附残存的黄色膜质鳞叶，有时具小侧芽。表面紫褐色或黄褐色。质嫩脆，切面白色，富含淀粉和水分。气微，味甜。

| 功能主治 | 甘，寒。归肺、胃经。清热生津，化痰，消积。用于温病口渴，咽喉肿痛，痰热咳嗽，目赤，消渴，痢疾，黄疸，热淋，食积，赘疣。

| 用法用量 | 内服煎汤，60 ~ 120 g；或嚼食；或捣汁；或浸酒；或澄粉。外用适量，煅存性，研末撒；或澄粉点目；或涂擦。

| 附　　注 | 本种的拉丁学名在 FOC 中被修订为 *Eleocharis dulcis* (N. L. Burman) Trinius ex Henschel。

莎草科 Cyperaceae 荸荠属 *Heleocharis*

龙师草 *Heleocharis tetraquetra* Nees

| 药材名 | 龙师草（药用部位：全草）。

| 形态特征 | 根茎短。秆丛生，锐四棱柱状，高 0.25 ~ 0.9（~ 1）m，直径 1.5 ~ 2.5 mm，秆基部具 2 ~ 3 叶鞘，叶鞘长 7 ~ 10 cm，下部紫红色，上部灰绿色，鞘口近平截，先端短三角形，具短尖。小穗稍斜生于秆先端，长卵状卵形或长圆形，长 0.7 ~ 2 cm，宽 3 ~ 5 mm，褐绿色，具多花，基部 3 鳞片无花，上面 2 鳞片对生，下面 1 鳞片抱小穗基部 1 周；余鳞片均有 1 两性花，鳞片紧密覆瓦状排列，长圆形，先端钝舟状，长约 3 mm，纸质，背部中间绿色，两侧近锈色，边缘干膜质，具 1 脉；下位刚毛 6，稍长或等长于小坚果，疏生倒刺；柱头 3。小坚果倒卵形或宽倒卵形，微扁三棱状，背面隆起，长约

1.2 mm，淡褐色，近平滑，具粗短小柄；花柱基三棱状圆锥形，疏生乳头状突起，宽为小坚果的 7/9。花果期 9 ~ 11 月。

| 生境分布 | 生于海拔约 500 m 的山坡路旁阴湿地、山谷溪边、沟边、水塘边或水甸中。分布于湖南长沙（岳麓）、郴州（宜章）等。

| 资源情况 | 野生资源较少。栽培资源稀少。药材来源于野生和栽培。

| 采收加工 | 夏、秋季采收，洗净，晒干。

| 功能主治 | 清热，化痰，消积。用于疮疖，头痛，目赤，疳积，夜盲症。

莎草科 Cyperaceae 荸荠属 *Heleocharis*

牛毛毡 *Heleocharis yokoscensis* (Franchet et Savatier) Tang et F. T. Wang

| 药 材 名 | 牛毛毡（药用部位：全草）。

| 形态特征 | 秆多数，细，密丛生，高 2 ~ 12 cm。叶鳞片状，具鞘；叶鞘微红色，膜质，管状，高 5 ~ 15 mm。小穗卵形，先端钝，长 3 mm，宽 2 mm，淡紫色，具几朵花；鳞片均具花，膜质，下部少数鳞片近 2 列，基部 1 鳞片长圆形，先端钝，背部淡绿色，具 3 脉，两侧微紫色，边缘无色，抱小穗基部一周，长 2 mm，宽 1 mm，其余鳞片卵形，先端急尖，长 3.5 mm，宽 2.5 mm，背部微绿色，具 1 脉，两侧紫色，边缘无色，全部膜质；下位刚毛 1 ~ 4，长为小坚果的 2 倍，有倒刺；柱头 3，花柱基稍膨大成短尖状，直径约为小坚果的 1/3。小坚果狭长圆形，无棱，呈浑圆状，先端缢缩，长 1.8 mm，宽 0.8 mm，

微黄白色，表面具横矩形隆起的网纹，细密，整齐。花果期 4 ~ 11 月。

| 生境分布 | 生于水田中、池塘边、湿黏土中。湖南各地均有分布。

| 资源情况 | 野生资源一般。药材来源于野生。

| 采收加工 | 夏季采收，洗净，晒干。

| 药材性状 | 本品秆细，高 2 ~ 12 cm。叶鳞片状，具鞘；叶鞘微红色，膜质，管状，高 5 ~ 15 mm。小穗卵形，先端钝，长 3 mm，宽 2 mm。小坚果狭长圆形，无棱，呈浑圆状，先端缢缩。

| 功能主治 | 辛，温。发散风寒，祛痰平喘，活血散瘀。用于风寒感冒，支气管炎，跌打伤痛。

| 用法用量 | 内服煎汤，15 ~ 30 g；或研末，3 ~ 9 g。

莎草科 Cyperaceae 水莎草属 *Juncellus*

水莎草 *Juncellus serotinus* (Rottb.) C. B. Clarke

| 药 材 名 | 水莎草（药用部位：全草）。

| 形态特征 | 多年生散生草本。根茎长。秆高 35 ~ 100 cm，粗壮，扁三棱形，平滑。叶片少，短于或长于秆，宽 3 ~ 10 mm，平滑，基部折合，上面平张，背面中肋呈龙骨状凸起。苞片常 3，稀 4，叶状，较花序长 1 倍多，最宽达 8 mm；长侧枝聚伞花序复出，具 4 ~ 7 第一次辐射枝，辐射枝向外展开，长短不等，最长达 16 cm，每辐射枝上具 1 ~ 3 穗状花序；每穗状花序具 5 ~ 17 小穗，花序轴被疏短硬毛；小穗排列稍松，近平展，披针形或线状披针形，长 8 ~ 20 mm，宽约 3 mm，具 10 ~ 34 花；小穗轴具白色透明的翅；鳞片初期排列紧密，后期排列较松，纸质，宽卵形，先端钝或圆，有时微缺，长 2.5 mm，

背面中肋绿色，两侧红褐色或暗红褐色，边缘黄白色，透明，具 5 ~ 7 脉；雄蕊 3，花药线形，药隔暗红色；花柱短，柱头 2，细长，具暗红色斑纹。小坚果椭圆形或倒卵形，平凸状，长约为鳞片的 4/5，棕色，稍有光泽，具凸起的细点。花果期 7 ~ 10 月。

| 生境分布 | 生于浅水中、水边沙土上或路旁。分布于湘北、湘中等。

| 资源情况 | 野生资源稀少。药材来源于野生。

| 采收加工 | 夏、秋季采收，洗净，晒干。

| 药材性状 | 本品根茎长。秆高 35 ~ 100 cm，扁三棱形，平滑。叶片少，宽 3 ~ 10 mm，平滑，基部折合，上面平张，背面中肋呈龙骨状凸起。小坚果椭圆形或倒卵形，平凸状。

| 功能主治 | 辛、微苦，平。止咳化痰。用于慢性支气管炎。

| 用法用量 | 内服煎汤，15 ~ 30 g。

| 附　　注 | 本种的拉丁学名在 FOC 中被修订为 *Cyperus serotinus* Rottb.。

莎草科 Cyperaceae 水蜈蚣属 *Kyllinga*

短叶水蜈蚣 *Kyllinga brevifolia* Rottb.

| 药 材 名 | 水蜈蚣（药用部位：全草）。

| 形态特征 | 多年生草本。根茎长而匍匐，外被褐色膜质鳞片，具多数节间；节间长约 1.5 cm，每节上长一秆。秆成列散生，细弱，高 7 ~ 20 cm，扁三棱形，平滑，基部不膨大，具 4 ~ 5 圆筒状叶鞘。最下面 2 叶鞘常为干膜质，棕色，鞘口斜截形，先端渐尖，上面 2 ~ 3 叶鞘先端具叶片；叶柔弱，短于或稍长于秆，宽 2 ~ 4 mm，平张，上部边缘和背面中肋上具细刺。叶状苞片 3，极展开，后期常向下反折；穗状花序单生，极少 2 ~ 3，球形或卵球形，长 5 ~ 11 mm，宽 4.5 ~ 10 mm，具极多数密生的小穗；小穗长圆状披针形或披针形，压扁，长约 3 mm，宽 0.8 ~ 1 mm，具 1 花；鳞片膜质，长 2.8 ~ 3 mm，

下面的鳞片短于上面的鳞片，白色，具锈斑，稀呈麦秆黄色，背面的龙骨状突起绿色，具刺，先端延伸成外弯的短尖头，具脉 5 ~ 7；雄蕊 1 ~ 3，花药线形；花柱细长，柱头 2，长不及花柱的 1/2。小坚果倒卵状长圆形，扁双凸状，长约为鳞片的 1/2，表面密生细点。花果期 5 ~ 9 月。

| 生境分布 | 生于海拔 600 m 以下的山坡荒地、路旁草丛、田边草地、溪边、海边沙滩上。湖南各地均有分布。

| 资源情况 | 野生资源丰富。药材来源于野生。

| 采收加工 | 5 ~ 9 月采收，洗净，鲜用或晒干。

| 药材性状 | 本品多皱缩交织成团。根茎细圆柱形，表面棕红色或紫褐色，具膜质鳞片，节明显，节上具细秆，断面粉白色。秆细，具棱，深绿色或枯绿色。叶线形，基部鞘状，紫褐色。穗状花序球形，黄绿色。果实卵状长圆形，绿色，具细点。气微。

| 功能主治 | 辛、微苦、甘，平。归肺、肝经。疏风解表，清热利湿，活血解毒。用于感冒，发热，头痛，急性支气管炎，百日咳，疟疾，黄疸，痢疾，乳糜尿，疮疡肿毒，皮肤瘙痒，毒蛇咬伤，风湿性关节炎，跌打损伤。

| 用法用量 | 内服煎汤，15 ~ 30 g，鲜品 30 ~ 60 g；或捣汁；或浸酒。外用适量，捣敷。

莎草科 Cyperaceae 水蜈蚣属 *Kyllinga*

单穗水蜈蚣 *Kyllinga monocephala* Rottb.

| 药 材 名 | 一箭球（药用部位：全草）。

| 形态特征 | 多年生草本，具匍匐根茎。秆散生或疏丛生，细弱，扁锐三棱形，基部不膨大。叶通常短于秆，宽 2.5 ~ 4.5 mm，平张，柔弱，边缘具疏锯齿；叶鞘短，褐色或具紫褐色斑点，最下面的叶鞘无叶片。苞片 3 ~ 4，叶状，斜展，较花序长；穗状花序 1，稀 2 ~ 3，圆卵形或球形，长 5 ~ 9 mm，宽 5 ~ 7 mm，具极多数小穗；小穗近倒卵形或披针状长圆形，先端渐尖，压扁，长 2.5 ~ 3 mm，具 1 花；鳞片膜质，舟状，与小穗等长，苍白色或麦黄色，具锈色斑点，两侧各具 3 ~ 4 脉，背面的龙骨状突起具翅，翅下部狭，自中部至先端较宽，延伸出鳞片先端成稍外弯的短尖头，翅边缘具缘毛状细刺；

雄蕊 3；花柱长，柱头 2。小坚果长圆形或倒卵状长圆形，较扁，长约为鳞片的 1/2，棕色，密生细点，先端具很短的短尖头。花果期 5 ~ 8 月。

| 生境分布 | 生于山坡林下、沟边、田边近水处、旷野潮湿处。分布于湖南衡阳（蒸湘、衡山）、娄底（新化）、怀化（溆浦）等。

| 资源情况 | 野生资源一般。药材来源于野生。

| 采收加工 | 全年均可采收，洗净，鲜用或晒干。

| 功能主治 | 辛、苦，平。宣肺止咳，清热解毒，散瘀消肿，杀虫截疟。用于感冒咳嗽，百日咳，咽喉肿痛，痢疾，毒蛇咬伤，疟疾，跌打损伤，皮肤瘙痒。

| 用法用量 | 内服煎汤，30 ~ 60 g。外用适量，捣敷；或煎汤洗。

| 附　　注 | 本种的拉丁学名在 FOC 中被修订为 *Kyllinga nemoralis* (J. R. Forster et G. Forster) Dandy ex Hutchinson et Dalziel。

莎草科 Cyperaceae 湖瓜草属 *Lipocarpha*

湖瓜草 *Lipocarpha microcephala* (R. Br.) Kunth

| 药 材 名 | 湖瓜草（药用部位：全草）。

| 形态特征 | 一年生或多年生草本。叶基生，叶片平张。苞片叶状；穗状花序2～5簇生成头状，稀单生，具多数鳞片和小穗；小穗具2小鳞片和1两性花；小鳞片沿小穗轴的腹背位置排列，互生，膜质，透明，具几条隆起的脉，下面1小鳞片内无花，上面1小鳞片紧包1两性花；雄蕊2；柱头3。小坚果三棱形，双凸状或平凸状，先端无喙，为小鳞片所包。

| 生境分布 | 生于水边和沼泽中。分布于湖南常德（安乡）、怀化（洪江）等。

| 资源情况 | 野生资源稀少。药材来源于野生。

| 采收加工 | 夏、秋季采收，洗净，鲜用或晒干。

| 药材性状 | 本品叶基生，叶片平张。苞片呈叶状。小坚果三棱形，双凸状或平凸状，先端无喙。

| 功能主治 | 微苦，平。清热止惊。用于惊风。

| 用法用量 | 内服煎汤，9 ~ 15 g。

莎草科 Cyperaceae 砖子苗属 *Mariscus*

砖子苗 *Mariscus umbellatus* Vahl

| 药 材 名 | 砖子苗（药用部位：全草。别名：三棱草）、假香附（药用部位：根及根茎）。

| 形态特征 | 一年生草本。根茎短。秆疏丛生，高 10 ~ 50 cm，锐三棱形，平滑，基部膨大，具稍多叶。叶短于秆或近等长于秆，宽 3 ~ 6 mm，下部常折合，向上渐平张，边缘不粗糙；叶鞘褐色或红棕色。叶状苞片 5 ~ 8，通常长于花序，斜展；长侧枝聚伞花序简单，具 6 ~ 12 或更多辐射枝，辐射枝长短不等，有时短缩，最长达 8 cm；穗状花序圆筒形或长圆形，长 10 ~ 25 mm，宽 6 ~ 10 mm，具多数密生的小穗；小穗平展或稍俯垂，线状披针形，长 3 ~ 5 mm，宽约 0.7 mm，具 1 ~ 2 小坚果；小穗轴具宽翅，翅披针形，白色，透明；鳞片膜质，长圆形，先端钝，无短尖头，长约 3 mm，边缘常内卷，淡黄色或绿白色，背

面具多数脉，中间 3 脉明显，绿色；雄蕊 3，花药线形，药隔稍突出；花柱短，柱头 3，细长。小坚果狭长圆形、三棱形，长约为鳞片的 2/3，初期麦秆黄色，表面具微凸起的细点。花果期 4 ~ 10 月。

| 生境分布 | 生于向阳山坡、林缘、路旁草丛、溪下、松林下、灌丛中。湖南有广泛分布。

| 资源情况 | 野生资源丰富。药材来源于野生。

| 采收加工 | **砖子苗：**夏、秋季采收，洗净，切段，晒干。

假香附：秋季采收，洗净，晒干。

| 药材性状 | **砖子苗：**本品秆高 10 ~ 50 cm，锐三棱形，平滑，多叶。叶宽 3 ~ 6 mm。叶状苞片 5 ~ 8；穗状花序圆筒形或长圆形，长 10 ~ 25 mm，宽 6 ~ 10 mm，具多数密生的小穗。小坚果狭长圆形、三棱形，表面具微凸起的细点。

| 功能主治 | **砖子苗：**辛、微苦，平。祛风止痒，解郁调经。用于皮肤瘙痒，月经不调，崩中。

假香附：辛，温。调经止痛，行气解表。用于感冒，月经不调，慢性子宫内膜炎，产后腹痛，跌打损伤，风湿关节痛。

| 用法用量 | **砖子苗：**内服煎汤，15 ~ 30 g。

假香附：内服煎汤，9 ~ 30 g。

| 附　　注 | 本种的拉丁学名在 FOC 中被修订为 *Cyperus cyperoides* (L.) Kuntze。

莎草科 Cyperaceae 扁莎属 *Pycreus*

球穗扁莎 *Pycreus globosus* (All.) Reichb.

药材名

球穗扁莎草（药用部位：全草）。

形态特征

一年生草本。根茎短，具须根。秆丛生，细弱，高 7 ~ 50 cm，钝三棱形，一面具沟，平滑。叶少，短于秆，宽 1 ~ 2 mm，折合或平张；叶鞘长，下部红棕色。苞片 2 ~ 4，细长，较长于花序；长侧枝聚伞花序简单，具 1 ~ 6 辐射枝，辐射枝长短不等，最长达 6 cm，有时极短缩成头状，每辐射枝具 2 ~ 20 或更多小穗；小穗密生于辐射枝先端，球形，辐射展开，线状长圆形或线形，极压扁，长 6 ~ 18 mm，宽 1.5 ~ 3 mm，具 12 ~ 34（~ 66）花；小穗轴近四棱形，两侧有具横隔的槽；鳞片排列稍疏松，膜质，长圆状卵形，先端钝，长 1.5 ~ 2 mm，背面的龙骨状突起绿色，具 3 脉，两侧黄褐色、红褐色或暗紫红色，具白色透明的狭边；雄蕊 2，花药短，长圆形；花柱中等长，柱头 2，细长。小坚果倒卵形，先端具短尖头，双凸状，稍扁，长约为鳞片的 1/3，褐色或暗褐色，具微凸起的细点。花果期 6 ~ 11 月。

| **生境分布** | 生于田边、沟旁潮湿处或溪边湿润的沙土上。湖南各地均有分布。

| **资源情况** | 野生资源丰富。药材来源于野生。

| **采收加工** | 采收后洗净，晒干。

| **药材性状** | 本品具根茎和少数须根。秆呈三棱状，一面具沟，平滑。叶卷曲，展开后宽 1 ~ 2 mm。

| **功能主治** | 破血行气，止痛。用于小便不利，跌打损伤，吐血，风寒感冒，咳嗽，百日咳。

| **用法用量** | 内服煎汤。

| **附　　注** | 本种的拉丁学名在 FOC 中被修订为 *Pycreus flavidus* (Retzius) T. Koyama。

莎草科 Cyperaceae 扁莎属 *Pycreus*

红鳞扁莎 *Pycreus sanguinolentus* (Vahl) Nees

| 药材名 | 红鳞扁莎（药用部位：全草）。

| 形态特征 | 一年生草本。根为须根。秆密丛生，高 7 ~ 40 cm，扁三棱形，平滑。叶稍多，常短于秆，稀长于秆，宽 2 ~ 4 mm，平张，边缘具白色透明的细刺。苞片 3 ~ 4，叶状，近平展，长于花序；长侧枝聚伞花序简单，具 3 ~ 5 辐射枝，辐射枝有时极短而花序近头状，有时长可达 4.5 cm，由 4 ~ 12 或更多小穗密聚成短的穗状花序；小穗呈辐射状展开，长圆形、线状长圆形或长圆状披针形，长 5 ~ 12 mm，宽 2.5 ~ 3 mm，具 6 ~ 24 花；小穗轴直，四棱形，无翅；鳞片稍疏松排列成覆瓦状，膜质，卵形，先端钝，长约 2 mm，背面中间部分黄绿色，具 3 ~ 5 脉，两侧具较宽的槽，麦秆黄色或褐黄色，

边缘暗血红色或暗褐红色；雄蕊 3，稀 2，花药线形；花柱长，柱头 2，细长，伸出鳞片外。小坚果圆倒卵形或长圆状倒卵形，双凸状，稍肿胀，长为鳞片的 1/2 ~ 3/5，成熟时黑色。花果期 7 ~ 12 月。

| 生境分布 | 生于山谷、田边、河旁潮湿处或浅水处，多在向阳的地方。分布于湘中、湘东、湘西南、湘西北等。

| 资源情况 | 野生资源一般。药材来源于野生。

| 采收加工 | 采收后洗净，干燥或鲜用。

| 药材性状 | 本品具须根。秆呈扁三棱形。叶宽 2 ~ 4 mm，边缘具细刺。长侧枝聚伞花序含多个小穗。小坚果圆倒卵形或长圆状倒卵形。

| 功能主治 | 清热解毒，利湿退黄。用于肝炎。

| 用法用量 | 内服适量，煎汤。

莎草科 Cyperaceae 刺子莞属 *Rhynchospora*

刺子莞 *Rhynchospora rubra* (Lour.) Makino

| 药 材 名 | 刺子莞（药用部位：全草）。

| 形态特征 | 多年生草本。根茎极短。秆丛生，直立，圆柱状，高 30 ~ 65 cm，平滑，直径 0.8 ~ 2 mm，具细条纹。叶基生，叶片钻状线形，长达秆的 1/2 或 2/3，宽 1.5 ~ 3.5 mm，纸质，三棱形，稍粗糙。苞片 4 ~ 10，叶状，不等长，长 1 ~ 5（~ 8.5）cm，下部或近基部被密缘毛，上部粗糙且多少反卷，背面中脉隆起且粗糙，先端渐尖；头状花序顶生，球形，直径 15 ~ 17 mm，棕色，具多数小穗；小穗钻状披针形，长约 8 mm，有光泽，具鳞片 7 ~ 8，具 2 ~ 3 花；鳞片卵状披针形至椭圆状卵形，有花鳞片较无花鳞片大，棕色，背面具隆起的中脉，上部近龙骨状，先端钝或急尖，具短尖头，最上面

1 ~ 2 鳞片具雄花，其下 1 鳞片具雌花；下位刚毛 4 ~ 6，长短不一；雄蕊 2 或 3，花丝短于或略长于鳞片，花药线形，药隔突出于先端；花柱细长，基部膨大，柱头 1 或 2，很短，先端细尖。小坚果倒卵形，长 1.5 ~ 1.8 mm，双凸状，近先端被短柔毛，上部边缘被细缘毛，成熟后黑褐色，表面具细点，宿存花柱三角形。花果期 5 ~ 11 月。

| 生境分布 | 生于海拔 100 ~ 1 500 m 的山坡草地或沼泽地。分布于湖南永州（双牌、道县、江华）等。

| 资源情况 | 野生资源一般。药材来源于野生。

| 采收加工 | 夏、秋季采收，洗净，晒干。

| 药材性状 | 本品根茎极短。秆面平滑，具条纹。叶片呈线形。小坚果倒卵形。

| 功能主治 | 甘、咸，平。疏风清热，利湿通淋。用于风热感冒，咳嗽，头痛，淋浊。

| 用法用量 | 内服煎汤，9 ~ 15 g。

莎草科 Cyperaceae 藨草属 *Scirpus*

萤蔺 *Scirpus juncoides* Roxb.

| 药 材 名 | 马蹄草（药用部位：全草）。

| 形态特征 | 多年生丛生草本。根茎短，具多数须根。秆稍坚挺，圆柱状，少数近有棱角，平滑，基部具 2 ~ 3 鞘。叶鞘口斜截形，先端急尖或圆形，边缘干膜质，无叶片。苞片 1，为秆的延长，直立，长 3 ~ 15 cm；小穗（2 ~ ）3 ~ 5（ ~ 7）聚生成头状，假侧生，卵形或长圆状卵形，长 8 ~ 17 mm，宽 3.5 ~ 4 mm，棕色或淡棕色，具多数花；鳞片宽卵形或卵形，先端骤缩成短尖头，近纸质，长 3.5 ~ 4 mm，背面绿色，具 1 中肋，两侧具棕色或深棕色条纹；下位刚毛 5 ~ 6，等长于或短于小坚果，具倒刺；雄蕊 3，花药长圆形，药隔突出；花柱中等长，柱头 2，稀 3。小坚果宽倒卵形或倒卵形，平凸状，长约 2 mm 或更长，

稍皱缩，无明显的横皱纹，成熟时黑褐色，具光泽。花果期 8 ~ 11 月。

| 生境分布 | 生于海拔 300 ~ 2 000 m 的路旁、荒地潮湿处或水田边、池塘边、溪旁、沼泽中。分布于湘西北、湘西南、湘南、湘中、湘东等。

| 资源情况 | 野生资源一般。药材来源于野生。

| 采收加工 | 夏、秋季采收，洗净，晒干。

| 功能主治 | 甘、淡，凉。清热凉血，解毒利湿，消痞开胃。用于麻疹，肺痨咯血，牙痛，目赤，热淋，白浊，积滞。

| 药材性状 | 本品根茎短，具多数须根。秆圆柱状，平滑，基部具 2 ~ 3 鞘；鞘先端急尖或圆形，边缘干膜质，无叶片。小坚果宽倒卵形或倒卵形，平凸状。

| 用法用量 | 内服煎汤，60 ~ 120 g。

| 附　　注 | 本种的拉丁学名在 FOC 中被修订为 *Schoenoplectus juncoides* (Roxburgh) Lye。

莎草科 Cyperaceae 藨草属 *Scirpus*

水毛花 *Scirpus triangulatu* Roxb.

药材名

蒲草根（药用部位：根）、水毛花（药用部位：全草。别名：水灯心）。

形态特征

根茎粗短，无匍匐根茎，具细长须根。秆丛生，稍粗壮，高 50 ~ 120 cm，锐三棱形，基部具 2 叶鞘，鞘棕色，长 7 ~ 23 cm，先端呈斜截形，无叶片。苞片 1，为秆的延长，直立或稍开展，长 2 ~ 9 cm；小穗（2 ~）5 ~ 9（~ 20）聚集成头状，假侧生，卵形、长圆状卵形、圆筒形或披针形，先端钝圆或近急尖，长 8 ~ 16 mm，宽 4 ~ 6 mm，具多数花；鳞片卵形或长圆状卵形，先端急缩成短尖，近革质，长 4 ~ 4.5 mm，淡棕色，具红棕色短条纹，背面具 1 脉；下位刚毛 6，有倒刺，较小坚果长一半、与小坚果等长或较小坚果稍短；雄蕊 3，花药线形，长 2 mm 或更长，药隔稍突出；花柱长，柱头 3。小坚果倒卵形、宽倒卵形或扁三棱形，长 2 ~ 2.5 mm，成熟时暗棕色，具光泽，稍有皱纹。花果期 5 ~ 8 月。

生境分布

生于海拔 500 ~ 1 500 m 的水塘边、沼泽地、溪边牧草地、湖边等。湖南各地均有分布。

| 资源情况 | 野生资源一般。药材来源于野生。

| 采收加工 | **蒲草根：**秋季采挖，洗净，鲜用或晒干。

水毛花：夏、秋季采收，洗净，切段，晒干。

| 功能主治 | **蒲草根：**淡、微苦，凉。清热利湿，解毒。用于热淋，小便不利，带下，牙龈肿痛。

水毛花：苦、辛，凉。清热解表，宣肺止咳。用于感冒发热，咳嗽。

| 用法用量 | **蒲草根：**内服煎汤，9 ~ 15 g，鲜品 30 ~ 60 g。

水毛花：内服煎汤，9 ~ 30 g。

莎草科 Cyperaceae 藨草属 *Scirpus*

水葱 *Scirpus validus* Vahl

| 药 材 名 | 水葱（药用部位：地上部分）。

| 形态特征 | 匍匐根茎粗壮，具多数须根。秆高大，圆柱状，高 1 ~ 2 m，平滑，基部具 3 ~ 4 叶鞘。叶鞘长可达 38 cm，管状，膜质，最上面 1 叶鞘具叶片；叶片线形，长 1.5 ~ 11 cm。苞片 1，为秆的延长，直立，钻状，常短于花序，稀稍长于花序；长侧枝聚伞花序简单或复出，假侧生，具 4 ~ 13 或更多辐射枝；辐射枝长可达 5 cm，一面凸，一面凹，边缘具锯齿；小穗单生或 2 ~ 3 簇生于辐射枝先端，卵形或长圆形，先端急尖或钝圆，长 5 ~ 10 mm，宽 2 ~ 3.5 mm，具多数花；鳞片椭圆形或宽卵形，先端稍凹，具短尖头，膜质，长约 3 mm，棕色或紫褐色，有时基部色淡，背面具铁锈色凸起的小点，

具脉 1，边缘具缘毛；下位刚毛 6，等长于小坚果，红棕色，具倒刺；雄蕊 3，花药线形，药隔突出；花柱中等长，柱头 2，稀 3，长于花柱。小坚果倒卵形或椭圆形，双凸状，稀三棱形，长约 2 mm。花果期 6 ~ 9 月。

| 生境分布 | 生于湖边、沼泽地或浅水塘中。分布于湘西北、湘中、湘东等。

| 资源情况 | 野生资源较少。药材来源于野生。

| 采收加工 | 夏、秋季采收，洗净，切段，晒干。

| 药材性状 | 本品茎呈扁圆柱形或长条形，长 60 ~ 100 cm，直径 4 ~ 9 mm 或更粗；表面淡黄棕色或枯绿色，有光泽，具纵沟纹，节少，稍隆起，可见膜质叶鞘；质轻而韧，不易折断，切面类白色，具多数细孔，海绵状。有时可见淡黄色花序。气微，味淡。

| 功能主治 | 甘、淡，平。利水消肿。用于水肿胀满，小便不利。

| 用法用量 | 内服煎汤，5 ~ 10 g。

| 附　　注 | 本种的拉丁学名在 FOC 中被修订为 *Schoenoplectus tabernaemontani* (C. C. Gmelin) Palla。

莎草科 Cyperaceae 藨草属 *Scirpus*

庐山藨草 *Scirpus lushanensis* Ohwi

| 药材名 | 庐山藨草（药用部位：根、种子）。

| 形态特征 | 散生。根茎粗短，无匍匐根茎。秆粗壮，单生，高 1 ~ 1.5 m，坚硬，钝三棱形，具 5 ~ 8 节，节间长，具秆生叶和基生叶。叶短于秆，宽 0.5 ~ 1.5 cm，稍坚硬，叶鞘长 3 ~ 10 cm，通常红棕色。苞片 2 ~ 4，叶状，通常短于花序，稀长于花序；多次复出长侧枝聚伞花序，第 1 次辐射枝细，长达 15 cm，疏展，各次辐射枝及小穗柄均粗糙；小穗褐红色，单生或 2 ~ 4 成簇顶生，椭圆形或近球形，长 3 ~ 6 mm，花密生；鳞片三角状卵形、卵形或长圆状卵形，先端尖，膜质，长约 1.5 mm，锈色，背部有 1 淡绿色脉；下位刚毛 6，下部卷曲，较小坚果长，上端疏生顺刺；花药线状长圆形；花柱中

等长，柱头 3。小坚果倒卵形或扁三棱形，长约 1 mm，淡黄色，具喙。花期 6 ~ 7 月，果期 8 ~ 9 月。

| 生境分布 | 生于海拔 300 ~ 2 000 m 的山路旁、阴湿草丛中、沼泽地、溪旁或山麓空旷处。分布于湖南邵阳（新宁）、张家界（桑植）、郴州（宜章）、怀化（洪江）、湘西州（永顺）等。

| 资源情况 | 野生资源一般。药材来源于野生。

| 功能主治 | 活血化瘀，清热利尿，止血。

莎草科 Cyperaceae 藨草属 *Scirpus*

百球藨草 *Scirpus rosthornii* Diels

| 药 材 名 | 百球藨草（药用部位：全草）。

| 形态特征 | 根茎短。秆粗壮，高 70 ~ 100 cm，质坚硬，三棱形，有节，节间长。秆生叶较坚挺，秆上部的叶高于花序，宽 6 ~ 15 mm，叶片边缘和下面中肋上粗糙；叶鞘长 3 ~ 12 cm，具凸起的横脉。叶状苞片 3 ~ 5，常长于花序；多次复出长侧枝聚伞花序大，顶生，具 6 ~ 7 第一次辐射枝；辐射枝稍粗壮，长可达 12 cm，各次辐射枝均粗糙；小穗 4 ~ 15 聚生成头状，着生于辐射枝先端，无柄，卵形或椭圆形，先端近圆形，长 2 ~ 3 mm，宽约 1.5 mm，具多数小花；鳞片宽卵形，先端钝，长约 1 mm，具 3 脉，2 侧脉明显隆起，2 侧脉间黄绿色，其余麦秆黄色或棕色，后变为深褐色；下位刚毛 2 ~ 3，较小坚果

稍长，直，中部以上具顺刺；柱头 2。小坚果椭圆形或近圆形，双凸状，长 0.6 ~ 0.7 mm，黄色。花果期 5 ~ 9 月。

| 生境分布 | 生于海拔 600 ~ 2 000 m 的林下、山坡、路旁、溪边及沼泽地。分布于湖南衡阳（衡山）、郴州（桂阳）、永州（江华）等。

| 资源情况 | 野生资源稀少。药材来源于野生。

| 采收加工 | 采收后除去茎叶及根茎，洗净，晒干。

| 药材性状 | 本品秆三棱形，具节。叶坚挺，宽 6 ~ 15 mm。小坚果椭圆形，双凸状。

| 功能主治 | 清热解毒，凉血利水。

| 用法用量 | 内服煎汤。

莎草科 Cyperaceae 藨草属 *Scirpus*

藨草 *Scirpus triqueter* L.

| 药 材 名 | 藨草（药用部位：全草）。

| 形态特征 | 匍匐根茎长，直径 1 ~ 5 mm，干时呈红棕色。秆散生，粗壮，高 20 ~ 90 cm，三棱形，基部具 2 ~ 3 叶鞘。叶鞘膜质，横脉明显隆起，最上面 1 叶鞘先端具叶片；叶片扁平，长 1.3 ~ 5.5（~ 8）cm，宽 1.5 ~ 2 mm。苞片 1，为秆的延长，三棱形，长 1.5 ~ 7 cm，长侧枝聚伞花序简单，假侧生，具 1 ~ 8 辐射枝；辐射枝三棱形，棱上粗糙，长可达 5 cm，每辐射枝先端具 1 ~ 8 簇生的小穗；小穗卵形或长圆形，长 6 ~ 12（~ 14）mm，宽 3 ~ 7 mm，密生多数花；鳞片长圆形、椭圆形或宽卵形，先端微凹或圆形，长 3 ~ 4 mm，膜质，黄棕色，背面具 1 中肋，稍延伸出先端，成短尖头，边缘疏生缘毛；

下位刚毛 3 ～ 5，与小坚果近等长或稍长于小坚果，具倒刺；雄蕊 3，花药线形，药隔暗褐色，稍突出；花柱短，柱头 2，细长。小坚果倒卵形，平凸状，长 2 ～ 3 mm，成熟时褐色，具光泽。花果期 6 ～ 9 月。

| 生境分布 | 生于水沟、水塘、山溪边或沼泽地。分布于湘北、湘东等。

| 资源情况 | 野生资源一般。药材来源于野生。

| 采收加工 | 秋季采收，洗净，切段，晒干。

| 药材性状 | 本品根茎直径 1 ～ 5 mm。秆高 20 ～ 90 cm，三棱形，基部具 2 ～ 3 叶鞘。叶鞘膜质，横脉明显隆起，最上面 1 叶鞘先端具叶片；叶片扁平。鳞片长圆形、椭圆形或宽卵形，先端微凹或圆形，膜质。

| 功能主治 | 甘、微苦，平。开胃消食，清热利湿。用于积滞，胃纳不佳，呃逆饱胀，热淋，小便不利。

| 用法用量 | 内服煎汤，15 ～ 30 g。

| 附　　注 | 本种的拉丁学名在 FOC 中被修订为 *Schoenoplectus triqueter* (L.) Palla。

莎草科 Cyperaceae 藨草属 *Scirpus*

猪毛草 *Scirpus wallichii* Nees

| 药材名 | 猪毛草（药用部位：全草）。

| 形态特征 | 丛生，无根茎。秆细弱，高 10 ~ 40 cm，平滑，基部具 2 ~ 3 鞘，鞘管状，近膜质，长 3 ~ 9 cm，上端开口处为斜截形，口部边缘干膜质，先端钝圆或具短尖。叶缺。苞片 1，为秆的延长，直立，先端急尖，长 4.5 ~ 13 cm，基部稍扩大；小穗单生或 2 ~ 3 成簇，假侧生，长圆状卵形，先端急尖，长 7 ~ 17 mm，宽 3 ~ 6 mm，淡绿色或淡棕色，具 10 至多数花；鳞片长圆状卵形，先端渐尖，近革质，背面较宽部分为绿色，具一中脉延伸出先端而成的短尖，两侧淡棕色、淡棕绿色或近白色，半透明，具深棕色短条纹；下位刚毛 4，长于小坚果，上部生有倒刺；雄蕊 3，花药长圆形，药隔稍突出；

花柱中等长，柱头 2。小坚果宽椭圆形，平凸状，长约 2 mm，黑褐色，有不明显的皱纹，稍具光泽。花果期 9 ~ 11 月。

| 生境分布 | 生于稻田中、溪边、河旁近水处或潮湿处。分布于湖南湘西州（花垣）等。

| 资源情况 | 野生资源较一般。药材来源于野生。

| 采收加工 | 夏、秋季采收，洗净，鲜用或晒干。

| 功能主治 | 苦、涩，凉。清热，散毒。用于犬咬伤，烫火伤，刀伤。

| 用法用量 | 内服煎汤，9 ~ 15 g。外用适量，捣敷；或研末调敷。

莎草科 Cyperaceae 藨草属 *Scirpus*

荆三棱 *Scirpus yagara* Ohwi

药材名

荆三棱（药用部位：块茎）。

形态特征

根茎粗而长，呈匍匐状，先端生球状块茎，常从块茎处又生匍匐根茎。秆高大粗壮，高 70 ~ 150 cm，锐三棱形，平滑，基部膨大，具秆生叶。叶扁平，线形，宽 5 ~ 10 mm，稍坚挺，上部叶片边缘粗糙，叶鞘很长，最长可达 20 cm。叶状苞片 3 ~ 4，通常长于花序；长侧枝聚伞花序简单，具 3 ~ 8 辐射枝，辐射枝最长可达 7 cm，每辐射枝具 1 ~ 3（~ 4）小穗；小穗卵形或长圆形，锈褐色，长 1 ~ 2 cm，宽 5 ~ 8（~ 10）mm，具多数花；鳞片密覆瓦状排列，膜质，长圆形，长约 7 mm，外面被短柔毛，背面具 1 中肋，先端具芒，芒长 2 ~ 3 mm；下位刚毛 6，几与小坚果等长，上有倒刺；雄蕊 3，花药线形，长约 4 mm；花柱细长，柱头 3。小坚果倒卵形或三棱形，黄白色。花期 5 ~ 7 月。

生境分布

生于湖、河浅水中。湖南各地均有分布。栽培于湖南长沙（浏阳）等。

| 资源情况 | 野生资源稀少。栽培资源较少。药材来源于野生和栽培。

| 采收加工 | 秋季采挖，除去茎叶，洗净，削去须根，晒干或烘干。

| 药材性状 | 本品呈近球形，长 2 ~ 3.5 cm，直径 2 ~ 3 cm；表面棕黑色，凹凸不平，有少数点状须根痕；去外皮者下端略呈锥形，黄白色或灰白色，有残存的根茎疤痕及未去净的外皮黑斑，并有刀削痕。质轻而坚硬，难折断，入水中漂浮于水面，稀下沉。碎断面平坦，黄白色或棕黄色。气微，味淡，嚼之微辛、涩。

| 功能主治 | 破血行气，消积止痛。用于癥瘕痞块，瘀血经闭，食积胀痛。

| 用法用量 | 内服煎汤，4.5 ~ 9 g。

| 附　　注 | 本种在 FOC 中被修订为莎草科 Cyperaceae 三棱草属 *Bolboschoenus* 荆三棱 *Bolboschoenus yagara* (Ohwi) Y. C. Yang et M. Zhan。

莎草科 Cyperaceae 珍珠茅属 *Scleria*

毛果珍珠茅 *Scleria herbecarpa* Nees

| 药 材 名 | 毛果珍珠茅（药用部位：根）。

| 形态特征 | 多年生草本，高 70 ~ 120 cm。匍匐根茎较粗，木质，外被紫黑色鳞片。秆疏生或散生，粗壮，三棱形，直径 3 ~ 5 mm，被微柔毛。叶线形，宽 7 ~ 10 mm，秆中部的鞘绿色，有宽 1 ~ 3 mm 的翅，被微柔毛。圆锥花序顶生或侧生，长约 30 cm；花序轴有微柔毛；苞片叶状，与花序近等长；小苞片刚毛状；小穗单性，单生，长约 3 mm，雄小穗长圆状卵形，先端斜截，雌小穗位于分枝基部，狭卵状披针形；鳞片长圆状卵形、阔卵形或卵状披针形，长 2 ~ 3 mm，具锈色短条纹，边缘有缘毛，先端有芒或短尖；雄蕊 3，花药线形，药隔突出部分为花药长的 1/3 ~ 1/2；柱头 3。小坚果近球形，先端

微有短尖，直径约 2 mm，白色，表面有不明显的横波纹，其上略有小硬毛；下位盘略狭于小坚果，淡黄色，3 深裂，裂片近披针形，先端钝尖。花果期 6 ~ 10 月。

| 生境分布 | 生于海拔 1 500 m 以下的山坡草地、密林下、潮湿灌丛中。分布于湖南郴州（宜章）、怀化（洪江）、湘西州（永顺）等。

| 资源情况 | 野生资源丰富。药材来源于野生。

| 采收加工 | 秋、冬季采挖，除净泥土及茎叶，晒干。

| 功能主治 | 解毒消肿，消食和胃。用于毒蛇咬伤，小儿单纯性消化不良。

| 用法用量 | 内服煎汤，3 ~ 9 g。外用适量，捣敷。

莎草科 Cyperaceae 珍珠茅属 *Scleria*

黑鳞珍珠茅 *Scleria hookeriana* Boeckeler

| 药 材 名 | 黑鳞珍珠茅（药用部位：全草）。

| 形态特征 | 匍匐根茎密被紫红色鳞片。秆直立，三棱状，高 0.6 ~ 1 m，直径 2 ~ 4 mm。叶片长达 45 cm，宽 4 ~ 8 mm。基部叶鞘紫红色或淡褐色，秆中部叶鞘绿色；叶舌半圆形，被紫色髯毛。圆锥花序分枝紧密，具多数小穗，雄小穗长圆状卵形，鳞片卵状披针形或长圆状卵形，雌小穗披针形或窄卵形，鳞片宽卵形、三角形或卵状披针形，黑紫色；小苞片刚毛状，基部有耳，耳具髯毛；雄花具 3 雄蕊；子房被长柔毛，柱头 3。小坚果卵形或钝三棱形，直径 2 mm，白色，具网纹或皱纹，常呈锈色并被微柔毛，先端具短尖；下位盘直径稍小于小坚果，或稍 3 裂，裂片半圆状三角形，先端圆钝，边缘反折，

淡黄色。花果期 5 ~ 7 月。

| 生境分布 | 生于海拔 450 ~ 2 000 m 的向阳山坡、山沟、山脊灌丛或草丛中。分布于湖南邵阳（新宁）、永州（宁远）、怀化（洪江）等。

| 资源情况 | 野生资源丰富。药材来源于野生。

| 功能主治 | 清肺化痰，散瘀消肿，止痛。用于肺热咳嗽，跌打损伤，骨折。

| 用法用量 | 内服煎汤，15 ~ 20 g。

芭蕉科 Musaceae 芭蕉属 *Musa*

芭蕉 *Musa basjoo* Sieb. et Zucc.

药材名

芭蕉根（药用部位：根茎）、芭蕉叶（药用部位：叶）、芭蕉油（药用部位：茎的汁液）、芭蕉花（药用部位：花）、芭蕉子（药用部位：果实）。

形态特征

多年生草本，高 2.5 ~ 4 m。叶片长圆形，长 2 ~ 3 m，宽 25 ~ 30 cm，先端钝，基部圆形或不对称，叶面鲜绿色，有光泽；叶柄粗壮，长达 30 cm。花序顶生，下垂；苞片红褐色或紫色；雄花生于花序上部；雌花生于花序下部，每苞片内具 10 ~ 16 花，花排成 2 列；合生花被片长 4 ~ 4.5 cm，具 5（3 + 2）裂齿；离生花被片与合生花被片近等长，先端具小尖头。浆果三棱状，长圆形，长 5 ~ 7 cm，具 3 ~ 5 棱，近无柄，肉质，具多数种子；种子黑色，具疣状突起及不规则棱角，宽 6 ~ 8 mm。

生境分布

栽培于山坡、庭院、公园。湖南各地均有分布。

资源情况

栽培资源丰富。药材来源于栽培。

| 采收加工 |

芭蕉根：全年均可采挖，晒干或鲜用。

芭蕉叶：全年均可采摘，切碎，鲜用或晒干。

芭蕉油：夏、秋季将茎根部刺破，取流出的汁液，密封，或取嫩茎捣烂绞汁。

芭蕉花：花开时采收，鲜用或阴干。

芭蕉子：夏、秋季果实成熟时采收，鲜用。

| 功能主治 |

芭蕉根：甘，寒。清热解毒，止咳，利尿。用于热病，烦闷，消渴，痈肿疔毒，丹毒，崩漏，淋浊，水肿，脚气。

芭蕉叶：甘、淡，寒。清热，利尿，解毒。用于热病，中暑，水肿。

芭蕉油：甘，寒。清热，止咳，解毒。用于热病烦渴，惊风，癫痫，高血压头痛，痈疽疔疮，中耳炎，烫伤。

芭蕉花：甘、咸，温。化痰消痞，散瘀，止痛。用于胸膈饱胀，脘腹痞痛，吞酸反胃，呕吐痰涎，头晕目眩，心痛，怔忡，风湿疼痛，痢疾。

芭蕉子：寒。止咳润肺，通血脉，填骨髓。

| 用法用量 |

芭蕉根：内服煎汤，15 ~ 30 g，鲜品 30 ~ 60 g；或捣汁。外用适量，捣敷；或捣汁涂；或煎汤含漱。

芭蕉叶：内服煎汤，6 ~ 9 g；或烧存性，研末，0.5 ~ 1 g。外用适量，捣敷；或烧存性，研末调敷。

芭蕉油：内服煎汤，50 ~ 250 ml。外用适量，搽涂；或滴耳；或含漱。

芭蕉花：内服煎汤，5 ~ 10 g；或烧存性，研末，6 g。

芭蕉子：内服适量，生食；或蒸熟取仁。

姜科 Zingiberaceae 山姜属 *Alpinia*

华山姜 *Alpinia chinensis* (Retz.) Rosc.

| 药材名 |

箭杆风（药用部位：根茎）。

| 形态特征 |

多年生草本，高约 1 m。叶披针形或卵状披针形，长 20 ~ 30 cm，宽 3 ~ 10 cm，先端渐尖或尾状渐尖，基部渐狭，两面均无毛；叶柄长约 5 mm；叶舌膜质，长 4 ~ 10 mm，2 裂，具缘毛。狭圆锥花序，长 15 ~ 30 cm；分枝短，长 3 ~ 10 mm，具 2 ~ 4 花；小苞片长 1 ~ 3 mm，开花时脱落；花白色；花萼管状，长 5 mm，先端具 3 齿；花冠管略超出花萼，花冠裂片长圆形，长约 6 mm，后方 1 裂片较大，兜状；唇瓣卵形，长 6 ~ 7 mm，先端微凹；侧生退化雄蕊 2，钻状，长约 1 mm；花丝长约 5 mm，花药长约 3 mm；子房无毛。果实球形，直径 5 ~ 8 mm。花期 5 ~ 7 月，果期 6 ~ 12 月。

| 生境分布 |

生于海拔 1 000 ~ 2 000 m 的山谷、溪边、林下阴湿处。分布于湖南永州（道县、蓝山）等。

| 资源情况 | 野生资源稀少。药材来源于野生。

| 采收加工 | 夏、秋季采收，晒干。

| 功能主治 | 酸、涩，平。祛风除湿，清热解毒。用于风湿关节痛，毒蛇咬伤。

| 用法用量 | 内服，捣汁，每次 1 小杯，每日 3 次。外用适量，捣敷。

| 附　　注 | 本种的拉丁学名在 FOC 中被修订为 *Alpinia oblongifolia* Hayata。

姜科 Zingiberaceae 山姜属 *Alpinia*

山姜 *Alpinia japonica* (Thunb.) Miq.

| 药 材 名 | 山姜（药用部位：根茎。别名：和山姜）、湘砂仁（药用部位：果实）、山姜花（药用部位：花）。

| 形态特征 | 多年生草本，高 35 ~ 70 cm，具横生、分枝的根茎。叶片通常 2 ~ 5，披针形、倒披针形或狭长椭圆形，长 25 ~ 40 cm，宽 4 ~ 7 cm，两端渐尖，先端具小尖头，两面被短柔毛，近无柄至具长达 2 cm 的柄；叶舌 2 裂，长约 2 mm，被短柔毛。总状花序顶生，长 15 ~ 30 cm；花序轴密被绒毛；总苞片披针形，长约 9 cm，开花时脱落；小苞片极小，早落；花通常 2 聚生，2 花间常具退化的小花残迹；小花梗长约 2 mm；花萼棒状，长 1 ~ 1.2 cm，被短柔毛，先端 3 齿裂；花冠管长约 1 cm，被小疏柔毛，花冠裂片长圆形，长

约 1 cm，外被绒毛，后方 1 裂片兜状；侧生退化雄蕊线形，长约 5 mm；唇瓣卵形，宽约 6 mm，白色而具红色脉纹，先端 2 裂，边缘具不整齐的缺刻；雄蕊长 1.2 ~ 1.4 cm；子房密被绒毛。果实球形或椭圆形，直径 1 ~ 1.5 cm，被短柔毛，成熟时橙红色，先端具宿存的萼筒；种子多角形，长约 5 mm，直径约 3 mm。花期 4 ~ 8 月，果期 7 ~ 12 月。

| 生境分布 | 生于林下阴湿处。湖南各地均有分布。

| 资源情况 | 野生资源丰富。药材来源于野生。

| 采收加工 | **山姜：**3 ~ 4 月采挖，洗净，晒干。

湘砂仁：果实将成熟时采摘，晒干或烘干。

山姜花：4 ~ 8 月采摘，干燥或鲜用。

| 药材性状 | **湘砂仁：**本品呈类圆形或椭圆形，长 0.7 ~ 1.3 cm，直径 0.6 ~ 1.2 cm；外表面棕黄色或橙红色，光滑，有的被短柔毛，先端具凸起的花被残迹，基部具果柄痕或残留的果柄，果皮薄，易剥离，内表面黄白色，可见纵脉纹。种子团 3，被白色隔膜分开，外包有黄褐色或灰白色假种皮，每瓣具种子 4 ~ 6；种子为不规则的多面体，直径 2 ~ 4 mm，表面灰褐色至棕褐色，具皱纹。质硬，胚乳灰白色。有樟脑气，味辛、苦。

| 功能主治 | **山姜：**辛，温。温中，散寒，祛风，活血。用于脘腹冷痛，肺寒咳喘，风湿痹痛，跌打损伤，月经不调，劳伤吐血。

湘砂仁：辛，温。温中散寒，行气调中。用于脘腹胀痛，呕吐泄泻，食欲不振。

山姜花：辛，温。调中下气，消食，解酒毒，止霍乱。

| 用法用量 | **山姜：**内服煎汤，3 ~ 6 g；或浸酒。外用适量，捣敷；或捣烂调酒搽；或煎汤洗。

湘砂仁：内服煎汤，3 ~ 9 g；或研末。

山姜花：内服煎汤。

姜科 Zingiberaceae 山姜属 *Alpinia*

艳山姜 *Alpinia zerumbet* (Pers.) Burtt. et Smith

| 药 材 名 | 艳山姜（药用部位：根茎、果实）。

| 形态特征 | 多年生草本，高 2 ~ 3 m。叶片披针形，长 30 ~ 60 cm，宽 5 ~ 10 cm，先端渐尖而具一旋卷的小尖头，基部渐狭，边缘被短柔毛，两面均无毛；叶柄长 1 ~ 1.5 cm；叶舌长 5 ~ 10 mm，外面被毛。圆锥花序呈总状花序式，下垂，长达 30 cm；分枝极短，每分枝具 1 ~ 2（~ 3）花；花序轴紫红色，被绒毛；小苞片椭圆形，长 3 ~ 3.5 cm，白色，先端粉红色，在花蕾时包裹花，无毛；小花梗极短；花萼近钟形，长约 2 cm，白色，先端粉红色，一侧开裂，先端又齿裂；花冠管较花萼短，花冠裂片长圆形，长约 3 cm，后方 1 裂片较大，乳白色，先端粉红色；侧生退化雄蕊钻状，长约 2 mm；唇瓣匙状宽卵形，长

4 ~ 6 cm，先端皱波状，黄色带紫红色纹；雄蕊长约 2.5 cm；子房被金黄色粗毛。蒴果卵圆形，直径约 2 cm，被稀疏的粗毛，具明显的条纹，先端常冠以宿萼，成熟时朱红色；种子具棱角。花期 4 ~ 6 月，果期 7 ~ 10 月。

| 生境分布 | 生于山坡林下。分布于湖南永州（江华）等。

| 资源情况 | 野生资源稀少。栽培资源稀少。药材来源于栽培。

| 采收加工 | 根茎，全年均可采收，鲜用或切片晒干。果实，将成熟时采收，烘干。

| 药材性状 | 本品果实呈球形，两端略尖，长约 2 cm，直径 1.5 cm，黄棕色，略有光泽，具 10 余隆起的纵棱，先端具 1 突起，为花被残基，基部有的具果柄断痕。种子团瓣排列疏松，易散落，假种皮膜质，白色，种子为多面体，长 4 ~ 5 mm，直径 3 ~ 4 mm。味淡、微辛。

| 功能主治 | 辛、涩，温。温中燥湿，行气止痛，截疟。用于心腹冷痛，胸腹胀满，消化不良，呕吐泄泻，疟疾。

| 用法用量 | 内服煎汤，3 ~ 9 g。外用适量，根茎鲜品捣敷。

姜科 Zingiberaceae 豆蔻属 *Amomum*

三叶豆蔻 *Amomum austrosinense* D. Fang

| 药 材 名 |

土砂仁（药用部位：果实）。

| 形态特征 |

植株高约 50 cm。叶 1 ～ 3，通常 2；叶鞘具条纹；叶舌 2 裂，3 ～ 6 mm，被微柔毛；叶柄被微柔毛；叶片狭椭圆形或长圆形，很少卵形至倒披针形，长 10 ～ 40 cm，沿中脉被微柔毛，基部楔形至宽楔形，有时偏斜，边缘密具缘毛，先端渐尖。穗状花序长 3 ～ 6 cm；花序梗 4 ～ 6 cm；苞片倒卵形或长圆形，具 1 或 2 花；小苞片无；基部的花萼白色或紫色，上部被微柔毛，先端具 3 或 4 齿；花冠筒被微柔毛，裂片白色微带红色，长圆形；侧生退化雄蕊红色，线形，5 ～ 6 mm；唇瓣白色，具红线，倒卵形，边缘有粗锯齿，先端 2 裂，花药红色，药隔附属物 2 裂，小；子房密被短柔毛。蒴果球状，直径 0.8 ～ 1.4 cm，被红色短柔毛，先端具宿存花萼。花期 6 月。

| 生境分布 |

生于海拔 400 ～ 1 000 m 的草丛。分布于湖南郴州（宜章）、永州（东安、道县、宁远）等。

|资源情况| 野生资源稀少。药材来源于野生。

|功能主治| 用于脘腹胀痛，食欲不振，恶心呕吐，胎动不安。

姜科 Zingiberaceae 闭鞘姜属 *Costus*

闭鞘姜 *Costus speciosus* (Koen.) Smith

| 药 材 名 |

闭鞘姜（药用部位：根茎）。

| 形态特征 |

多年生草本，高 1 ~ 3 m。茎基部近木质，顶部常分枝，旋卷。叶片长圆形或披针形，长 15 ~ 20 cm，宽 6 ~ 10 cm，先端渐尖或尾状渐尖，基部近圆形，背面密被绢毛。穗状花序顶生，椭圆形或卵形，长 5 ~ 15 cm；苞片卵形，革质，红色，长 2 cm，被短柔毛，具增厚及稍锐利的短尖头；小苞片长 1.2 ~ 1.5 cm，淡红色；花萼革质，红色，长 1.8 ~ 2 cm，3 裂，嫩时被绒毛；花冠管短，长 1 cm，花冠裂片长圆状椭圆形，长约 5 cm，白色或顶部红色；唇瓣宽喇叭形，纯白色，长 6.5 ~ 9 cm，先端具裂齿，皱波状；雄蕊花瓣状，长约 4.5 cm，宽 1.3 cm，上面被短柔毛，白色，基部橙黄色。蒴果稍木质，长 1.3 cm，红色；种子黑色，光亮，长 3 mm。花期 7 ~ 9 月，果期 9 ~ 11 月。

| 生境分布 |

生于山谷、林下潮湿地或溪边灌丛中。分布于湖南郴州（汝城）等。

| 资源情况 | 野生资源稀少。药材来源于野生。

| 采收加工 | 全年均可采收，除去须根、茎叶，洗净泥沙，鲜用。

| 药材性状 | 本品呈指状分枝，表面浅黄棕色，具明显的环节，节间有鳞片样叶柄残基，有的有根和干瘪的须根。商品多为纵切、斜切或横切片，长 4 ~ 7 cm，直径 2 ~ 5 cm，厚 2 ~ 3 mm，外皮棕褐色，具纵皱，具须根及圆点状根痕和环节，切面淡灰黄色，粗糙，具深棕黄色环及点状凸起的维管束。气微，味淡、微苦。

| 功能主治 | 微涩，平；有小毒。清火解毒，除风，消肿止痛。用于咽喉肿痛，腮腺、颌下淋巴结肿痛，风湿热痹，耳痛，风寒湿痹。

| 用法用量 | 内服煎汤，15 ~ 30 g；或鲜品捣汁，3 ~ 5 滴。外用适量，鲜品捣敷；或压汁滴耳。

| 附　　注 | 本种的拉丁学名在 FOC 中被修订为 *Costus speciosus* (J. Koenig) S. R. Dutta。

姜科 Zingiberaceae 姜黄属 *Curcuma*

郁金 *Curcuma aromatica* Salisb.

| 药 材 名 | 黄丝郁金（药用部位：块根）。

| 形态特征 | 多年生草本，高约 1 m。根茎肉质，肥大，椭圆形或长椭圆形，黄色，芳香；根端膨大成纺锤状。叶基生，叶片长圆形，长 30 ~ 60 cm，宽 10 ~ 20 cm，先端具细尾尖头，基部渐狭，叶面无毛，叶背被短柔毛；叶柄与叶片近等长。花葶单独自根茎抽出，与叶同时发出或先于叶发出；穗状花序圆柱形，长约 15 cm，直径约 8 cm；有花的苞片淡绿色，卵形，长 4 ~ 5 cm，上部无花的苞片较狭，长圆形，白色带淡红色，先端常具小尖头，被毛；花萼被疏柔毛，长 0.8 ~ 1.5 cm，先端 3 裂；花冠管漏斗形，长 2.3 ~ 2.5 cm，喉部被毛，花冠裂片长圆形，长 1.5 cm，白色带粉红色，后方 1 裂片较大，先端具小尖头，

被毛；侧生退化雄蕊淡黄色，倒卵状长圆形，长约 1.5 cm；唇瓣黄色，倒卵形，长 2.5 cm，先端 2 微裂；子房被长柔毛。花期 4 ~ 6 月。

| 生境分布 | 栽培于林缘。分布于湖南益阳（桃江）、郴州（桂阳）等。

| 资源情况 | 栽培资源稀少。药材来源于栽培。

| 采收加工 | 冬季至翌年春季采挖，除去须根，洗净泥土，置沸水中煮或蒸至透心，晒干。

| 药材性状 | 本品呈卵圆形或长卵圆形，两端稍尖，中部微满，长 2 ~ 4 cm，中部直径 1 ~ 2 cm。表面灰黄色或淡棕色，具灰白色细皱纹及凹下的小点，一端具折断的痕迹，呈鲜黄色，另一端稍尖。质坚实，横断面平坦光亮，呈角质状，杏黄色或橙黄色，中部具一颜色较浅的圆心。微有姜香气，味辛、苦。以个大、肥满、外皮皱纹细、断面色橙黄者为佳。

| 功能主治 | 辛、苦，凉。行气解郁，凉血破瘀。用于胸腹、胁肋诸痛，失心癫狂，热病神昏，吐血，衄血，尿血，血淋，代偿性月经，黄疸。

| 用法用量 | 内服煎汤，4.5 ~ 9 g；或磨汁；或入丸、散剂。

姜科 Zingiberaceae 姜黄属 *Curcuma*

姜黄 *Curcuma longa* L.

| 药材名 |

姜黄（药用部位：根茎）、郁金（药用部位：块根）。

| 形态特征 |

多年生草本，高 1 ~ 1.5 m。根茎发达，成丛，分枝多，椭圆形或圆柱形，橙黄色，极香；根粗壮，末端膨大成块根。叶每株 5 ~ 7，叶片长圆形或椭圆形，长 30 ~ 45（~ 90）cm，宽 15 ~ 18 cm，先端短渐尖，基部渐狭，绿色，两面均无毛；叶柄长 20 ~ 45 cm。花葶自叶鞘内抽出；总花梗长 12 ~ 20 cm；穗状花序圆柱状，长 12 ~ 18 cm，直径 4 ~ 9 cm；苞片卵形或长圆形，长 3 ~ 5 cm，淡绿色，先端钝，上部无花的苞片较狭，先端尖，开展，白色，边缘具淡红色晕；花萼长 8 ~ 12 mm，白色，具不等长的 3 钝齿，被微柔毛；花冠淡黄色，花冠管长达 3 cm，上部膨大，花冠裂片三角形，长 1 ~ 1.5 cm，后方 1 裂片较大，具细尖头；侧生退化雄蕊较唇瓣短，与花丝及唇瓣基部相连成管状；唇瓣倒卵形，长 1.2 ~ 2 cm，淡黄色，中部深黄色；花药无毛，药室基部具 2 角状距；子房被微毛。花期 8 月。

| 生境分布 | 栽培于向阳处。分布于湖南郴州（安仁）等。

| 资源情况 | 栽培资源较少。药材来源于栽培。

| 采收加工 | **姜黄：** 12 月下旬采挖，除去泥土和茎秆，洗净，置沸水中焯熟，烘干后撞去粗皮，或切成厚 0.7 cm 的薄片，晒干。

郁金： 12 月下旬采挖，除去泥土，蒸或煮 15 分钟，晒干或烘干，撞去须根。

| 药材性状 | **姜黄：** 本品呈不规则卵圆形、圆柱形或纺锤形，常弯曲，表面深黄色，粗糙，具皱缩纹理和明显环节，并具圆形分枝痕及须根痕。质坚实，不易折断，断面棕黄色至金黄色，角质样，有蜡样光泽，内皮层环纹明显，维管束呈点状散在。气香特异，味苦、辛。

| 功能主治 | **姜黄：** 辛、苦，温。归脾、肝经。破血行气，通经止痛。用于胸胁刺痛，胸痹心痛，痛经经闭，癥瘕，风湿肩臂疼痛，跌仆肿痛。

郁金： 辛、苦，寒。归肝、心、肺经。活血止痛，行气解郁，清心凉血，利胆退黄。用于胸胁刺痛，胸痹心痛，经闭痛经，乳房胀痛，热病神昏，癫痫发狂，血热吐衄，黄疸尿赤。

| 用法用量 | **姜黄：** 内服煎汤，3 ~ 10 g；或入丸、散剂。外用适量，研末调敷。

郁金： 内服煎汤，3 ~ 10 g；或入丸、散剂。

姜科 Zingiberaceae 姜黄属 *Curcuma*

莪术 *Curcuma zedoaria* (Christm.) Rosc.

| 药 材 名 | 莪术（药用部位：根茎）。

| 形态特征 | 多年生草本，高约 1 m。根茎圆柱形，肉质，具樟脑香味，淡黄色或白色；根细长或末端膨大成块根。叶直立，椭圆状长圆形至长圆状披针形，长 25 ~ 35 cm，宽 10 ~ 15 cm，中部常具紫斑，无毛；叶柄较叶片长。花葶自根茎单独发出，常先叶而生，长 10 ~ 20 cm，被多数疏松细长的鳞片状鞘；穗状花序阔椭圆形，长 10 ~ 18 cm，宽 5 ~ 8 cm；苞片卵形至倒卵形，稍开展，先端钝，下部苞片绿色，先端红色，上部苞片较长，紫色；花萼长 1 ~ 1.2 cm，白色，先端 3 裂；花冠管长 2 ~ 2.5 cm，花冠裂片长圆形，黄色，不等长，后方 1 裂片较大，长 1.5 ~ 2 cm，先端具小尖头；侧生退

化雄蕊较唇瓣小；唇瓣黄色，近倒卵形，长约 2 cm，宽 1.2 ~ 1.5 cm，先端微缺；花药长约 4 mm，药隔基部具叉开的距；子房无毛。花期 4 ~ 6 月。

| 生境分布 | 栽培种。分布于湖南郴州（汝城）等。

| 资源情况 | 栽培资源稀少。药材来源于栽培。

| 采收加工 | 12 月地上部分枯萎时采挖，除去泥土，洗净，置锅中蒸或煮约 15 分钟，晒干或烘干，除去须根即可，或置清水中浸泡，捞起，沥干，润透，切薄片，晒干或烘干。

| 药材性状 | 本品呈类圆形，先端多钝尖，基部钝圆，长 2 ~ 5 cm，直径 1.5 ~ 2.5 cm。表面土黄色至灰黄色，上部环节明显，两侧各具 1 列下陷的芽痕和类圆形侧生根茎痕。体重，质坚实，断面深绿黄色至棕色，常附有棕黄色粉末。气微香，味微苦、辛。

| 功能主治 | 辛、苦，温。行气破血，消积止痛。用于血气心痛，积滞，脘腹胀痛，血滞经闭，痛经，跌打损伤。

| 用法用量 | 内服煎汤，3 ~ 10 g；或入丸、散剂。外用适量，煎汤洗；或研末调敷。

| 附　　注 | 本种的拉丁学名在 FOC 中被修订为 *Curcuma phaeocaulis* Valeton。

姜科 Zingiberaceae 舞花姜属 *Globba*

舞花姜 *Globba racemosa* Smith

| 药 材 名 | 云南小草蔻（药用部位：果实）。

| 形态特征 | 多年生草本。植株高 0.6 ~ 1 m。茎基膨大。叶片长圆形或卵状披针形，长 12 ~ 20 cm，宽 4 ~ 5 cm，先端尾尖，基部急尖，上下两面的脉上疏被柔毛或无毛，无柄或具短柄；叶舌及叶鞘口具缘毛。圆锥花序顶生，长 15 ~ 20 cm；苞片早落，小苞片长约 2 mm；花黄色，各部均具橙色腺点；花萼管漏斗形，长 4 ~ 5 mm，先端具 3 齿；花冠管长约 1 cm，裂片反折，长约 5 mm；侧生退化雄蕊披针形，与花冠裂片等长；唇瓣倒楔形，长约 7 mm，先端 2 裂，反折，生于花丝基部稍上处，花丝长 10 ~ 12 mm，花药长 4 mm，两侧无翅状附属体。蒴果椭圆形，直径约 1 cm，无疣状突起。花期 6 ~ 9 月，果

期 8 ~ 11 月。

| **生境分布** | 生于海拔 400 ~ 1 300 m 的林下阴湿处。分布于湖南衡阳（南岳、衡山）、邵阳（隆回、洞口、新宁、城步、武冈）、张家界（桑植）、益阳（桃江、安化）、郴州（宜章）、永州（东安、道县、江永、宁远）、怀化（洪江）、湘西州（永顺）等。

| **资源情况** | 野生资源较丰富。药材来源于野生。

| **采收加工** | 秋、冬季果实成熟时采收，晒干。

| **功能主治** | 辛，温。健胃消食。用于胃脘胀痛，食欲不振，消化不良。

| **用法用量** | 内服煎汤，3 ~ 6 g；或入丸、散剂。

姜科 Zingiberaceae 姜花属 *Hedychium*

姜花 *Hedychium coronarium* Koen.

| 药材名 | 路边姜（药用部位：根茎）、姜花果实（药用部位：果实）。

| 形态特征 | 多年生草本。茎高 1 ~ 2 m。叶片长圆状披针形或披针形，长 20 ~ 40 cm，宽 4.5 ~ 8 cm，先端长渐尖，基部急尖，叶面光滑，叶背被短柔毛，叶无柄；叶舌薄膜质，长 2 ~ 3 cm。穗状花序顶生，椭圆形，长 10 ~ 20 cm，宽 4 ~ 8 cm；苞片呈覆瓦状排列，卵圆形，长 4.5 ~ 5 cm，宽 2.5 ~ 4 cm，每苞片内具 2 ~ 3 花；花芬芳，白色；花萼管长约 4 cm，先端一侧开裂；花冠管纤细，长 8 cm，花冠裂片披针形，长约 5 cm，后方 1 裂片呈兜状，先端具小尖头；侧生退化雄蕊长圆状披针形，长约 5 cm；唇瓣倒心形，长、宽均约 6 cm，白色，基部稍黄色，先端 2 裂；花丝长约 3 cm，药室长 1.5 cm；子房被绢毛。

花期 8 ~ 12 月。

| 生境分布 | 栽培于花圃、公园。分布于湖南益阳（赫山）、郴州（汝城）、永州（蓝山）、怀化（辰溪、通道）、常德（临澧）等。

| 资源情况 | 栽培资源较少。药材来源于栽培。

| 采收加工 | **路边姜：**冬季采挖，除去泥土、茎叶，晒干。

姜花果实：秋、冬季采收，剪下果穗，晒干。

| 功能主治 | **路边姜：**辛，温。祛风散寒，温经止痛。用于风寒表证，头身疼痛，风湿痹痛，脘腹冷痛，跌打损伤。

姜花果实：辛，温。温中散寒，止痛。用于寒湿郁滞，脘腹胀痛。

| 用法用量 | **路边姜：**内服煎汤，9 ~ 15 g。

姜花果实：内服煎汤，3 ~ 9 g。

姜科 Zingiberaceae 姜花属 *Hedychium*

黄姜花 *Hedychium flavum* Roxb.

| 药 材 名 | 黄姜花（药用部位：根茎）。

| 形态特征 | 多年生草本。茎高 1.5 ～ 2 m。叶片长圆状披针形或披针形，长 25 ～ 45 cm，宽 5 ～ 8.5 cm，先端渐尖，并具尾尖，基部渐狭，两面均无毛，叶无柄；叶舌膜质，披针形，长 2 ～ 5 cm。穗状花序长圆形，长约 10 cm，宽约 5 cm；苞片覆瓦状排列，长圆状卵形，长 4 ～ 6 cm，宽 1.5 ～ 3 cm，先端边缘被髯毛，每苞片内具 3 花；小苞片长约 2 cm，内卷成筒状；花黄色；花萼管长 4 cm，外被粗长毛，先端一侧开裂；花冠管较花萼管略长，花冠裂片线形，长约 3 cm；侧生退化雄蕊倒披针形，长约 3 cm，宽约 8 mm；唇瓣倒心形，长约 4 cm，宽约 2.5 cm，黄色，中心具 1 橙色斑点，先端微凹，基部

具短瓣柄；花丝长约 3 cm，花药长 1.2 ~ 1.5 cm，弯曲；柱头漏斗形，子房被长粗毛。花期 8 ~ 9 月。

| 生境分布 | 栽培于林缘、水边。分布于湖南邵阳（绥宁）、湘西州（凤凰）等。

| 资源情况 | 栽培资源稀少。药材来源于栽培。

| 采收加工 | 采挖后除去泥土、茎叶，晒干。

| 功能主治 | 用于咳嗽。

| 用法用量 | 内服煎汤，3 ~ 6 g，不宜久煎。外用适量，捣敷。

姜科 Zingiberaceae 姜属 *Zingiber*

蘘荷 *Zingiber mioga* (Thunb.) Rosc.

| 药 材 名 | 蘘荷（药用部位：根茎）、蘘荷花（药用部位：花）、蘘荷子（药用部位：果实）。

| 形态特征 | 多年生草本，高 0.5 ~ 1 m。根茎淡黄色。叶片披针状椭圆形或线状披针形，长 20 ~ 37 cm，宽 4 ~ 6 cm，叶面无毛，叶背无毛或被稀疏的长柔毛，先端尾尖；叶柄长 0.5 ~ 1.7 cm，或无柄；叶舌膜质，2 裂，长 0.3 ~ 1.2 cm。穗状花序椭圆形，长 5 ~ 7 cm；总花梗长 0 ~ 17 cm，被长圆形鳞片状鞘；苞片覆瓦状排列，椭圆形，红绿色，具紫脉；花萼长 2.5 ~ 3 cm，一侧开裂；花冠管较花萼长，花冠裂片披针形，长 2.7 ~ 3 cm，宽约 7 mm，淡黄色；唇瓣卵形，3 裂，中裂片长 2.5 cm，宽 1.8 cm，中部黄色，边缘白色，侧裂片长 1.3 cm，宽 4 mm；花药、药隔附属体长 1 cm。果实倒卵形，成

熟时 3 瓣开裂，果皮内面鲜红色；种子黑色，被白色假种皮。花期 8 ~ 10 月。

| 生境分布 | 生于山谷阴湿处。分布于湘西北、湘西南等。

| 资源情况 | 野生资源一般。药材来源于野生。

| 采收加工 | **蘘荷：** 夏、秋季采收，鲜用或切片晒干。

蘘荷花： 花开时采收，鲜用或烘干。

蘘荷子： 果实成熟开裂时采收，晒干。

| 药材性状 | **蘘荷：** 本品呈不规则长条形，呈结节状，弯曲，长 6.5 ~ 11 cm，直径约 1 cm。表面灰棕黄色，具纵皱纹，上端具多数膨大、凹陷的圆盘状茎痕，先端具叶鞘残基，周围密布细长的圆柱形须根，须根直径 1 ~ 3 mm，具深纵皱纹和淡棕色短毛。质柔韧，不易折断，断面黄白色，中心具淡黄色细木心。气香，味淡、微辛。

| 功能主治 | **蘘荷：** 辛，温。活血调经，祛痰止血，解毒消肿。用于月经不调，痛经，跌打损伤，咳嗽气喘，痈疽肿毒，瘰疬。

蘘荷花： 辛，温。温肺化痰。用于肺寒咳嗽。

蘘荷子： 辛，温。温胃止痛。用于胃痛。

| 用法用量 | **蘘荷：** 内服煎汤，6 ~ 15 g；或研末；或鲜品绞汁。外用适量，捣敷；或捣汁含漱或点眼。

蘘荷花： 内服煎汤，3 ~ 6 g。

蘘荷子： 内服煎汤，9 ~ 15 g。

姜科 Zingiberaceae 姜属 *Zingiber*

姜 *Zingiber officinale* Rosc.

| 药 材 名 |

生姜（药用部位：新鲜根茎）、干姜（药用部位：干燥根茎）、生姜皮（药用部位：根茎外皮）、姜叶（药用部位：茎叶）。

| 形态特征 |

多年生草本，高 0.5 ～ 1 m。根茎肥厚，多分枝，芳香。叶片披针形或线状披针形，长 15 ～ 30 cm，宽 2 ～ 2.5 cm，无毛，无柄；叶舌膜质，长 2 ～ 4 mm。总花梗长达 25 cm；穗状花序球果状，长 4 ～ 5 cm；苞片卵形，长约 2.5 cm，淡绿色或边缘淡黄色，先端具小尖头；花萼管长约 1 cm；花冠黄绿色，花冠管长 2 ～ 2.5 cm，花冠裂片披针形，长不及 2 cm；唇瓣中央裂片长圆状倒卵形，短于花冠裂片，具紫色条纹及淡黄色斑点，侧裂片卵形，长约 6 mm；雄蕊暗紫色，花药长约 9 mm，药隔附属体钻状，长约 7 mm。花期秋季。

| 生境分布 |

栽培种。湖南各地均有分布。

| 资源情况 |

栽培资源丰富。药材来源于栽培。

| 采收加工 |

生姜：10 ~ 12 月茎叶枯黄时采收，除去茎叶、须根，鲜用。

干姜：10 月下旬至 12 月下旬茎叶枯萎时采挖，除去茎叶、须根，烘干，除去泥沙、粗皮，扬净。

生姜皮：秋季采挖根茎，洗净，刮取外层栓皮，晒干。

姜叶：夏、秋季采收，切碎，鲜用或晒干。

| 药材性状 |

生姜：本品形状不规则，略扁，具指状分枝，长 4 ~ 18 cm，厚 1 ~ 3 cm。表面黄褐色或灰棕色，具环节，分枝先端具茎痕或芽。质脆，易折断，断面浅黄色，内皮层环纹明显，有维管束散在。气香，特异，味辛、辣。

干姜：本品形状不规则，略扁，具指状分枝，长 3 ~ 7 cm，厚 1 ~ 2 cm。表面灰棕色或浅黄棕色，粗糙，具纵皱纹及明显的环节，分枝处常有鳞叶残存，分枝先端具茎痕或芽。质坚实，断面黄白色或灰白色，粉性和颗粒性，具一明显的圆环（内皮层），筋脉点（维管束）及黄色油点散在。气香，特异，味辛、辣。

生姜皮：本品为卷缩不整齐的碎片，灰黄色，具细皱纹，有的具波状环节痕迹，内表面可见黄色油点。质软。气特异，味辣。

姜叶：本品呈披针形或线状披针形，无柄；叶舌膜质，长 2 ~ 4 mm。

| 功能主治 |

生姜：辛，温。发表，散寒，温中止呕，解毒。用于风寒感冒，胃寒呕吐，痰饮，喘咳，胀满，泄泻。

干姜：辛，热。温中散寒，回阳通脉，温肺化饮。用于脘腹冷痛，呕吐，泄泻，亡阳厥逆，寒饮喘咳，寒湿痹痛。

生姜皮：辛，凉。行水消肿。用于水肿初起，小便不利。

姜叶：辛，温。活血散结。用于癥积，扑损瘀血。

| 用法用量 |

生姜：内服煎汤，3 ~ 10 g；或捣汁冲。外用适量，捣敷；或炒热熨；或绞汁调搽。

干姜：内服煎汤，3 ~ 10 g；或入丸、散剂。外用适量，煎汤洗；或研末调敷。

生姜皮：内服煎汤，2 ~ 6 g。

姜叶：内服煎汤。

姜科 Zingiberaceae 姜属 *Zingiber*

阳荷 *Zingiber striolatum* Diels

| 药 材 名 | 阳荷（药用部位：根茎）。

| 形态特征 | 多年生草本，高 1 ~ 1.5 m。根茎白色，微芳香。叶片披针形或椭圆状披针形，长 25 ~ 35 cm，宽 3 ~ 6 cm，先端具尾尖，基部渐狭，叶背被极疏柔毛至无毛；叶柄长 0.8 ~ 1.2 cm；叶舌 2 裂，膜质，长 4 ~ 7 mm，具褐色条纹。总花梗长 1.5 ~ 2 cm 或更长，被 2 ~ 3 鳞片；花序近卵形；苞片红色，宽卵形或椭圆形，长 3.5 ~ 5 cm，被疏柔毛；花萼长 5 cm，膜质；花冠管白色，长 4 ~ 6 cm，花冠裂片长圆状披针形，长 3 ~ 3.5 cm，白色或稍带黄色，具紫褐色条纹；唇瓣倒卵形，长 3 cm，宽 2.6 cm，浅紫色，侧裂片长约 5 mm；花丝极短，药室披针形，长 1.5 cm，药隔附属体喙状，长 1.5 cm。蒴

果长 3.5 cm，成熟时 3 瓣开裂，内果皮红色；种子黑色，被白色假种皮。花期 7 ~ 9 月，果期 9 ~ 11 月。

| 生境分布 | 生于海拔 300 ~ 1 900 m 的林荫下、溪边。栽培于菜园。湖南各地均有分布。

| 资源情况 | 野生资源较丰富。栽培资源丰富。药材来源于野生和栽培。

| 采收加工 | 夏、秋季采收，鲜用或切片晒干。

| 药材性状 | 本品呈白色，块状。气微芳香。

| 功能主治 | 用于泄泻，痢疾。

| 用法用量 | 内服煎汤。

美人蕉科 Cannaceae 美人蕉属 *Canna*

蕉芋 *Canna edulis* Ker

| 药 材 名 | 蕉芋（药用部位：根茎）、蕉芋花（药用部位：花）。

| 形态特征 | 一年生或多年生草本。根茎发达，多分枝，块状。茎粗壮，高可达 3 m。叶片长圆形或卵状长圆形，长 30 ~ 60 cm，宽 10 ~ 20 cm，叶面绿色，边缘绿色，背面紫色；叶柄短；叶鞘边缘紫色。总状花序单生或分叉，少花，被蜡质粉霜，基部具阔鞘；花单生或 2 花聚生；小苞片卵形，长 8 mm，淡紫色；萼片披针形，长约 1.5 cm，淡绿色带紫色；花冠管杏黄色，长约 1.5 cm，花冠裂片杏黄色，先端带紫色，披针形，长约 4 cm，直立；外轮退化雄蕊 2（~ 3），倒披针形，长约 5.5 cm，宽约 1 cm，红色，基部杏黄色，直立，其中 1 微凹；唇瓣披针形，长 4.5 cm，卷曲，先端 2 裂，上部红色，基部杏黄色；发育雄蕊披

针形，长 4.2 cm，杏黄色带红色，药室长 9 mm；子房圆球形，直径 6 mm，绿色，密被小疣状突起，花柱狭带形，长 6 cm，杏黄色。花期 9 ~ 10 月。

| 生境分布 | 栽培于花园、路边。湖南各地均有分布。

| 资源情况 | 栽培资源丰富。药材来源于栽培。

| 采收加工 | **蕉芋：**全年均可采收，除去茎叶，晒干或鲜用。

蕉芋花：花期采收，阴干。

| 药材性状 | **蕉芋：**本品呈圆锥形，先端具茎基，周围被多数叶鞘，节明显，具细根或点状根痕。表面灰棕色或灰黄色。质坚硬，断面粉性。气微，味淡。

蕉芋花：本品多皱缩成团状，湿润展平后花萼呈倒披针形，花冠裂片杏黄色，先端带紫色，花柱带形，杏黄色。

| 功能主治 | **蕉芋：**甘、淡，凉。用于痢疾，泄泻，黄疸，痈疮肿毒。

蕉芋花：止血。

| 用法用量 | **蕉芋：**内服煎汤，10 ~ 15 g。外用适量，捣敷。

蕉芋花：内服煎汤，6 ~ 15 g。

| 附　　注 | 本种的拉丁学名在 FOC 中被修订为 *Canna indica* 'Edulis'。

美人蕉科 Cannaceae 美人蕉属 *Canna*

柔瓣美人蕉 *Canna flaccida* Salisb.

| 药 材 名 |

黄花美人蕉（药用部位：根茎）、黄花美人蕉花（药用部位：花）。

| 形态特征 |

一年生或多年生草本，高 1.3 ~ 2 m。茎绿色。叶片长圆状披针形，长 25 ~ 60 cm，宽 10 ~ 12 cm，先端渐尖，具线形尖头。总状花序直立，花少而疏；苞片极小；花黄色，质柔而脆；萼片披针形，长 2 ~ 2.5 cm，绿色；花冠管明显，长为花萼的 2 倍，花冠裂片线状披针形，长达 8 cm，宽达 1.5 cm，花后反折；外轮退化雄蕊 3，圆形，长 5 ~ 7 cm，宽 3 ~ 4 cm；唇瓣圆形；发育雄蕊半倒卵形；花柱短，椭圆形。蒴果椭圆形，长约 6 cm，宽约 4 cm。

| 生境分布 |

栽培于花园、路边。湖南各地均有分布。

| 资源情况 |

栽培资源丰富。药材来源于栽培。

| 采收加工 |

黄花美人蕉：夏、秋季采收，除去茎叶及须根，鲜用或切片晒干。

黄花美人蕉花：花期采收，阴干。

| 功能主治 |

黄花美人蕉：用于急性黄疸性病毒性肝炎，久痢，咯血，崩中，带下，月经不调，风湿麻痹，外伤出血，跌打损伤，子宫脱垂，心气痛，疮疡肿毒。

黄花美人蕉花：用于金疮，外伤出血。

| 用法用量 |

黄花美人蕉：内服煎汤。

黄花美人蕉花：外用适量。

美人蕉科 Cannaceae 美人蕉属 *Canna*

大花美人蕉 *Canna generalis* Bailey

| 药 材 名 | 大花美人蕉（药用部位：根茎、花）。

| 形态特征 | 植株高约 1.5 m，茎、叶和花序均被白粉。叶片椭圆形，长达 40 cm，宽达 20 cm，叶缘、叶鞘紫色。总状花序顶生，长 15 ~ 30 cm；花大，较密集，每苞片内具 1 ~ 2 花；萼片披针形，长 1.5 ~ 3 cm；花冠管长 5 ~ 10 mm，花冠裂片披针形，长 4.5 ~ 6.5 cm；外轮退化雄蕊 3，倒卵状匙形，长 5 ~ 10 cm，宽 2 ~ 5 cm，红色、橘红色、淡黄色、白色；唇瓣倒卵状匙形，长约 4.5 cm，宽 1.2 ~ 4 cm；发育雄蕊披针形，长约 4 cm，宽 2.5 cm；子房球形，直径 4 ~ 8 mm；花柱带形，离生部分长 3.5 cm。花期秋季。

| 生境分布 | 栽培于花园、路边。湖南各地均有分布。

| 资源情况 | 栽培资源一般。药材来源于栽培。

| 采收加工 | 夏、秋季采收，除去茎叶及须根，鲜用或切片。

| 药材性状 | 本品花大，每苞片内具 1 ～ 2 花；萼片披针形；花冠裂片披针形。

| 功能主治 | 甘、淡，寒。清热利湿，解毒，止血。用于急性黄疸性肝炎，白带过多，跌打损伤，疮疡肿毒，子宫出血，外伤出血。

| 用法用量 | 内服煎汤，根茎 15 ～ 30 g，鲜品 60 ～ 90 g，花 9 ～ 15 g。外用适量，捣敷。

美人蕉科 Cannaceae 美人蕉属 *Canna*

美人蕉 *Canna indica* L.

| 药 材 名 | 美人蕉根（药用部位：根）、美人蕉花（药用部位：花）。

| 形态特征 | 一年生或多年生草本，高可达 1.5 m。叶片卵状长圆形，长 10 ~ 30 cm，宽达 10 cm。总状花序疏花，略超出叶片；花红色，单生；苞片卵形，绿色，长约 1.2 cm；萼片 3，披针形，长约 1 cm，绿色，有时带红色；花冠管长不及 1 cm，花冠裂片披针形，长 3 ~ 3.5 cm，绿色或红色；外轮退化雄蕊 2 ~ 3，鲜红色，其中 2 退化雄蕊倒披针形，长 3.5 ~ 4 cm，宽 5 ~ 7 mm，另 1 退化雄蕊极小或无，长 1.5 cm，宽 1 mm；唇瓣披针形，长 3 cm，弯曲；发育雄蕊长 2.5 cm，药室长 6 mm；花柱扁平，长 3 cm，一半和发育雄蕊的花丝连合。蒴果绿色，长卵形，具软刺，长 1.2 ~ 1.8 cm。花果期 3 ~ 12 月。

| 生境分布 | 栽培于花园、路边。湖南各地均有分布。

| 资源情况 | 栽培资源丰富。药材来源于栽培。

| 采收加工 | **美人蕉根：**全年均可采挖，除去茎叶，洗净，切片，晒干或鲜用。

美人蕉花：花开时采收，阴干。

| 功能主治 | **美人蕉根：**甘、微苦、涩，凉。清热解毒，调经，利水。用于月经不调，带下，黄疸，痢疾，疮疡肿毒。

美人蕉花：凉血止血。用于吐血，外伤出血。

| 用法用量 | **美人蕉根：**内服煎汤，6 ~ 15 g，鲜品 30 ~ 120 g。外用适量，捣敷。

美人蕉花：内服煎汤，6 ~ 15 g。

美人蕉科 Cannaceae 美人蕉属 *Canna*

黄花美人蕉 *Canna indica* L. var. *flava* Roxb.

| 药 材 名 | 黄花美人蕉（药用部位：根）。

| 形态特征 | 植株全部绿色，高可达 1.5 m。叶片卵状长圆形，长 10 ~ 30 cm，宽达 10 cm。总状花序疏花，略超出叶片；花单生；苞片卵形，绿色，长约 1.2 cm；萼片 3，披针形，长约 1 cm，绿色，有时带红色；花冠管长不及 1 cm，花冠裂片披针形，长 3 ~ 3.5 cm，杏黄色；外轮退化雄蕊 2 ~ 3，杏黄色，其中 2 退化雄蕊倒披针形，长 3.5 ~ 4 cm，宽 5 ~ 7 mm，另 1 退化雄蕊极小或无，长 1.5 cm，宽 1 mm；唇瓣披针形，长 3 cm，弯曲；发育雄蕊长 2.5 cm，药室长 6 mm；花柱扁平，长 3 cm，一半和发育雄蕊的花丝连合。蒴果绿色，长卵形，具软刺，长 1.2 ~ 1.8 cm。花果期 3 ~ 12 月。

| 生境分布 | 栽培于花园、路边。湖南各地均有分布。

| 资源情况 | 栽培资源丰富。药材来源于栽培。

| 采收加工 | 全年均可采挖，除去茎叶，洗净，切片，晒干或鲜用。

| 功能主治 | 止痛消肿，止痢。用于跌打损伤，痢疾。

| 用法用量 | 内服煎汤，6 ~ 15 g，鲜品 30 ~ 120 g。外用适量，捣敷。

美人蕉科 Cannaceae 美人蕉属 *Canna*

紫叶美人蕉 *Canna warszewiczii* A. Dietr.

|药 材 名| 紫叶美人蕉（药用部位：根茎、花）。

|形态特征| 植株高 1.5 m。茎粗壮，紫红色，被蜡质白粉，有很密集的叶。叶片卵形或卵状长圆形，最大的长达 50 cm，宽达 20 cm，先端渐尖，基部心形，暗绿色，叶缘绿色，叶脉多少染紫色或古铜色。总状花序长 15 cm，超出叶片；苞片紫色，卵形，多少内凹，略超出子房，被天蓝色粉霜，无小苞片；萼片披针形，先端急尖，紫色，长 1.2 ~ 1.5 cm 或更长；花冠裂片披针形，长 4 ~ 5 cm，深红色，稍染蓝色，先端内凹；外轮退化雄蕊 2，倒披针形，背面 1 退化雄蕊长约 5.5 cm，宽 8 ~ 9 mm，红色，染紫色，侧面 1 退化雄蕊长 4 cm，宽 4 ~ 5 mm，花丝分离几达基部；唇瓣舌状或线状长圆形，先端微凹或 2 裂，弯曲，

红色；发育雄蕊披针形，浅褐色，先端急尖，较药室略长；子房梨形，深红色，密被小疣状突起，花柱线形，较药室长。果实成熟时黑色。花期秋季。

| 生境分布 | 栽培于花园、路边。湖南各地均有分布。

| 资源情况 | 栽培资源丰富。药材来源于栽培。

| 采收加工 | 夏、秋季采收，除去茎叶及须根，鲜用或切片晒干。

| 药材性状 | 本品花大，密集；萼片披针形；花冠裂片披针形，长 4.5 ~ 6.5 cm。

| 功能主治 | 清热利湿，解毒，止血。用于跌打损伤，疮疡肿毒，子宫出血，外伤出血。

| 用法用量 | 内服煎汤，根茎 15 ~ 30 g，鲜品 60 ~ 90 g，花 9 ~ 15 g。外用适量，捣敷。

竹芋科 Marantaceae 竹芋属 *Maranta*

竹芋 *Maranta arundinacea* L.

| 药 材 名 | 竹芋（药用部位：根茎）。

| 形态特征 | 根茎肉质，纺锤形。茎柔弱，二叉分枝，高 0.4 ~ 1 m。叶薄，卵形或卵状披针形，长 10 ~ 20 cm，宽 4 ~ 10 cm，绿色，先端渐尖，基部圆形，背面无毛或薄被长柔毛；叶枕长 5 ~ 10 mm，上面被长柔毛；叶柄短或无；叶舌圆形。总状花序顶生，长 15 ~ 20 cm，疏散，具花多数；苞片线状披针形，内卷，长 3 ~ 4 cm；花小，白色；小花梗长约 1 cm；萼片狭披针形，长 1.2 ~ 1.4 cm；花冠管长 1.3 cm，基部扩大，花冠裂片长 8 ~ 10 mm；外轮 2 退化雄蕊倒卵形，长约 1 cm，先端凹入，内轮退化雄蕊长为外轮的一半；子房无毛或稍被长柔毛。果实长圆形，长约 7 mm。花期夏、秋季。

| 生境分布 | 栽培于池塘、溪流、湖泊浅水处。湖南各地均有分布。

| 资源情况 | 栽培资源丰富。药材来源于栽培。

| 采收加工 | 全年均可采挖，除去茎叶及须根，切片，晒干。

| 药材性状 | 本品肉质，呈纺锤形。

| 功能主治 | 甘、淡，凉。清肺止咳，清热利尿。用于肺热咳嗽，热淋。

| 用法用量 | 内服煎汤，9 ~ 15 g。

兰科 Orchidaceae 无柱兰属 *Amitostigma*

无柱兰 *Amitostigma gracile* (Bl.) Schltr.

| 药材名 | 无柱兰（药用部位：全草或块茎）。

| 形态特征 | 植株高达 30 cm。块茎卵形或长圆状椭圆形。茎近基部具 1 叶，其上具 1 ~ 2 小叶。叶窄长圆形、椭圆状长圆形或卵状披针形，长 5 ~ 12 cm。花序具 5 ~ 20 余、偏向一侧的花；苞片卵状披针形或卵形；子房扭转，连花梗长 0.7 ~ 1 cm；花粉红色或紫红色；中萼片卵形，长 2.5 ~ 3 mm，侧萼片斜卵形或倒卵形，长 3 mm；花瓣斜椭圆形或斜卵形，长 2.5 ~ 3 mm，唇瓣较萼片和花瓣大，倒卵形，长 3.5 ~ 5（~ 7）mm，基部楔形，具距，中部以上 3 裂，侧裂片镰状线形、长圆形或三角形，先端钝或平截，中裂片倒卵状楔形，先端平截、圆、圆而具短尖或凹缺；距圆筒状，几直伸，下垂，长

2 ~ 3（~ 5）mm。花期 6 ~ 7 月，果期 9 ~ 10 月。

| 生境分布 | 生于海拔 180 ~ 2 000 m 的山坡沟谷边、林下阴湿处覆土的岩石上或山坡灌丛下。分布于湖南衡阳（衡山）、邵阳（邵阳）、张家界（武陵源）等。

| 资源情况 | 野生资源丰富。药材来源于野生。

| 采收加工 | 夏季采收，洗净，晒干或鲜用。

| 功能主治 | 解毒消肿，活血止血。用于毒蛇咬伤，无名肿毒，跌打损伤，吐血。

| 用法用量 | 内服煎汤，15 ~ 30 g，鲜品加倍。外用适量，鲜品捣敷。

兰科 Orchidaceae 开唇兰属 *Anoectochilus*

艳丽齿唇兰 *Anoectochilus moulmeinensis* (Par. et Rchb. f.) Seidenf.

| 药 材 名 | 艳丽齿唇兰（药用部位：全草）。

| 形态特征 | 植株高 20 ～ 30 cm。根茎匍匐，肉质，具节，节上生根。茎粗壮，无毛，具 5 ～ 7 叶。叶片长圆形，长 5 ～ 8 cm，宽 2 ～ 3 cm，绿色，中肋具 1 白色宽条纹，背面灰绿色，具柄；叶柄长 1 ～ 2.5 cm，下部鞘状抱茎。总状花序疏生数花；花序轴和花序梗被短柔毛，花序梗具 1 ～ 3 淡红色鞘状苞片；苞片卵形，淡红色，背面被短柔毛；子房圆柱形，紫绿色，扭转，无毛，连花梗长 8 ～ 10 mm；萼片和花瓣背面均呈淡红色，被疏柔毛，具 1 脉，中萼片凹陷成舟状，长 7 mm，宽约 4 mm，与花瓣黏合成兜状，侧萼片张开；花瓣半卵形，与中萼片等长，宽 3.5 ～ 4 mm，具 1 脉，两侧极不等，外侧宽于内侧，

先端弯曲，具细尖头，无毛；唇瓣白色，呈“T”形，2 裂，裂片外缘具不整齐的细齿，中部边缘具短爪，基部凹陷成囊，囊内具 1 纵向隔膜状褶片，褶片两侧、囊近基部处各具 1 卵圆形胼胝体；蕊柱短，长 3 ~ 3.5 mm，花药卵形，长 3.5 mm，蕊喙直立，叉状 2 裂，柱头 2，位于蕊喙基部两侧靠前处。

| 生境分布 | 生于海拔 450 ~ 2 000 m 的山坡或沟谷密林下阴湿处。分布于湖南湘西州（古丈、永顺）等。

| 资源情况 | 野生资源稀少。药材来源于野生。

| 采收加工 | 夏、秋季采收，鲜用或晒干。

| 药材性状 | 本品根茎粗，肉质，长 30 cm。叶窄椭圆形，中肋具白色宽条纹，具柄；叶柄长 1 ~ 2.5 cm。花序长 5 ~ 12 cm。

| 功能主治 | 清热解毒，凉血，消肿。

| 用法用量 | 内服煎汤。

| 附　　注 | 本种的拉丁学名在 FOC 中被修订为 *Rhomboda moulmeinensis* (E. C. Parish et H. G. Reichenbach) Ormerod。

兰科 Orchidaceae 开唇兰属 *Anoectochilus*

金线兰 *Anoectochilus roxburghii* (Wall.) Lindl.

| 药 材 名 | 金线兰（药用部位：全草）。

| 形态特征 | 多年生草本，高 8 ~ 18 cm。根茎匍匐，伸长，肉质，具节，节上生根。茎直立，肉质，圆柱形，具 2 ~ 4 叶。叶卵圆形，长 1.3 ~ 3.5 cm，上面暗紫色，具金红色脉网，下面淡紫红色，基部近平截或圆形；叶柄长 0.4 ~ 1 cm，基部鞘状抱茎。花序具 2 ~ 6 花，长 3 ~ 5 cm；花序轴淡红色，和花序梗均被柔毛，花序梗具 2 ~ 3 鞘状苞片；苞片淡红色，卵状披针形或披针形，长 6 ~ 9 mm；子房被柔毛，连花梗长 1 ~ 1.3 cm；花白色；萼片被柔毛，卵形，侧萼片张开，近斜长圆形或长圆状椭圆形，长 7 ~ 8 mm；花瓣近镰状，斜歪，较萼片薄；唇瓣位于上方，长约 1.2 cm，呈“Y”形，前部 2 裂，裂片近

长圆形或近楔状长圆形，长约 6 mm，全缘，中部爪长 4 ~ 5 mm，两侧各具 6 ~ 8 长 4 ~ 6 mm 的流苏状细裂条；距长 5 ~ 6 mm，上举指向唇瓣，末端 2 浅裂，内侧近距口处具 2 肉质胼胝体；蕊柱短，前面两侧各具 1 宽片状附属物，花药卵形，长 4 mm，蕊喙直立，叉状 2 裂，柱头 2，离生，位于蕊喙基部两侧。花期 9 ~ 11 月。

| 生境分布 | 生于海拔 50 ~ 1 600 m 的常绿阔叶林下或沟谷阴湿处。分布于湖南益阳（赫山）、怀化（洪江、沅陵）、张家界（慈利）、郴州（桂东）等。

| 资源情况 | 野生资源稀少。药材来源于野生。

| 采收加工 | 夏、秋季采收，鲜用或晒干。

| 药材性状 | 本品根茎较细，节明显，棕褐色。叶上面黑紫色，具金黄色网状脉，下面暗红色，主脉 3 ~ 7。总状花序顶生，花序轴被柔毛，萼片淡紫色。气微，味淡。

| 功能主治 | 甘，凉。清热凉血，除湿解毒。用于肺热咳嗽，肺痨咯血，尿血，惊风，破伤风，肾炎性水肿，风湿痹痛，跌打损伤，毒蛇咬伤。

| 用法用量 | 内服煎汤，9 ~ 15 g。外用适量，鲜品捣敷。

兰科 Orchidaceae 竹叶兰属 *Arundina*

竹叶兰 *Arundina graminifolia* (D. Don) Hochr.

| 药 材 名 | 竹叶兰（药用部位：全草或根茎）。

| 形态特征 | 植株高 40 ~ 80 cm，有时可达 100 cm 以上。根茎在茎基部呈卵球形，似假鳞茎，直径 1 ~ 2 cm。茎常数个丛生或成片生长，圆柱形，细竹秆状，常为叶鞘所包，具多叶。叶线状披针形，薄革质或坚纸质，长 8 ~ 20 cm，宽 0.3 ~ 1.5 cm，基部鞘状抱茎。花序长 2 ~ 8 cm，具 2 ~ 10 花，每次开 1 花；苞片基部包花序轴，长 3 ~ 5 mm；花梗和子房长 1.5 ~ 3 cm；花粉红色、略带紫色或白色；萼片窄椭圆形或窄椭圆状披针形，长 2.5 ~ 4 cm；花瓣椭圆形或卵状椭圆形，与萼片近等长，宽 1.3 ~ 1.5 cm，唇瓣长圆状卵形，长 2.5 ~ 4 cm，3 裂，侧裂片内弯，中裂片近方形，长 1 ~ 1.4 cm，先端 2 浅裂或

微凹，唇盘有 3（～5）褶片；蕊柱长 2 ～ 2.5 cm。蒴果近长圆形，长约 3 cm。花果期 9 ～ 11 月。

| 生境分布 | 生于海拔 400 ～ 2 000 m 的草坡、溪谷旁、灌丛下或林中。分布于湖南郴州（宜章）、怀化（洪江、通道）、邵阳（洞口）等。

| 资源情况 | 野生资源一般。药材来源于野生。

| 功能主治 | 清热解毒，祛风除湿，止痛，利尿。用于肝炎，关节痛，腰酸腿痛，胃痛，淋证，小便涩痛，脚气水肿，瘰疬，肺痨，牙痛，咽喉痛，感冒，小儿惊风，疳积，咳嗽，食物中毒，跌打损伤，蛇咬伤，外伤出血。

兰科 Orchidaceae 白及属 *Bletilla*

小白及 *Bletilla formosana* (Hayata) Schltr.

| 药材名 | 小白及（药用部位：块茎）。

| 形态特征 | 植株高 15 ~ 50 cm。假鳞茎扁卵球形，较小，上面具荸荠状环带，富黏性。茎纤细或较粗壮，具 3 ~ 5 叶。叶一般较狭，通常线状披针形、狭披针形至狭长圆形，长 6 ~ 20（~ 40）cm，宽 5 ~ 10（~ 45）mm，先端渐尖，基部收狭成鞘并抱茎。总状花序具（1 ~）2 ~ 6 花；花序轴多少呈“之”字形曲折；苞片长圆状披针形，长 1 ~ 1.3 cm，先端渐尖，花开时凋落；子房圆柱形，扭转，长 8 ~ 12 mm；花较小，淡紫色或粉红色，稀白色；萼片和花瓣狭长圆形，长 15 ~ 21 mm，宽 4 ~ 6.5 mm，近等大，萼片先端近急尖，花瓣先端稍钝；唇瓣椭圆形，长 15 ~ 18 mm，宽 8 ~ 9 mm，中部

以上3裂，侧裂片直立，斜半圆形，围抱蕊柱，先端稍尖或急尖，常伸至中裂片1/3以上，中裂片近圆形或近倒卵形，长4 ~ 5 mm，宽4 ~ 5 mm，边缘微波状，先端钝圆，稀略凹缺；唇盘上具5纵脊状褶片，褶片自基部至中裂片上面均呈波状；蕊柱长12 ~ 13 mm，柱状，具狭翅，稍弓曲。花期4 ~ 5（~ 6）月。

| 生境分布 | 生于海拔600 ~ 1 500 m的常绿阔叶林、针叶林、路边、沟谷草地或草坡及岩石缝中。分布于湖南邵阳（邵阳、武冈）、怀化（通道）、湘西州（吉首、花垣）等。

| 资源情况 | 野生资源较少。药材来源于野生。

| 采收加工 | 秋末、春初采挖，除去鳞片、残茎及须根，洗净，沸水煮至透心或趁鲜切片，干燥。

| 药材性状 | 本品呈不规则扁斜卵形，较瘦小，具2 ~ 3爪状分叉，长不及3.5 cm。外皮具纵皱纹，表面黄白色或淡黄棕色，具1 ~ 2圈同心环节和棕色点状须根痕，上面具一歪斜凸起的茎痕，下面具连接另一块茎的痕迹。质坚硬，不易折断，断面类白色，微角质，切面具点状或短线状突起。气微，味苦，嚼之有黏性。

| 功能主治 | 苦，平。补肺，止血，生肌，收敛。用于肺痨咯血，胃肠出血，跌打损伤。

| 用法用量 | 内服研末，3 ~ 6 g。外用适量。

兰科 Orchidaceae 白及属 *Bletilla*

黄花白及 *Bletilla ochracea* Schltr.

|药材名| 黄花白及（药用部位：块茎）。

|形态特征| 多年生草本，高 25 ～ 55 cm。假鳞茎扁斜卵形，较大，上面具荸荠状环带，富黏性。茎较粗壮，常具 4 叶。叶长圆状披针形，长 8 ～ 35 cm，宽 1.5 ～ 2.5 cm，先端渐尖或急尖，基部收狭成鞘并抱茎。花序具 3 ～ 8 花，通常不分枝，稀分枝；花序轴多少呈“之”字形曲折；苞片长圆状披针形，长 1.8 ～ 2 cm，先端急尖，花开时凋落；花中等大，黄色，或萼片和花瓣外侧黄绿色，内面黄白色，稀近白色；萼片和花瓣近等长，长圆形，长 18 ～ 23 mm，宽 5 ～ 7 mm，先端钝或稍尖，背面常具细紫点；唇瓣椭圆形，白色或淡黄色，长 15 ～ 20 mm，宽 8 ～ 12 mm，中部以上 3 裂，侧裂片直立，斜长圆形，围抱蕊柱，

先端钝，几不伸至中裂片旁，中裂片近正方形，边缘微波状，先端微凹；唇盘上面具 5 纵脊状褶片，褶片在中裂片上呈波状；蕊柱长 15 ~ 18 mm，柱状，具狭翅，稍弓曲。花期 6 ~ 7 月。

| 生境分布 | 生于海拔 300 ~ 2 000 m 的常绿阔叶林、针叶林、灌丛下、草丛中或沟边。分布于湖南邵阳（邵东、隆回）、湘西州（永顺）、郴州（桂东）等。

| 资源情况 | 野生资源较少。药材来源于野生。

| 采收加工 | 秋末、春初采挖，除去鳞片、残茎及须根，洗净，沸水煮至透心或趁鲜切片，干燥。

| 药材性状 | 本品呈不规则扁斜卵形，具 2 ~ 3 爪状分叉，长 1.5 ~ 3.5 cm，厚约 5 mm。表面黄白色或淡黄棕色，具 1 ~ 2 圈同心环节和棕色点状须根痕，上面具一歪斜凸起的茎痕，下面具连接另一块茎的痕迹。质坚硬，不易折断，断面类白色，微角质，切面具点状或短线状突起。气微，味苦，嚼之有黏性。

| 功能主治 | 苦、甘、涩，微寒。收敛止血，消肿生肌。用于咯血吐血，外伤出血，疮疡肿毒，皮肤皲裂，肺痨咯血，溃疡出血。

| 用法用量 | 内服煎汤，6 ~ 15 g；或研末吞服，3 ~ 6 g。外用适量。

兰科 Orchidaceae 白及属 *Bletilla*

白及 *Bletilla striata* (Thunb. ex A. Murry) Rchb. f.

| 药 材 名 | 白及（药用部位：块茎）。

| 形态特征 | 多年生草本，高 18 ~ 60 cm。假鳞茎扁球形，上面具荸荠状环带，富黏性。茎粗壮，劲直。叶 4 ~ 6，狭长圆形或披针形，长 8 ~ 29 cm，宽 1.5 ~ 4 cm，先端渐尖，基部收狭成鞘并抱茎。花序具 3 ~ 10 花，常不分枝，稀分枝；花序轴多少呈"之"字形曲折；苞片长圆状披针形，长 2 ~ 2.5 cm，花开时常凋落；花大，紫红色或粉红色；萼片和花瓣近等长，狭长圆形，长 25 ~ 30 mm，宽 6 ~ 8 mm，先端急尖，花瓣较萼片稍宽；唇瓣较萼片和花瓣稍短，倒卵状椭圆形，长 23 ~ 28 mm，白色带紫红色，具紫色脉；唇盘上面具 5 纵褶片，自基部伸至中裂片近顶部，在中裂片上面呈波状；蕊柱长 18 ~ 20 mm，柱状，具狭翅，稍弓曲。花期 4 ~ 5 月。

| 生境分布 | 生于海拔 100 ~ 2 000 m 的常绿阔叶林、栎树林、针叶林、路边草丛或岩石缝中。湖南各地均有分布。

| 资源情况 | 野生资源一般。栽培资源丰富。药材来源于野生和栽培。

| 采收加工 | 栽种 3 ~ 4 年后，9 ~ 10 月采挖，浸水中约 1 小时，洗净，除去须根，蒸煮至内面无白心，取出，晒或炕至表面干硬不黏结，用硫黄熏 1 夜，晒干或炕干，撞去残须，筛去杂质。

| 药材性状 | 本品 2 ~ 3 掌状分枝，长 1.5 ~ 5 cm，厚 0.5 ~ 1.5 cm。表面灰白色或黄白色，具细皱纹，上面具凸起的茎痕，下面具连接另一根茎的痕迹，以茎痕为中心，具数个棕褐色同心环纹，环上残留棕色点状须根痕。质坚硬，不易折断，断面类白色，半透明，角质样，可见散在的点状维管束。无臭，味苦，嚼之有黏性。

| 功能主治 | 苦、甘、涩，微寒。收敛止血，消肿生肌。用于咯血，吐血，便血，外伤出血，痈疮肿毒，烫火伤，手足皲裂，肛裂。

| 用法用量 | 内服煎汤，3 ~ 10 g；或研末，1.5 ~ 3 g。外用适量，研末撒；或调涂。

兰科 Orchidaceae 石豆兰属 *Bulbophyllum*

梳帽卷瓣兰 *Bulbophyllum andersonii* (Hook. f.) J. J. Smith

| 药 材 名 | 一匹草（药用部位：全草）。

| 形态特征 | 根茎匍匐，被杯状膜质鞘或鞘腐烂后残存的纤维。假鳞茎卵状圆锥形或狭卵形，顶生 1 叶，基部被鞘腐烂后残存的纤维。叶革质，长圆形，长 7 ~ 21 cm，中部宽 1.6 ~ 4.3 cm，先端钝并且稍凹入。花葶黄绿色带紫红色条斑，从假鳞茎基部抽出，直立，伞形花序具数花；苞片淡黄色带紫色斑点，披针形；花浅白色，密布紫红色斑点；中萼片卵状长圆形，凹陷，具 5 带紫红色小斑点的脉，边缘紫红色，侧萼片长圆形；花瓣长圆形或多少呈镰状长圆形，3 脉纹具紫红色斑点，两面密布细乳突，边缘紫红色，具篦齿状或不整齐的齿，唇瓣肉质，茄紫色，卵状三角形，基部具凹槽并与蕊柱足末端连接而形成活动关节，唇盘中央具 1 白色纵条带；蕊柱黄绿色，蕊柱翅在

蕊柱中部稍向前扩展；蕊柱足白色带紫红色斑点，向上弯曲；蕊柱齿三角形，先端急尖；药帽黄色，前端稍收窄，先端边缘篦齿状。

| 生境分布 | 生于海拔 400 ~ 2 000 m 的山地林中树干上或林下岩石上。分布于湖南张家界（桑植）、永州（江永）等。

| 资源情况 | 野生资源稀少。药材来源于野生。

| 采收加工 | 全年均可采收，鲜用或晒干。

| 功能主治 | 甘，温。祛风除湿，活血，止咳，消食积。用于跌打损伤，妇女体虚，小儿咳嗽，百日咳。

| 用法用量 | 内服煎汤，6 ~ 15 g；或浸酒。

兰科 Orchidaceae 石豆兰属 *Bublophyllum*

广东石豆兰 *Bublophyllum kwangtungense* Schltr.

| 药材名 | 广东石豆兰（药用部位：全草。别名：广石豆兰）。

| 形态特征 | 根茎直径约 2 mm，当年生者常被筒状鞘，每隔 2 ～ 7 cm 生 1 假鳞茎；假鳞茎直立，圆柱状，长 1 ～ 2.5 cm，中部直径 2 ～ 5 mm，顶生 1 叶，幼时被膜质鞘。叶革质，长圆形，通常长约 2.5 cm，中部宽 5 ～ 14 mm，先端圆钝并稍凹入，基部具长 1 ～ 2 mm 的柄。花葶 1，自假鳞茎基部发出，远高出叶外，长达 9.5 cm；总状花序缩短成伞状，具 2 ～ 4 花；花序梗直径约 0.5 mm，疏生 3 ～ 5 鞘；鞘膜质，筒状，长约 5 mm；苞片狭披针形；花淡黄色；萼片离生，狭披针形，长 8 ～ 10 mm，基部上方宽 1 ～ 1.3 mm，先端长渐尖，中部以上两侧边缘内卷，具 3 脉，侧萼片基部 1/5 ～ 2/5 贴生于蕊柱足上；花瓣狭卵状

披针形，长 4 ~ 5 mm，中部宽约 0.4 mm，向上渐狭，先端长渐尖，具 1 脉或不明显的 3 脉，全缘；唇瓣肉质，狭披针形，向外伸展，长约 1.5 mm；蕊柱长约 0.5 mm，牙齿齿状，长约 0.2 mm，蕊柱足长约 0.5 mm，分离部分长约 0.1 mm，药帽前端稍伸长，先端截形并多少向上翘起，上面密生细乳突。花期 5 ~ 8 月。

| 生境分布 | 生于海拔约 800 m 的山坡林下岩石上。分布于湖南邵阳（隆回）、湘西州（凤凰）等。

| 资源情况 | 野生资源稀少。药材来源于野生。

| 采收加工 | 夏、秋季采收，鲜用或蒸后晒干。

| 药材性状 | 本品根茎直径约 2 mm。假鳞茎圆柱状。叶革质，呈长圆形。总状花序伞状。

| 功能主治 | 甘、淡，凉。用于风热咽痛，肺热咳嗽，阴虚内热，热病口渴，风湿痹痛，跌打损伤，乳腺炎。

| 用法用量 | 内服煎汤，6 ~ 12 g。外用适量，捣敷。

兰科 Orchidaceae 石豆兰属 *Bulbophyllum*

斑唇卷瓣兰 *Bulbophyllum pectenveneris* (Gagnep.) Seidenf.

药材名

石上桃（药用部位：全草）。

形态特征

附生草本。假鳞茎生于直径 1 ~ 2 mm 的根茎上，相距 0.5 ~ 1 cm，卵球形，顶生 1 叶。叶椭圆形或卵形，长 1 ~ 6 cm，先端稍钝或具凹缺。花葶生于假鳞茎基部，长约 10 cm；伞形花序具 3 ~ 9 花；花黄绿色或黄色稍带褐色；中萼片卵形，长约 5 mm，先端尾状，具流苏状缘毛，侧萼片窄披针形，长 3.5 ~ 5 cm，宽约 2.5 mm，先端长尾状，边缘内卷，基部上方扭转，上下侧边缘除先端外贴合；花瓣斜卵形，长 2.5 ~ 3 cm，具流苏状缘毛，唇瓣舌形，外弯，长 2.5 mm，先端近尖，无毛；蕊柱长 2 mm，蕊柱足长 1.5 mm，蕊柱齿钻状，长约 1 mm。

生境分布

生于海拔 1 000 m 的山地林中树干上或林下岩石上。分布于湖南郴州（桂东）等。

资源情况

野生资源稀少。药材来源于野生。

| 功能主治 | 用于肺痨，肝炎。

兰科 Orchidaceae 虾脊兰属 *Calanthe*

泽泻虾脊兰 *Calanthe alismatifolia* Lindl.

| 药材名 | 棕叶七（药用部位：全草）。

| 形态特征 | 多年生草本。假鳞茎细圆柱形，聚生，长 1 ~ 3 cm，直径 3 ~ 5 mm，具 3 ~ 6 叶，无明显的假茎。叶在花期全部展开，椭圆形至卵状椭圆形，长 10 ~ 14 cm，宽 4 ~ 10 cm，两面无毛；叶柄纤细，较叶片长或短。花葶 1 ~ 2，直立，纤细，密被短柔毛；花序下方具 1 ~ 2 鞘和苞片状叶，鞘筒状，长 1 ~ 1.5 cm；总状花序长 3 ~ 4 cm，具 3 ~ 10 或更多花；苞片宿存，草质，稍外弯，宽卵状披针形，边缘波状；花白色或带浅紫色；萼片近倒卵形，长约 1 cm，具 5 脉，中央 3 脉较明显，背面被黑褐色糙伏毛；花瓣近菱形，长 8 mm，具 3 脉，无毛；唇瓣与蕊柱翅合生，3 深裂，侧裂片线形或狭长圆形，长约 8 mm，

宽约 2 mm，先端圆形，2 侧裂片间具多数瘤状附属物，密被灰色长毛，中裂片扇形，先端近截形，2 深裂，近先端处宽约 1 cm；距圆筒形，纤细，劲直，长约 1 cm，无毛；蕊喙 2 裂，裂片近长圆形，长 1.2 mm，宽约 0.5 mm，先端近截形，药帽在前端收狭，先端截形，花粉团卵球形，近等大，长约 2 mm。花期 6 ~ 7 月。

| 生境分布 | 生于海拔 800 ~ 1 700 m 的常绿阔叶林下。分布于湖南娄底（新化）、怀化（沅陵）、湘西州（保靖）等。

| 资源情况 | 野生资源稀少。药材来源于野生。

| 采收加工 | 夏、秋季采收，洗净，晒干。

| 药材性状 | 本品假鳞茎细圆柱形，长 1 ~ 3 cm，直径 3 ~ 5 mm，具 3 ~ 6 叶。叶展开呈椭圆形至卵状椭圆形，长 10 ~ 14 cm，宽 4 ~ 10 cm。

| 功能主治 | 辛、微苦，凉。活血止痛。用于跌打损伤，腰痛。

| 用法用量 | 内服煎汤，6 ~ 12 g。

兰科 Orchidaceae 虾脊兰属 *Calanthe*

肾唇虾脊兰 *Calanthe brevicornu* Lindl.

药材名

肾唇虾脊兰（药用部位：全草或根茎）。

形态特征

假鳞茎近聚生，圆锥形，具 3 ~ 4 鞘和 3 ~ 4 叶。假茎长 5 ~ 8 cm。花期叶未展开，椭圆形或倒卵状披针形，长约 30 cm；叶柄长约 10 cm。花葶高出叶外，被短毛，花序长达 30 cm，疏生多花；苞片宿存，披针形，长 0.5 ~ 1.3 cm；萼片和花瓣黄绿色；中萼片长圆形，长 1.2 ~ 2.3 cm，被毛，侧萼片斜长圆形或近披针形，与中萼片近等大，被毛；花瓣长圆状披针形，较萼片短，宽 4 ~ 5 mm，具爪，无毛，唇瓣具短爪，与蕊柱翅中部以下合生，3 裂，侧裂片镰状长圆形，先端斜截，中裂片近肾形或圆形，具短爪，先端具短尖，唇盘粉红色，具 3 黄色褶片；距长约 2 mm，蕊柱长约 4 mm，腹面被毛，蕊喙 2 裂；药帽前端喙状。花期 5 ~ 6 月。

生境分布

生于海拔 1 600 ~ 2 000 m 的山地密林下。分布于湖南张家界（桑植）等。

| 资源情况 | 野生资源稀少。药材来源于野生。

| 功能主治 | 清热解毒，镇痛，祛风，散瘀。

兰科 Orchidaceae 虾脊兰属 *Calanthe*

剑叶虾脊兰 *Calanthe davidii* Franch.

|药材名| 马牙七（药用部位：假鳞茎、根）。

|形态特征| 多年生草本，紧密聚生。假茎长 4 ~ 10 cm，具 3 ~ 4 叶。叶在花期全部展开，剑形或带状，长达 65 cm，宽 1 ~ 2（~ 5）cm，具 3 主脉，两面无毛。花葶自叶腋抽出，密被细花；花序下疏生多数紧贴花序梗的筒状鞘，鞘膜质，无毛；总状花序长 8 ~ 30 cm，密生多数小花；苞片宿存，草质，反折，狭披针形，与花梗和子房近等长，背面被短毛；花黄绿色、白色或带紫色；萼片和花瓣反折；萼片近椭圆形，具 5 脉；花瓣狭长圆状倒披针形，与萼片等长，具 3 脉，具爪，无毛；唇瓣宽三角形，无爪，与蕊柱翅合生，3 裂，侧裂片长圆形、镰状长圆形至卵状三角形，先端斜截形或钝，中裂片先端

2裂，裂口具短尖，小裂片近长圆形，向外叉开，先端斜截形；唇盘具3等长的或1较长鸡冠状褶片；距圆筒形，镰状弯曲，外面疏被毛，内面密被毛；蕊柱长约3 mm，蕊喙2裂，裂片近方形，药帽前端不收窄，花粉团近梨形。蒴果卵球形，长约13 mm，直径7 mm。花期6～7月，果期9～10月。

| 生境分布 | 生于海拔500～2 000 m的山谷、溪边或林下。分布于湘西北、湘南等。

| 资源情况 | 野生资源较少。药材来源于野生。

| 采收加工 | 夏季采挖，洗净，鲜用或晒干。

| 功能主治 | 辛、微苦，凉；有毒。清热解毒，散瘀止痛。用于咽喉肿痛，牙痛，脘腹疼痛，腰痛，关节痛，跌打损伤，瘰疬，疮疡，毒蛇咬伤。

| 用法用量 | 内服煎汤，6～12 g。外用适量，捣敷。

兰科 Orchidaceae 虾脊兰属 *Calanthe*

虾脊兰 *Calanthe discolor* Lindl.

药材名

硬九子连环草（药用部位：全草或根茎）。

形态特征

多年生草本。假鳞茎粗短，近圆锥形，直径约 1 cm，具 3 ~ 4 鞘和 3 叶。假茎长 6 ~ 10 cm，直径达 2 cm。叶在花期未展开，倒卵状长圆形或椭圆形，长达 25 cm，宽 4 ~ 9 cm，下面被毛；叶柄长 4 ~ 9 cm。花葶自假茎上端的叶间抽出，长 18 ~ 30 cm，密被短毛；总状花序长 6 ~ 8 cm，疏生约 10 花；苞片宿存，卵状披针形，长 4 ~ 7 mm；花开展；萼片和花瓣褐紫色；中萼片稍斜椭圆形，长 1.1 ~ 1.3 cm，背面中部以下被毛，侧萼片与中萼片等大；花瓣近长圆形或倒披针形，宽约 4 mm，无毛；唇瓣白色，扇形，与蕊柱翅合生，与萼片近等长，3 裂，侧裂片镰状倒卵形，先端稍向中裂片内弯，基部约 1/2 贴生于蕊柱翅外缘，中裂片倒卵状楔形，先端深凹，前端边缘有时具齿；唇盘具 3 膜片状褶片，褶片平直，全缘，延伸至中裂片中部，前端三角形隆起；距圆筒形，长 0.5 ~ 1 cm；蕊柱翅下延至唇瓣基部，蕊喙 2 裂，裂片齿状三角形，长约 0.6 mm，先端急尖，药帽在前端稍收狭，先端近截形，花粉团棒状，长约 1.8 mm。花期 4 ~ 5 月。

| 生境分布 | 生于海拔 780 ~ 1 500 m 的常绿阔叶林下。分布于湘西北、湘西南、湘南、湘中、湘东等。

| 资源情况 | 野生资源一般。药材来源于野生。

| 采收加工 | 春、夏季花后采收，洗净，鲜用或晒干。

| 药材性状 | 本品假鳞茎粗短，近圆锥形，直径约 1 cm。假茎长 6 ~ 10 cm，直径达 2 cm。叶呈倒卵状长圆形或椭圆形，长达 25 cm，宽 4 ~ 9 cm。

| 功能主治 | 辛、微苦，微寒。清热解毒，活血止痛。用于瘰疬，痈肿，咽喉肿痛，痔疮，风湿痹痛，跌打损伤。

| 用法用量 | 内服煎汤，9 ~ 15 g；或研末。外用适量，捣敷；或研末调敷。

兰科 Orchidaceae 虾脊兰属 *Calanthe*

钩距虾脊兰 *Calanthe graciliflora* Hayata

药材名

四里麻（药用部位：全草或根）。

形态特征

多年生草本。假鳞茎短，近卵球形，具鞘和叶各3～4。假茎长5～18 cm，直径约1.5 cm。叶在花期未完全展开，椭圆形或椭圆状披针形，长达33 cm；叶柄长达10 cm。花葶自假茎上端叶丛间抽出，长达70 cm，密被短毛；花序梗具1鞘；总状花序长达32 cm，疏生多数花，无毛；花展开；萼片和花瓣背面褐色，内面淡黄色；中萼片长10～15 mm，具3～5脉，侧萼片近似于中萼片；花瓣倒卵状披针形，长9～13 mm，宽3～4 mm，具短爪，无毛；唇瓣浅白色，3裂，侧裂片卵状楔形，长约4 mm，基部约1/3与蕊柱翅外侧边缘合生，先端圆钝，中裂片近方形，长约4 mm，先端扩大，近截形，稍凹，具短尖头；唇盘上具4褐色斑点和3肉质龙骨状脊，延伸至中裂片中部，末端隆起；距圆筒形，长10～13 mm，常钩曲，被短毛；蕊柱翅下延至唇瓣基部，与龙骨状脊相连，蕊喙2裂，裂片三角形，长约1 mm，先端尖齿状，药帽在前端骤然收狭而呈喙状，花粉团棒状，等大，具花粉团柄，黏盘近长圆形，长约1 mm。花期3～5月。

| 生境分布 | 生于海拔 600 ~ 1 500 m 的山谷溪边、林下阴湿处。分布于湘西北、湘西南、湘南等。

| 资源情况 | 野生资源一般。药材来源于野生。

| 采收加工 | 夏、秋季采收，洗净，鲜用或晒干。

| 药材性状 | 本品假鳞茎短，呈近卵球形。假茎长 5 ~ 18 cm，直径约 1.5 cm。叶在花期呈椭圆形或椭圆状披针形，长达 33 cm；叶柄长达 10 cm。

| 功能主治 | 辛、微苦，寒。清热解毒，活血止痛。用于咽喉肿痛，痔疮，脱肛，风湿痹痛，跌打损伤。

| 用法用量 | 内服煎汤，6 ~ 15 g；或磨酒，每次 1.5 g，每日 2 ~ 3 次。外用适量，捣敷。

兰科 Orchidaceae 虾脊兰属 *Calanthe*

细花虾脊兰 *Calanthe mannii* Hook. f.

| 药材名 |

九子连环草（药用部位：全草。别名：肉连环、铁连环）。

| 形态特征 |

假鳞茎圆锥形；假茎长 5 ~ 7 cm。叶在花期未展开，常倒披针形，长 18 ~ 35 cm，宽 3 ~ 4.5 cm，下面被毛。花葶长达 51 cm，密被毛；花序生 10 余花；苞片宿存，披针形，无毛；萼片和花瓣暗褐色，中萼片卵状披针形或有时长圆形，背面被毛，侧萼片稍斜卵状披针形，背面被毛；花瓣倒卵形，较萼片小，无毛，唇瓣金黄色，与蕊柱翅合生，3 裂，侧裂片斜卵形，长 1.5 ~ 2 mm，中裂片横长圆形，先端稍凹并具短尖，边缘稍波状，无毛，唇盘具 3 从基部延至中裂片的三角形褶片；距长 1 ~ 3 mm，被毛；蕊柱长约 3 mm，腹面被毛，蕊喙小，2 裂；药帽先端近平截。花期 5 月。

| 生境分布 |

生于海拔约 1 000 m 的山坡林下。分布于湖南郴州（桂东）等。

| 资源情况 | 野生资源稀少。药材来源于野生。

| 功能主治 | 辛、苦，凉。清热解毒，软坚散结，祛风镇痛。用于痰喘，瘰疬，风湿痹痛，疮疖痈肿，痔疮，咽喉肿痛。

兰科 Orchidaceae 虾脊兰属 *Calanthe*

反瓣虾脊兰 *Calanthe reflexa* (Kuntze) Maxim.

| 药 材 名 |

饭食草（药用部位：全草或假鳞茎）。

| 形态特征 |

假鳞茎粗短或有时不明显。假茎具 1 ~ 2 鞘和 4 ~ 5 叶。叶椭圆形，通常长 15 ~ 20 cm，宽 3 ~ 6.5 cm，先端锐尖，基部收狭为长 2 ~ 4 cm 的柄，两面无毛，花时全体展开。花葶 1 ~ 2，直立，远高出叶层之外，被短毛；总状花序疏生许多花；花苞片狭披针形；花梗纤细，连同棒状的子房长约 2 cm；花粉红色，开放后萼片和花瓣反折并与子房平行；中萼片卵状披针形；侧萼片斜卵状披针形，具 5 脉，背面被毛；花瓣线形，具 1 ~ 3 脉，唇瓣基部与蕊柱中部以下的翅合生，3 裂，侧裂片长圆状镰形，中裂片近椭圆形或倒卵状楔形，先端锐尖，前端边缘具不整齐的齿；蕊柱上端两侧各具 1 齿突，有时每边具 2 重叠的齿突，齿突较长，近长方形；蕊喙 3 裂，裂片狭镰状，中裂片较短而呈尖牙状。

| 生境分布 |

生于海拔 600 ~ 2 000 m 的常绿阔叶林下、山谷溪边或生有苔藓的湿石上。分布于湖南永州（蓝山、宁远）、张家界（桑植）、郴州（宜章）、邵阳（新宁）等。

| 资源情况 | 野生资源稀少。药材来源于野生。

| 功能主治 | 活血化瘀，消痈散结。

兰科 Orchidaceae 虾脊兰属 *Calanthe*

三棱虾脊兰 *Calanthe tricarinata* Lindl.

| 药材名 |

肉连环（药用部位：根。别名：马牙七、九子连环草、竹叶石风丹）。

| 形态特征 |

根茎不明显；假鳞茎近球形，具 3 ~ 4 叶和 3 鞘；假茎长 4 ~ 15 cm。叶纸质，花期尚未展开，椭圆形或倒卵状披针形，长 20 ~ 30 cm，下面密被短毛，边缘波状，基部具鞘柄。花葶从叶间抽出，长达 60 cm，被短毛；花序疏生少数至多数花；苞片宿存，卵状披针形，无毛；花梗和子房被短毛；花开展，质薄，萼片和花瓣淡黄色；中萼片长圆状披针形，长 1.6 ~ 1.8 cm，背面基部疏生毛，侧萼片与中萼片等大，稍歪斜；花瓣倒卵状椭圆形，长 1.1 ~ 1.5 cm，无毛，唇瓣红褐色，基部与蕊柱中部以下的翅合生，在基部上方 3 裂，侧裂片耳状或近半圆形，长约 4 mm，中裂片肾形，宽 1 ~ 1.8 cm，先端稍凹，具短尖，边缘深波状，唇盘具 3 ~ 5 鸡冠状褶片；无距；蕊柱腹面疏生毛，蕊喙 2 裂，裂片尖三角形；药帽前端喙状。花期 5 ~ 6 月。

| 生境分布 | 生于海拔 1600 ~ 2 000 m 的山坡草地上或混交林下。分布于湖南怀化（麻阳、会同）、邵阳（城步、新宁）、张家界（桑植）等。

| 资源情况 | 野生资源稀少。药材来源于野生。

| 采收加工 | 夏、秋季采挖，洗净，晒干。

| 功能主治 | 甘、辛，温。祛风活血，解毒散结。用于风湿痹痛，腰肌劳损，跌打损伤，瘰疬，疮毒。

| 用法用量 | 内服煎汤，6 ~ 9 g。外用适量，捣敷。

兰科 Orchidaceae 虾脊兰属 *Calanthe*

三褶虾脊兰 *Calanthe triplicata* (Willem.) Ames

| 药 材 名 |

石上蕉（药用部位：全草。别名：藜芦叶虾脊兰、山三棱）。

| 形态特征 |

假鳞茎聚生，卵状圆柱形，长 1 ~ 3 cm，具 2 ~ 3 鞘和 3 ~ 4 花期全放的叶；假茎不明显。叶椭圆形或椭圆状披针形，长约 30 cm，宽达 10 cm，边缘常波状，两面无毛或下面疏被短毛；叶柄长达 14 cm。花葶出自叶丛，远高出叶外，密被毛；花序长 5 ~ 10 cm，密生多花；苞片宿存，卵状披针形，边缘稍波状；花白色或带淡紫红色，后橘黄色，萼片和花瓣常反折；中萼片近椭圆形，长 0.9 ~ 1.2 cm，被短毛，侧萼片稍斜倒卵状披针形，被短毛；花瓣倒卵状披针形，近先端稍缢缩，先端具细尖，具爪，常被毛，唇瓣与蕊柱翅合生，基部具 3 ~ 4 列金黄色瘤状附属物，4 裂，平伸，裂片卵状椭圆形或倒卵状椭圆形；距白色，圆筒形，长 1.2 ~ 1.5 cm；蕊柱白色，长约 5 mm，被毛，蕊喙 2 裂，裂片近长圆形；药帽前端稍窄。花期 4 ~ 5 月。

| 生境分布 | 生于海拔 1 000 ~ 1 200 m 的常绿阔叶林下。分布于湖南张家界（桑植）、怀化（会同）、邵阳（城步、新宁）等。

| 资源情况 | 野生资源稀少。药材来源于野生。

| 采收加工 | 夏、秋季采收，洗净，鲜用或晒干。

| 功能主治 | 苦，寒。归脾、肾、膀胱经。清热利湿，固脱，消肿散结。用于小便不利，淋证，脱肛，瘰疬，跌打损伤。

| 用法用量 | 内服煎汤，9 ~ 15 g。外用适量，捣敷。

兰科 Orchidaceae 头蕊兰属 *Cephalanthera*

银兰 *Cephalanthera erecta* (Thunb. ex A. Murray) Bl.

| 药 材 名 |

银兰（药用部位：全草）。

| 形态特征 |

地生草本，高 10 ~ 30 cm。茎纤细，直立，下部具 2 ~ 4 鞘，中部以上具 2 ~ 4 叶。叶片椭圆形至卵状披针形，长 2 ~ 8 cm，宽 0.7 ~ 2.3 cm，先端急尖或渐尖，基部收狭并抱茎。总状花序长 2 ~ 8 cm，具 3 ~ 10 花；花序轴具棱；苞片通常较小，狭三角形至披针形，长 1 ~ 3 mm，最下面 1 苞片常呈叶状，有时长可达花序的一半或与花序等长；花白色；萼片长圆状椭圆形，长 8 ~ 10 mm，宽 2.5 ~ 3.5 mm，先端急尖或钝，具 5 脉；花瓣与萼片相似，稍短；唇瓣长 5 ~ 6 mm，3 裂，基部有距，侧裂片卵状三角形或披针形，多少围抱蕊柱，中裂片近心形或宽卵形，长约 3 mm，宽 4 ~ 5 mm，上面具 3 纵褶片，纵褶片向前渐为乳突代替；距圆锥形，长约 3 mm，末端稍锐尖，伸出侧萼片基部外；蕊柱长 3.5 ~ 4 mm。蒴果狭椭圆形或宽圆筒形，长约 1.5 cm，宽 3.5 ~ 4.5 mm。花期 4 ~ 6 月，果期 8 ~ 9 月。

| 生境分布 | 生于海拔 850 ~ 2 000 m 的林下、灌丛中或沟边土层厚且有一定阳光处。分布于湖南衡阳（南岳）、张家界（永定、桑植）、郴州（北湖）、湘西州（永顺）等。

| 资源情况 | 野生资源较少。药材来源于野生。

| 采收加工 | 全年均可采收，洗净，鲜用。

| 药材性状 | 本品茎纤细。叶片椭圆形至卵状披针形，长 2 ~ 8 cm，宽 0.7 ~ 2.3 cm，基部收狭并抱茎。蒴果狭椭圆形或宽圆筒形。

| 功能主治 | 甘、淡，凉。清热利尿。用于高热，口渴，咽痛，小便不利。

| 用法用量 | 内服煎汤，9 ~ 15 g。外用适量，捣敷。

兰科 Orchidaceae 头蕊兰属 *Cephalanthera*

金兰 *Cephalanthera falcata* (Thunb. ex A. Murray) Bl.

药材名

金兰（药用部位：全草）。

形态特征

地生草本，高 20 ~ 50 cm。茎直立，下部具 3 ~ 5 长 1 ~ 5 cm 的鞘。叶 4 ~ 7，椭圆形、椭圆状披针形或卵状披针形，长 5 ~ 11 cm，宽 1.5 ~ 3.5 cm，先端渐尖或钝，基部收狭并抱茎。总状花序长 3 ~ 8 cm，通常具 5 ~ 10 花；苞片小，长 1 ~ 2 mm，最下面的 1 苞片非叶状，较花梗和子房短或与之等长；花黄色，直立，稍展开；萼片菱状椭圆形，长 1.2 ~ 1.5 cm，宽 3.5 ~ 4.5 mm，先端钝或急尖，具 5 脉；花瓣与萼片相似，较短，一般长 1 ~ 1.2 cm；唇瓣长 8 ~ 9 mm，3 裂，基部有距，侧裂片三角形，多少围抱蕊柱，中裂片近扁圆形，长约 5 mm，宽 8 ~ 9 mm，上面具 5 ~ 7 纵褶片，中央 3 纵褶片较长，长 0.5 ~ 1 mm，近先端密生乳突；距圆锥形，长约 3 mm，明显伸出侧萼片基部外，先端钝；蕊柱长 6 ~ 7 mm，先端稍扩大。蒴果狭椭圆状，长 2 ~ 2.5 cm，宽 5 ~ 6 mm。花期 4 ~ 5 月，果期 8 ~ 9 月。

| 生境分布 | 生于海拔 700 ~ 1 600 m 的林下、灌丛中、草地上或沟谷旁。分布于湖南衡阳（南岳）、邵阳（邵阳、绥宁）、永州（东安、蓝山）、怀化（麻阳、新晃、芷江）等。

| 资源情况 | 野生资源较少。药材来源于野生。

| 采收加工 | 夏、秋季采收，洗净，晒干或鲜用。

| 药材性状 | 本品茎直立。叶 4 ~ 7，椭圆形、椭圆状披针形或卵状披针形，长 5 ~ 11 cm，宽 1.5 ~ 3.5 cm，先端渐尖或钝，基部收狭并抱茎。蒴果狭椭圆状。

| 功能主治 | 甘，寒。清热泻火，解毒。用于咽喉肿痛，牙痛，毒蛇咬伤。

| 用法用量 | 内服煎汤，9 ~ 15 g，鲜品加倍。外用适量，捣敷。

兰科 Orchidaceae 独花兰属 *Changnienia*

独花兰 *Changnienia amoena* S. S. Chien

| 药 材 名 | 长年兰（药用部位：全草或假鳞茎）。

| 形态特征 | 多年生草本。假鳞茎近椭圆形或宽卵球形，长 1.5 ~ 2.5 cm，宽 1 ~ 2 cm，肉质，近淡黄白色，具 2 节，被膜质鞘。叶 1，宽卵状椭圆形至宽椭圆形，长 6.5 ~ 11.5 cm，宽 5 ~ 8.2 cm，先端急尖或短渐尖，基部圆形或近截形，背面紫红色；叶柄长 3.5 ~ 8 cm。花葶长 10 ~ 17 cm，紫色，具 2 鞘；鞘膜质，下部抱茎，长 3 ~ 4 cm；苞片小，凋落；花梗和子房长 7 ~ 9 mm；花大，白色带肉红色或淡紫色晕；唇瓣具紫红色斑点；萼片长圆状披针形，长 2.7 ~ 3.3 cm，宽 7 ~ 9 mm，先端钝，具 5 ~ 7 脉，侧萼片稍斜歪；花瓣狭倒卵状披针形，略斜歪，长 2.5 ~ 3 cm，宽 1.2 ~ 1.4 cm，先端钝，具

7脉；唇瓣略短于花瓣，3裂，基部有距，侧裂片直立，斜卵状三角形，较大，宽1 ~ 1.3 cm，中裂片平展，宽倒卵状方形，先端和上部边缘具不规则波状缺刻；唇盘上2侧裂片间具5褶片状附属物；距角状，稍弯曲，长2 ~ 2.3 cm，基部宽7 ~ 10 mm，向末端渐狭，末端钝；蕊柱长1.8 ~ 2.1 cm，两侧具宽翅。花期4月。

| 生境分布 | 生于海拔400 ~ 1 100（~ 1 800）m的疏林下腐殖质丰富的土壤上或山谷背阴处。分布于湖南长沙（宁乡）、衡阳（南岳）等。

| 资源情况 | 野生资源稀少。药材来源于野生。

| 采收加工 | 夏、秋季采收，洗净，晒干或鲜用。

| 药材性状 | 本品假鳞茎近椭圆形或宽卵球形，长1.5 ~ 2.5 cm，宽1 ~ 2 cm，肉质，具2节。叶呈椭圆形，长6.5 ~ 11.5 cm，宽5 ~ 8.2 cm，先端急尖，背面紫红色。

| 功能主治 | 苦，寒。清热，凉血，解毒。用于咳嗽，痰中带血，热疖疔疮。

| 用法用量 | 内服煎汤，15 ~ 30 g。外用适量，鲜品捣敷。

兰科 Orchidaceae 隔距兰属 *Cleisostoma*

大序隔距兰 *Cleisostoma paniculatum* (Ker-Gawl.) Garay

| 药 材 名 | 石吊兰（药用部位：全草。别名：山吊兰）。

| 形态特征 | 茎直立，扁圆柱形，为叶鞘所包。叶革质，紧靠，2 列互生，扁平，狭长圆形或带状，长 10 ～ 25 cm，宽 8 ～ 20 mm，先端钝并且不等侧 2 裂，基部具多少“V”形的叶鞘，与叶鞘连接处具 1 关节。圆锥花序具多数花；花苞片小，卵形，先端急尖；萼片和花瓣背面黄绿色，内面紫褐色，边缘和中肋黄色，中萼片近长圆形，凹陷，先端钝，侧萼片斜长圆形，基部贴生于蕊柱足；花瓣的唇瓣黄色，3 裂，侧裂片直立，三角形，前缘内侧有时呈胼胝体状增厚，中裂片肉质，与距交成钝角，先端翘起呈倒喙状，基部两侧向后伸长为钻状裂片，上面中央具纵走的脊突，其前端高高隆起；距黄色，圆筒状，劲直，

末端钝，内面背壁上方具长方形的胼胝体；胼胝体上面中央纵向凹陷，基部稍2裂并且密布乳突状毛；蕊柱粗短；药帽前端截形并且具3缺刻；黏盘柄宽短，近基部屈膝状折叠；黏盘大，新月形或马鞍形。

| 生境分布 | 生于海拔240 ~ 1 240 m的常绿阔叶林中树干上或沟谷林下岩石上。分布于湖南永州（祁阳、江永、宁远）等。

| 资源情况 | 野生资源稀少。药材来源于野生。

| 功能主治 | 生津。

兰科 Orchidaceae 贝母兰属 *Coelogyne*

流苏贝母兰 *Coelogyne fimbriata* Lindl.

| 药 材 名 | 流苏贝母兰（药用部位：全草）。

| 形态特征 | 多年生附生草本。根茎较细长，匍匐，直径 1.5 ~ 2.5 mm。假鳞茎呈狭卵形至近圆柱形，长 2 ~ 3 cm，直径 5 ~ 15 mm，先端具 2 叶，基部具 2 ~ 3 鞘；鞘卵形，长 1 ~ 2 cm。叶长圆状披针形，纸质，长 4 ~ 10 cm，宽 1 ~ 2 cm；叶柄长 1 ~ 1.5（~ 2）cm。花葶自假鳞茎先端抽出，长 5 ~ 10 cm，基部套叠有多数圆筒形鞘，鞘紧密围抱花葶；总状花序通常具 1 ~ 2 花，同一时间仅 1 花开放；花序轴先端为白色苞片覆盖；苞片早落；花淡黄色或近白色，仅唇瓣上具红色斑纹；萼片长圆状披针形，长 1.6 ~ 2 cm，宽 4 ~ 7 mm；花瓣丝状或狭线形，宽 0.7 ~ 1 mm；唇瓣卵形，3 裂，侧裂片近卵形，

先端具流苏，中裂片近椭圆形，长 5 ~ 7 mm，宽 5 ~ 6 mm，先端钝，边缘具流苏；唇盘上具 2 纵褶片，自基部延伸至中裂片上部近先端处，褶片具不规则波状圆齿；蕊柱稍前倾，两侧具翅，翅基部向上渐宽，一侧宽 1 ~ 1.3 mm，先端具略不规则的缺刻或齿。蒴果倒卵形，长 1.8 ~ 2 cm，直径约 1 cm；果柄长 6 ~ 7 mm。花期 8 ~ 10 月，果期翌年 4 ~ 8 月。

| 生境分布 | 生于海拔 500 ~ 1 200 m 的溪旁岩石上或林中、林缘树干上。分布于湖南永州（江华）、郴州（桂东）等。

| 资源情况 | 野生资源稀少。药材来源于野生。

| 采收加工 | 全年均可采收，洗净，蒸后晒干或鲜用。

| 药材性状 | 本品根茎细长，直径 1.5 ~ 2.5 mm；节间长 3 ~ 7 mm。叶呈长圆状披针形，纸质，长 4 ~ 10 cm。花葶自假鳞茎先端抽出，基部套叠有多数圆筒形鞘；总状花序具 1 ~ 2 花。

| 功能主治 | 用于感冒，咳嗽，风湿骨痛。

| 用法用量 | 内服煎汤。

兰科 Orchidaceae 杜鹃兰属 *Cremastra*

杜鹃兰 *Cremastra appendiculata* (D. Don) Makino

药材名

山慈姑（药用部位：假鳞茎）、山慈姑叶（药用部位：叶）。

形态特征

假鳞茎卵球形或近球形，长 1.5 ~ 3 cm，直径 1 ~ 3 cm，密接，有关节，外被撕裂成纤维状的残存鞘。叶通常 1，生于假鳞茎先端，狭椭圆形、近椭圆形或倒披针状狭椭圆形，长 18 ~ 34 cm，宽 5 ~ 8 cm；叶柄长 7 ~ 17 cm，下半部常为残存鞘所包。花葶从假鳞茎上部节上发出，长 27 ~ 70 cm；总状花序长 10 ~ 25 cm，具 5 ~ 22 花；苞片披针形至卵状披针形，长 5 ~ 12 mm；花梗和子房长 5 ~ 9 mm；花常偏向一侧，多少下垂，不完全开放，有香气，狭钟形，淡紫褐色；萼片倒披针形，从中部向基部骤然收狭成近狭线形，长 2 ~ 3 cm；侧萼片略斜歪；花瓣倒披针形或狭披针形，长 1.8 ~ 2.6 cm，上部宽 3 ~ 3.5 mm；唇瓣与花瓣近等长，线形，上部 1/4 处 3 裂；侧裂片近线形，长 4 ~ 5 mm；中裂片卵形至狭长圆形，基部在 2 侧裂片之间具 1 肉质突起；肉质突起大小变化甚大，上面时有疣状小突起；蕊柱细长，长 1.8 ~ 2.5 cm，先端略扩大，腹面时有很狭的翅。蒴果近椭圆形，下垂。花期 5 ~ 6 月，果期 9 ~ 12 月。

| 生境分布 | 生于海拔 500 ~ 2 000 m 的林下湿地或沟边湿地。分布于湘西北、湘南等。

| 资源情况 | 野生资源一般。栽培资源较少。药材来源于野生和栽培。

| 采收加工 | **山慈菇：** 夏、秋季采挖，除去茎叶、须根，洗净，蒸后晾至半干，再晒干。

山慈菇叶： 夏、秋季采收，洗净，鲜用。

| 药材性状 | **山慈菇：** 本品呈不规则球形或圆锥形，长 1.5 ~ 3 cm，膨大部分直径 1 ~ 3 cm，先端渐凸起，具叶柄痕或花葶痕，基部脐状，有须根或须根痕。表面黄棕色或棕褐色，凹凸不平，有皱纹或纵沟痕，膨大部分有 2 ~ 3 微凸起的环节，节上有的具鳞叶干枯腐烂后留下的丝状维管束。质坚硬，难折断，断面灰白色，略呈粉性（加工品表面及断面呈黄白色，角质）。气微，味淡。带黏性。

| 功能主治 | **山慈菇：** 甘、微辛，寒；有小毒。清热解毒，消肿散结。用于痈疽恶疮，瘰疬结核，咽痛喉痹，蛇虫咬伤。

山慈菇叶： 甘、微辛，寒。清热解毒。用于痈肿疮毒。

| 用法用量 | **山慈菇：** 内服煎汤，3 ~ 6 g；或磨汁；或入丸、散剂。外用适量，磨汁涂；或研末调敷。

山慈菇叶： 外用适量，捣敷。

兰科 Orchidaceae  兰属 *Cymbidium*

建兰 *Cymbidium ensifolium* (L.) Sw.

| 药 材 名 |

兰草（药用部位：全草或根）、兰花（药用部位：花）、兰花叶（药用部位：叶）、兰花根（药用部位：根）。

| 形态特征 |

多年生地生草本。假鳞茎卵球形，长 1.5 ~ 2.5 cm，宽 1 ~ 1.5 cm，包藏于叶基内。叶 2 ~ 4，带形，有光泽，长 30 ~ 60 cm，宽 1 ~ 1.5 cm，前部边缘有时具细齿，关节位于距基部 2 ~ 4 cm 处。花葶自假鳞茎基部发出，直立，长 20 ~ 35 cm 或更长，一般短于叶；总状花序具 3 ~ 9 花；苞片除最下面的长 1.5 ~ 2 cm 外，其余的长 5 ~ 8 mm，长一般不及花梗和子房的 1/3；花梗和子房长 2 ~ 2.5 cm；花常有香气，色泽变化较大，通常呈浅黄绿色而具紫斑；萼片近狭长圆形，长 2.3 ~ 2.8 cm，侧萼片常向下斜展；花瓣狭椭圆形或狭卵状椭圆形，长 1.5 ~ 2.4 cm，宽 5 ~ 8 mm，近平展；唇瓣近卵形，略 3 裂，侧裂片直立，多少围抱蕊柱，上面具小乳突，中裂片较大，卵形，外弯，边缘波状，具小乳突；唇盘上 2 纵褶片自基部延伸至中裂片基部，上半部向内倾斜并靠合，形成短管；蕊柱长 1 ~ 1.4 cm，稍向前弯曲，两侧具狭翅，花粉团 4，成 2 对，宽卵形。蒴果狭椭圆形，长 5 ~ 6 cm，宽约 2 cm。花期 6 ~ 10 月。

| 生境分布 | 生于海拔 600 ~ 1 800 m 的疏林下、灌丛中、山谷旁或草丛中。分布于湖南株洲（茶陵）、岳阳（临湘）、张家界（武陵源）、怀化（沅陵）等。

| 资源情况 | 野生资源稀少。栽培资源丰富。药材来源于栽培。

| 采收加工 | **兰草：**全年均可采收，洗净，鲜用或晒干。

兰花：花将开时采收，鲜用或晒干。

兰花叶：全年均可采收，洗净，切段，鲜用或晒干。

兰花根：全年均可采挖，除去叶，洗净，鲜用或晒干。

| 药材性状 | **兰花：**本品花瓣狭椭圆形或狭卵状椭圆形；花葶自假鳞茎基部发出，直立，长 20 ~ 35 cm；总状花序具 3 ~ 9 花。

兰花叶：本品呈带形，有光泽，长 30 ~ 60 cm，宽 1 ~ 1.5 cm，前部边缘有时具细齿。

| 功能主治 | **兰草：**辛，平。滋阴清肺，化痰止咳。用于百日咳，肺痨咳嗽，咯血，神经衰弱，头晕，腰痛，尿路感染，带下。

兰花：辛，平。调气和中，止咳，明目。用于胸闷，泄泻，久咳，青盲内障。

兰花叶：辛，微温。清肺止咳，凉血止血，利湿解毒。用于肺痈，支气管炎，咳嗽，咯血，吐血，尿血，白浊，带下，尿路感染，疮毒疔肿。

兰花根：辛，微寒。润肺止咳，清热利湿，活血止血，解毒杀虫。用于肺痨咯血，百日咳，急性胃肠炎，热淋，带下，白浊，月经不调，崩漏，便血，跌打损伤，疮疖肿毒，痔疮，蛔虫腹痛，狂犬咬伤。

| 用法用量 | **兰草：**内服煎汤，3 ~ 9 g。

兰花：内服煎汤，3 ~ 9 g；或代茶饮。

兰花叶：内服煎汤，9 ~ 15 g，鲜品 14 ~ 30 g；或研末，4 g。外用适量，捣汁涂。

兰花根：内服煎汤，鲜品 15 ~ 30 g；或捣汁；或调冰糖炖服，15 ~ 24 g。

兰科 Orchidaceae 兰属 *Cymbidium*

蕙兰 *Cymbidium faberi* Rolfe

| 药材名 | 兰花（药用部位：花）、化气兰（药用部位：根皮）、蕙实（药用部位：果实）。

| 形态特征 | 地生草本。假鳞茎不明显。叶 5 ~ 8，带形，直立，长 25 ~ 80 cm，宽（4 ~）7 ~ 12 mm，基部常对折，呈“V”形，叶脉透亮，边缘常具粗锯齿。花葶自叶丛基部最外面的叶腋抽出，近直立或稍外弯，长 35 ~ 50（~ 80）cm，被多数长鞘；总状花序具 5 ~ 11 或更多花；苞片线状披针形，最下面的 1 苞片长于子房，中上部的苞片长 1 ~ 2 cm，长约为花梗和子房的 1/3 ~ 1/2；花梗和子房长 2 ~ 2.6 cm；花常呈浅黄绿色，唇瓣具紫红色斑纹，有香气；萼片近披针状长圆形或狭倒卵形，长 2.5 ~ 3.5 cm，宽 6 ~ 8 mm；花瓣

与萼片相似，常略短而宽；唇瓣长圆状卵形，长 2 ~ 2.5 cm，3 裂，侧裂片直立，具小乳突或细毛，中裂片较长，强烈外弯，具明显、发亮的乳突，边缘常呈皱波状；唇盘上 2 纵褶片自基部上方延伸至中裂片基部，上端向内倾斜并汇合，多少形成短管；蕊柱长 1.2 ~ 1.6 cm，稍向前弯曲，两侧具狭翅，花粉团 4，成 2 对，宽卵形。蒴果近狭椭圆形，长 5 ~ 5.5 cm，宽约 2 cm。花期 3 ~ 5 月。

| 生境分布 | 生于海拔 700 ~ 2 000 m 的湿润、排水良好的透光处。分布于湖南常德（澧县、石门）、永州（冷水滩）、怀化（沅陵）等。

| 资源情况 | 野生资源稀少。栽培资源丰富。药材来源于栽培。

| 采收加工 | **兰花：**花将开时采收，鲜用或晒干。

化气兰：秋季采挖根，抽去木心，晒干。

蕙实：果实成熟时采收，晒干。

| 药材性状 |

兰花：本品常呈浅黄绿色，唇瓣具紫红色斑纹，有香气，萼片近披针状长圆形或狭倒卵形，花瓣短而宽。

| 功能主治 |

兰花：辛，平。调气和中，止咳，明目。用于胸闷，泄泻，久咳，青盲内障。

化气兰：苦、甘，凉；有小毒。润肺止咳，清利湿热，杀虫。用于咳嗽，淋浊，赤白带下，鼻衄，蛔虫病，头虱病。

蕙实：辛，平。明目，补中。

| 用法用量 |

兰花：内服煎汤，3 ~ 9 g；或代茶饮。

化气兰：内服煎汤，3 ~ 9 g；或入散剂。外用适量，煎汤洗。

蕙实：内服煎汤，3 ~ 9 g。

兰科 Orchidaceae 兰属 *Cymbidium*

多花兰 *Cymbidium floribundum* Lindl.

| 药 材 名 | 牛角三七（药用部位：全草或假鳞茎）、兰花（药用部位：花）。

| 形态特征 | 附生草本。假鳞茎近卵球形，长 2.5 ~ 3.5 cm，宽 2 ~ 3 cm，稍压扁，包藏于叶基内。叶通常 5 ~ 6，带形，坚纸质，长 22 ~ 50 cm，宽 8 ~ 18 mm，先端钝或急尖，中脉与侧脉在背面凸起，通常中脉较侧脉更为凸起，尤其在下部，关节位于距基部 2 ~ 6 cm 处。花葶自假鳞茎基部穿鞘而出，近直立或外弯，长 16 ~ 28（~ 35）cm；花序通常具 10 ~ 40 花；苞片小；花较密集，直径 3 ~ 4 cm；萼片与花瓣红褐色，偶见绿黄色，稀灰褐色，唇瓣白色而在侧裂片与中裂片上具紫红色斑纹，褶片黄色；萼片狭长圆形，长 1.6 ~ 1.8 cm，宽 4 ~ 7 mm；花瓣狭椭圆形，长 1.4 ~ 1.6 cm，与萼片近等宽；唇

瓣近卵形，长 1.6 ~ 1.8 cm，3 裂，侧裂片直立，具小乳突，中裂片稍外弯，具小乳突；唇盘上具 2 纵褶片，褶片末端靠合；蕊柱长 1.1 ~ 1.4 cm，略向前弯曲，花粉团 2，三角形。蒴果近长圆形，长 3 ~ 4 cm，宽 1.3 ~ 2 cm。花期 4 ~ 8 月。

| 生境分布 | 生于海拔 100 ~ 2 000 m 的林中、林缘树干上或溪谷旁透光的岩石、岩壁上。分布于湖南邵阳（绥宁）等。

| 资源情况 | 野生资源稀少。药材来源于野生。

| 采收加工 | **牛角三七**：全年均可采收，割取地上部分，洗净，切段，鲜用或晾干。

兰花：花将开时采收，鲜用或晒干。

| 药材性状 | **牛角三七**：本品呈近卵球形，稍压扁，包藏于叶基内。

兰花：本品较密集，直径 3 ~ 4 cm，萼片与花瓣红褐色，偶见绿黄色，萼片狭长圆形，长 1.6 ~ 1.8 cm，宽 4 ~ 7 mm，花瓣狭椭圆形，长 1.4 ~ 1.6 cm，与萼片近等宽。

| 功能主治 | **牛角三七**：辛、甘、淡，平。清热化痰，补肾健脑。用于肺痨咯血，百日咳，肾虚腰痛，神经衰弱，头晕头痛。

兰花：辛，平。调气和中，止咳，明目。用于胸闷，腹泻，久咳，青盲内障。

| 用法用量 | **牛角三七**：内服煎汤，3 ~ 9 g；或研末。外用适量，浸酒搽；或捣敷。

兰花：内服煎汤，3 ~ 9 g；或代茶饮。

兰科 Orchidaceae 兰属 *Cymbidium*

春兰 *Cymbidium goeringii* (Reichb. f.) Reichb. f.

| 药材名 | 兰花（药用部位：花）。

| 形态特征 | 地生草本。假鳞茎较小，卵球形，长 1 ~ 2.5 cm，宽 1 ~ 1.5 cm，包藏于叶基内。叶 4 ~ 7，带形，通常较短小，长 20 ~ 40 cm，宽 5 ~ 9 mm，下部常多少对折而呈“V”形，边缘无齿或具细齿。花葶自假鳞茎基部外侧叶腋中抽出，直立，长 3 ~ 15 cm，稀更高，明显短于叶；花序具单花，稀 2 花；苞片长而宽，一般长 4 ~ 5 cm，多少围抱子房；花梗和子房长 2 ~ 4 cm；花色泽变化较大，通常呈绿色或淡褐黄色而具紫褐色脉纹，有香气；萼片近长圆形至长圆状倒卵形；花瓣倒卵状椭圆形至长圆状卵形，长 1.7 ~ 3 cm，与萼片近等宽，展开或多少围抱蕊柱；唇瓣近卵形，长 1.4 ~ 2.8 cm，不

明显 3 裂，侧裂片直立，具小乳突，内侧近纵褶片处各具 1 肥厚的折皱状物，中裂片较大，强烈外弯，上面具乳突，边缘略呈波状；唇盘上 2 纵褶片自基部上方延伸至中裂片基部以上，上部向内倾斜并靠合，多少呈短管状；蕊柱长 1.2 ~ 1.8 cm，两侧具较宽的翅，花粉团 4，成 2 对。蒴果狭椭圆形，长 6 ~ 8 cm。花期 1 ~ 3 月。

| 生境分布 | 生于海拔 300 ~ 2 000 m 的多石山坡、林缘、林中透光处。分布于湖南邵阳（绥宁）、湘西州（古丈、永顺、凤凰）、郴州（桂阳、桂东）等。

| 资源情况 | 野生资源稀少。栽培资源丰富。药材来源于栽培。

| 采收加工 | 花将开时采收，鲜用或晒干。

| 药材性状 | 本品苞片长而宽，围抱子房；花梗和子房长 2 ~ 4 cm；花通常呈绿色或淡褐黄色而具紫褐色脉纹，有香气；花瓣倒卵状椭圆形至长圆状卵形，长 1.7 ~ 3 cm。

| 功能主治 | 辛，平。调气和中，止咳，明目。用于胸闷，腹泻，久咳，青盲内障。

| 用法用量 | 内服煎汤，3 ~ 9 g；或代茶饮。

兰科 Orchidaceae 兰属 *Cymbidium*

寒兰 *Cymbidium kanran* Makino

| 药材名 | 兰花（药用部位：花）、兰花叶（药用部位：叶）、兰花根（药用部位：根）。

| 形态特征 | 地生草本。假鳞茎狭卵球形，长 2 ~ 4 cm，宽 1 ~ 1.5 cm，包藏于叶基内。叶 3 ~ 5，带形，薄革质，暗绿色，略有光泽，长 40 ~ 70 cm，宽 9 ~ 17 mm，前部边缘常具细齿，关节位于距基部 4 ~ 5 cm 处。花葶自假鳞茎基部抽出，长 25 ~ 60 cm，直立；总状花序疏生 5 ~ 12 花；苞片狭披针形，最下面 1 苞片长可达 4 cm，中部与上部的苞片长 1.5 ~ 2.6 cm，一般与花梗和子房近等长；花梗和子房长 2 ~ 2.5（~ 3）cm；花常呈淡黄绿色而具淡黄色唇瓣，常有浓烈香气；萼片近线形或线状狭披针形，先端渐尖；花瓣常呈

狭卵形或卵状披针形，长 2 ~ 3 cm，宽 5 ~ 10 mm；唇瓣近卵形，不明显 3 裂，长 2 ~ 3 cm，侧裂片直立，多少围抱蕊柱，被乳突状短柔毛，中裂片较大，外弯，上面被乳突状短柔毛，边缘稍具缺刻；唇盘上 2 纵褶片自基部延伸至中裂片基部，上部向内倾斜并靠合，形成短管；蕊柱长 1 ~ 1.7 cm，稍向前弯曲，两侧具狭翅，花粉团 4，成 2 对，宽卵形。蒴果狭椭圆形，长约 4.5 cm，宽约 1.8 cm。花期 8 ~ 12 月。

| 生境分布 | 生于海拔 400 ~ 2 000 m 的林下、溪谷旁或稍背阴、湿润、多石的土壤上。分布于湖南永州（蓝山）等。

| 资源情况 | 野生资源稀少。药材来源于野生。

| 采收加工 | **兰花**：花将开时采收，鲜用或晒干。

兰花叶：全年均可采收，洗净，切段，鲜用或晒干。

兰花根：全年均可采挖，除去叶，洗净，鲜用或晒干。

| 药材性状 | **兰花**：本品常呈淡黄绿色而具淡黄色唇瓣，常有浓烈香气；萼片近线形或线状狭披针形，先端渐尖；花瓣常呈狭卵形或卵状披针形，长 2 ~ 3 cm，宽 5 ~ 10 mm；唇瓣近卵形。

兰花叶：本品呈带形，薄革质，暗绿色，长 40 ~ 70 cm，宽 9 ~ 17 mm，前部边缘常具细齿。

| 功能主治 |

兰花：辛，平。调气和中，止咳，明目。用于胸闷，腹泻，久咳，青盲内障。

兰花叶：辛，微温。清肺止咳，凉血止血，利湿解毒。用于肺痈，支气管炎，咳嗽，咯血，吐血，尿血，白浊，带下，尿路感染，疮毒疔肿。

兰花根：辛，微寒。润肺止咳，清热利湿，活血止血，解毒杀虫。用于肺痨咯血，百日咳，急性胃肠炎，热淋，带下，白浊，月经不调，崩漏，便血，跌打损伤，疮疖肿毒，痔疮，蛔虫腹痛，狂犬咬伤。

| 用法用量 |

兰花：内服煎汤，3 ~ 9 g；或代茶饮。

兰花叶：内服煎汤，9 ~ 15 g，鲜品 14 ~ 30 g；或研末，4 g。外用适量，捣汁涂。

兰花根：内服煎汤，鲜品 15 ~ 30 g；或捣汁；或调冰糖炖服，15 ~ 24 g。

兰科 Orchidaceae 兰属 *Cymbidium*

兔耳兰 *Cymbidium lancifolium* Hook.

| 药材名 | 续筋草（药用部位：全草）。

| 形态特征 | 半附生植物。假鳞茎近扁圆柱形或狭梭形，长 2 ~ 7（ ~ 15）cm，宽 5 ~ 10（ ~ 15）mm，有节，多少裸露，先端聚生 2 ~ 4 叶。叶倒披针状长圆形至狭椭圆形，长 6 ~ 17 cm 或更长，宽 1.9 ~ 4（ ~ 6）cm，先端渐尖，上部边缘有细齿，基部收狭为柄；叶柄长 3 ~ 18 cm。花葶从假鳞茎下部侧面节上发出，直立，长 8 ~ 20 cm 或更长；花序具 2 ~ 6 花，较少减退为单花或具更多的花；花苞片披针形，长 1 ~ 1.5 cm；花通常白色至淡绿色，花瓣上有紫栗色中脉，花瓣近长圆形，唇瓣上有紫栗色斑，唇瓣近卵状长圆形，稍 3 裂，侧裂片直立，多少围抱蕊柱，中裂片外弯，唇盘上 2 纵褶片从基部上方延伸至中裂片基部，上端向内倾斜并靠合，多少形成短管；萼

片倒披针状长圆形；花粉团 4，成 2 对。蒴果狭椭圆形。

| 生境分布 | 生于海拔 300 ~ 2 000 m 的疏林下、竹林下、林缘、阔叶林下或溪谷旁的岩石上、树上、地上。分布于湖南怀化（通道）、永州（江华、江永）等。

| 资源情况 | 野生资源稀少。药材来源于野生。

| 功能主治 | 润肺，续筋。

兰科 Orchidaceae 兰属 *Cymbidium*

墨兰 *Cymbidium sinense* (Jackson ex Andr.) Willd.

| 药 材 名 | 墨兰（药用部位：根）。

| 形态特征 | 地生草本。假鳞茎卵球形，长 2.5 ~ 6 cm，宽 1.5 ~ 2.5 cm，包藏于叶基内。叶 3 ~ 5，带形，近薄革质，暗绿色，长 45 ~ 80 cm，宽 2 ~ 3 cm，有光泽，关节位于距基部 3.5 ~ 7 cm 处。花葶自假鳞茎基部抽出，直立，较粗壮，长（40 ~ ）50 ~ 90 cm，一般略长于叶；总状花序具 10 ~ 20 或更多花；苞片除最下面 1 苞片长于 1 cm 外，其余苞片长 4 ~ 8 mm；花梗和子房长 2 ~ 2.5 cm；花色泽变化较大，常呈暗紫色或紫褐色而具浅色唇瓣，也有呈黄绿色、桃红色或白色，一般有较浓的香气；萼片狭长圆形或狭椭圆形；花瓣近狭卵形；唇瓣近卵状长圆形，宽 1.7 ~ 2.5（ ~ 3 ）cm，不明显 3 裂，侧裂片直立，

多少围抱蕊柱，被乳突状短柔毛，中裂片较大，外弯，被乳突状短柔毛，边缘略呈波状；唇盘上 2 纵褶片自基部延伸至中裂片基部，上半部向内倾斜并靠合，形成短管；蕊柱长 1.2 ~ 1.5 cm，稍向前弯曲，两侧具狭翅，花粉团 4，成 2 对，宽卵形。蒴果狭椭圆形，长 6 ~ 7 cm，宽 1.5 ~ 2 cm。花期 10 月至翌年 3 月。

| 生境分布 | 生于海拔 300 ~ 2 000 m 的林下、灌木林中或溪谷旁湿润、排水良好的背阴处。分布于湖南邵阳（绥宁）、永州（冷水滩）等。

| 资源情况 | 野生资源稀少。栽培资源丰富。药材来源于栽培。

| 采收加工 | 全年均可采挖，除去叶，洗净，鲜用或晒干。

| 功能主治 | 清心润肺，止咳定喘。

| 用法用量 | 内服煎汤，鲜品 15 ~ 30 g；或捣汁。外用适量，捣汁涂。

兰科 Orchidaceae 杓兰属 *Cypripedium*

绿花杓兰 *Cypripedium henryi* Rolfe

| 药材名 | 龙舌箭（药用部位：根）。

| 形态特征 | 多年生草本，高 30 ～ 60 cm。根茎较粗短。茎直立，被短柔毛，基部具多数鞘，鞘上方具 4 ～ 5 叶。叶片椭圆形至卵状披针形，长 10 ～ 18 cm，宽 6 ～ 8 cm，先端渐尖，无毛或背面近基部被短柔毛。花序顶生，通常具 2 ～ 3 花；苞片叶状，卵状披针形或披针形，长 4 ～ 10 cm，宽 1 ～ 3 cm，先端尾状渐尖，通常无毛，稀背面脉上被疏柔毛；花梗和子房长 2.5 ～ 4 cm，密被白色腺毛；花绿色至绿黄色；中萼片卵状披针形，长 3.5 ～ 4.5 cm，宽 1 ～ 1.5 cm，先端渐尖，背面脉上和近基部稍被短柔毛，合萼片与中萼片相似，先端 2 浅裂；花瓣线状披针形，长 4 ～ 5 cm，宽 5 ～ 7 mm，先端渐

尖，通常稍扭转，内表面基部和背面中脉上被短柔毛；唇瓣深囊状，椭圆形，长 2 cm，宽 1.5 cm，囊底被毛，囊外无毛；退化雄蕊椭圆形或卵状椭圆形，长 6 ~ 7 mm，宽 3 ~ 4 mm，基部具长 2 ~ 3 mm 的柄，背面具龙骨状突起。蒴果近椭圆形或狭椭圆形，长达 3.5 cm，宽约 1.2 cm，被毛。花期 4 ~ 5 月，果期 7 ~ 9 月。

| 生境分布 | 生于海拔 800 ~ 2 000 m 的疏林下、林缘、灌丛坡地上湿润和腐殖质丰富的土壤上。分布于湖南张家界（永定）、湘西州（龙山）等。

| 资源情况 | 野生资源稀少。药材来源于野生。

| 采收加工 | 秋季采挖，洗净，晒干。

| 功能主治 | 苦，温。理气止痛。用于胃寒痛，腰腿痛，跌打损伤。

| 用法用量 | 内服煎汤，6 ~ 9 g；或研末，0.3 ~ 0.9 g。

兰科 Orchidaceae 杓兰属 *Cypripedium*

扇脉杓兰 *Cypripedium japonicum* Thunb.

| 药 材 名 | 扇子七（药用部位：全草或根）。

| 形态特征 | 多年生草本，高 35 ~ 55 cm。根茎细长，横走，直径 3 ~ 4 mm；节间较长。茎直立，被褐色长柔毛，基部具多数鞘，先端生叶。叶通常 2，近对生，位于植株近中部，叶片扇形，长 10 ~ 16 cm，宽 10 ~ 21 cm，上半部边缘呈钝波状，基部近楔形，扇形辐射状脉直达边缘，两面近基部处均被长柔毛，边缘被细缘毛。花序顶生 1 花；花序梗被褐色长柔毛；苞片叶状，菱形或卵状披针形，两面无毛，边缘被细缘毛；花梗和子房长 2 ~ 3 cm，密被长柔毛；花俯垂；萼片和花瓣淡黄绿色，唇瓣淡黄绿色至淡紫白色，多少具紫红色斑点和条纹；中萼片狭椭圆形或狭椭圆状披针形，先端渐尖，无毛，合

萼片与中萼片相似，先端 2 浅裂；花瓣斜披针形，先端渐尖，内表面基部被长柔毛；唇瓣下垂，囊状，近椭圆形或倒卵形，囊口略狭长并位于前方，周围具明显的凹槽并呈波浪状齿缺；退化雄蕊椭圆形，基部具短耳。蒴果近纺锤形，长 4.5 ~ 5 cm，宽 1.2 cm，疏被微柔毛。花期 4 ~ 5 月，果期 6 ~ 10 月。

| 生境分布 | 生于海拔 1 000 ~ 2 000 m 的林下、灌木林下、林缘、溪谷旁、背阴山坡等湿润和腐殖质丰富的土壤上。分布于湖南湘西州（龙山）、邵阳（隆回）等。

| 资源情况 | 野生资源稀少。药材来源于野生。

| 采收加工 | 夏、秋季采收，洗净，晒干。

| 药材性状 | 本品根茎细长，横走，直径 3 ~ 4 mm；节间较长。茎直立，被褐色长柔毛，基部具多数鞘，先端生叶。

| 功能主治 | 微苦，平；有毒。理气活血，截疟，解毒。用于劳伤腰痛，跌打损伤，风湿痹痛，月经不调，间日疟，无名肿毒，毒蛇咬伤，皮肤瘙痒。

| 用法用量 | 内服煎汤，3 ~ 6 g；或研末，0.9 ~ 1.5 g。外用适量，捣烂以醋调；或煎汤洗；或浸酒擦。

兰科 Orchidaceae 石斛属 *Dendrobium*

串珠石斛 *Dendrobium falconeri* Hook.

| 药 材 名 | 环钗斛（药用部位：茎）。

| 形态特征 | 茎悬垂，肉质，细圆柱形，近中部或中部以上的节间常膨大，多分枝，在分枝的节上通常肿大成念珠状。叶常 2 ~ 5，薄革质，互生于分枝的上部，狭披针形，长 5 ~ 7 cm，宽 3 ~ 7 mm，先端钝或锐尖而稍钩转，基部具鞘；叶鞘纸质，通常水红色，筒状。总状花序侧生，常减退成单朵；花序梗基部具 1 ~ 2 膜质筒状鞘；花苞片白色，膜质，卵形；绿色花梗与浅黄绿色带紫红色斑点的子房纤细；花大，质薄，美丽；萼片淡紫色或水红色带深紫色先端，中萼片卵状披针形，侧萼片卵状披针形，萼囊近球形；花瓣白色带紫色先端，卵状菱形，先端近锐尖，基部楔形，具 5 ~ 6 主脉和许多支脉，唇瓣白

色带紫色先端，卵状菱形，先端钝或稍锐尖，边缘具细锯齿，基部两侧黄色；唇盘具 1 深紫色斑块，上面密布短毛；蕊柱足淡红色；药帽乳白色，近圆锥形，先端宽钝而凹陷，密布棘刺状毛，前端边缘撕裂状。

| 生境分布 | 生于海拔 800 ~ 1 900 m 的山谷岩石上和山地密林中树干上。分布于湖南永州（宁远）、郴州（资兴）等。

| 资源情况 | 野生资源稀少。药材来源于野生。

| 功能主治 | 益胃生津，滋阴清热。

兰科 Orchidaceae 石斛属 *Dendrobium*

重唇石斛 *Dendrobium hercoglossum* Rchb. f.

| 药 材 名 | 结要兰（药用部位：茎。别名：鸡爪兰、毫猪尖、中黄草）。

| 形态特征 | 茎下垂，圆柱形或从基部上方逐渐变粗，具少数至多数节，干后淡黄色。叶薄革质，狭长圆形或长圆状披针形，长 4 ~ 10 cm，宽 4 ~ 8（~ 14）mm，先端钝并且不等侧 2 圆裂，基部具紧抱于茎的鞘。总状花序通常数个，从落了叶的老茎上发出，常具 2 ~ 3 花；花序轴瘦弱，有时稍回折状弯曲；花序梗基部被 3 ~ 4 短筒状鞘；花苞片小，干膜质，卵状披针形，先端急尖；花梗和子房淡粉红色；花萼片和花瓣淡粉红色；中萼片卵状长圆形，侧萼片稍斜卵状披针形，萼囊很短；花瓣倒卵状长圆形，先端锐尖，唇瓣白色，分前后唇，后唇半球形，前端密生短流苏，内面密生短毛，前唇淡粉红色，三

角形，先端急尖；蕊柱白色，下部扩大，具蕊柱足；蕊柱齿三角形，先端稍钝；药帽紫色，半球形，密布细乳突，前端边缘啮蚀状。

| 生境分布 | 生于海拔 590 ～ 1 260 m 的山地密林中树干上和山谷湿润岩石上。分布于湖南邵阳（新宁）、怀化（通道）、永州（江永、江华、宁远、蓝山）等。

| 资源情况 | 野生资源稀少。药材来源于野生。

| 功能主治 | 益胃生津，滋阴清热。

兰科 Orchidaceae 石斛属 *Dendrobium*

罗河石斛 *Dendrobium lohohense* T. Tang et F. T. Wang

| 药 材 名 | 环钗斛（药用部位：茎）。

| 形态特征 | 多年生草本。茎质稍硬，圆柱形，长达 80 cm，直径 3 ~ 5 mm，具多节，节间长 13 ~ 23 mm，上部节上常生根而分出新枝条，干后金黄色，具数条纵棱。叶薄革质，2 列，长圆形，长 3 ~ 4.5 cm，宽 5 ~ 16 mm，先端急尖，基部具抱茎的鞘；叶鞘干后疏松抱茎，鞘口常张开。花蜡黄色，稍肉质，开展；总状花序具单花，侧生于具叶的茎端或叶腋，直立；花序梗无；苞片蜡质，小，阔卵形，长约 3 mm，先端急尖；花梗和子房长达 15 mm；子房常呈棒状肿大；中萼片椭圆形，长约 15 mm，宽 9 mm，先端圆钝，具 7 脉，侧萼片斜椭圆形，较中萼片稍长，较窄，先端钝，具 7 脉；萼囊近球形，长约 5 mm；花

瓣椭圆形，长 17 mm，宽约 10 mm，先端圆钝，具 7 脉；唇瓣不裂，倒卵形，长 20 mm，宽 17 mm，基部楔形，两侧围抱蕊柱，前端边缘具不整齐的细齿；蕊柱长约 3 mm，先端两侧各具 2 蕊柱齿，药帽近半球形，光滑，前端近截形，向上反折，边缘具细齿。蒴果椭圆状球形，长 4 cm，直径 1.2 cm。花期 6 月，果期 7 ~ 8 月。

| 生境分布 | 生于海拔 980 ~ 1 500 m 的山谷或林缘岩石上。分布于湖南怀化（会同）等。

| 资源情况 | 野生资源稀少。药材来源于野生。

| 采收加工 | 栽后 2 ~ 3 年采收，全年均可采挖，鲜用者，除去须根及杂质，另行保存；干用者，除去根，洗净，搓去薄膜状叶鞘，晒干或烘干，或洗净后置开水中略烫，晒干或烘干。

| 功能主治 | 甘，微寒。生津养胃，滋阴清热，润肺益肾，明目强腰。用于热病伤津，口干烦渴，胃阴不足，胃痛干呕，肺燥干咳，虚热不退，阴伤目暗，腰膝酸软。

| 用法用量 | 内服煎汤，6 ~ 15 g，鲜品加倍；或入丸、散剂；或熬膏。鲜品清热生津力强，热病津伤者宜用之；干品胃虚夹热伤阴者宜用之。

兰科 Orchidaceae 石斛属 *Dendrobium*

细茎石斛 *Dendrobium moniliforme* (L.) Sw.

| 药 材 名 | 环草石斛（药用部位：茎）。

| 形态特征 | 多年生草本。茎直立，细圆柱形，通常长 10 ~ 20 cm 或更长，具多节；节间长 2 ~ 4 cm。叶多数，2 列，互生于茎中部以上，披针形或长圆形，长 3 ~ 4.5 cm，稍不等侧 2 裂，基部具抱茎的鞘。总状花序 2 至数个，生于茎中部以上具叶或叶已落的老茎上，具 1 ~ 3 花；花序梗长 3 ~ 5 mm；苞片干膜质，浅白色带褐色斑块，卵形；花梗和子房纤细，长 1 ~ 2.5 cm；花黄绿色、白色或白色带淡紫红色；萼片和花瓣相似，卵状长圆形或卵状披针形；侧萼片基部歪斜而贴生于蕊柱足上；萼囊圆锥形；花瓣较萼片稍宽；唇瓣白色、淡黄绿色或绿白色，带淡褐色或紫红色至浅黄色斑块，卵状披针形，基部楔形，3 裂，

侧裂片半圆形，全缘或具不规则的齿，中裂片卵状披针形，全缘，无毛；唇盘在 2 侧裂片间密被短柔毛，基部常具椭圆形胼胝体，中裂片近基部具 1 紫红色、淡褐色或浅黄色斑块；蕊柱白色，长约 3 mm，药帽白色，圆锥形，有时被细乳突，蕊柱足基部常具紫红色条纹。花期通常 3 ~ 5 月。

| 生境分布 | 生于海拔 590 ~ 2 000 m 的阔叶林树干上或山谷岩壁上。分布于湖南长沙（浏阳）、株洲（攸县、茶陵）、邵阳（武冈）、张家界（桑植）、郴州（宜章、汝城）、永州（江永、江华）等。

| 资源情况 | 野生资源一般。药材来源于野生。

| 采收加工 | 栽后 2 ~ 3 年采收，全年均可采收，鲜用者，除去须根及杂质，另行保存；干用者，除去根，洗净，搓去薄膜状叶鞘，晒干或烘干，或洗净后置开水中略烫，晒干或烘干。

| 药材性状 | 本品呈细圆柱形，长 10 ~ 20 cm，具多节，节间长 2 ~ 4 cm。

| 功能主治 | 甘，微寒。生津养胃，滋阴清热，润肺益肾，明目强腰。用于热病伤津，口干烦渴，胃阴不足，胃痛干呕，肺燥干咳，虚热不退，阴伤目暗，腰膝酸软。

| 用法用量 | 内服煎汤，6 ~ 15 g，鲜品加倍；或入丸、散剂；或熬膏。

兰科 Orchidaceae 石斛属 *Dendrobium*

金钗石斛 *Dendrobium nobile* Lindl.

| 药 材 名 | 石斛（药用部位：茎）。

| 形态特征 | 多年生草本。茎直立，肉质，肥厚，稍扁的圆柱形，长 10 ~ 60 cm，直径达 1.3 cm，上部多少回折状弯曲，基部明显收狭，不分枝，具多节，节有时稍肿大；节间多少呈倒圆锥形，长 2 ~ 4 cm，干后金黄色。叶革质，长圆形，先端钝且不等侧 2 裂，基部具抱茎的鞘。花序生于具叶或叶已落的老茎中部以上，长 2 ~ 4 cm，具 1 ~ 4 花；花序梗长 0.5 ~ 1.5 cm；苞片卵状披针形，白色，上部带淡紫红色，有时淡紫红色；中萼片长圆形，长 2.5 ~ 3.5 cm，侧萼片与中萼片相似，基部歪斜；萼囊倒圆锥形，长 6 mm；花瓣稍斜宽卵形，长 2.5 ~ 3.5 cm，宽 1.8 ~ 2.5 cm，具短爪，全缘；唇瓣宽倒卵形，长

2.5 ~ 3.5 cm，宽 2.2 ~ 3.2 cm，基部两侧具紫红色条纹，具短爪，两面密被绒毛；唇盘具紫红色大斑块；药帽前端边缘具尖齿。花期 4 ~ 5 月。

| 生境分布 | 栽培种。分布于湖南张家界（桑植）、郴州（桂阳）、益阳（安化）、怀化（沅陵）等。

| 资源情况 | 栽培资源较少。药材来源于栽培。

| 采收加工 | 栽后 2 ~ 3 年采收，全年均可采收，鲜用者，除去须根及杂质，另行保存；干用者，除去根，洗净，晒干或烘干，或洗净后置开水中略烫，晒干或烘干。

| 药材性状 | 本品呈扁圆柱形，向上稍呈“之”字形弯曲，长 18 ~ 42 cm，中部直径 0.4 ~ 1 cm，节间长 2 ~ 4 cm，节稍膨大，棕色，常残留灰褐色叶鞘。表面金黄色或绿黄色，有光泽，具深纵痕及纵纹。质轻而脆，断面较疏松。气微，味苦。

| 功能主治 | 甘，微寒。生津养胃，滋阴清热，润肺益肾，明目强腰。用于热病伤津，口干烦渴，胃阴不足，胃痛干呕，肺燥干咳，虚热不退，阴伤目暗，腰膝酸软。

| 用法用量 | 内服煎汤，6 ~ 15 g，鲜品加倍；或入丸、散剂；或熬膏。

兰科 Orchidaceae 石斛属 *Dendrobium*

铁皮石斛 *Dendrobium officinale* Kimura et Migo

|药 材 名| 石斛（药用部位：茎）。

|形态特征| 多年生草本。茎直立，圆柱形，长 9 ~ 35 cm，直径 2 ~ 4 mm，不分枝，具多节，节间长 1.3 ~ 1.7 cm，中部以上互生 3 ~ 5 叶。叶 2 列，纸质，长圆状披针形，长 3 ~ 4（~ 7）cm，宽 9 ~ 11（~ 15）mm，钩转，基部下延为抱茎的鞘，边缘和中肋常带淡紫色；叶鞘具紫色斑点，老时与茎松离，张开，于节处留下 1 环状铁青色间隙。总状花序自已落叶的老茎上部发出，具 2 ~ 3 花；花序梗长 5 ~ 10 mm，基部具 2 ~ 3 短鞘；花序轴回折状弯曲，长 2 ~ 4 cm；苞片干膜质，浅白色，卵形，长 5 ~ 7 mm；花梗和子房长 2 ~ 2.5 cm；萼片和花瓣黄绿色，相似，长圆状披针形，侧萼片基部较宽阔；萼囊圆锥形，

长约 5 mm；唇瓣白色，基部具绿色或黄色胼胝体，卵状披针形，较萼片稍短，中部反折，中部以下两侧具紫红色条纹，边缘多少波状；唇盘密被细乳突状毛，中部以上具 1 紫红色斑块；蕊柱黄绿色，先端两侧各具 1 紫色斑点，蕊柱足黄绿色带紫红色条纹，疏被毛，药帽白色，长卵状三角形，2 裂。花期 3 ~ 6 月。

| 生境分布 | 生于海拔 1 600 m 的山地半阴湿的岩石上。分布于湖南邵阳（新宁）等。

| 资源情况 | 野生资源稀少。栽培资源较丰富。药材来源于野生和栽培。

| 采收加工 | 栽后 2 ~ 3 年采收，全年均可采收，鲜用者，除去须根及杂质，另行保存；干用者，除去根，洗净，晒干或烘干，或洗净后置开水中略烫，晒干或烘干。

| 功能主治 | 甘，微寒。生津养胃，滋阴清热，润肺益肾，明目强腰。用于热病伤津，口干烦渴，胃阴不足，胃痛干呕，肺燥干咳，虚热不退，阴伤目暗，腰膝酸软。

| 用法用量 | 内服煎汤，6 ~ 15 g，鲜品加倍；或入丸、散剂；或熬膏。

兰科 Orchidaceae 厚唇兰属 *Epigeneium*

单叶厚唇兰 *Epigeneium fargesii* (Finet) Gagnep.

| 药 材 名 | 单叶厚唇兰（药用部位：全草）。

| 形态特征 | 多年生草本。根茎匍匐，直径 2 ~ 3 mm，密被栗色筒状鞘，每间隔约 1 cm 处具 1 假鳞茎。假鳞茎斜立，一侧偏臌，中部以下贴伏于根茎上，近卵形，长约 1 cm，直径 3 ~ 5 mm，顶生 1 叶，基部被膜质栗色鞘。叶厚革质，干后栗色，卵形或宽卵状椭圆形，长 1 ~ 2.3 cm，宽 7 ~ 11 mm，先端圆形而中央凹入，基部收狭，近无柄或楔形收窄成短柄。花序生于假鳞茎先端，具单花；花序梗长约 1 cm，基部被 2 ~ 3 膜质鞘；苞片膜质，卵形，长约 3 mm；花梗和子房长约 7 mm；花不甚张开；萼片和花瓣淡粉红色；中萼片卵形，先端急尖，具 5 脉，侧萼片斜卵状披针形，先端急尖，基部贴生于蕊柱足上形

成明显的萼囊；萼囊长约 5 mm；花瓣卵状披针形，较侧萼片小，先端急尖，具 5 脉；唇瓣小提琴状，前、后唇等宽，宽约 11 mm，后唇两侧直立，前唇伸展，近肾形，先端深凹，边缘多少波状；唇盘具 2 纵向的龙骨脊，末端终止于前唇基部并增粗成乳头状；蕊柱粗壮，长约 5 mm，蕊柱足长约 1.5 mm。花期通常 4 ~ 5 月。

| 生境分布 | 生于海拔 400 ~ 2 000 m 的沟谷岩石上或山地林中树干上。分布于湖南张家界（慈利）、郴州（桂东）等。

| 资源情况 | 野生资源稀少。药材来源于野生。

| 采收加工 | 采收后洗净。

| 药材性状 | 本品假鳞茎近卵形。叶厚，呈栗色，卵形，长 1 ~ 2.3 cm，先端圆形，中央凹。花呈淡粉红色，前唇与后唇等宽，近肾形，先端深凹。

| 功能主治 | 用于跌打损伤，腰肌劳损，骨折。

| 用法用量 | 内服煎汤，10 ~ 15 g。

兰科 Orchidaceae 火烧兰属 *Epipactis*

火烧兰 *Epipactis helleborine* (L.) Crantz

| 药材名 |

野竹兰（药用部位：全草。别名：膀胱七）。

| 形态特征 |

地生草本，高 20 ～ 70 cm。根茎粗短。茎上部被短柔毛，下部无毛，具 2 ～ 3 鳞片状鞘。叶 4 ～ 7，互生；叶片卵圆形、卵形至椭圆状披针形，罕披针形，长 3 ～ 13 cm，宽 1 ～ 6 cm，先端通常渐尖至长渐尖，向上叶逐渐变窄成披针形或线状披针形。总状花序长 10 ～ 30 cm，通常具 3 ～ 40 花；花苞片叶状，线状披针形，下部的较花长 2 ～ 3 倍或更多，向上逐渐变短；花梗和子房均具黄褐色绒毛；花绿色或淡紫色，下垂，较小；中萼片卵状披针形，稀椭圆形，舟状，侧萼片斜卵状披针形；花瓣椭圆形，先端急尖或钝，唇瓣中部明显缢缩，下唇兜状，上唇近三角形或近扁圆形，先端锐尖，在近基部两侧各有一长约 1 mm 的半圆形褶片，近先端有时脉稍呈龙骨状。蒴果倒卵状椭圆形，具极疏的短柔毛。

| 生境分布 |

生于海拔 250 ～ 2 000 m 的山坡林下、草丛或沟边。分布于湖南怀化（通道）、张家界

（桑植）等。

|资源情况| 野生资源稀少。药材来源于野生。

|功能主治| 补中益气，舒郁和中。用于腹泻，胃气不舒，目赤，肝胃不和，胸胁满闷。

兰科 Orchidaceae 山珊瑚属 *Galeola*

毛萼山珊瑚 *Galeola lindleyana* (Hook. f. et Thoms.) Rchb. f.

| 药 材 名 | 毛萼山珊瑚（药用部位：全草）。

| 形态特征 | 半灌木状草本，高大。根茎粗厚，直径 2 ~ 3 cm，疏被卵形鳞片。茎直立，红褐色，基部多少木质化，高 1 ~ 3 m，节上具宽卵形鳞片。圆锥花序具顶生与侧生总状花序；侧生总状花序较短，长 2 ~ 5（~ 10）cm，具数花，总花梗短；总状花序基部的不育苞片卵状披针形，长 1.5 ~ 2.5 cm，近无毛。苞片卵形，长 5 ~ 6 mm，背面密被锈色短绒毛；花梗和子房长 1.5 ~ 2 cm，弯曲，密被锈色短绒毛；花黄色，开放后直径可达 3.5 cm；萼片椭圆形至卵状椭圆形，长 1.6 ~ 2 cm，宽 9 ~ 11 mm，背面密被锈色短绒毛并具龙骨状突起，侧萼片常较中萼片略长；花瓣宽卵形至近圆形，略短于中萼片，无

毛；唇瓣凹陷成杯状，近半球形，不裂，直径约 1.3 cm，边缘具短流苏，内面被乳突状毛，近基部具 1 平滑的胼胝体；蕊柱棒状，长约 7 mm，药帽具乳突状小刺。果实近长圆形，外形似厚的荚果，淡棕色，长 8 ~ 12（~ 20）cm，宽 1.7 ~ 2.4 cm，果柄长 1 ~ 1.5 cm；种子周围具宽翅，连翅宽 1 ~ 1.3 mm。花期 5 ~ 8 月，果期 9 ~ 10 月。

| 生境分布 | 生于海拔 2 000 m 以下的林下、灌丛中或草丛中。分布于湖南岳阳（平江）、张家界（桑植）等。

| 资源情况 | 野生资源稀少。药材来源于野生。

| 采收加工 | 夏、秋季采收，洗净，切段，晒干。

| 药材性状 | 本品根茎粗厚，直径达 3 cm，疏被卵形鳞片。花呈圆锥形，黄色；萼片背面具突起。果实呈淡棕色。

| 功能主治 | 祛风除湿，润肺止咳，利水渗湿。用于风湿骨痛，头痛，眩晕，肢体麻木，肺痨咳嗽。

| 用法用量 | 内服煎汤，6 ~ 9 g。

兰科 Orchidaceae 天麻属 *Gastrodia*

天麻 *Gastrodia elata* Bl.

药材名

天麻（药用部位：块茎）、还筒子（药用部位：果实）。

形态特征

多年生草本，高 30 ~ 100 cm，有时可达 2 m。根茎肥厚，块茎状，椭圆形至近哑铃形，肉质，长 8 ~ 12 cm，直径 3 ~ 5（~ 7）cm，有时更大，具较密的节，节上被多数三角状宽卵形鞘。茎直立，橙黄色、黄色、灰棕色，无绿叶，下部被数枚膜质鞘。总状花序长 5 ~ 30（~ 50）cm，通常具 30 ~ 50 花；苞片长圆状披针形，长 1 ~ 1.5 cm，膜质；花梗和子房长 7 ~ 12 mm，略短于苞片；花扭转，橙黄色、淡黄色、蓝绿色或黄白色，近直立；萼片和花瓣合生成长约 1 cm 的花被筒，花被筒直径 5 ~ 7 mm，近斜卵状圆筒形，先端具 5 裂片，2 侧萼片合生处裂口深达 5 mm，花被筒基部向前凸出；外轮裂片（萼片离生部分）卵状三角形，先端钝，内轮裂片（花瓣离生部分）近长圆形，较小；唇瓣长圆状卵圆形，长 6 ~ 7 mm，宽 3 ~ 4 mm，3 裂，基部贴生于蕊柱足末端与花被筒内壁上，并具 1 对肉质胼胝体，上部离生，上面具乳突，边缘具不规则短流苏；

蕊柱长 5 ～ 7 mm，蕊柱足短。蒴果倒卵状椭圆形。花果期 5 ～ 7 月。

| 生境分布 | 生于海拔 400 ～ 1 800 m 的疏林下、林中空地、林缘、灌丛边。分布于湖南长沙（浏阳）、怀化（洪江）等。

| 资源情况 | 野生资源稀少。栽培资源丰富。药材来源于野生和栽培。

| 采收加工 | **天麻:** 冬栽者于翌年冬季或第3年春季采挖，春栽者于当年冬季或翌年春季采挖，除去泥沙，水煮至透心，用硫黄熏20 ~ 30分钟，文火烘烤至7 ~ 8成干，取出，压扁，待其全干。

还筒子： 夏季果实成熟时采收，晒干。

| 药材性状 | **天麻：** 本品为长椭圆形块茎，扁缩而稍弯曲，长8 ~ 12 cm，先端具红棕色芽孢、残留茎基或茎痕，底部具圆脐形疤痕。表面黄白色或淡黄色，微透明，具纵皱及沟纹，并具由点状斑痕组成的环纹。质坚硬，不易折断，断面平坦，角质样，米白色或淡棕色，有光泽，内心有裂隙。气特异，味甘、微辛。

还筒子： 本品倒卵形，表面淡褐色，具短梗，内含多数细小种子，粉尘状。气微，味淡。

| 功能主治 | **天麻：** 甘、辛，平。息风止痉，平肝潜阳，祛风通络。用于急慢惊风，抽搐拘挛，破伤风，眩晕，头痛，半身不遂，肢体麻木，风湿痹痛。

还筒子： 甘，寒。补虚定风。用于眩晕，黑矇，头风，少气失精，须发早白。

| 用法用量 | **天麻：** 内服煎汤，3 ~ 10 g；或入丸、散剂；或研末吞服，1 ~ 1.5 g。

还筒子： 内服煎汤，3 ~ 9 g；或入丸、散剂。

兰科 Orchidaceae 斑叶兰属 *Goodyera*

多叶斑叶兰 *Goodyera foliosa* (Lindl.) Benth. ex Clarke

|药材名| 多叶斑叶兰（药用部位：全草）。

|形态特征| 多年生草本，高 15 ~ 25 cm。根茎伸长，茎状，匍匐，具节。茎直立，长 9 ~ 17 cm，绿色，具 4 ~ 6 叶。叶疏生于茎上或集生于茎上半部，卵形至长圆形，偏斜，长 2.5 ~ 7 cm，宽 1.6 ~ 2.5 cm，绿色，先端急尖，基部楔形或圆形，具柄；叶柄长 1 ~ 2 cm，基部扩大成抱茎的鞘。花茎直立，长 6 ~ 8 cm，被毛；总状花序具几朵至多朵密生而常偏向一侧的花；花序梗极短或长，具几枚鞘状苞片或无；苞片披针形，背面被毛；子房圆柱形，被毛，连花梗长 8 ~ 10 mm；花中等大，半张开，白色带粉红色、白色带淡绿色；萼片狭卵形，凹陷，先端钝，具 1 脉，背面被毛；花瓣斜菱形，长 5 ~ 8 mm，中

部宽 3.5 ~ 4 mm，先端钝，基部收狭，具爪，具 1 脉，无毛，与中萼片黏合成兜状；唇瓣长 6 ~ 8 mm，宽 3.5 ~ 4.5 mm，基部凹陷成囊状；囊半球形，内面具多数腺毛，前部舌状，先端略反曲，背面有时具红褐色斑块；蕊柱长 3 mm，花药卵形，长 4 mm，花粉团长 3 mm，蕊喙直立，长 2.5 mm，叉状 2 裂，柱头 1，位于蕊喙下方。花期 7 ~ 9 月。

| 生境分布 | 生于海拔 300 ~ 1 500 m 的林下或沟谷阴湿处。分布于湖南常德（石门）等。

| 资源情况 | 野生资源稀少。药材来源于野生。

| 采收加工 | 夏、秋季采收，洗净，鲜用或晒干。

| 药材性状 | 本品高 15 ~ 25 cm。根茎伸长，茎状，匍匐，具节。茎直立。叶疏生于茎上或集生于茎上半部，卵形至长圆形，偏斜，长 2.5 ~ 7 cm，宽 1.6 ~ 2.5 cm；叶柄长 1 ~ 2 cm，基部扩大成抱茎的鞘。

| 功能主治 | 清热解毒，活血消肿。用于肺痨，肝炎，痈疖疮肿，毒蛇咬伤。

| 用法用量 | 内服煎汤。

兰科 Orchidaceae 斑叶兰属 *Goodyera*

小斑叶兰 *Goodyera repens* (L.) R. Br.

|药材名| 小斑叶兰（药用部位：全草）。

|形态特征| 多年生草本，高 10 ~ 25 cm。根茎伸长，匍匐，具节。茎直立，绿色，具 5 ~ 6 叶。叶片卵形或卵状椭圆形，长 1 ~ 2 cm，宽 5 ~ 15 mm，上面深绿色，具白色斑纹，背面淡绿色，先端急尖，基部钝或宽楔形，具柄；叶柄长 5 ~ 10 mm，基部扩大成抱茎的鞘。花茎直立或近直立，被白色腺状柔毛，具 3 ~ 5 鞘状苞片；总状花序具几朵至 10 余朵密生而多少偏向一侧的花，长 4 ~ 15 cm；苞片披针形，长 5 mm，先端渐尖；子房圆柱状纺锤形，连花梗长 4 mm，疏被腺状柔毛；花小，白色，半张开；萼片背面多少被腺状柔毛，具 1 脉，中萼片卵形或卵状长圆形，长 3 ~ 4 mm，宽 1.2 ~ 1.5 mm，先端钝，与花瓣黏

合成兜状，侧萼片斜卵形、卵状椭圆形，长 3 ~ 4 mm，宽 1.5 ~ 2.5 mm，先端钝；花瓣斜匙形，无毛，先端钝，具 1 脉；唇瓣卵形，长 3 ~ 3.5 mm，基部凹陷成囊状，宽 2 ~ 2.5 mm，内面无毛，前部短，舌状，略外弯；蕊柱短，长 1 ~ 1.5 mm，蕊喙直立，长 1.5 mm，叉状 2 裂，柱头 1，较大，位于蕊喙下方。花期 7 ~ 8 月。

| 生境分布 | 生于海拔 700 ~ 2 000 m 的山坡、沟谷林下。分布于湖南张家界（武陵源）、永州（双牌）、湘西州（龙山、保靖）等。

| 资源情况 | 野生资源较少。药材来源于野生。

| 采收加工 | 夏、秋季采收，洗净，鲜用或晒干。

| 药材性状 | 本品根茎匍匐，具节。叶片卵形或卵状椭圆形，长 1 ~ 2 cm，宽 5 ~ 15 mm，先端急尖，基部钝或宽楔形，具柄；叶柄长 5 ~ 10 mm，基部扩大成抱茎的鞘。

| 功能主治 | 甘、辛，平。润肺止咳，补肾益气，行气活血，消肿解毒。用于肺痨咳嗽，气管炎，头晕乏力，神经衰弱，阳痿，跌打损伤，骨节疼痛，咽喉肿痛，乳痈，疮疖，瘰疬，毒蛇咬伤。

| 用法用量 | 内服煎汤，9 ~ 15 g；或捣汁；或浸酒。外用适量，捣敷。

兰科 Orchidaceae 斑叶兰属 *Goodyera*

斑叶兰 *Goodyera schlechtendaliana* Rchb. f.

药材名

斑叶兰（药用部位：全草）。

形态特征

多年生草本，高 15 ~ 35 cm。根茎匍匐，具节。茎直立，绿色，具 4 ~ 6 叶。叶片卵形，长 3 ~ 8 cm，宽 0.8 ~ 2.5 cm，上面绿色，具白色不规则的点状斑纹，背面淡绿色，先端急尖，基部近圆形，具柄；叶柄长 4 ~ 10 mm，基部扩大成抱茎的鞘。花茎直立，长 10 ~ 28 cm，被长柔毛，具 3 ~ 5 鞘状苞片；总状花序疏生几朵至 20 余朵近偏向一侧的花，长 8 ~ 20 cm；苞片披针形，长约 12 mm，宽 4 mm，背面被短柔毛；子房圆柱形，连花梗长 8 ~ 10 mm，被长柔毛；花较小，白色或带粉红色，半张开；萼片背面被柔毛，具 1 脉，中萼片狭椭圆状披针形，长 7 ~ 10 mm，宽 3 ~ 3.5 mm，舟状，先端急尖，与花瓣黏合成兜状，侧萼片卵状披针形，先端急尖；花瓣菱状倒披针形，无毛，先端钝或稍尖，具 1 脉；唇瓣卵形，长 6 ~ 8.5 mm，基部凹陷成囊状，宽 3 ~ 4 mm，内面具多数腺毛，前部舌状，略向下弯；蕊柱短，长 3 mm，花药卵形，先端渐尖，花粉团长约 3 mm，蕊喙直立，长 2 ~ 3 mm，叉状2裂，柱头1，位于蕊喙下方。花期8 ~ 10月。

| 生境分布 | 生于海拔500 ~ 2 000 m的山坡或沟谷阔叶林下。湖南各地均有分布。

| 资源情况 | 野生资源较丰富。药材来源于野生。

| 采收加工 | 夏、秋季采收，洗净，鲜用或晒干。

| 功能主治 | 甘、辛，平。润肺止咳，补肾益气，行气活血，消肿解毒。用于肺痨咳嗽，气管炎，头晕乏力，神经衰弱，阳痿，跌打损伤，骨节疼痛，咽喉肿痛，乳痈，疮疖，瘰疬，毒蛇咬伤。

| 用法用量 | 内服煎汤，9 ~ 15 g；或捣汁；或浸酒。外用适量，捣敷。

兰科 Orchidaceae 玉凤花属 *Habenaria*

毛葶玉凤花 *Habenaria ciliolaris* Kraenzl.

药材名

肾经草（药用部位：块茎）。

形态特征

多年生草本，高 25 ~ 60 cm。块茎长椭圆形或长圆形，直径 1.5 ~ 2.5 cm。茎中部具 5 ~ 6 叶，向上具 5 ~ 10 疏生的苞片状小叶。叶片椭圆状披针形、倒卵状匙形或长椭圆形，基部抱茎。总状花序具 6 ~ 15 花，长 9 ~ 23 cm；花茎具棱，棱上被长柔毛；苞片卵形，长 13 ~ 15 mm，边缘被缘毛，较子房短；子房圆柱状纺锤形，扭转，具棱，棱上具细齿，连花梗长 23 ~ 25 mm，先端弯曲，具喙；花白色或绿白色，稀带粉红色，中等大；中萼片宽卵形，凹陷，兜状，近顶部边缘具睫毛，具 5 脉，背面具 3 片状具细齿或近全缘的龙骨状突起，侧萼片反折，强烈偏斜，卵形，具 3 ~ 4 弯曲的脉，前部边缘臌出，宽圆形；花瓣直立，斜披针形，长 6 ~ 7 mm，具 1 脉，外侧增厚；唇瓣较萼片长，基部 3 深裂，裂片丝状，并行，向上弯曲，中裂片长 16 ~ 18 mm，下垂，基部无胼胝体，侧裂片长 20 ~ 22 mm；距圆筒状棒形，长 21 ~ 27 mm，末端膨大，下垂，中部或前部稍弯曲，末端钝；柱头 2，隆起，长圆形，长约 1.5 mm。花期 7 ~ 9 月。

| 生境分布 | 生于海拔 140 ~ 1 800 m 的山坡或沟边林下阴处。分布于湘西北、湘西南、湘南、湘中、湘东等。

| 资源情况 | 野生资源较一般。药材来源于野生。

| 采收加工 | 春、秋季采挖，除去茎叶和须根，洗净，晒干或鲜用。

| 药材性状 | 本品呈长椭圆形或长圆形。

| 功能主治 | 甘、微苦，平。壮腰补肾，清热利水，解毒。用于肾虚腰痛，遗精，阳痿，带下，热淋，毒蛇咬伤，疮疖肿毒。

| 用法用量 | 内服煎汤，9 ~ 15 g。外用适量，鲜品捣敷。

兰科 Orchidaceae 玉凤花属 *Habenaria*

长距玉凤花 *Habenaria davidii* Franch.

药材名

双肾草（药用部位：块茎）。

形态特征

多年生草本，高 65 ~ 75 cm。块茎长圆形，长 2 ~ 5 cm，直径 0.8 ~ 1.5 cm。茎圆柱形，直径 4 ~ 6 mm，具 5 ~ 7 叶。叶片卵形、长圆状披针形，基部抱茎。总状花序具 4 ~ 15 花；苞片披针形，下部苞片长于子房；子房圆柱形，扭转，无毛，连花梗长 2.5 ~ 3.5 cm；花大，绿白色或白色；萼片淡绿色，具缘毛，中萼片长圆形，直立，凹陷成舟状，侧萼片反折，斜卵状披针形，先端渐尖，具 5 ~ 7 脉；花瓣白色，直立，斜披针形，近镰状，具 3 ~ 5 脉，具缘毛，与中萼片靠合成兜状；唇瓣白色或淡黄色，长 2.5 ~ 3 cm，基部以上 3 深裂，裂片具缘毛，中裂片线形，与侧裂片近等长，侧裂片线形，外侧边缘为篦齿状深裂，细裂片 7 ~ 10，丝状；距细圆筒状，下垂，稍弯曲，末端稍膨大而钝，较子房长；花药直立，药隔顶部平截，药室叉开，花粉团椭圆形，具线形；柱头突起物细长，棒状，长 5 mm，前部镰状膨大，向上弯曲；退化雄蕊小，长椭圆形。花期 6 ~ 8 月。

| 生境分布 | 生于海拔 800 ~ 2 000 m 的山坡林下、灌丛下或草地中。分布于湖南怀化（洪江、通道）等。

| 资源情况 | 野生资源稀少。药材来源于野生。

| 采收加工 | 夏、秋季采挖，除去茎叶，洗净，鲜用。

| 药材性状 | 本品呈长圆形。

| 功能主治 | 甘、淡，平。补肾，止带，活血。用于肾虚腰痛，带下，跌打损伤。

| 用法用量 | 内服煎汤，9 ~ 15 g。

兰科 Orchidaceae 玉凤花属 *Habenaria*

鹅毛玉凤花 *Habenaria dentata* (Sw.) Schltr.

| 药 材 名 | 双肾参（药用部位：块茎）。

| 形态特征 | 多年生草本，高 35 ~ 87 cm。块茎肉质，长圆状卵形至长圆形。茎粗壮，直立，圆柱形，具 3 ~ 5 疏生的叶，其上具数枚苞片状小叶。叶片长圆形至长椭圆形，先端急尖或渐尖，基部抱茎，干时边缘常具狭的白色镶边。总状花序常具多朵花，长 5 ~ 12 cm；花序轴无毛；苞片披针形，长 2 ~ 3 cm，先端渐尖；子房圆柱形，扭转，无毛，连花梗长 2 ~ 3 cm，先端渐狭，具喙；花白色，较大；萼片和花瓣边缘具缘毛；中萼片宽卵形，直立，凹陷，先端急尖，具 5 脉，与花瓣靠合成兜状，侧萼片张开或反折，斜卵形，先端急尖，具 5 脉；花瓣直立，镰状披针形，不裂，先端稍钝，具 2 脉；唇瓣宽倒卵形，

3 裂，侧裂片近菱形或近半圆形，前部边缘具锯齿，中裂片线状披针形或舌状披针形，先端钝，具 3 脉；距细圆筒状棒形，下垂，长达 4 cm，中部稍向前弯曲，向末端逐渐膨大，末端钝，较子房长，中部以下绿色，距口周围具明显隆起的凸出物；柱头 2，隆起成长圆形，向前伸展，并行。花期 8 ~ 10 月。

| 生境分布 | 生于海拔 190 ~ 2 000 m 的山坡林下或沟边。分布于湖南衡阳（衡南）、郴州（汝城）、常德（石门）、怀化（溆浦）、湘西州（龙山）等。

| 资源情况 | 野生资源较少。药材来源于野生。

| 采收加工 | 秋季采收，洗净，晒干或鲜用。

| 药材性状 | 本品呈长圆状卵形至长圆形，肉质。

| 功能主治 | 甘、微苦，平。补肾益肺，利湿，解毒。用于肾虚腰痛，阳痿，肺痨咳嗽，水肿，带下，疝气，痈肿疔毒，蛇虫咬伤。

| 用法用量 | 内服煎汤，9 ~ 30 g；或磨汁；或浸酒。外用适量，鲜品捣敷。

兰科 Orchidaceae 玉凤花属 *Habenaria*

裂瓣玉凤花 *Habenaria petelotii* Gagnep.

| 药 材 名 | 单肾草（药用部位：块茎）。

| 形态特征 | 植株高 35 ~ 60 cm。块茎长圆形，肉质，长 3 ~ 4 cm，直径 1 ~ 2 cm，中部集生 5 ~ 6 叶，向下具多枚筒状鞘，向上具多枚苞片状小叶。叶片椭圆形或椭圆状披针形，长 3 ~ 15 cm，宽 2 ~ 4 cm，先端渐尖，基部收狭成抱茎的鞘。花茎无毛；总状花序具 3 ~ 12 疏生的花，长 4 ~ 12 cm；苞片狭披针形，长达 15 mm，宽 3 ~ 4 mm，先端渐尖；子房圆柱状纺锤形，扭转，稍弧曲，无毛，连花梗长 1.5 ~ 3 cm；花淡绿色或白色；中萼片卵形，凹陷成兜状，先端渐尖，具 3 脉，侧萼片极张开，长圆状卵形，先端渐尖，具 3 脉；花瓣基部 2 深裂，裂片线形，叉开，边缘具缘毛，上裂片直立，与中

萼片并行，下裂片与唇瓣侧裂片并行；唇瓣基部上方 3 深裂，裂片线形，近等长，长 15 ~ 20 mm，宽 1.5 ~ 2 mm，边缘具缘毛；距圆筒状棒形，下垂，长 1.3 ~ 2.5 cm，稍向前弯曲，中部以下向末端增粗，末端钝；药室基部伸长的沟与蕊喙臂伸长的沟靠合成细管，管劲直，长约 3 mm；柱头突起 2，长圆形，长 2 mm。花期 7 ~ 9 月。

| 生境分布 | 生于海拔 320 ~ 1 600 m 的山坡或沟谷林下。分布于湖南张家界（慈利、桑植）、益阳（安化）、湘西州（凤凰）等。

| 资源情况 | 野生资源稀少。药材来源于野生。

| 采收加工 | 夏、秋季采挖，除去茎叶及须根，洗净，晒干。

| 药材性状 | 本品呈长圆形，肉质。

| 功能主治 | 甘，平。补肾清肺。用于肾虚腰痛，阳痿，遗尿，疝气，肺热咳嗽。

| 用法用量 | 内服煎汤，9 ~ 15 g。

兰科 Orchidaceae 玉凤花属 *Habenaria*

橙黄玉凤花 *Habenaria rhodocheila* Hance

| 药 材 名 | 橙黄玉凤花（药用部位：块茎）。

| 形态特征 | 多年生草本，高 8 ~ 35 cm。块茎长圆形，肉质，长 2 ~ 3 cm，直径 1 ~ 2 cm。茎粗壮，直立，圆柱形，下部具 4 ~ 6 叶，向上具 1 ~ 3 苞片状小叶。叶片线状披针形至近长圆形，长 10 ~ 15 cm，宽 1.5 ~ 2 cm，先端渐尖，基部抱茎。总状花序具 2 ~ 10 或更多疏生的花；花茎无毛；苞片卵状披针形，先端渐尖，短于子房；子房圆柱形，扭转，无毛，连花梗长 2 ~ 3 cm；花中等大；萼片和花瓣绿色；中萼片直立，近圆形，凹陷，先端钝，具 3 脉，与花瓣靠合成兜状，侧萼片长圆形，反折，先端钝，具 5 脉；花瓣匙状线形，先端钝，具 1 脉；唇瓣橙黄色、橙红色或红色，向前伸展，卵形，

长 1.8 ~ 2 cm，4 裂，基部具短爪，侧裂片长圆形，先端钝，开展，中裂片 2 裂，裂片近半卵形，长约 4 mm，宽约 3 mm，先端斜截形；距细圆筒状，污黄色，下垂，长 2 ~ 3 cm，直径约 1 mm，末端通常上弯；蕊喙大，三角形，具延长的臂，柱头 2，长约 2.5 mm。蒴果纺锤形，长约 1.5 cm，先端具喙；果柄长约 5 mm。花期 7 ~ 8 月，果期 10 ~ 11 月。

| 生境分布 | 生于海拔 300 ~ 1 500 m 的山坡或沟谷林下阴处的地上或岩石覆土中。分布于湖南郴州（北湖、临武）、永州（东安、江永、蓝山、江华）等。

| 资源情况 | 野生资源较少。药材来源于野生。

| 采收加工 | 全年均可采挖，洗净，鲜用或晒干。

| 药材性状 | 本品呈长圆形，肉质。

| 功能主治 | 甘，平。清热解毒，活血止痛。用于肺热咳嗽，疮疡肿毒，跌打损伤。

| 用法用量 | 内服煎汤，3 ~ 9 g。外用适量，鲜品捣敷。

兰科 Orchidaceae 角盘兰属 *Herminium*

叉唇角盘兰 *Herminium lanceum* (Thunb. ex Sw.) Vuijk

药材名

双肾草（药用部位：块茎。别名：腰子草）。

形态特征

多年生草本，高 10 ~ 83 cm。块茎圆球形或椭圆形，肉质。茎直立，无毛，基部具 2 筒状鞘，中部具 3 ~ 4 疏生的叶。叶互生，线状披针形，直立伸展，长达 15 cm，宽达 1 cm，先端尖锐，基部渐狭并抱茎。总状花序具多数密生的花，圆柱形；苞片小，披针形，先端急尖；子房圆柱形，扭转，无毛，连花梗长 5 ~ 7 mm；花小，黄绿色或绿色；中萼片卵状长圆形，直立，凹陷成舟状，长 2 ~ 4 mm，宽 1 ~ 1.5 mm，先端钝，具 1 脉，侧萼片张开，长 2.2 ~ 4 mm，宽 1 ~ 2 mm，具 1 脉；花瓣直立，线形，长 2 ~ 4 mm，宽 0.2 ~ 1 mm，与中萼片相靠，具 1 脉；唇瓣长圆形，长 3 ~ 7 mm，宽 1 ~ 2 mm，下垂，基部扩大，凹陷，无距，具 1 短的纵脊状隆起，中部缢缩，呈叉状 3 裂，侧裂片线形或线状披针形，中裂片披针形或齿状三角形；蕊柱粗短，药室并行，花粉团球形，具极短的花粉团柄和黏盘，黏盘圆形，蕊喙小，柱头 2，横椭圆形，隆起，退化雄蕊 2，常较长，长圆形，顶部稍扩大。花期 6 ~ 8 月。

| 生境分布 | 生于海拔 730 ~ 2 000 m 的山坡杂木林至针叶林下、竹林下、灌丛或草地中。分布于湖南郴州（桂东）等。

| 资源情况 | 野生资源稀少。药材来源于野生。

| 采收加工 | 夏、秋季采收，洗净，晒干。

| 药材性状 | 本品呈球形或椭圆形，肉质。

| 功能主治 | 甘，温。益肾壮阳，养血补肾，理气除湿。用于虚劳，目昏，阳痿，遗精，睾丸肿痛，白浊，带下；外用于刀伤出血。

| 用法用量 | 内服煎汤，6 ~ 15 g。

兰科 Orchidaceae 羊耳蒜属 *Liparis*

镰翅羊耳蒜 *Liparis bootanensis* Griff.

| 药 材 名 | 九莲灯（药用部位：全草）。

| 形态特征 | 附生草本。假鳞茎密集，卵形、卵状长圆形或狭卵状圆柱形，长 0.8 ~ 1.8 cm，直径 4 ~ 8 mm，先端生 1 叶。叶狭长圆状倒披针形、倒披针形至近狭椭圆状长圆形，纸质，长 8 ~ 22 cm，宽 11 ~ 33 mm，先端渐尖，基部收狭成柄，具关节；叶柄长 1 ~ 7 cm。花葶长 7 ~ 24 cm；花序梗略压扁，两侧具狭翅；总状花序外弯或下垂，长 5 ~ 12 cm，具数朵至 20 余朵花；苞片狭披针形，长 3 ~ 8 mm；花梗和子房长 4 ~ 15 mm；花黄绿色，有时稍带褐色，稀近白色；中萼片近长圆形，长 3.5 ~ 6 mm，宽 1.3 ~ 1.8 mm，先端钝；花瓣狭线形，长 3.5 ~ 6 mm，宽 0.4 ~ 0.7 mm；唇瓣近

宽长圆状倒卵形，长 3 ~ 6 mm，上部宽 2.5 ~ 5.5 mm，先端近截形并具凹缺或短尖头，前缘具不规则细齿，基部具 2 胼胝体，有时 2 胼胝体基部合生为一；蕊柱长约 3 mm，稍向前弯曲，上部两侧各具 1 翅，翅宽约 1 mm，在前部下弯成钩状或镰状，稀不甚明显。蒴果倒卵状椭圆形，长 8 ~ 10 mm，宽 5 ~ 6 mm；果柄长 8 ~ 10 mm。花期 8 ~ 10 月，果期 3 ~ 5 月。

| 生境分布 | 生于海拔 800 ~ 2 000 m 的林缘、林中或山谷阴处的树干或岩壁上。分布于湖南永州（江永）、郴州（桂东）等。

| 资源情况 | 野生资源稀少。药材来源于野生。

| 采收加工 | 夏、秋季采收，切段，晒干。

| 药材性状 | 本品假鳞茎呈卵形。叶狭长，披针形，长 8 ~ 22 cm，宽 11 ~ 33 mm，先端渐尖；叶柄长 1 ~ 7 cm。花葶长 7 ~ 24 cm；花序梗两侧具狭翅；总状花序外弯或下垂。

| 功能主治 | 甘、微苦，微寒。解毒，利湿，润肺止咳。用于淋证，白浊，腹泻，腹水型血吸虫病，瘰疬，疥疮，肺痨咳嗽。

| 用法用量 | 内服煎汤，6 ~ 15 g。

兰科 Orchidaceae 羊耳蒜属 *Liparis*

二褶羊耳蒜 *Liparis cathcartii* Hook. f.

|药材名| 二褶羊耳蒜（药用部位：全草）。

|形态特征| 地生草本。假鳞茎较小，卵形，长 5 ~ 6 mm，宽 4 ~ 5 mm，外被白色薄膜质鞘。叶 2，椭圆形、卵形或卵状长圆形，长 3.5 ~ 8 cm，宽 1.7 ~ 4 cm，先端急尖或钝，边缘稍皱波状或近全缘，基部收狭并下延成鞘状柄，无关节；鞘状柄长 2 ~ 5.5 cm，多少围抱花葶基部或下部。花葶长 7 ~ 25 cm；花序梗略呈扁圆柱形，两侧具狭翅；总状花序具数朵至 10 余朵花；苞片小，长约 1 mm；花梗和子房长 7 ~ 8 mm；花粉红色，稀绿色、紫色；萼片狭长圆形，长 7 ~ 9 mm，宽约 2.5 mm，先端钝，具不明显的 3 脉，侧萼片稍斜歪；花瓣近丝状，长 7 ~ 9 mm，宽约 0.4 mm，具 1 脉；唇瓣倒卵形至椭圆状倒

卵形，长 8 ~ 9 mm，宽 7 ~ 8 mm，先端近截形并具短尖头，边缘具不规则齿缺，基部收狭，通常具 2 短的纵褶片，稀纵褶片不明显；蕊柱长 3 ~ 3.5 mm，向前弯曲，先端具翅，基部扩大而肥厚。蒴果倒卵状长圆形，长 1.1 ~ 1.3 cm，宽约 5 mm；果柄长 6 ~ 9 mm。花期 6 ~ 7 月，果期 10 月。

| 生境分布 | 生于海拔 1 900 ~ 2 100 m 的山谷旁湿润处或草地上。分布于湖南怀化（新晃、通道）等。

| 资源情况 | 野生资源稀少。药材来源于野生。

| 采收加工 | 夏、秋季采收，切段，晒干。

| 药材性状 | 本品假鳞茎呈卵形，较小，外被白色薄膜质鞘。叶 2，椭圆形或卵状长圆形，长 3.5 ~ 8 cm，边缘稍皱波状或近全缘，基部为鞘状柄。

| 功能主治 | 辛，温。温热散寒，止痛。

| 用法用量 | 内服煎汤。

兰科 Orchidaceae 羊耳蒜属 *Liparis*

小羊耳蒜 *Liparis fargesii* Finet

| 药 材 名 | 小羊耳蒜（药用部位：全草）。

| 形态特征 | 附生草本，很小，常成丛生长。假鳞茎近圆柱形，长 7 ～ 14 mm，直径约 3 mm，平卧，新假鳞茎发自老假鳞茎近先端的下方，彼此连接而匍匐于岩石上，先端具 1 叶。叶椭圆形或长圆形，坚纸质，长 1 ～ 2（～ 3）cm，宽 5 ～ 8 mm，先端浑圆或钝，基部骤然收狭成叶柄，有关节；叶柄长 3 ～ 6 mm。花葶长 2 ～ 4 cm；花序梗扁圆柱形，两侧具狭翅，下部无不育苞片；总状花序长 1 ～ 2 cm，通常具 2 ～ 3 花；花苞片很小，狭披针形，长 1 ～ 1.8 mm；花梗和子房长 8 ～ 9 mm；花淡绿色；萼片线状披针形，先端钝，边缘常外卷，具 1 脉；花瓣狭线形，唇瓣近长圆形，中部略缢缩成提琴形，先端

近截形并微凹，凹缺中央有时具细尖，基部无胼胝体但略增厚；蕊柱稍向前弯曲，上端有狭翅。蒴果倒卵形。

| 生境分布 | 生于海拔 300 ~ 1 400 m 的林中或背阴处的石壁、岩石上。分布于湖南张家界（桑植、永定）、湘西州（永顺）等。

| 资源情况 | 野生资源稀少。药材来源于野生。

| 功能主治 | 清热润肺，健脾消食，舒筋活血，止咳止血。用于肺结核咳嗽，风热咳嗽，百日咳，小儿惊风，疳积，月经不调，外伤出血，风湿麻木，劳伤身痛，跌打损伤。

兰科 Orchidaceae 羊耳蒜属 *Liparis*

羊耳蒜 *Liparis campylostalix* Rchb. f.

| 药 材 名 | 羊耳蒜（药用部位：全草）。

| 形态特征 | 地生草本。假鳞茎卵形，长 5 ~ 12 mm，直径 3 ~ 8 mm，外被白色薄膜质鞘。叶 2，卵形、卵状长圆形或近椭圆形，膜质或草质，长 5 ~ 10（~ 16）cm，宽 2 ~ 4（~ 7）cm，先端急尖或钝，边缘皱波状或近全缘，基部收狭成鞘状柄，无关节；鞘状柄长 3 ~ 8 cm，初时抱花葶，果期多少分离。花葶长 12 ~ 50 cm；花序梗圆柱形，花期两侧可见狭翅，果期翅不明显；总状花序具数朵至 10 余朵花；苞片狭卵形，长 2 ~ 3（~ 5）mm；花梗和子房长 8 ~ 10 mm；花通常淡绿色，有时呈粉红色或带紫红色；萼片线状披针形，长 7 ~ 9 mm，宽 1.5 ~ 2 mm，先端略钝，具 3 脉，侧萼片稍斜歪；花瓣丝状，长

7 ～ 9 mm，宽约 0.5 mm，具 1 脉；唇瓣近倒卵形，长 6 ～ 8 mm，宽 4 ～ 5 mm，先端具短尖头，边缘稍具不明显的细齿或近全缘，基部渐狭；蕊柱长 2.5 ～ 3.5 mm，上端略具翅，基部扩大。蒴果倒卵状长圆形，长 8 ～ 13 mm，宽 4 ～ 6 mm；果柄长 5 ～ 9 mm。花期 6 ～ 8 月，果期 9 ～ 10 月。

| 生境分布 | 生于海拔 1 100 ～ 2 000 m 的林下、灌丛中或草地背阴处。分布于湖南怀化（鹤城、辰溪）、湘西州（花垣）、张家界（慈利）、郴州（桂东）等。

| 资源情况 | 野生资源较少。药材来源于野生。

| 采收加工 | 夏、秋季采挖，切段晒干或鲜用。

| 药材性状 | 本品假鳞茎呈卵形，外被白色薄膜质鞘。叶 2，卵形，膜质或草质，长 5 ～ 10 cm，宽 2 ～ 4 cm。

| 功能主治 | 甘、微酸，平。活血止血，消肿止痛。用于崩漏，产后腹痛，带下，扁桃体炎，跌打损伤，烧伤。

| 用法用量 | 内服煎汤，6 ～ 9 g。外用适量，鲜品捣敷。

兰科 Orchidaceae 羊耳蒜属 *Liparis*

见血青 *Liparis nervosa* (Thunb. ex A. Murray) Lindl.

| 药 材 名 | 见血青（药用部位：全草）。

| 形态特征 | 地生草本。茎或假鳞茎圆柱状，肉质，具多数节，长 2 ~ 8（~ 10）cm，直径 5 ~ 7（~ 10）mm，包于叶鞘内，上部有时裸露。叶（2 ~）3 ~ 5，卵形至卵状椭圆形，膜质或草质，长 5 ~ 11（~ 16）cm，宽 3 ~ 5（~ 8）cm，全缘，基部为鞘状柄，无关节；鞘状柄长 2 ~ 3（~ 5）cm，大部分抱茎。花茎自茎先端抽出，长 10 ~ 20（~ 25）cm；总状花序具数朵至 10 余朵花；花序轴有时具狭翅；苞片小，三角形，长约 1 mm，稀达 2 mm；花梗和子房长 8 ~ 16 mm；花紫色；中萼片线形或宽线形，长 8 ~ 10 mm，宽 1.5 ~ 2 mm，先端钝，边缘外卷，具不明显的 3 脉，侧萼片狭卵状

长圆形，稍斜歪，长 6 ~ 7 mm，宽 3 ~ 3.5 mm，先端钝，具 3 脉；花瓣丝状，长 7 ~ 8 mm，宽约 0.5 mm，具 3 脉；唇瓣长圆状倒卵形，长约 6 mm，宽 4.5 ~ 5 mm，先端截形并微凹，基部收狭并具 2 近长圆形胼胝体；蕊柱较粗壮，长 4 ~ 5 mm，上部两侧具狭翅。蒴果倒卵状长圆形或狭椭圆形，长约 1.5 cm，宽约 6 mm；果柄长 4 ~ 7 mm。花期 2 ~ 7 月，果期 10 月。

| 生境分布 | 生于海拔 1 000 ~ 2 000 m 的林下、溪谷旁、草丛阴处或岩石覆土上。分布于湘西北、湘西南、湘南、湘中、湘东等。

| 资源情况 | 野生资源较丰富。药材来源于野生。

| 采收加工 | 夏、秋季采收，切段晒干或鲜用。

| 药材性状 | 本品茎或假鳞茎圆柱状，肉质，包于叶鞘内。叶 2 ~ 5，卵形至卵状椭圆形，膜质或草质，长 5 ~ 11 cm，宽 3 ~ 5 cm，全缘，基部为鞘状柄；鞘状柄长 2 ~ 3 cm。

| 功能主治 | 苦、涩，凉。凉血止血，清热解毒。用于胃热吐血，肺热咯血，肠风下血，崩漏，手术出血，外伤出血，疮疡肿毒，毒蛇咬伤，跌打损伤。

| 用法用量 | 内服煎汤，9 ~ 15 g，鲜品 30 ~ 60 g；或研末，9 g。外用适量，鲜品捣敷；或研末调敷。

兰科 Orchidaceae 羊耳蒜属 *Liparis*

香花羊耳蒜 *Liparis odorata* (Willd.) Lindl.

| 药材名 | 二仙桃（药用部位：全草）。

| 形态特征 | 地生草本。假鳞茎近卵形，长 1.3 ~ 2.2 cm，直径 1 ~ 1.5 cm，具节，外被白色薄膜质鞘。叶 2 ~ 3，狭椭圆形、卵状长圆形、长圆状披针形或线状披针形，膜质或草质，长 6 ~ 17 cm，宽 2.5 ~ 6 cm，先端渐尖，全缘，基部收狭为鞘状柄，无关节；鞘状柄长 2.5 ~ 10 cm。花葶长 14 ~ 40 cm，明显高出叶面；总状花序疏生数朵至 10 余朵花；苞片披针形，常平展，长 4 ~ 6 mm；花梗和子房长 6 ~ 8 mm；花绿黄色或淡绿褐色；中萼片线形，先端钝，具不明显的 3 脉，边缘外卷，侧萼片卵状长圆形，稍斜歪，长 6 ~ 7 mm，宽约 2.5 mm，具 3（~ 4）脉；花瓣近狭线形，向先端渐宽，长 6 ~ 7 mm，宽约

0.8 mm，边缘外卷，具 1 脉；唇瓣倒卵状长圆形，长约 5.5 mm，上部宽 3.5 ~ 4.5 mm，先端近截形并微凹，上部边缘具细齿，近基部具 2 三角形胼胝体，2 胼胝体基部多少相连，高约 0.8 mm；蕊柱长约 4.5 mm，稍向前弯曲，两侧具狭翅，翅向上渐宽。蒴果倒卵状长圆形或椭圆形，长 1 ~ 1.5 cm。花期 4 ~ 7 月，果期 10 月。

| 生境分布 | 生于海拔 600 ~ 2 000 m 的林下、疏林下或山坡草丛中。分布于湖南张家界（桑植）等。

| 资源情况 | 野生资源稀少。药材来源于野生。

| 采收加工 | 夏、秋季采收，切段，晒干。

| 药材性状 | 本品假鳞茎近卵形，长 1.3 ~ 2.2 cm，直径 1 ~ 1.5 cm，具节，外被白色薄膜质鞘。叶呈披针形，长 6 ~ 17 cm，宽 2.5 ~ 6 cm，先端渐尖，全缘。

| 功能主治 | 辛、苦，温。解毒消肿，祛风除湿。用于疮疡肿毒，风寒湿痹，带下，腰痛，咳嗽。

| 用法用量 | 内服煎汤，6 ~ 15 g。

兰科 Orchidaceae 羊耳蒜属 *Liparis*

长唇羊耳蒜 *Liparis pauliana* Hand.-Mazz.

| 药 材 名 | 长唇羊耳蒜（药用部位：全草）。

| 形态特征 | 地生草本。假鳞茎卵形或卵状长圆形，长 1 ~ 2.5 cm，直径 8 ~ 15 mm，外被多枚白色的薄膜鞘。叶通常 2，极少为 1（仅见于假鳞茎很小的情况下），卵形至椭圆形，膜质或草质，长 2.7 ~ 9 cm，宽 1.5 ~ 5 cm，先端急尖或短渐尖，边缘皱波状并具不规则细齿，基部收狭成鞘状柄，无关节；鞘状柄长 0.5 ~ 4 cm，多少围抱花葶基部。花葶长 7 ~ 28 cm，通常比叶长 1 倍以上；花序梗扁圆柱形，两侧有狭翅；总状花序通常疏生数花，较少多花或减退为 1 ~ 2 花；花苞片卵形或卵状披针形，长 1.5 ~ 3 mm；花梗和子房长 1 ~ 1.8 cm；花淡紫色，但萼片常为淡黄绿色；萼片线状披针形，长

1.6 ~ 1.8 cm，宽 2 ~ 2.5 mm，先端渐尖，具 3 脉；侧萼片稍斜歪；花瓣近丝状，长 1.6 ~ 1.8 cm，宽约 0.3 mm，具 1 脉；唇瓣倒卵状椭圆形，长 1.5 ~ 2 cm，宽 1 ~ 1.2 cm，先端钝或有时具短尖，近基部常有 2 短的纵褶片，有时纵褶片似折皱而不甚明显；蕊柱长 3.5 ~ 4.5 mm，向前弯曲，先端具翅，基部扩大、肥厚。蒴果倒卵形，长约 1.7 cm，宽 7 ~ 8 mm，上部有 6 翅，翅宽可达 1.5 mm，向下翅渐狭并逐渐消失；果柄长 1 ~ 1.2 cm。花期 5 月，果期 10 ~ 11 月。

| 生境分布 | 生于林下阴湿处或岩石缝中。分布于湖南长沙（浏阳）、邵阳（新宁）、常德（石门）、张家界（桑植）、怀化（洪江）等。

| 资源情况 | 野生资源较少。药材主要来源于野生。

| 功能主治 | 寒，苦。清热解毒，凉血止血。用于肺热咳嗽，风湿痹痛，外伤出血等。

兰科 Orchidaceae 对叶兰属 *Listera*

大花对叶兰 *Listera grandiflora* Rolfe

| 药 材 名 | 半颗珠（药用部位：全草）。

| 形态特征 | 植株茎纤细，近基部处具 1 膜质鞘，通常在上部 2/3 ~ 3/4 处具 2 对叶，叶以上部分被短柔毛，并具 1 ~ 2 苞片状小叶。叶片宽卵形或卵状心形，长、宽均为 2.5 ~ 4 cm，先端近急尖或短尖，基部宽楔形或浅心形，边缘多少皱波状，有时具不整齐的细齿；苞片状小叶卵状披针形，向上逐渐过渡为苞片。总状花序具 2 ~ 7 花；花序轴被短柔毛；花苞片卵状披针形；子房线形；花较大，绿黄色；中萼片菱状椭圆形或椭圆形，侧萼片斜椭圆状披针形；花瓣线形，唇瓣倒卵状楔形，表面有 2 与蕊柱基部相连的纵褶片，先端 2 裂，中脉稍宽大，2 裂片通常叉开，稀近平行，裂片近卵形，边缘具乳突状细缘毛；蕊柱稍向前弯曲；花药位于药床之中，向前俯倾；蕊

喙大，几与花药等长。

| 生境分布 | 生于海拔 1 800 m 的林下或阴湿处。分布于湖南邵阳（城步）等。

| 资源情况 | 野生资源稀少。药材来源于野生。

| 功能主治 | 补肾滋阴，化瘀止咳。用于阴虚，多汗，咳嗽。

| 附　　注 | 本种在 FOC 中被修订为兰科 Orchidaceae 鸟巢兰属 *Neottia* 大花对叶兰 *Neottia wardii* (Rolfe) Szlach.。

兰科 Orchidaceae 沼兰属 *Malaxis*

小沼兰 *Malaxis microtatantha* (Schltr.) T. Tang et F. T. Wang

| 药材名 | 小沼兰（药用部位：全草）。

| 形态特征 | 地生小草本。假鳞茎小，卵形或近球形，长 3 ~ 8 mm，直径 2 ~ 7 mm，外被白色薄膜质鞘。叶 1，接近铺地，卵形至宽卵形，长 1 ~ 1.5（~ 2）cm，宽 5 ~ 13 mm，先端急尖，基部近截形，有短柄；叶柄鞘状，长 5 ~ 10 mm，抱茎。花葶直立，纤细，常紫色，略压扁，两侧具很狭的翅；总状花序长 1 ~ 2 cm，通常具 10 ~ 20 花；花苞片宽卵形，长约 0.5 mm，多少围抱花梗；花梗和子房长 1 ~ 1.3 mm，明显长于花苞片；花很小，黄色；中萼片宽卵形至近长圆形，长 1 ~ 1.2 mm，宽约 0.7 mm，先端钝，边缘外卷，侧萼片三角状卵形，大小与中萼片相似；花瓣线状披针形或近线形，唇

瓣位于下方，近披针状三角形或舌状，先端近渐尖，基部两侧有 1 对横向伸展的耳，耳线形或狭长圆形，通常直立；蕊柱粗短。

| 生境分布 | 生于海拔 200 ~ 600 m 的林下或阴湿处的岩石上。分布于湖南怀化（通道、溆浦）、岳阳（平江）、郴州（汝城）、衡阳（衡山）等。

| 资源情况 | 野生资源较少。药材来源于野生。

| 功能主治 | 清热解毒。

| 附　　注 | 本种在 FOC 中被修订为兰科 Orchidaceae 小沼兰属 *Oberonioides* 小沼兰 *Oberonioides microtatantha* (Schltr.) Szlach.。

兰科 Orchidaceae  山兰属 *Oreorchis*

长叶山兰 *Oreorchis fargesii* Finet

| 药 材 名 |

葱头七（药用部位：假鳞茎）。

| 形态特征 |

假鳞茎椭圆形至近球形，长 1 ~ 2.5 cm，直径 1 ~ 2 cm，具 2 ~ 3 节，外被撕裂成纤维状的鞘。叶 1 ~ 2，生于假鳞茎先端，线状披针形，长 20 ~ 28 cm，宽 0.8 ~ 1.8 cm，纸质，先端渐尖，基部收狭成柄，由叶柄套叠成假茎状，长 3 ~ 5 cm。花葶自假鳞茎侧面发出，长 20 ~ 30 cm，中下部具 2 ~ 3 筒状鞘；总状花序缩短，长 2 ~ 6 cm，具较密集的花；苞片卵状披针形，长 3 ~ 5 mm；花梗和子房长 7 ~ 12 mm；花 10 余朵，白色带紫色条纹；萼片长圆状披针形，长 9 ~ 11 mm，宽 2.5 ~ 3.5 mm，先端渐尖；花瓣卵状披针形，长 9 ~ 10 mm，宽 3 ~ 3.5 mm；唇瓣长圆状倒卵形，长 7.5 ~ 9 mm，近基部 3 裂，基部具长约 1 mm 的爪，侧裂片线形，长 2 ~ 3 mm，宽约 0.7 mm，先端钝，边缘具细缘毛，中裂片倒卵形，上半部边缘皱波状，先端具不规则缺刻，下半部边缘具细缘毛，稀近无毛；唇盘上 2 侧裂片间具 1 短褶片状胼胝体，胼胝体中央具纵槽；蕊柱长约 3 mm，基部肥厚扩大。蒴果狭椭圆形，长约 2 cm，宽约 8 mm。花期 5 ~ 6 月，果期 9 ~ 10 月。

| 生境分布 | 生于海拔 700 ~ 2 000 m 的林下、灌丛中或沟谷旁。分布于湖南邵阳（绥宁）等。

| 资源情况 | 野生资源稀少。药材来源于野生。

| 采收加工 | 春季采收，鲜用或晒干。

| 药材性状 | 本品椭圆形至近球形，具纤维状鞘。

| 功能主治 | 有小毒。清热解毒，消肿散瘀。用于痈疖疮毒，蛇虫咬伤。

| 用法用量 | 外用适量。

兰科 Orchidaceae 阔蕊兰属 *Peristylus*

狭穗阔蕊兰 *Peristylus densus* (Lindl.) Santapau et Kapadia

| 药 材 名 | 土天麻（药用部位：块茎）。

| 形态特征 | 植株高 38（~ 65）cm。块茎卵状长圆形或椭圆形；茎无毛，近基部具 4 ~ 6 叶，其上常具几片披针形或卵状披针形小叶。叶长圆形或长圆状披针形，长 2.5 ~ 9 cm，宽 0.6 ~ 2 cm，基部鞘状抱茎。花序密生多花，长 3 ~ 24 cm；苞片卵状披针形，长 0.6 ~ 1.2 cm；子房无毛，连花梗长 6 ~ 8 mm；花直立，带绿黄色或白色；中萼片窄长圆形或窄长圆状卵形，直立，凹入，长 3 ~ 4 mm，侧萼片窄长圆形；花瓣直立，窄卵状长圆形，较中萼片稍短而厚，与中萼片靠合成兜状；唇瓣与萼片近等长，肉质，3 裂，侧裂片基部后具隆起的横脊并将唇瓣分成上唇和下唇，上唇从横脊向后反曲，中裂片直伸，

三角状线形，长 2 ~ 2.5 mm，侧裂片线形或线状披针形，叉开与中裂片成约 90 度角，长 3.5 ~ 3（~ 6）mm；距圆筒状棒形，长约 4 mm。花期（5 ~）7 ~ 9 月。

| 生境分布 | 生于海拔 300 ~ 2 000 m 的山坡林下或草丛中。分布于湖南郴州（桂东）等。

| 资源情况 | 野生资源稀少。药材来源于野生。

| 功能主治 | 用于头晕目眩。

兰科 Orchidaceae 阔蕊兰属 *Peristylus*

阔蕊兰 *Peristylus goodyeroides* (D. Don) Lindl.

| 药 材 名 | 山砂姜（药用部位：块茎）。

| 形态特征 | 多年生草本，高 30 ~ 90 cm。块茎长圆状倒卵形，长 2 ~ 4 cm，直径 1 ~ 2.5 cm。茎无毛，具 2 ~ 3 鞘、4 ~ 6 叶及数枚苞片状小叶。叶干时边缘具黄白色狭边，鞘状抱茎。总状花序具数朵密生的花，长 7 ~ 21 cm；苞片披针形，长 1 ~ 1.5 cm；子房细长，扭转，无毛，连花梗长 8 ~ 10 mm；花较小，绿色、淡绿色至白色；中萼片卵状披针形，凹陷，长 4 ~ 5.75 mm，宽 2.5 ~ 3.5 mm，具 1 脉，侧萼片斜长圆形，长 4 ~ 5.5 mm，宽 2 ~ 2.8 mm，具 1 脉；花瓣肉质，较厚，长 4（~ 5.5）mm，宽 3 ~ 5 mm，基部凹陷，具 2 ~ 3 脉，侧脉具支脉；唇瓣倒卵形，肉质，较厚，长 4 ~ 6.25 mm，宽

3.5 ~ 4 mm，3 浅裂，裂片三角形，基部具球状距，距口前缘具 1 深色纵向隆起的蜜腺；距长 2 mm，直径 1.5 mm，颈部收狭；蕊柱粗短，直立，药室并行，花粉团具花粉团柄和黏盘，黏盘小，椭圆形，贴生于蕊喙上，蕊喙小，三角形，柱头 2，棒状，向外斜伸，贴生于唇瓣基部，退化雄蕊 2，长圆形，具柄，长达 2 mm，先端膨大，向前伸展，张开，位于柱头上方。花期 6 ~ 8 月。

| 生境分布 | 生于海拔 500 ~ 2 000 m 的山坡阔叶林下、灌丛中、山坡草地或山脚路旁。分布于湖南邵阳（绥宁）、郴州（宜章、桂东）等。

| 资源情况 | 野生资源稀少。药材来源于野生。

| 采收加工 | 秋后采收，切片，晒干。

| 功能主治 | 苦，凉。清热解毒。用于乳痈，瘰疬，疖肿，毒蛇咬伤。

| 用法用量 | 内服煎汤，6 ~ 15 g。外用适量，捣敷。

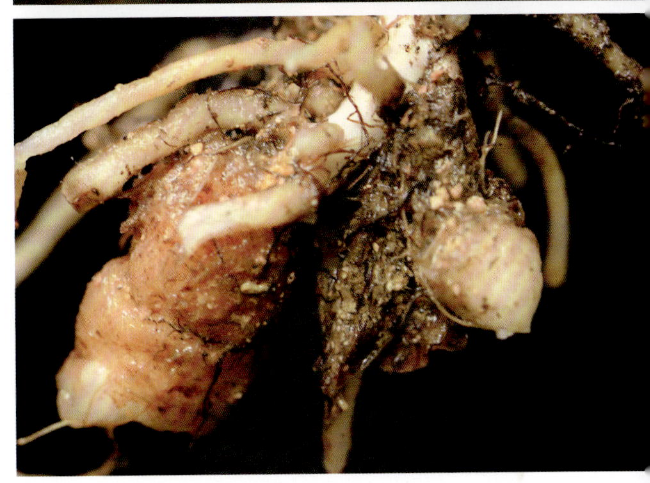

兰科 Orchidaceae 鹤顶兰属 *Phaius*

黄花鹤顶兰 *Phaius flavus* (Bl.) Lindl.

| 药 材 名 | 黄花鹤顶兰（药用部位：假鳞茎）。

| 形态特征 | 假鳞茎卵状圆锥形，具 2 ~ 3 节，被鞘。叶 4 ~ 6，紧密互生于假鳞茎上部，通常具黄色斑块，长椭圆形或椭圆状披针形，长 25 cm 以上，宽 5 ~ 10 cm，先端渐尖或急尖，基部收狭为长柄，具 5 ~ 7 在背面隆起的脉，叶柄以下为互相包卷而形成假茎的鞘。花葶 1 ~ 2，从假鳞茎基部或基部上方的节上发出，粗壮，圆柱形或多少扁圆柱形，疏生数枚膜质鞘；总状花序具数至 20 花；花苞片宿存，大而宽，披针形，先端钝，膜质；花柠檬黄色，干后变靛蓝色；中萼片长圆状倒卵形，先端钝，基部收狭，侧萼片斜长圆形；花瓣长圆状倒披针形，唇瓣贴生于蕊柱基部，与蕊柱分离，倒卵形，前端 3 裂；唇

盘具 3 ~ 4 多少隆起的脊突，脊突褐色；距白色，末端钝；蕊柱白色，正面两侧密被白色长柔毛；蕊喙肉质，半圆形；药帽白色，在前端不伸长，先端锐尖；药床宽大；花粉团卵形，近等大。

| 生境分布 | 生于海拔 300 ~ 2 000 m 的山坡林下阴湿处。分布于湖南郴州（宜章、汝城、桂东）、永州（宁远、江永）等。

| 资源情况 | 野生资源稀少。药材来源于野生。

| 功能主治 | 解毒，收敛，生肌，消瘰疬。

兰科 Orchidaceae 鹤顶兰属 *Phaius*

鹤顶兰 *Phaius tankervilleae* (Banks ex L'Herit.) Bl.

| 药 材 名 |

鹤顶兰（药用部位：假鳞茎）。

| 形态特征 |

植株高大。假鳞茎圆锥形，长约 6 cm，基部直径 6 cm。叶长圆状披针形，长达 70 cm，两面无毛，叶柄长达 20 cm。花葶生于假鳞茎基部，长达 1 m，直径约 1 cm，无毛，花序具多花；苞片常早落；花大，背面白色，内面暗赭色或棕色；萼片相似，长圆状披针形，长 4 ~ 6 cm，宽约 1 cm，无毛；花瓣长圆形，与萼片等长但稍窄，无毛，唇瓣贴生于蕊柱基部，下面白色，先端带茄紫色，上面茄紫色带白色条纹，较萼片短，宽 3 ~ 5 cm，上部稍 3 裂，侧裂片短而圆，围抱蕊柱而使唇瓣呈喇叭状，中裂片近圆形或横长圆形，先端圆，具短尖或平截微凹，边缘波状，唇盘密被短毛，常具 2 褶片；距细圆柱形，长约 1 cm，呈钩状弯曲。花期 3 ~ 6 月。

| 生境分布 |

生于海拔 700 ~ 1 800 m 的林缘、沟谷或溪边阴湿处。分布于湖南常德（石门）、怀化（通道）、永州（江华、江永）、郴州（汝城）等。

| 资源情况 | 野生资源稀少。药材来源于野生。

| 功能主治 | 有小毒。祛痰止咳，活血止血。用于咳嗽多痰，咳血，跌打肿痛，乳腺炎，外伤出血。

| 附　　注 | 本种在FOC中被修订为兰科Orchidaceae鹤顶兰属*Phaius*鹤顶兰*Phaius tancarvilleae* (L' Héritier) Blume。

兰科 Orchidaceae 石仙桃属 *Pholidota*

细叶石仙桃 *Pholidota cantonensis* Rolfe

| 药 材 名 | 小石仙桃（药用部位：全草或假鳞茎）。

| 形态特征 | 多年生草本。根茎匍匐，分枝，直径 2.5 ~ 3.5 mm，密被鳞片状鞘，通常间隔 1 ~ 3 cm 处生假鳞茎，节上疏生根。假鳞茎狭卵形至卵状长圆形，长 1 ~ 2 cm，宽 5 ~ 8 mm，基部略收狭，幼嫩时为箨状鳞片所包，先端生 2 叶。叶线形或线状披针形，纸质，长 2 ~ 8 cm，宽 5 ~ 7 mm，先端短渐尖或近急尖，边缘常多少外卷，基部收狭成柄；叶柄长 2 ~ 7 mm。花葶生于幼嫩假鳞茎先端，发出时基部连同幼叶均为鞘所包，长 3 ~ 5 cm；总状花序通常具 10 余花；花序轴不曲折；苞片卵状长圆形，早落；花梗和子房长 2 ~ 3 mm；花小，白色或淡黄色，直径约 4 mm；中萼片卵状长圆形，长 3 ~ 4 mm，

宽约 2 mm，多少呈舟状，先端钝，背面略具龙骨状突起，侧萼片卵形，斜歪，略宽于中萼片；花瓣宽卵状菱形或宽卵形，长、宽均 2.8 ~ 3.2 mm；唇瓣宽椭圆形，长约 3 mm，宽 4 ~ 5 mm，凹陷成舟状，先端近截形或钝；唇盘上无附属物；蕊柱粗短，长约 2 mm，先端两侧具翅，蕊喙小。蒴果倒卵形，长 6 ~ 8 mm，宽 4 ~ 5 mm；果柄长 2 ~ 3 mm。花期 4 月，果期 8 ~ 9 月。

| 生境分布 | 生于海拔 200 ~ 850 m 的林中或背阴处岩石上。分布于湖南郴州（汝城）、永州（江永）等。

| 资源情况 | 野生资源稀少。药材来源于野生。

| 采收加工 | 夏、秋季采收，鲜用或晒干。

| 药材性状 | 本品根茎表面有干枯的膜质鳞叶，下侧有须状细根，上侧节处有数个长卵形假鳞茎。假鳞茎长 1 ~ 2 cm，直径 0.5 ~ 0.8 cm，先端具 2 叶。叶长 1 ~ 8 cm，黄绿色或绿色，具数条平行脉。气微，味淡。

| 功能主治 | 苦、微酸，凉。清热凉血，滋阴润肺，解毒。用于高热，头晕，头痛，肺热咳嗽，咯血，急性胃肠炎，慢性骨髓炎，跌打损伤。

| 用法用量 | 内服煎汤，30 ~ 60 g。外用适量，鲜品捣敷。

兰科 Orchidaceae 石仙桃属 *Pholidota*

石仙桃 *Pholidota chinensis* Lindl.

| 药材名 | 石仙桃（药用部位：全草或假鳞茎）。

| 形态特征 | 多年生草本。根茎匍匐，直径 3 ~ 8 mm 或更粗，具较密的节和较多根。假鳞茎窄卵状长圆形，基部柄状。叶 2，生于假鳞茎先端，倒卵状椭圆形、倒披针状椭圆形至近长圆形，长 5 ~ 22 cm，宽 2 ~ 6 cm，具 3 较明显的脉，干后带黑色；叶柄长 1 ~ 5 cm。花葶生于假鳞茎先端，由鞘包裹，长 12 ~ 38 cm；总状花序外弯，具数朵至 20 余朵花；花序轴曲折；苞片长圆形至宽卵形，长 1 ~ 1.7 cm，宽 6 ~ 8 mm，宿存，花凋谢时不脱落；花梗和子房长 4 ~ 8 mm；花白色或带浅黄色；中萼片椭圆形或卵状椭圆形，长 7 ~ 10 mm，宽 4.5 ~ 6 mm，舟状，侧萼片卵状披针形，较中萼片狭；花瓣披针形，长 9 ~ 10 mm，宽 1.5 ~ 2 mm；唇瓣近宽卵形，略 3 裂，下半部

为半球形囊，囊两侧各有半圆形侧裂片，中裂片卵圆形，长、宽均 4 ~ 5 mm，囊内无附属物；蕊柱长 4 ~ 5 mm，中部以上具翅，翅围绕药床，蕊喙宽舌状。蒴果倒卵状椭圆形，长 1.5 ~ 3 cm，宽 1 ~ 1.6 cm，有 6 棱，3 棱上有狭翅；果柄长 4 ~ 6 mm。花期 4 ~ 5 月，果期 9 月至翌年 1 月。

| 生境分布 | 生于海拔 1 500 m 以下的林中或林缘树上、岩壁或岩石上。分布于湖南郴州（桂东）等。

| 资源情况 | 野生资源稀少。药材来源于野生。

| 采收加工 | 秋季采收，鲜用或开水烫后晒干。

| 药材性状 | 本品根茎粗壮，下侧生灰黑色须根，节明显，节上有干枯的膜质鳞叶，每间隔 0.5 ~ 1.5 cm 处生 1 假鳞茎。假鳞茎肉质，肥厚，呈瓶状，卵状长圆形，表面碧绿色或黄绿色，基部收缩成柄状，有的被鞘状鳞叶，先端生 2 叶，有"V"形叶痕。叶片革质，较厚，椭圆形或披针形，长 5 ~ 18 cm 或更长，宽 3 ~ 6 cm，先端渐尖，基部楔形，收缩成柄状。花序顶生，干枯。气微，味甘、淡。

| 功能主治 | 甘、微苦，凉。养阴润肺，清热解毒，利湿，消瘀。用于肺热咳嗽，咯血，吐血，眩晕，梦遗，咽喉肿痛，风湿疼痛，湿热浮肿，痢疾，带下，疳积，瘰疬，跌打损伤。

| 用法用量 | 内服煎汤，15 ~ 30 g，鲜品加倍。外用适量，鲜品捣敷。

兰科 Orchidaceae 石仙桃属 *Pholidota*

云南石仙桃 *Pholidota yunnanensis* Rolfe

| 药 材 名 | 石枣子（药用部位：全草或假鳞茎）。

| 形态特征 | 多年生草本。根茎匍匐，分枝，直径 4 ~ 6 mm，密被箨状鞘。假鳞茎相距 1 ~ 3 cm，近圆柱状，长（1.5 ~ ）2 ~ 5 cm，宽 6 ~ 8 mm，先端生 2 叶。叶披针形，坚纸质，长 6 ~ 15 cm，宽 7 ~ 18（ ~ 25）mm，具折扇状脉，具短柄。花葶生于幼嫩假鳞茎先端，连同幼叶自近老假鳞茎基部的根茎上发出，长 7 ~ 9 （ ~ 12）cm；总状花序具 15 ~ 20 花；花序轴近基部曲折；苞片在花期逐渐脱落，卵状菱形，长 6 ~ 8 mm，宽 4.5 ~ 5.5 mm；花梗和子房长 3.5 ~ 5 mm；花白色或浅肉色，直径 3 ~ 4 mm；中萼片宽卵状椭圆形或卵状长圆形，长 3.2 ~ 3.8 mm，宽 2 ~ 2.5 mm，稍凹陷，背面略具龙骨状突起，

侧萼片宽卵状披针形，略狭于中萼片，舟状；花瓣与中萼片相似，不凹陷，背面无龙骨状突起；唇瓣长圆状倒卵形，长于萼片，宽约 3 mm，具不明显的凹缺，基部具杯状或半球形的囊，无附属物；蕊柱长 2 ～ 2.5 mm，翅围绕药床，翅两端各具 1 小齿，蕊喙宽舌状。蒴果倒卵状椭圆形，长约 1 cm，宽约 6 mm，具 3 棱；果柄长 2 ～ 4 mm。花期 5 月，果期 9 ～ 10 月。

| 生境分布 | 生于海拔 1 200 ～ 1 700 m 的林中或山谷旁的树上或岩石上。分布于湖南郴州（宜章）、张家界（桑植）、湘西州（凤凰）等。

| 资源情况 | 野生资源稀少。药材来源于野生。

| 采收加工 | 全年均可采收，切片晒干或鲜用。

| 药材性状 | 本品根茎圆柱形，稍弯曲，长 10 ～ 35 cm，直径 2 ～ 3 mm，节明显，节间长 2 ～ 4 cm，表面棕黄色或棕褐色，节上残存气根。假鳞茎圆柱形，长 2 ～ 3 cm，直径 2 ～ 4 mm，表面棕黄色或棕褐色，具纵皱纹，有的先端残存叶片。质硬，易折断，断面浅棕色，纤维性。气微，味淡。

| 功能主治 | 甘、淡，凉。润肺止咳，散瘀止痛，清热利湿。用于肺痨咯血，肺热咳嗽，胸胁痛，脘腹痛，风湿疼痛，疮疡肿毒。

| 用法用量 | 内服煎汤，15 ～ 30 g。外用适量，鲜品捣敷。

兰科 Orchidaceae 舌唇兰属 *Platanthera*

密花舌唇兰 *Platanthera hologlottis* Maxim.

| 药 材 名 |

密花舌唇兰（药用部位：全草）。

| 形态特征 |

根茎匍匐，圆柱形，肉质。茎细长，直立，下部具 4 ~ 6 大叶，向上渐小成苞片状。叶片线状披针形或宽线形，下部叶长 7 ~ 20 cm，宽 0.8 ~ 2 cm，上部叶长 1.5 ~ 3 cm，宽 2 ~ 3 mm，先端渐尖，基部成短鞘抱茎。总状花序具多数密生的花；花苞片披针形或线状披针形，先端渐尖；子房圆柱形，先端变狭；花白色，芳香；萼片先端钝，具 5 ~ 7 脉，中萼片直立，舟状，卵形或椭圆形，侧萼片反折，偏斜，椭圆状卵形；花瓣直立，斜卵形，先端钝，具 5 脉，与中萼片靠合成兜状，唇瓣舌形或舌状披针形，稍肉质，先端圆钝；距下垂，圆筒状，距口的突起物显著；蕊柱短；药室平行，药隔宽，顶部近平截；花粉团倒卵形，具长柄和大的披针形黏盘；退化雄蕊显著，近半圆形；蕊喙矮，直立；柱头 1，大，凹陷，位于蕊喙之下的穴内。

| 生境分布 |

生于海拔 260 ~ 2 000 m 的山坡林下或山沟

潮湿草地。分布于湖南怀化（洪江）、株洲（炎陵）等。

| 资源情况 | 野生资源稀少。药材来源于野生。

| 功能主治 | 润肺止咳。

兰科 Orchidaceae 舌唇兰属 *Platanthera*

舌唇兰 *Platanthera japonica* (Thunb. ex A. Murray) Lindl.

| 药 材 名 |

骑马参（药用部位：全草）。

| 形态特征 |

多年生草本，高 35 ~ 70 cm。根茎指状，肉质，近平展。茎粗壮，直立，无毛，具（3 ~ ）4 ~ 6 叶。叶自下向上渐小，下部叶片椭圆形或长椭圆形，长 10 ~ 18 cm，宽 3 ~ 7 cm，先端钝或急尖，基部具抱茎的鞘，上部叶片小，披针形，先端渐尖。总状花序长 10 ~ 18 cm，具 10 ~ 28 花；苞片狭披针形，长 2 ~ 4 cm，宽 3 ~ 5 mm；子房细圆柱状，无毛，扭转，连花梗长 2 ~ 2.5 cm；花大，白色；中萼片直立，卵形，舟状，长 7 ~ 8 mm，宽 5 ~ 6 mm，先端钝或急尖，具 3 脉，侧萼片反折，斜卵形，长 8 ~ 9 mm，宽 4 ~ 5 mm，先端急尖，具 3 脉；花瓣直立，线形，长 6 ~ 7 mm，宽约 1.5 mm，先端钝，具 1 脉，与中萼片靠合成兜状；唇瓣线形，长 1.3 ~ 1.5（ ~ 2）cm，不分裂，肉质，先端钝；距下垂，细长，细圆筒状至丝状，长 3 ~ 6 cm，弧曲，较子房长；药室平行，药隔较宽，顶部稍凹陷，花粉团倒卵形，具细长的柄和线状椭圆形的大黏盘，退化雄蕊明显，蕊喙矮，宽三角形，直立，柱头 1，凹陷，位于蕊喙下方的穴内。花期 5 ~ 7 月。

| 生境分布 | 生于海拔 600 ~ 2 000 m 的山坡林下或草地上。分布于湘西南、湘西北等。

| 资源情况 | 野生资源较少。药材来源于野生。

| 采收加工 | 夏季采收，鲜用或晒干。

| 药材性状 | 本品根茎呈指状，肉质。茎粗壮，具 4 ~ 6 叶。下部叶片呈椭圆形，长 10 ~ 18 cm，宽 3 ~ 7 cm，基部具抱茎的鞘，上部叶片小，披针形，先端渐尖。苞片狭披针形；花粉团倒卵形。

| 功能主治 | 甘，平。补气润肺，化痰止咳，解毒。用于病后虚弱，肺热咳嗽，痰喘气壅，带下，虚火牙痛，毒蛇咬伤。

| 用法用量 | 内服煎汤，9 ~ 15 g。外用适量，鲜品捣敷。

兰科 Orchidaceae 舌唇兰属 *Platanthera*

尾瓣舌唇兰 *Platanthera mandarinorum* Rchb. f.

| 药 材 名 |

双肾草（药用部位：全草）。

| 形态特征 |

根茎指状或膨大成纺锤形，肉质。茎细长，下部具 1（～ 2）大叶，大叶之上具 2 ～ 4 苞片状披针形的小叶。大叶片椭圆形或长圆形，长 5 ～ 10 cm，宽 1.5 ～ 2.5 cm，先端急尖，基部成抱茎的鞘。总状花序具 7 ～ 20 余较疏生的花；花苞片披针形；子房圆柱状纺锤形，扭转；花黄绿色；中萼片宽卵形至心形，凹陷，先端钝或圆钝，侧萼片反折，偏斜，长圆状披针形至宽披针形，先端钝；花瓣淡黄色，下半部为斜卵形，上半部骤狭成线形，尾状，增厚，向外张开，不与中萼片靠合，唇瓣淡黄色，披针形至舌状披针形，先端钝；距细圆筒状，向后斜伸；药室叉开，药隔宽，顶部微凹；花粉团椭圆形，具长柄和近圆形的黏盘；退化雄蕊 2，显著；蕊喙宽正三角形；柱头 1，凹陷，位于蕊喙之下的穴内。

| 生境分布 |

生于海拔 300 ～ 2 000 m 的山坡林下或草地。分布于湖南邵阳（洞口、绥宁）、郴州（桂东）、湘西州（龙山）、永州（江华）等。

| 资源情况 | 野生资源稀少。药材来源于野生。

| 功能主治 | 理气止痛，补肾止咳。用于热咳，遗尿。

兰科 Orchidaceae 舌唇兰属 *Platanthera*

小舌唇兰 *Platanthera minor* (Miq.) Rchb. f.

药材名

小舌唇鸭肾草（药用部位：全草）。

形态特征

多年生草本，高 20 ~ 60 cm。块茎椭圆形，肉质，长 1.5 ~ 2 cm，直径 1 ~ 1.5 cm。茎具 1 ~ 2（~ 3）较大的叶，上部具 2 ~ 5 披针形或线状披针形苞片状小叶，基部具 1 ~ 2 筒状鞘。叶互生，最下面 1 叶最大，叶片椭圆形、卵状椭圆形或长圆状披针形，长 6 ~ 15 cm，宽 1.5 ~ 5 cm，基部鞘状抱茎。总状花序具多数疏生的花，长 10 ~ 18 cm；苞片卵状披针形，长 0.8 ~ 2 cm；子房圆柱形，扭转，无毛，连花梗长 1 ~ 1.5 cm；花黄绿色；萼片具 3 脉，中萼片直立，宽卵形，舟状，长 4 ~ 5 mm，宽 3.5 ~ 4 mm，侧萼片反折，稍斜椭圆形，长 5 ~ 6（~ 7）mm，宽 2.5 ~ 3 mm，先端钝；花瓣直立，斜卵形，长 4 ~ 5 mm，宽 2 ~ 2.5 mm，先端钝，基部前侧扩大，与中萼片靠合成兜状；唇瓣舌状，肉质，下垂，长 5 ~ 7 mm，宽 2 ~ 2.5 mm，先端钝；距细圆筒状，下垂，稍向前弧曲，长 12 ~ 18 mm；蕊柱短，药室略叉开，药隔宽，顶部凹陷，花粉团倒卵形，具细长的柄和圆形黏盘，退化雄蕊明显，蕊喙矮而宽，柱头 1，大，凹陷，位于蕊喙下方。花期 5 ~ 7 月。

| 生境分布 | 生于海拔 250 ~ 2 000 m 的山坡林下或草地上。分布于湖南郴州（永兴、汝城）、永州（双牌）等。

| 资源情况 | 野生资源稀少。药材来源于野生。

| 采收加工 | 3 ~ 4 月采收，晒干。

| 药材性状 | 本品块茎呈椭圆形，肉质。叶片椭圆形、卵状椭圆形或长圆状披针形，长 6 ~ 15 cm，宽 1.5 ~ 5 cm。苞片卵状披针形；花粉团倒卵形。

| 功能主治 | 甘，平。补肺固肾。用于咳嗽气喘，肾虚腰痛，遗精，头晕，病后体弱。

| 用法用量 | 内服煎药，15 ~ 60 g。

兰科 Orchidaceae 独蒜兰属 *Pleione*

独蒜兰 *Pleione bulbocodioides* (Franch.) Rolfe

| 药 材 名 | 山慈菇（药用部位：假鳞茎）、独蒜兰叶（药用部位：叶）、独蒜兰花（药用部位：花。别名：金灯花）。

| 形态特征 | 半附生草本。假鳞茎卵形至卵状圆锥形，具明显的颈，全长 1 ~ 2.5 cm，直径 1 ~ 2 cm，先端具 1 叶。叶在花期幼嫩，后呈狭椭圆状披针形，纸质，长 10 ~ 25 cm，宽 2 ~ 5.8 cm，先端渐尖，基部渐狭成柄；叶柄长 2 ~ 6.5 cm。花葶自无叶的老假鳞茎基部发出，长 7 ~ 20 cm，下半部包藏在 3 膜质圆筒状鞘内，先端具 1（~ 2）花；苞片线状长圆形，长（2 ~ ）3 ~ 4 cm，长于花梗和子房，先端钝；花梗和子房长 1 ~ 2.5 cm；花粉红色至淡紫色，唇瓣具深色斑点；中萼片近倒披针形，长 3.5 ~ 5 cm，宽 7 ~ 9 mm，侧萼片狭椭圆形或长圆状倒披针形，与中萼片等长；花瓣倒披针形，

长 3.5 ~ 5 cm，宽 4 ~ 7 mm；唇瓣倒卵形，长 3.5 ~ 4.5 cm，宽 3 ~ 4 cm，不明显 3 裂，上部边缘撕裂状，基部楔形，贴生于蕊柱上，具 4 ~ 5 褶片；褶片啮蚀状，高 1 ~ 1.5 mm，向基部渐狭至消失，中央褶片短而宽；蕊柱长 2.7 ~ 4 cm，两侧具翅，翅中部以下甚狭，向上渐宽，于先端围绕蕊柱，宽 6 ~ 7 mm，具不规则齿缺。蒴果近长圆形，长 2.7 ~ 3.5 cm。花期 4 ~ 6 月。

| 生境分布 | 生于海拔 900 ~ 2 000 m 的常绿阔叶林下或灌木林缘腐殖质丰富的土壤上或苔藓覆盖的岩石上。分布于湖南邵阳（武冈）、张家界（武陵源）、郴州（北湖、宜章、临武、汝城）、永州（双牌、道县、蓝山）、怀化（洪江）、张家界（桑植、永定）等。

| 资源情况 | 野生资源较少。药材来源于野生。

| 采收加工 | **山慈菇：**夏、秋季采挖，除去茎叶、须根，洗净，蒸后晾至半干，晒干。

独蒜兰叶：夏、秋季采收，洗净，鲜用。

独蒜兰花：4 ~ 6 月采收，洗净，阴干。

| 药材性状 | **山慈菇：**本品呈圆锥形或为不规则瓶颈状团块，长 1.5 ~ 2.5 cm，直径 1 ~ 2 cm，上部渐凸起，先端断头处呈盘状，下部膨大且圆平，近基部凹入。表面黄白色或浅棕色，较光滑，有皱纹，膨大部无环节，环节 1 ~ 2 位于基部凹入处。断面浅黄色，角质，半透明。气微，味淡，嚼之有黏性。

独蒜兰叶：本品呈狭椭圆状披针形，长 10 ~ 25 cm，基部具柄，先端渐尖；叶柄长 2 ~ 6.5 cm。

独蒜兰花：本品花葶自无叶假鳞茎基部发出，先端具 1 ~ 2 花；苞片长于花梗和子房；花瓣倒披针形；花粉红色至淡紫色；唇瓣具深色斑点，倒卵形，贴生于蕊柱上。

| 功能主治 | **山慈菇：**微甘、辛，寒；有小毒。用于痈疽恶疮，瘰疬结核，喉痹，蛇虫咬伤。

独蒜兰叶：甘、微辛，寒。清热解毒。用于痈肿疮毒

独蒜兰花：用于血淋。

| 用法用量 | **山慈菇：**内服煎汤，3 ~ 6 g；或磨汁；或入丸、散剂。外用适量，磨汁涂；或研末调敷。

独蒜兰叶：外用适量，捣敷。

独蒜兰花：内服煎汤。

兰科 Orchidaceae 朱兰属 *Pogonia*

朱兰 *Pogonia japonica* Rchb. f.

| 药 材 名 | 朱兰（药用部位：全草）。

| 形态特征 | 多年生草本，高 10 ~ 20（~ 25）cm。根茎直生，长 1 ~ 2 cm；根稍肉质。茎中部或中部以上具 1 叶。叶稍肉质，通常近长圆形或长圆状披针形，长 3.5 ~ 6（~ 9）cm，宽 8 ~ 14（~ 17）mm，基部收狭，抱茎。苞片叶状，狭长圆形、线状披针形或披针形，长 1.5 ~ 2.5（~ 4）cm，宽 3 ~ 5（~ 7）mm；花梗和子房长 1 ~ 1.5（~ 1.8）cm，明显短于苞片；单花顶生，向上斜展，常紫红色或淡紫红色；萼片狭长圆状倒披针形，长 1.5 ~ 2.2 cm，宽 2.5 ~ 3.5 mm，中脉两侧不对称；花瓣与萼片相似，近等长，明显较萼片宽，宽 3.5 ~ 5 mm；唇瓣近狭长圆形，长 1.4 ~ 2 cm，向基部略

收狭，中部以上 3 裂，侧裂片先端有不规则的缺刻或流苏，中裂片舌状或倒卵形，长为唇瓣的 1/3 ~ 2/5，边缘具流苏状齿缺，自唇瓣基部有 2 ~ 3 纵褶片延伸至中裂片；褶片常靠合成肥厚的脊，在中裂片上变为鸡冠状流苏或流苏状毛；蕊柱细长，长 7 ~ 10 mm，上部具狭翅。蒴果长圆形，长 2 ~ 2.5 cm，宽 5 ~ 6 mm。花期 5 ~ 7 月，果期 9 ~ 10 月。

| 生境分布 | 生于海拔 400 ~ 2 000 m 的山顶草丛中、山谷旁林下、灌丛下湿地或其他湿润处。分布于湖南湘西州（凤凰）等。

| 资源情况 | 野生资源稀少。药材来源于野生。

| 采收加工 | 夏、秋季采收，鲜用或晒干。

| 药材性状 | 本品根茎肉质。叶稍肉质，通常近长圆形或长圆状披针形，长 3.5 ~ 6 cm，宽 8 ~ 14 mm，基部收狭，抱茎。苞片叶状，狭长圆形、线状披针形或披针形；萼片狭长圆状倒披针形。

| 功能主治 | 辛，平。清热解毒。用于肝炎，胆囊炎，痈疽疮毒，毒蛇咬伤。

| 用法用量 | 内服煎汤，9 ~ 15 g。外用适量，捣敷。

兰科 Orchidaceae 苞舌兰属 *Spathoglottis*

苞舌兰 *Spathoglottis pubescens* Lindl.

| 药材名 | 黄花独蒜（药用部位：假鳞茎）。

| 形态特征 | 多年生草本。假鳞茎扁球形，直径 1 ~ 2.5 cm，被革质鳞片状鞘，顶生 1 ~ 3 叶。叶带状或狭披针形，长达 43 cm，宽 1 ~ 1.7（~ 4.5）cm，先端渐尖，基部具细柄，两面无毛。花葶纤细或粗壮，长达 50 cm，密被柔毛，下部被数枚紧抱花序梗的筒状鞘；总状花序长 2 ~ 9 cm，疏生 2 ~ 8 花；苞片披针形或卵状披针形，长 5 ~ 9 mm，被柔毛；花梗和子房长 2 ~ 2.5 cm，密被柔毛；花黄色；萼片椭圆形，通常长 12 ~ 17 mm，宽 5 ~ 7 mm，具 7 脉，背面被柔毛；花瓣宽长圆形，与萼片等长，宽 9 ~ 10 mm，先端钝，具 5 ~ 6 主脉，外侧主脉分枝，两面无毛；唇瓣近等长于花瓣，3 裂，侧裂片直立，镰状长圆形，长约为宽的 2 倍，先端圆形或截形，2 侧裂片间凹陷而呈囊状，

中裂片倒卵状楔形，长约 1.3 cm，先端近截形并具凹缺，基部具爪；爪短而宽，上面具 1 对半圆形肥厚的附属物，有时基部两侧各具 1 稍凸起的钝齿；唇盘上具 3 纵向龙骨脊，中央 1 龙骨脊隆起成肉质褶片；蕊柱长 8 ~ 10 mm，蕊喙近圆形。花期 7 ~ 10 月。

| 生境分布 | 生于海拔 380 ~ 1 700 m 的山坡草丛中或疏林下。分布于湖南郴州（北湖、桂东）等。

| 资源情况 | 野生资源稀少。药材来源于野生。

| 采收加工 | 秋季采收，鲜用或晒干。

| 药材性状 | 本品呈扁球形，被革质鳞片状鞘，顶生 1 ~ 3 叶。

| 功能主治 | 苦、甘，寒。补肺止咳，清热解毒，生肌敛疮。用于肺痨，咳嗽，咯血，痈疽疔疮，跌打损伤。

| 用法用量 | 内服煎汤，9 g。外用适量，鲜品捣敷。

兰科 Orchidaceae 绶草属 *Spiranthes*

绶草 *Spiranthes sinensis* (Pers.) Ames

|药 材 名|

盘龙参（药用部位：全草或根）。

|形态特征|

多年生草本，高 13 ~ 30 cm。根数条，指状，肉质，簇生于茎基部。茎较短，近基部具 2 ~ 5 叶。叶片宽线形或宽线状披针形，稀狭长圆形，直立，伸展，长 3 ~ 10 cm，宽 5 ~ 10 mm，先端急尖或渐尖，基部收狭成柄状抱茎的鞘。花茎直立，长 10 ~ 25 cm，上部被腺状柔毛至无毛；总状花序具多数密生的花，长 4 ~ 10 cm，呈螺旋状扭转；苞片卵状披针形，先端长渐尖，下部苞片长于子房；子房纺锤形，扭转，被腺状柔毛，连花梗长 4 ~ 5 mm；花小，紫红色、粉红色或白色，在花序轴上呈螺旋状排列；萼片下部靠合，中萼片狭长圆形，舟状，长 4 mm，宽 1.5 mm，先端稍尖，与花瓣靠合成兜状，侧萼片偏斜，披针形，长 5 mm，宽约 2 mm，先端稍尖；花瓣斜菱状长圆形，先端钝，与中萼片等长，较薄；唇瓣宽长圆形，凹陷，长 4 mm，宽 2.5 mm，先端极钝，前半部上面被长硬毛且边缘具强烈皱波状啮齿，基部凹陷成浅囊状，囊内具 2 胼胝体。花期 7 ~ 8 月。

生境分布 生于山坡林下、灌丛下、草地或河滩沼泽草甸中。湖南各地均有分布。

资源情况 野生资源丰富。药材来源于野生。

采收加工 夏、秋季采收，鲜用或晒干。

药材性状 本品茎圆柱形，具纵条纹，基部簇生数条小纺锤形块根，具纵皱纹，表面灰白色。叶数枚基生，展平后呈条状披针形。穗状花序呈螺旋状扭转。气微，味淡、微甘。

功能主治 甘、苦，平。益气养阴，清热解毒。用于病后虚弱，阴虚内热，咳嗽吐血，头晕，腰痛酸软，糖尿病，遗精，淋浊，带下，咽喉肿痛，毒蛇咬伤，烫火伤，疮疡痈肿。

用法用量 内服煎汤，9 ~ 15 g；鲜品 15 ~ 30 g。外用适量，鲜品捣敷。

兰科 Orchidaceae 白点兰属 *Thrixspermum*

小叶白点兰 *Thrixspermum japonicum* (Miq.) Rchb. f.

| 药 材 名 | 飞天草（药用部位：全草）。

| 形态特征 | 茎斜立和悬垂，纤细，长 2 ~ 13 cm，具多数节，密生多数 2 列的叶。叶薄革质，长圆形或有时倒披针形，长 2 ~ 4 cm，宽 5 ~ 7 mm，先端稍钝并且 2 微裂，基部具 1 关节和抱茎的鞘。花序常 2 至多个，与叶对生，多少等长于叶；花序梗纤细，被 2 鞘；花序轴长 3 ~ 5 mm，不增粗，疏生少数花；花苞片疏离、2 列，宽卵状三角形，先端钝尖；花梗和子房长约 5 mm；花淡黄色；中萼片长圆形，先端钝，具 3 脉，侧萼片卵状披针形，与中萼片等长而稍宽，先端钝，具 3 脉；花瓣狭长圆形，先端钝，具 1 脉；唇瓣基部具爪，3 裂，侧裂片近直立而向前弯曲，狭卵状长圆形，上端圆形，中裂片很小，

半圆形，肉质，背面多少呈圆锥状隆起；唇盘基部稍凹陷，密被绒毛。

| 生境分布 | 生于海拔 900 ~ 1 000 m 的沟谷、河岸的林缘树枝上。分布于湖南邵阳（城步）、郴州（宜章）、张家界（桑植）、常德（石门）等。

| 资源情况 | 野生资源稀少。药材来源于野生。

| 功能主治 | 用于肺结核，劳伤；外用于刀伤出血。

兰科 Orchidaceae 蜻蜓兰属 *Tulotis*

小花蜻蜓兰 *Tulotis ussuriensis* (Reg. et Maack) H. Hara

| 药材名 | 半春莲（药用部位：全草或根茎）。

| 形态特征 | 植株高 20 ~ 55 cm。根茎指状，弓曲。茎较纤细，基部具 1 ~ 2 筒状鞘，下部具 2 ~ 3 大叶，中部至上部具 1 至几枚苞片状小叶。大叶片匙形或狭长圆形，长 6 ~ 10 cm，宽 1.5 ~ 2.5（~ 3）cm，基部具抱茎的鞘。总状花序具 10 ~ 20 或更多疏生的花，长 6 ~ 10 cm；苞片狭披针形，最下部的稍长于子房；子房细圆柱形，扭转，稍弧曲，连花梗长 8 ~ 9 mm；花较小，淡黄绿色；中萼片舟状，宽卵形，长 2.5 ~ 3 mm，宽 2 ~ 2.5 mm，先端钝，具 3 脉，侧萼片张开或反折，偏斜，狭椭圆形，较中萼片狭长，先端钝，具 3 脉；花瓣直立，狭长圆状披针形，与中萼片靠合且近等长，较中萼片狭，宽约 1 mm，

稍肉质，先端钝或近平截，具1脉；唇瓣向前伸展，向下弯曲，舌状披针形，肉质，长约4 mm，基部两侧各具1近半圆形小侧裂片，前面平截，先端钝，中裂片舌状披针形或舌状，宽约1 mm；距纤细，细圆筒状，下垂，与子房近等长，向末端几不增粗。花期7 ~ 8月，果期9 ~ 10月。

| 生境分布 | 生于海拔400 ~ 2 000 m的山坡林下、林缘或沟边。分布于湖南怀化（麻阳）、郴州（桂东）等。

| 资源情况 | 野生资源稀少。药材来源于野生。

| 采收加工 | 春、夏季采收，鲜用或晒干。

| 药材性状 | 本品根茎呈指状，弓曲。大叶片匙形或狭长圆形，长6 ~ 10 cm，宽1.5 ~ 2.5 cm，基部具抱茎的鞘。苞片狭披针形；花较小；中萼片舟状，宽卵形，先端钝。

| 功能主治 | 苦、辛，凉。清热，消肿，解毒。用于虚火牙痛，鹅口疮，无名肿毒，毒蛇咬伤，跌打损伤，风湿痹痛。

| 用法用量 | 内服煎汤，9 ~ 15 g。外用适量，鲜品捣敷。

| 附　　注 | 本种的拉丁学名在FOC中被修订为*Platanthera ussuriensis* (Regel et Maack) Maxim.。